UM MORALISTA NOS TRÓPICOS

Pedro Meira Monteiro

Um moralista nos trópicos

*O visconde de Cairu e
o duque de La Rochefoucauld*

Copyright © Pedro Meira Monteiro
Copyright desta edição © Boitempo Editorial, 2004

Capa
Andrei Polessi

Revisão
Ivete Batista dos Santos
Heloisa Hernandez do Nascimento

Editoração eletrônica
Grupo de Criação

Editores
Ivana Jinkings
Aluizio Leite

Assistente editorial
Ana Paula Castellani

Produção gráfica
Marcel Iha

CIP-BRASIL. CATALOGAÇÃO-NA-FONTE
SINDICATO NACIONAL DOS EDITORES DE LIVROS, RJ.

M779m

Monteiro, Pedro Meira, 1970-
Um moralista nos trópicos : o Visconde de Cairu e o Duque de La Rochefoucauld / Pedro Meira Monteiro. - São Paulo : Boitempo : FAPESP, 2004
328p. : il

Anexo
Inclui bibliografia
ISBN 85-7559-052-9

1. Cairu, José da Silva Lisboa, Visconde de, 1756-1835. 2. La Rochefoucauld, François de, duc de, 1613-1680. 3. Conservantismo. I. Fundação de Amparo à Pesquisa do Estado de São Paulo. II. Título.

04-1883.   CDD 320.52
            CDU 329.11

22.07.04   27.07.04   07064

Todos os direitos reservados. Nenhuma parte deste livro pode ser utilizada ou reproduzida sem a expressa autorização da editora.

1ª edição: agosto de 2004

BOITEMPO EDITORIAL
Jinkings Editores Associados Ltda.
Rua Euclides de Andrade, 27 Perdizes 05030-030 São Paulo SP
Tel./fax: (11) 3875-7250 / 3872-6869
e-mail: editora@boitempo.com
site: www.boitempo.com

Ceux qui sont dans le dérèglement disent à ceux qui sont dans l'ordre, que ce sont eux qui s'éloignent de la nature, et ils la croient suivre: comme ceux qui sont dans un vaisseau croient que ceux qui sont au bord s'éloignent. Le langage est pareil de tous côtés. Il faut avoir un point fixe pour en juger. Le port règle ceux qui sont dans un vaisseau. Mais où trouverons nous ce point dans la morale ?

Blaise Pascal

(Aqueles que estão no desregramento dizem aos que estão na ordem que são eles que se distanciam da natureza, e eles crêem segui-la: como aqueles que estão num barco crêem que os que estão na margem se distanciam. A linguagem é parecida de todos os lados. É preciso ter um ponto fixo para disso julgar. O porto regra aqueles que estão num barco. Mas onde encontraremos nós este ponto na moral?)

Sumário

A paixão dos paradoxos, por Joaquim Brasil Fontes, 9
Nota inicial, 21
Introdução, 23

Capítulo 1 – Um monumento literário, 41
Capítulo 2 – Leituras cruzadas, 73
Capítulo 3 – Sobre as ruínas do Capitólio, 189

Bibliografia, 307
Crédito das imagens, 319
*Um moralista sob os trópicos ou a estranha viagem do Senhor de La
    Rochefoucauld, por Emmanuel Bury,* 321

Prefácio

A paixão dos paradoxos:
o duque de La Rochefoucauld e o visconde de Cairu

> *Sem a fé cristã, pensava Pascal, vós seríeis vós mesmos,*
> *como a natureza e a história, um monstro e um caos: nós*
> *realizamos esta profecia.*
>
> Nietzsche, cit. por Gilles Deleuze em *Nietzsche et la*
> *philosophie*

Erudito e ricamente documentado, este livro me chama a atenção, antes de tudo, pela elegância da linguagem e a precisão dos recortes feitos pelo ensaísta no tecido dos textos, num discurso elaborado por meio de temas que se entrecruzam, perdem-se e voltam a se responder obsessivamente, como numa boa composição musical. Mas este livro me surpreende, também, pela *novidade*, embora pareça estar inscrito numa espécie de gênero literário, ilustrado, uns dois milênios antes de nós, pelo venerável Plutarco, autor das assim chamadas *Vidas paralelas*, biografias em que dois grandes homens – um grego e um romano – são submetidos a um rigoroso confronto, com a balança pendendo quase invariavelmente a favor do primeiro, cujos feitos e excelências são, entretanto, como que sublinhados pelos do segundo: Alexandre e César, Teseu e Rômulo, Demóstenes e Cícero.

Ora, o que temos aqui? De um lado, uma glória da literatura francesa do século XVII e de todos os tempos e nações, brilhante criador de máximas em que uma admirável arte do comentário epigramático – rápido, sutil, e com freqüência cruel no seu modo de ser cortante – alia-se a uma visão desabusadamente pessimista do ser humano. Do outro lado, um brasileiro da primeira metade do século XIX, autor de um verdadeiro catecismo crivado de sentenças com boas intenções: um daqueles escritores que Antonio Candido de Mello e Souza poderia situar, com toda a razão, entre a "moxinifada sem músculo nem alma" dos "versejadores e retóricos" que o estudioso dos primórdios de nossas letras vê-se forçado a levar em conta, "mas apenas de passagem", e por interesse meramente socio-

•9•

UM MORALISTA NOS TRÓPICOS

lógico: um subliterato[1]. De um lado, a intensidade das "paixões da alma" captadas na fluidez do idioma clássico; do outro, os diques de uma prosa "freqüentemente arrastada e desgraciosa" tentando conter nos seus limites as mesmas assustadoras paixões. Ali, um *moraliste*, no sentido francês e literário da palavra[2]; aqui, *apenas* um moralista: o duque de la Rochefoucauld e José da Silva Lisboa, conhecido posteriormente por visconde de Cairu.

As famosíssimas *Máximas* do primeiro são publicadas em 1665, em Paris, chez Claude Barbin, vis à vis le Portail de la Sainte Chapelle, au signe de la Croix. Entre 1824 e 1825, a Typographia Nacional dá a luz, no Rio de Janeiro, aos cinco volumes da obscura *Constituição moral e deveres do cidadão*, escrita pelo segundo. Obras separadas apenas por um século e meio – tempo que nos parece, entretanto, vertiginosamente abissal, talvez porque entre os dois textos intervenha um acontecimento decisivo, em torno do qual a história gira sobre seus gonzos de forma espetacular: a Revolução Francesa.

• • •

Um paralelo "entre" homens ou obras funda-se – que se pense no clássico exemplo de Plutarco – em diferenças dedutíveis de um fundo comum, analógico por excelência: dois guerreiros, dois imperadores, dois moralistas... No caso, entretanto, das figuras centrais deste ensaio – o duque francês e o visconde brasileiro –, tal princípio revela-se imediatamente perverso, uma vez que esse confronto, se levado a bom termo em seu horizonte de eleição – a literatura –, não nos poderia dar senão, de um lado, a imagem de um "grande" escritor de um "grande século", e, de outro, a do "pequeno" literato de um país e tempo periféricos. Aristóteles já ensinava, aliás, que a diferença maior e mais perfeita, μεγίστη

---

[1] Cf. Antonio Candido de Mello e Souza, *Formação da literatura brasileira: momentos decisivos* (Belo Horizonte, Itatiaia, 1981), v. 1, p. 12.
[2] "...os *moralistes*, na acepção francesa e literária da palavra (...): observadores do comportamento humano, do alheio e do próprio. Criam as 'réflexions', 'maximes', 'portraits', 'mémoires', a epistolografia, a autobiografia, o romance psicológico. Parte desses novos gêneros não têm outro nome senão o francês; é o ramo mais especificamente francês da literatura francesa" (Otto Maria Carpeaux, *História da literatura ocidental*, II, Rio de Janeiro, O Cruzeiro, 1960, p. 1073).

A PAIXÃO DOS PARADOXOS

e τέλεος, é a oposição; e a oposição maior, observará Gilles Deleuze ao retomar essa reflexão do autor da *Metafísica* sobre a diferença – a mais perfeita, a mais completa, a que melhor "convém" –, é a contrariedade: somente ela "representa a potência que faz com que o sujeito, ao receber opostos, permaneça substancialmente o mesmo"[3].

E aqui uma pergunta se impõe: recolher estes dois nomes num discurso tão elegante, preciso, erudito, não seria um luxuoso mas inútil gasto de energia e (para usar uma velha metáfora) "de tinta"? O que os separa não é considerável e, sobretudo, manifesto demais para desencorajar a elaboração laboriosa de um confronto acadêmico entre eles, situados os dois, embora, como judiciosamente o faz o ensaísta, num terreno exterior ao dos juízos estéticos?

• • •

La Rochefoucauld, como observa Pedro Meira Monteiro, é o fantasma que assombra o discurso de todos os moralistas que vieram depois dele; e *fantasma* deve-se entender, neste contexto, no sentido vulgar mas também psicanalítico do termo: algo que orienta nossas condutas e pode traduzir-se por sintomas que encenam um conflito entre desejos e defesa.

Que não nos surpreenda, pois, ouvir a voz de La Rochefoucauld despontando no discurso do moralista visconde de Cairu, que, tocado pela ponta da acutíssima espada gaulesa, interpela também, com uma vivacidade ríspida, o seu interlocutor fantasmático:

> (...) este Moralista do seculo XVII he censuravel, pelo *pessimo exemplo* que deo em sua obra, que adquirio celebridade na França, e foi traduzida em varias linguas da Europa, por haver attribuido ao *interesse* ou á *vaidade*, ainda as mais heroicas virtudes; o que influio na manía de imitadores *Homens de Letras*, que sustentarão igual paradoxo, destructivo da confidencia dos Governos, e Povos, ainda nos seus mais zelosos servidores.[4]

Não posso afirmá-lo de maneira categórica, mas talvez tenha sido essa a fagulha que disparou a redação de *Um moralista nos trópicos*: intuin-

---

[3] Gilles Deleuze, *Diferença e repetição* (Rio de Janeiro, Graal, 1988), p. 66.
[4] José da Silva Lisboa, visconde de Cairu, *Constituição moral e deveres do cidadão*, parte III, p. 147, cit. neste livro às p. 275-6. Mantenho, com Meira Monteiro, a grafia do original.

UM MORALISTA NOS TRÓPICOS

do a importância do embate que então se desencadeia entre dois pensadores tão diferentes, em dois momentos nodais da história do Ocidente, Meira Monteiro teria visto constituir-se para si mesmo – na leitura –, e nos entrega a nós, leitores, um duplo fantasma: espectros de mundos mortos, dois seres obcecados pelas "paixões da alma" tentam compreendê-las numa rede de temas intrincados – Ruína, Veneno, Queda, cada desses temas provocando o seu contrário: Fundamento, Contraveneno, Salvação.

E eu gostaria de insistir, aqui, no fato de que essa questão extrapola os juízos estéticos e revela sua importância maior quando Meira Monteiro nos força a nos deslocar em torno do eixo que medeia as duas obras em questão: o ano de 1789, data simbólica da Revolução Francesa.

• • •

E assim este livro vem se demarcar, já em sua abertura, da tradição dos comparativismos e das armadilhas da dialética: por meio dele, nossos dois moralistas se aproximam – na diferença – um do outro, ganhando, nesse movimento, sua identidade. Bem refletindo, não há paradoxo algum em constatar que a obra de La Rochefoucauld ganha um sentido novo quando, na trama de uma história não vetorizada, nós a podemos ler à luz de um evento que ele naturalmente ignora, mas que o situa no seu tempo, antecipando a ruína da ordem feudal, que desencadeia o discurso do futuro visconde de Cairu.

"... Eis morta quase toda a *Fronde*", escreve Madame de Sévigné em 1680, alguns dias depois da morte de La Rochefoucauld; e era com efeito toda uma época que ruía com esse grão-senhor, intimamente ligado, entre os anos de 1648 e 1653, à insurreição da mais velha e tradicional nobreza contra as tendências centralizadoras da monarquia francesa, tendências que haviam despontado sob Luís XIII e Richelieu e se afirmaram a partir de 1643, com a regência de Ana de Áustria, aliada ao cardeal Mazarino.

Vencido, como seus pares, e ferido – física e espiritualmente –, La Rochefoucauld renuncia à ação e sua vida passa a ser, a partir daí, uma curiosa mistura de entrega à mundaneidade dos salões e de uma reflexão moral elaborada numa seqüência de brilhantes aforismos, penetrantes, amargos, deliciosamente letais: "os vícios" – escreve ele – "entram na composição das virtudes como os venenos entram na composição dos remédios". E, um pouco mais adiante (ou talvez "acima", pois o princípio

A PAIXÃO DOS PARADOXOS

organizador do conjunto dessas máximas repousa, não numa seqüência espaço-temporal, mas em sua tabulação segundo as paixões da leitura): "A mais santa amizade e a mais sagrada nada mais é do que um tráfico em que acreditamos sempre ganhar alguma coisa."

Vê-se que o conceito que La Rochefoucauld faz da "natureza humana" procede de um "pessimismo"[5] (segundo todo um setor da crítica dos textos) tão sombrio e fundo quanto o desses seus contemporâneos religiosos – os jansenistas – que, reclusos na abadia de Port-Royal-des-Champs, no vale de Chévreuse, debruçavam-se sobre os ensinamentos de Cornelius Jansenius, Bispo de Yprès e seguidor de uma heresia que deita raízes em Santo Agostinho: limitado pelo pecado original, o homem só pode ser salvo pela Graça divina, conferida aos eleitos e recusada aos outros.

Como para os jansenistas – ainda hoje se discute se o autor das *Máximas* teria recebido influência, direta ou obliquamente, de sua doutrina –, a "natureza humana" está, para La Rochefoucauld, desde sempre corrompida; de forma profunda, e total. Sem nenhuma possibilidade, contudo, de salvação: La Rochefoucauld é o anti-Pascal por excelência.

• • •

Nas folhas em que rabiscava obsessivamente os argumentos que deveriam fornecer o estofo de uma apologia do cristianismo, inconclusa por ocasião de sua morte, Blaise Pascal anota, com sua letra quase ilegível, desespero dos editores modernos:

> Imagine-se um homem na prisão, não sabendo se sua sentença foi pronunciada e tendo apenas uma hora para sabê-lo, e bastando essa hora, se soubesse que foi sentenciado, para obter a revogação da pena. Seria contra a natureza que empregasse essa hora a jogar cartas em lugar de tentar informar-se acerca da sentença. Assim, é sobrenatural que o homem, etc... É um castigo da mão de Deus.[6]

E, um pouco mais adiante, nesta mesma seção de *Pensamentos*, que os editores modernos costumam intitular "Da necessidade da aposta":

---

[5] As aspas se justificam, pois temos aqui um juízo de valor feito por uma crítica que se coloca decisivamente fora – além e acima – do conceito de "pessimismo".
[6] Blaise Pascal, *Pensamentos* (trad. de Sérgio Milliet), artigo III, parágrafo 200 (São Paulo, Difusão Européia do Livro, 1957), p. 101.

UM MORALISTA NOS TRÓPICOS

Examinemos, pois, esse ponto, e digamos: "Deus existe, ou não existe."
Para que lado nos inclinaremos? A razão não o pode determinar: há um
caos infinito que nos separa. Na extremidade dessa distância infinita,
joga-se cruz[7] ou coroa. Em que apostareis? Pela razão, não podereis atingir nem uma, nem outra; pela razão não podereis defender uma ou outra. Não acuseis, pois, de falsidade os que fizeram uma escolha, já que
nada sabeis. – "Não; acusá-los-ei, porém, de terem feito não essa escolha,
mas uma escolha; porque, embora o que opta pela cruz e o outro come-
tam igual erro, ambos estão em erro; o certo é não apostar."
– Sim: mas é preciso apostar. Não é coisa que dependa da vontade, já estamos metidos nisso. Qual escolhereis então?[8]

Para Pascal, havendo mesmo uma única chance de ganhar entre infinitos acasos, deveríamos necessariamente arriscar perder uma vida terrestre a troco de "um infinito de vida infinitamente feliz"; a salvação desponta no horizonte da aposta: "alegria, alegria, alegria, lágrimas de alegria". Para
La Rochefoucauld, entretanto, *les jeux sont faits* de uma vez por todas; somos apenas umas criaturas sem rumo, perdidas – de Deus, de nós mesmos.
A Queda – chamem-na de pecado original ou emergência do humano *contra* a natureza – já ocorreu no começo dos tempos. Ilusão, as Idades de
Ouro dos velhos mitos. Ilusão, *les lendemains qui chantent*, as irresistíveis
auroras.

Eis por que não é difícil imaginar esse escritor, tão cruelmente fino
no exame das paixões da alma, na atitude em que a iconografia clássica
representa o melancólico, o homem da bílis negra: sentado, imóvel, um
livro aberto sobre os joelhos, queixo apoiado no dorso da mão, ele contempla ruínas que se estendem infinitamente diante dele. É nesta postura – afetiva e tópica – que o próprio La Rochefoucauld se vê: "Sou melancólico, e a tal ponto que, nos últimos três ou quatro anos, viram-me
rir três ou quatro vezes (...). Tenho espírito (*J'ai de l'esprit*) (...), mas um
espírito que a melancolia estraga (...)."[9]

---

[7] "Cruz" corresponde, aqui, a "cara". As moedas antigas apresentavam, no rever-
so do lado "coroa", não uma efígie, mas uma cruz.
[8] Pascal, op. cit., parágrafo 233.
[9] Cit. por Michel du Fresne em *Pascal et La Rochefoucauld* (Paris, La Délirante,
1993), p. 113.

A PAIXÃO DOS PARADOXOS

No chão, em torno desse homem marcado pelo signo de Saturno, compassos, um astrolábio, réguas, um globo terrestre. Desde que Dürer assim o figurou, o melancólico nos aparece inseparavelmente ligado ao geômetra: ele sondou e mediu o insondável; conhece os segredos, e por isso permanece ali, silencioso, sombrio, como que à espreita de uma catástrofe – de uma Queda – que já ocorreu.

O moralista à maneira de La Rochefoucauld é um geômetra das paixões.

• • •

A terceira parte de *Um moralista nos trópicos* abre-se com um recorte feito num texto de Gibbon: trata-se de uma retomada, talvez consciente, da figura do melancólico, e de uma hábil revitalização de um topos que vem do Renascimento, já ilustrado pelos belíssimos sonetos do Joachym Du Bellay dos *Regrets*: a contemplação emocionada das ruínas de uma velha civilização, devoradas pela natureza, à qual regressam, num lento, mas vertiginoso desfazer-se: "o templo foi arrasado, o ouro pilhado, a roda da fortuna completou seu giro, e o solo sagrado está de novo desfigurado por espinheiros e silvados"[10].

José da Silva Lisboa conheceu e admirou a prosa de Gibbon, que ele leu em inglês, lembra-nos Meira Monteiro; mas o futuro visconde de Cairu jamais se entrega ao "enlevo das ruínas"; há nele um medo quase mórbido do inorgânico, do convulso, das agonias: e quando, na abertura de sua *Constituição moral...*, refere-se à *Decadência e queda do Império Romano*, é para servir-se retoricamente do tema da dissolução, que lhe permite evocar "(a árvore) da religião cristã medrando entre os escombros da civilização passada": temeroso, Cairu tem os olhos voltados para o futuro; e suas imagens e metáforas, quando arquiteturais, evocam imediatamente, não o tema da Queda, mas o do Fundamento.

• • •

José da Silva Lisboa: um afeto, sentimento, ou paixão parece estar sempre movendo a sua pena – o medo; do caos, das ruínas, da desordem;

---

[10] Edward Gibbon, *Declínio e queda do Império Romano* (trad. José Paulo Paes; São Paulo, Companhia das Letras, 1989), p. 486.

UM MORALISTA NOS TRÓPICOS

medo dessa superlativa desorganização do tecido social, que é, para ele, a Revolução Francesa. (Ah, o *frisson* que lhe causam o genebrino Rousseau, com seus dogmas libertários ou "libertinos", e o panfletário Hébert, fundador do jornal *Le Père Duchesne*, porta-voz dos extremistas, chefe do Clube dos Cordeliers!) O visconde de Cairu: seu estilo didático, sua prosa às vezes frouxa, sempre datada, como suas máximas moralizantes, insuportáveis para quem leu, já não digo La Rochefoucauld, mas o Cioran dos *Silogismos da Amargura*, tão modernos, tão próximos de nós em seu desencanto cruel: "Só cultivam o aforismo os que conheceram o medo *em meio* às palavras, esse medo de desmoronar *com as palavras*"[11].

O moralista Cairu: sob tantos aspectos alheio aos meus interesses de leitor, como pôde Pedro Meira Monteiro torná-lo para mim tão próximo, a ponto de me levar a ler e reler este desconcertante *Um moralista nos trópicos*?

Não voltarei a falar do belo estilo de seu autor. Não mencionarei de novo uma erudição surpreendente em escritor tão jovem. Não insistirei na sua habilidade em desentranhar os temas centrais dos dois atores do seu ensaio, para fazê-los seus e com eles elaborar sua própria rede de temas. Não: não são essas as qualidades maiores de *Um moralista nos trópicos*.

● ● ●

Jean-Paul Sartre, que, ao longo de sua carreira de crítico literário, jamais ocultou uma fascinada antipatia (duas contraditórias paixões?) por Gustave Flaubert, publicaria, no início dos anos 1970, um monumental estudo – cerca de duas mil páginas – sobre o autor de *Madame Bovary*. O que lhe permitiu abrir uma senda para entrar na vida e obra daquele que era o seu particular fantasma, foi outro afeto, a que ele dá o nome de *empatia*, palavra que contém, como não se ignora, a raiz grega πάθος, "paixão"; empatia é "a tendência para sentir o que se sentiria caso se estivesse na situação e circunstâncias experimentadas por outra pessoa"[12].

É a empatia que move Pedro Meira Monteiro na direção de José da Silva Lisboa, o visconde de Cairu, e de sua obra, e lhe permite ver, ali

---

[11] Cioran, *Syllogismes de l'amertume* em *Œuvres* (Paris, Gallimard, 1995), p. 747.
[12] Cf. entrevista concedida por J.-P. Sartre a Michel Contat e Michel Ribalka, em *Le Monde. Sélection hebdomadaire*, 20-26 de maio de 1971, p. 13.

A PAIXÃO DOS PARADOXOS

onde o meu desafeto detectou "um temeroso moralista", o político empenhado nas lutas do seu tempo, e necessitando, para isso, de postular, no homem, uma ontológica "benignidade", que lhe permitisse fundar – a partir das "caóticas" rupturas da Revolução Francesa, da "desordem" das paixões e desse "corte" que é a Independência do Brasil – um *edifício social*, uma nova *ordem* e um *Estado* que fosse também um "estado", isto é, uma determinação do ser, para além do inesperado devir. Eis por que a idéia de "benignidade da natureza humana", "tão clara na *Constituição moral...*", surge aos olhos de Pedro Meira Monteiro menos como constatação, que como *aposta*:

> A necessidade inescapável da contenção dos desejos e da correção das forças criativas do homem faz supor que um moralista como Cairu pressinta uma natureza que não será, tão claramente, o justo termo entre os excessos. Ao mesmo tempo, creio que sua empresa moralizadora pretenda, no fundo, (re)estabelecer uma ética à maneira clássica, crendo-a embaralhada pelo tempo insano das revoluções.
>
> Afinal, José da Silva Lisboa propugna o controle capaz de manter-nos na delicada corda da virtude, embora a saiba suspensa sobre o vazio tentador dos vícios. Uma vez mais, trata-se do abismo do desvio, e da angustiante certeza de que um exíguo deslize será a perdição, com a qual, sabemos, virão o prazer e a culpa. Como se tudo que nos cerca fosse o desvio. Como se, sobre a corda, ouvíssemos, de ambos os lados, a lancinante pergunta dos que caíram, uns aos outros inquirindo: por que pecaste?[13]

• • •

A empatia tira as travas do olho do esteta, liberta o sociólogo. Mas esta é, feitas as contas, uma obra de sociólogo?

Até certo ponto, talvez. Desfeitos, embora, os juízos de valoração estética, o que este livro me revela é um pesquisador trabalhando no terreno delicado da filologia e da história: é com amoroso desvelo que ele se debruça sobre os textos e os confronta, no jogo infinito de um elaborado dialogismo do qual sua própria voz faz parte, elaborando um discurso intensamente polifônico, plurilíngüe, vertiginosamente citacional

---

[13] Ver adiante, p. 259.

UM MORALISTA NOS TRÓPICOS

e tabular. Com isso, estou nomeando um escritor que se vale, em última instância, de uma metodologia que é, no fundo, a de um analista de textos literários.

. . .

Fechando minha leitura com este último paradoxo, eu poderia já entregar *Um moralista nos trópicos* ao leitor, que se impacienta. Permitam-me, contudo, fazer, antes de sair de cena, uma referência rápida a outro dado da maior importância numa obra de erudição como esta: aqui é natural encontrar, a cada passo, notas e notas de rodapé.

O rodapé, no livro moderno, costuma desagradar aos editores e ao leitor, sempre um pouco aflitamente apressados, um e outro. Mas o que é um rodapé senão um texto paralelo ao principal, um território que se estende às margens do discurso do autor, um campo de palavras? É o espaço cultural que permite ao discurso desenrolar-se à sua maneira (a)morosa; e o leitor pode visitá-lo ou não, ou só visitá-lo de vez em quando; ou nunca. De qualquer maneira, quase invariavelmente trazemos alguma coisa para nós mesmos, nessas idas e vindas: uma data, a solução de um enigma, uma provocação.

O texto de Meira Monteiro que citei anteriormente remete a um rodapé, o de número 118 da terceira parte de seu livro: tentando compreender o visconde moralista, o autor imagina-o, e a si próprio, e a nós todos, numa corda estirada sobre "o abismo do desvio", ouvindo lancinantes gritos; e esses gritos lhe recordam

(os) avaros e (os) pródigos que Dante encontrou no quarto círculo do Inferno, gritando, uns aos outros: Perché tieni? Perché burli?

"Por que pecaste?" Ora, a mim, a imagem da corda sobre o abismo evoca outro autor de aforismos penetrantes, para além, contudo, do bem e do mal:

O homem é uma corda, atada entre o animal e o além-do-homem – uma corda sobre o abismo.
Perigosa travessia, perigoso a-caminho, perigoso olhar-para-trás, perigoso arrepiar-se e parar.
O que é grande no homem, é que ele é uma ponte e não um fim: o que pode ser amado no homem, é que ele é um *passar* e um *sucumbir*.

· 18 ·

A PAIXÃO DOS PARADOXOS

Amo Aqueles que não sabem viver a não ser como os que sucumbem, pois são os que atravessam.

Amo os do grande desprezo, porque são os do grande respeito, e dardos da aspiração pela outra margem.[14]

Mas são tantas as vozes que irrompem no tecido deste ensaio, mal nele se toca – entre elas, a de Sócrates, médico das paixões da alma –, que o leitor há de ouvir outra, impondo-se entre muitas outras. De qualquer maneira, aqui não há como escapar à tentação dos diálogos, tão importante é o tema, tão sutil a escrita.

Joaquim Brasil Fontes
Campinas, 28 de julho de 2002

---

[14] Friedrich Nietzsche, *Assim falou Zaratustra*, I, 4 (trad. Rubens Rodrigues Torres Filho; São Paulo, Abril Cultural, 1978), p. 227.

Nota inicial

Este ensaio é versão de uma tese de doutoramento apresentada ao Instituto de Estudos da Linguagem da Unicamp, em 2001. O texto foi sensivelmente alterado, tendo em vista um público mais amplo.

Por tratar-se de uma investigação sobre as leituras de antigos textos franceses, as passagens citadas foram, em sua maioria, mantidas na língua original, acompanhadas de tradução. Apenas as notas ao fim dos capítulos contêm citações somente em língua estrangeira.

Para as máximas de La Rochefoucauld, serviram de fonte as edições Truchet e Pléiade. Para sua versão em português, vali-me da tradução de Leda Tenório da Motta, quando se tratava da edição "definitiva" de 1678, ou das "Reflexões diversas". Já as máximas suprimidas ou em versão primitiva, bem como os trechos da correspondência e da crítica coeva, as notas das edições dos séculos XVIII e XIX, além da crítica contemporânea, e algum texto literário, foram traduzidos por mim. Este é o caso, sempre que não se encontre indicação do tradutor. Assim, o leitor de português encontrará aqui peças importantes da literatura francesa, como o célebre "retrato do amor-próprio", pelo duque de la Rochefoucauld.

Nas citações, manteve-se a grafia original, inclusive os eventuais erros e flutuações.

Registro a presteza e gentileza que encontrei entre os funcionários das bibliotecas utilizadas: IEL, IFCH e Central/Unicamp; IEB/USP; Bibliothèque Méjanes de Aix-en-Provence; Bibliothèque Municipale de Versailles e Bibliothèque nationale de France, em Paris (site François-Mitterrand). À Fapesp, sou grato pelo financiamento da pesquisa, e pelos encorajadores pareceres anônimos. Aos fundos de pesquisa da Universidade de Princeton,

UM MORALISTA NOS TRÓPICOS

devo a oportunidade de uma última viagem a Paris, para estabelecimento do texto.

Diversas foram as pessoas, dentro e fora do Brasil, com quem pude discutir as questões aqui abordadas. Sou-lhes muito grato. Lembro entretanto a orientação impecável de Luiz Dantas, a interlocução de Alfredo Bosi, Joaquim Brasil Fontes e Adma Muhana, a orientação de Emmanuel Bury, o diálogo (em momentos diversos, por razões várias) com Jean-Charles Darmon, Jefferson Cano, France Vernier, Alcir Pécora, Teresa Candolo, Laymert Garcia dos Santos e Heloísa Nascimento. Agradecimentos pontuais serão ainda encontrados nas notas. Em Princeton, além da acolhida generosa dos colegas, destaco a leitura aguda de Arcadio Díaz Quiñones. Lembro ainda a temporada entre os Challulau, na Provença. Do "exílio" francês, ficam as saudades das conversas sobre Port-Royal, quando eu flagrava a escuta amorosa e única de Andréa Melloni.

Finalmente, devo agradecimentos muito especiais a meu amigo e mestre Fernando Antonio Lourenço, a quem é dedicado este livro.

Pedro Meira Monteiro
Princeton, NJ, primavera de 2004

Introdução

> *... as letras parece que têm mais fortuna quando estão separadas do lugar em que nasceram; a mudança de linguagem é como uma árvore que se transplanta, não só para frutificar melhor, mas também para ter abrigo.*
>
> Matias Aires, "Ao leitor", em *Reflexões sobre a vaidade dos homens*

"*Nous sommes dans un siècle où tout le monde croit être Médecin.*" Tal afirmação ("estamos num século em que todos se crêem médicos"), porventura útil para a compreensão do moralismo francês do século XVII, encontra-se na correspondência enviada pelo abade Bourdelot, primeiro médico da rainha da Suécia, a um seu confrade, comentando a necropsia (*l'ouverture du corps*) do duque de la Rochefoucauld, vítima, em meados de março de 1680, de uma hemorragia pulmonar (*la grande abondance du sang a gorgé et inondé le poumon*).

O autor das famosas máximas ia-se deste mundo com menos de setenta anos de idade. Seu médico se queixaria fortemente dos parentes e amigos que, sensibilizados, opuseram-se à tradicional e urgente sangria, que o teria salvado. A correspondência impressiona pela vividez do retrato, os órgãos enegrecidos abrigando o sangue abundante, numa cavidade torácica repleta de serosidades purulentas[1].

Buscavam-se as razões da morte, no corpo.

Antes de adquirir o acento paradoxal que possuem em La Rochefoucauld, as "formas breves" se desenvolveram, desde os primeiros tempos da escrita, das mais diversas maneiras, nos mais diversos ambientes. Um crítico sugere que as *máximas* provenham do campo jurídico (*maxima sententia*), o que explicaria seu caráter originalmente axiomático, propriamente legislador. Já os *aforismos*, também eles máximas, provêm do meio médico, hipocrático, como primeira reação às práticas mágicas de cura, mergulhando o aforista na observação atenta da natureza, com vistas à manutenção da saúde[2].

• 23 •

UM MORALISTA NOS TRÓPICOS

A sugestão é interessante, conquanto se saiba que as máximas de La Rochefoucauld guardam muito pouco deste caráter prescritivo. Leiam-se as sentenças, publicadas em versão autorizada, pela primeira vez, em 1665, e ficará patente seu caráter descritivo, e a intenção de desvendar uma mecânica das paixões e dos humores capaz de explicar o humano, reduzido, no diagnóstico moralista, quase a uma máquina.

O mergulho na natureza será, portanto, o enfrentamento da natureza do homem, compreendida como o jogo, a um só tempo violento e sutil, das paixões agindo nos corpos. O plano é *moral*, porque se discutem, através das máximas, as ações e reações recorrentes, na vida em sociedade.

Leitores de outro tempo, somos tentados a buscar, no texto de La Rochefoucauld, os abismos da conformação da individualidade, quando mais plausível seria lá encontrar o simples retrato da natureza humana, gravado sobre a superfície infirme dos fragmentos, o que lhe dá – ao retrato – um movimento especial, e sedutor, ao qual dificilmente resistirá o leitor.

Bem outra é a condição do outro texto a ocupar estas páginas. Na *Constituição moral, e deveres do cidadão*, publicada entre 1824 e 1825 no Rio de Janeiro, José da Silva Lisboa, conhecido posteriormente por visconde de Cairu, escrevia, para a "Mocidade brasileira", um verdadeiro catecismo, visando à ordenação moral e – aí sim – à prescrição das boas ações, expondo-as, escolasticamente, em oposição às ações desviantes e corruptoras[3].

A descrição da natureza humana, nesta obra moralizadora, pauta-se pela crença nos valores cristãos, em tudo opostos, na visão de Cairu, à "moral mundana" que La Rochefoucauld desenhara em suas máximas. Ei-nos aqui diante da inserção delicada e significativa de um texto clássico das Letras francesas numa obra de cunho ordenador, voltada para um ambiente completamente diverso do que acolheu as sentenças.

Cairu escrevia para a edificação do Império, dois anos apenas após a proclamação da Independência, no ano em que se outorgava a Constituição da jovem nação; La Rochefoucauld fornecia, com sua pena, o triste retrato de um mundo decaído e derrotado, cujos ideais esvaeciam em meio às brumas da Fronda – espécie de último suspiro da nobreza diante do poder crescente do Estado e da contaminação burguesa.

Dois ambientes, dois autores. Há que compreendê-los, em separado, embora justamente o *cruzamento* permita e enseje o diálogo entre os dois tempos. Nosso foco, em todo o caso, será a presença das máximas de La

INTRODUÇÃO

Rochefoucauld na *Constituição moral, e deveres do cidadão*. Uma "moral mundana" decaída e torpe, como a entendeu Cairu, oposta à "moral cristã", que reza a obediência ao Pai e aos seus desígnios.

De um lado, um autor se entretém em fixar, na fluidez dos aforismos, a atuação das paixões; de outro, o moralizador procura estabelecer, no tecido longo e teso do tratado, a regulação e a contenção das mesmas paixões, não sem relacioná-las, diversas vezes, à desordem revolucionária que tomara conta da França, no século XVIII, e que se expunha, como um mal contagiante, no horizonte político da nação brasileira.

O caminho é longo e algo tortuoso. As páginas seguintes nasceram da intenção de compreender não apenas a sobreposição dos planos político e moral, na obra de Cairu, mas também sua recepção singular das máximas, marcada pela admiração e pela repulsa.

Interessante é que, recusando a "moral mundana" de La Rochefoucauld, José da Silva Lisboa recupere vários elementos do repúdio com que o texto seiscentista foi amiúde recebido, na era das Luzes. Veremos, analisando algumas das edições das máximas, do século XVIII, que o pessimismo de seu autor foi logo reconhecido, e a desordem iminente do texto, combatida, por meio da simples ordenação dos aforismos ("organizando-os" por temas, em ordem alfabética, como faria o próprio Cairu, desrespeitando os desenhos originais), ou ainda "interpretando-os", aditando-lhes observações eruditas e judiciosas, no mais das vezes violentando os sentidos mais plausíveis da obra.

Como terceira e sugestiva opção, na recepção crítica das máximas, temos a simples inversão dos sinais: aquilo que era o império danado do amor-próprio, compreendido como móbil das ações humanas, torna-se a lógica competitiva ou bélica da vida em sociedade, entretanto útil para o conjunto dos homens, segundo as visões mais otimistas ou simplesmente utilitaristas. Daí desponta o "sofista" Mandeville, mas aí desenham-se, também, os impasses do "pio" moralista Adam Smith, seguido e vulgarizado no Brasil pelo visconde de Cairu. Todos eles, freqüentadores assíduos de La Rochefoucauld.

A leitura das máximas, que bem se pode compreender por meio da sondagem de sua fortuna editorial, fez-se da simples recusa, muitas vezes, e da franca aceitação, outras, mas jamais da indiferença dos leitores-editores. O capítulo segundo deste livro, intitulado "Leituras cruzadas",

UM MORALISTA NOS TRÓPICOS

pretende justamente abrir o campo da interpretação para a escuta destes leitores anteriores a Cairu, nem todos seus conhecidos, é certo, mas todos preocupados, como ele, com o que as máximas anunciavam, menos como mensagem civilizadora, mais como desvendamento da máquina das representações, revelando o fundo enganoso das virtudes expostas publicamente, mas manchadas, em sua origem, pelos vícios. (Notável, entretanto, perceber como os editores, próximos ao século XIX, vão tomando ciência de um *público* que cada vez mais ocupará o horizonte da produção literária, tornando-a um interessante negócio.)

"Nos vertus ne sont le plus souvent que des vices déguisés" ("não são nossas virtudes, muitas vezes, mais que vícios disfarçados")[4]. A epígrafe das máximas desmonta a virtude enaltecida pelo filósofo estóico – vítima preferencial de La Rochefoucauld – e introduz a desconfiança no que seja a conduta virtuosa. Pois exatamente a civilização, como ponto de fuga do catecismo de Cairu, reclama o caráter inconcusso das virtudes, e não será à toa se a figura austera de Gomes Freire, cantada nos versos da Academia dos Seletos, em meados do século XVIII no Brasil, é lembrada e reverenciada pelo autor da *Constituição moral, e deveres do cidadão* – primeiro cruzamento, a fornecer matéria para o capítulo inicial, intitulado, a propósito, "Um monumento literário".

Uma campanha moralizante, portanto, expressa-se no texto de José da Silva Lisboa, cuja mensagem não apenas se apóia na estrepitosa literatura encomiástica dos Seletos, mas também, ao mesmo tempo, anuncia uma preocupação que seguiria ocupando as penas dos homens cultos do século, fosse nos conhecidos manuais de civilidade e boas maneiras, que grassaram naquele tempo, fosse no plano ficcional, como será o caso do romance de Macedo, o que pode sugerir, segundo as investigações mais recentes, as imbricações de um e outro gênero[5].

Ou mesmo, ainda na quadra romântica, será o caso da reafirmação do caráter civilizador das letras, em especial do teatro, *corrigendo mores*. Era justamente no registro ficcional que se fixaria a mensagem da civilização, tão mais eficaz quanto se desinvestisse da oratória abstrata, completamente distante do mundo. Assim, encontramos um José de Alencar, já na segunda metade do século, a criticar os hábitos do público brasileiro, elogiando o realismo da arte de Dumas Filho, lembrando que o autor francês, aperfeiçoando a escola dramática de Molière,

• 26 •

INTRODUÇÃO

[...] fez que o teatro reproduzisse a vida da família e da sociedade, como um daguerreótipo moral. O jogo de cena, como se diz em arte dramática, eis a grande criação de Dumas; suas personagens movem-se, falam, pensam como se fossem indivíduos tomados ao acaso em qualquer sala; não representam, vivem; e assim como a vida tem seus momentos fúteis e insípidos, a comédia, a imagem da vida, deve ter suas cenas frias e calmas. Os franceses vão ao Ginásio de Paris ver uma dessas comédias, e no meio do mais profundo silêncio escutam o ator que só depois de cinco minutos diz uma palavra; acompanham a cena que se arrasta vagarosamente; e aplaudem essa naturalidade com muito maior entusiasmo do que esses lances dramáticos tão cediços, que se arranjam com duas palavras enfáticas, e uma entrada imprevista. [...] Mas o nosso público, não por sua culpa, sim pela nossa e pela de todos, não está ainda muito bem disposto a favor desta escola; ele prefere que aquilo que se representa seja fora do natural; e só aplaude quando lhe chocam os nervos, e não o espírito, ou o coração.[6]

Quaisquer fossem as soluções literárias encontradas, é fato que uma missão civilizadora norteia os escritores, e não será exagerado, neste caso, incluir Cairu no rol dos literatos que, logo mais, a partir do século XIX, aperfeiçoariam aquela daguerreotipia moral. Mas é importante buscar os matizes diversos: Alencar parece sugerir a gravação lenta e definitiva dos costumes, num quadro porventura edificante, a fixar-se no espírito do público; já o autor da *Constituição moral, e deveres do cidadão*, ao redigir seu libelo moralizante, propõe um movimento mais brusco, com a correção incondicional e imediata das ações desviantes.

O acolhimento das máximas, no catecismo moral, rege-se pela vontade de expor, "chocando" talvez "os nervos" dos jovens leitores, uma mensagem edificante e fundadora, cujo vigor pode advir, precisamente, do contraste, como denota o parágrafo inicial do "Appendice á Constituição Moral", que contém a coleção de sentenças de La Rochefoucauld:

Havendo, ainda que mui imperfeitamente, exposto a *Constituição Moral*, manifesta pelas luzes da razão, ajudado pelas Regras da Revelação, considerei, que não seria inutil accrescentar hum Epilogo da *Moral Mundana*, e da *Moral Christaã*; a fim de que, pelo seu contraste, se conheça a necessidade de guardar-se no Imperio do Brasil (salva a *Tolerancia Politica* concedida por imperiosas Razões de Estado) a Religião Catholica, Apos-

· 27 ·

UM MORALISTA NOS TRÓPICOS

tolica, e Romana, que mostrou a *Grande Luz* ás Nações que vivião nas trevas; perpetuando-se a Doutrina Evangelica, que tem subsistido por não interrompida serie de Successores do Principe dos Apostolos S. Pedro, o qual traspassou a *Cadeira da Verdade* da Capital da Judéa (cuja total destroição fôra prophetizada pelo Redemptor do Mundo) para Roma, a Capital do Imperio Romano, então o maior e mais civilizado Estado da Terra, donde em consequencia melhor se poderia propagar o Novo Codigo, que continha as Bases da verdadeira *Constituição* das *Constituições*.[7]

A imagem da civilização cristã fundando-se como Império, simultaneamente temporal e eterno, servirá a compreender a imagem de Gibbon, utilizada por Cairu, que dá título ao último capítulo do trabalho: "Sobre as ruínas do Capitólio". Nele, procuro explorar alguns dos sentidos possíveis do imaginário civilizacional, que se constrói a partir de um mundo em ruínas. Ruínas da civilização romana, nas passagens de Gibbon recuperadas por Cairu; ruínas deixadas pela insânia revolucionária de 1789, na ótica do moralista brasileiro, crente de que também neste caso caberia o soerguimento de uma civilização, recuperando as pedras do Velho Mundo, para finalmente reerguer o edifício desfeito, deste lado do Atlântico.

Uma fundação moral, se assim se quiser nomeá-la. Delicada será a discussão em torno do legado escravista, dos lugares de cada um, no corpo social, e das defesas da coletividade contra o desvio da natureza, em cujas leis Cairu, como bom leitor dos filósofos de língua inglesa, acreditava piamente. (Conquanto não poupasse críticas ao deísmo de autores que ele entretanto admira e segue.)

Pode-se dizer, sem grande exagero, que La Rochefoucauld era um fantasma a assombrar ou atrair todos os autores "moralistas". Falaremos de um tempo, porém, em que o "moralista" andava já a anunciar o "economista". Indiferenciação original, capaz de nos remeter aos momentos em que a Economia Política nascia, saída das franjas das discussões morais. Em ambos os casos, discutia-se o agir dos homens, e o acordo entre o seu agir e a própria natureza. Seguindo a etimologia, tratava-se, sempre, de encontrar a correta *regulação* da imensa *casa* em que se ia tornando a sociedade humana.

O caráter nomológico das ciências sociais, em especial da Economia Política, mas notadamente da Sociologia infante, poderá esclarecer, então, a vontade de regulação, ou de ordenação, que preside as inquirições

INTRODUÇÃO

sobre o organismo social, levando um investigador como Cairu a reverenciar uma Ordem que, em seu discurso, emana ainda do Criador, mas cuja transcendência, no plano científico, apaga-se progressivamente, fazendo-nos esquecer, nos dias de hoje, que o reencontro da lógica social ou econômica pode ser, no fundo e na raiz, a eterna busca do poder ordenador do *logos*.

Talvez pareça estranho referir aqui essa Sociologia nascente. Mas é preciso lembrar que nos reportamos a um tempo em que se conformavam, justamente, as primeiras perguntas "científicas" sobre o social, eivadas de metáforas orgânicas, próprias ao século, e de uma preocupação eminentemente nosológica. Tempo de médicos, ainda, preocupados agora com o desvio, nos planos coletivo e individual.

O que garante a Cairu certa *acuidade sociológica*, isto é, o que lhe permite e o obriga a eleger o social como alvo de suas preocupações, será talvez a reação ao próprio social, ou antes, o temor de que os homens se perdessem num tecido esgarçado, num mundo em ruínas, como ele via os escombros da Revolução. A sociedade enigmática que o século XVIII criara o fascinava e irritava, num único e demorado tempo[8].

Mas voltemos a La Rochefoucauld, contraponto do discurso moralizador de José da Silva Lisboa. É interessante que a crítica, ao menos desde Sainte-Beuve, o tenha identificado, de diversas maneiras, ao jansenismo que lança suas raízes no século XVII. A imaginação do autor das máximas, plausivelmente, nutre-se no desencanto religioso dos seguidores de Jansénius, dos leitores atentos de santo Agostinho, dos homens e mulheres que orbitavam em torno de Port-Royal.

Recusando as armas do século, para (re)encontrar o sentido do mundo na prece reclusa, os "jansenistas" – conforme o termo de sua detratação – recusavam a própria civilização. Ou antes, recusavam a ordem dos homens que, em sua imaginação, fugiam à ordem divina, impenetrável, misteriosa e urgente. A civilização dos costumes era, no seu entender, necessária, mas insuficiente.

Bastante significativa a oposição entre jansenistas e jesuítas. Estes, uma milícia pronta a lutar pela salvação de todas as almas, buscando alcançá-la na guerra diuturna da Cruz. Aqueles, reclusos, duvidosos quanto a tudo que se pudesse fazer neste mundo cá de baixo, porque o mancha, irremediavelmente, o pecado, ou o vício. O Império dos jesuítas, feito de

• 29 •

UM MORALISTA NOS TRÓPICOS

motivações terrenas e divinas, seculares e eternas, erguer-se-ia na terra. O Império dos jansenistas, obsedados pela Queda, ergue-se, única e exclusivamente, no outro mundo, porque este nosso mundo, a despeito do que pode sugerir o orgulho vão dos homens, é o mundo das sombras.

Não se trata apenas da crítica latente às virtudes humanas, e do desmascaramento da apatia estóica, mas igualmente tratava-se de uma *reforma*, em sentido lato:

> o jansenismo [...] é de uma só vez Reforma e Contra-Reforma ou, mais exatamente, Reforma no seio da Contra-Reforma. Ele revela, em suas tensões íntimas, os aspectos reformados que trabalham o mais puro espírito tridentino. Ele constitui, em uma palavra, o grande revelador do desligamento do além com o cá-embaixo que assombra a refundação católica da mediação sacerdotal e eucarística. Nossa hipótese é que as raízes da querela jansenista não se encontram em nenhuma outra parte senão no próprio concílio de Trento, isto é, na tentativa de redefinição doutrinal que se opera em reação à Reforma protestante e aos seus ataques contra as pretensões mediadoras da Igreja. Para além das divisões confessionais, a Reforma torna sensível uma mudança de status do divino que vai transformar a fé mesmo de seus adversários: Deus está definitivamente além. Ela obriga a revalorizar o poder divino à luz da consistência autônoma do cá-embaixo. É sobre essa base que vai se efetuar, na realidade, a redefinição tridentina. Por seu próprio movimento de refundação, o pensamento católico vai se encontrar assim determinado a acolher a teologia e a antropologia agostinianas, sem necessariamente sabê-lo ou querer reconhecê-lo.[9]

A observação de que o jansenismo se situe no horizonte e mesmo no coração da reforma tridentina pode interessar não apenas aos historiadores do movimento religioso e político, mas também a nós, desde que a abdicação desta mediação da Igreja nos assuntos da fé, encerrando toda crença e revelação em nosso foro mais íntimo (que se pense nas percepções internalizadas do divino, em Agostinho ou Pascal), é idéia que pode arranhar o papel da tradição eclesiástica, abrindo espaço, segundo as teses sociológicas mais correntes, a uma ética de cunho intimista, individual, capaz de romper mais ou menos fortemente com o mundo medieval, feito de estruturas bastante rígidas, aqui e no céu, como lembra Sérgio Buarque de Holanda, apoiando-se no Dante[10].

INTRODUÇÃO

Que o retorno à tradição hierárquica seja, segundo a perspectiva do ensaísta, uma "paixão de professores", é questão que foge ao escopo deste trabalho. Importa perceber o conflito latente e tremendo entre toda teoria negadora do livre-arbítrio e uma empreitada como a jesuítica, que aposta na ação do homem neste mundo, tanto quanto acredita no seu sentido transcendente.

O antijesuitismo de Cairu, compreensível num homem que se formou numa Coimbra já marcada pelas reformas pombalinas, não nos deve enganar: a sua é uma pena missionária[11]. Cairu é um soldado da Cruz, embora devamos saber identificar os elementos simbólicos por meio dos quais se operam as analogias entre o Império da cristandade e o Império que nasceria, como aquele, sobre as ruínas de um mundo desfeito.

Fácil – e equívoca – seria a simples contraposição de um Cairu "jesuíta" a um La Rochefoucauld "jansenista". Entretanto, nem um nem outro autor se submetem, razoavelmente, às pechas que se lhes empreste. Sobretudo, o "jansenismo" das máximas não é claro, e o caminho que trilhei, para a interpretação delas, deve muito à engenhosa idéia de um "jansenismo laicizado", fundada na chave crítica de Jean Lafond[12].

Procuro sugerir, na esteira de inúmeras interpretações, que La Rochefoucauld pode tornar-se ainda mais amargo que Pascal, exatamente porque não há, no caso do duque moralista, aposta alguma, no homem ou em sua transcendência. No limite, o discurso das máximas é apenas a constatação, sem o alívio da salvação, do estado ruinoso da humanidade.

Claro, a compreensão não se faz pela via exclusiva da metafísica. É preciso compreender de que falava La Rochefoucauld, quais suas motivações, para somente então compreender uma mensagem que foi lida, desde o século XVII, como a mais clara desconfiança na perfectibilidade humana; desconfiança esta inspirada na miserabilidade da criatura, segundo a chave agostiniana, ou simplesmente na fatuidade de nossas crenças mundanas, de acordo com o que sugerem, ou podem sugerir, as máximas.

Exatamente o plano da transcendência ganha, com a prosa de Cairu, um papel especial. Será interessante, então, perceber, a partir de seu catecismo, a substituição progressiva da ordem Providencial pela simples ordem econômica, não menos providencial que aquela, é verdade, embora a razão ordenadora divina se deixe substituir pela razão ordenado-

· 31 ·

UM MORALISTA NOS TRÓPICOS

ra da natureza, a qual terá o filósofo por exegeta. É ainda o logos, em todo o caso, que interessará ao moralista-economista.

A benevolência (*benevolence* de Smith, *bienfaisance* de Saint-Pierre) é a aposta e a crença do visconde de Cairu, em sua *Constituição moral, e deveres do cidadão*. Prestando atenção a esse elemento, como chave para a manutenção do tecido social em sua inteireza e hispidez, seremos capazes de perceber não apenas as origens da incompatibilidade entre as máximas de La Rochefoucauld e o discurso ordenador do escritor baiano, mas, por outro lado, poderemos adivinhar certa coerência lógica nos seus escritos e mesmo uma sintonia importante com os princípios teóricos que abraçava, ao ler com afinco os autores de língua inglesa do século XVIII[13].

Suspeito que José da Silva Lisboa tenha sido, por muito tempo, submetido a uma crítica injusta, cujas raízes podemos encontrar, porventura, na incompreensão de Sérgio Buarque de Holanda, que o identifica a princípios patriarcais inquestionáveis, mas insuficientes para a compreensão de um autor capaz de montar tão complexo quadro da natureza humana, informado por ampla gama de leituras e referências[14].

Se, de um lado, Cairu encontrou intérpretes notáveis, de outro é freqüente o vermos identificado a um "conservadorismo" que pouco ajuda a compreendê-lo. Talvez seja possível contrapor suas idéias às de Hamilton, como fizeram Celso Furtado e Dea Fenelon, notando o compromisso mais evidente do estadista norte-americano com a industrialização capitaneada pelo Estado; mas, cada vez mais, faz-se necessária a "relativização amenizadora" do juízo crítico negativo, já esboçada no texto fundamental de Fernando Novais e José Jobson Arruda, que serve de introdução a uma das recentes reedições das *Observações sobre a franqueza da indústria, e estabelecimento de fábricas no Brasil*[15].

Somente tal "relativização", se não me engano, permite ao leitor e pesquisador, auxiliado por um aparato crítico mais sólido, mover-se com cautela por entre os textos de José da Silva Lisboa, evitando os juízos categóricos, em geral empobrecedores.

Tendo ele sido um estudioso da Economia Política, e como tal reconhecido pela posteridade, é natural que as investigações sobre o visconde de Cairu se desenrolem no plano da história do pensamento econômico, mas é importante realçar que o seu compromisso com a fundação do Estado

· 32 ·

INTRODUÇÃO

brasileiro não se expressava apenas naquele plano, como aliás podem sugerir estudos mais diversos, que se detêm sobre o sentido propriamente político de seu pensamento, ou mesmo sobre sua produção "jornalística"[16].

De toda maneira, a atenção aos aspectos econômicos do pensamento de Cairu permite perceber que seu discurso se desenvolve em torno de uma questão essencialmente moral, como é a contensão do tecido coletivo, apontando para uma ordem que não se funda nos desejos imaginosos e delirantes do simples arquiteto político, mas sim na ordem "natural" da produção, circulação e distribuição das riquezas, isto é, no plano organizacional da economia. Ainda e sempre, os economistas são moralistas, à sua maneira. Ou vice-versa.

Precisamente a importância da aposta e crença na "simpatia" humana, buscada a um dos textos fundadores da Economia Política, estrema o visconde de Cairu do duque de la Rochefoucauld. Os raros momentos de entrega do indivíduo, no mundo das máximas seiscentistas, referem-se a um heroísmo ainda edulcorado pelas imagens guerreiras de uma aristocracia que perdia terreno e poder, no século XVII. No mais, a "entrega" de cada um mal esconderia o desejo de angariar o proveito da admiração de outrem. No universo de La Rochefoucauld, somos as abelhas que se aproximam das flores para sugar-lhes tudo o que for preciso. Nenhuma bondade, nenhuma entrega desinteressada. Somente o século XVIII descobriria o paradoxo da utilidade deste vasto império do amor-próprio, revelando a secreta ligação entre os vícios privados e o benefício público.

Cairu, entretanto, recusa a "sofística" de Mandeville, para apoiar-se numa plêiade de autores crentes na benevolência dos homens, terminando por fundar sua mensagem civilizadora na idéia de uma simpatia humana que, em seu texto, será o selo do Criador, impresso na criatura.

Não é objeto deste livro a obra toda de José da Silva Lisboa, ou a de La Rochefoucauld. O *cruzamento* é ainda a marca da investigação, e ao leitor, portanto, poderá parecer estranha a quase ausência de outros textos dos autores. Contudo, deixo aos especialistas a tarefa de relacionar o moralismo de Cairu a suas reflexões de cunho econômico, na esperança, entretanto, de que esta reflexão possa oferecer algo de útil para a compreensão de certas mediações entre a moral e a economia, especificamente a partir da *Constituição moral, e deveres do cidadão.*

· 33 ·

UM MORALISTA NOS TRÓPICOS

Não será aquela a única ausência a perceber-se neste trabalho. Tendo o plano do texto, e intertextos, por espaço privilegiado, raras vezes explicitam-se aqui as condições sociais, os eventos, a história enfim que envolvia e em que se envolve a feitura deste catecismo moral. Claro, as pistas se encontram no texto e, vez por outra, é preciso identificar o entorno e nomear os sujeitos que lá estão: maçons, liberais, escravos, senhores, artistas, políticos, portugueses ou brasileiros. É preciso, enfim, explicitar o contexto.

Uma "presença ausente", segundo a expressão já consagrada: assim penso que se possa considerar a lacuna da própria história (política, social) da constituição do Império, que não se encontra nestas páginas, assim como não se encontra nas páginas da *Constituição moral*, mas nelas faz-se presente, cifrada no texto. Mais uma vez, o problema é de atribuição: deixo aos historiadores a tarefa de reencontrar os laços entre texto e contexto, certo de que já se trilhou bom caminho no rumo da compreensão do imaginário civilizacional da Pátria nascente[17].

Sigo esperançoso, contudo, de que este livro possa também auxiliar na compreensão das posturas do visconde de Cairu, no período que vai da Independência ao fim do primeiro Reinado. Sobretudo, espero que ajude a entender um discurso fundador, que procura afugentar o fantasma revolucionário, notadamente o espectro haitiano, conformando uma idéia do Império que, de certa forma, seria vencedora em nossa história, porque se perfaz na conservação da Ordem, contra todo arroubo revolucionário, ou contra isto que Cairu identificava ao "chaos" social.

A preocupação com a contensão do tecido coletivo não era então nova (nem exclusiva, no contexto latino-americano[18]), mas o universo semântico e vocabular de José da Silva Lisboa sugere uma alteração no tom do discurso da Ordem, reforçando um registro e um conjunto de preocupações políticas que o século XVII certamente não conhecera. Ou, mais claramente, um conjunto de preocupações com a "coletividade" que nem sequer se compunha como possibilidade no horizonte de La Rochefoucauld, cuja *politesse* nem sempre se encaixa perfeitamente à civilização dos costumes[19].

A civilização, como sugeri há pouco, é o ponto de fuga do discurso de Cairu, e será justamente a recusa, ou o recuo de La Rochefoucauld diante de valores que fundam a ordem política (as virtudes privadas, publica-

INTRODUÇÃO

mente expostas), que tornarão suas máximas, insertas no catecismo moral brasileiro, uma espécie de veneno inevitável, didaticamente exposto ao lado do remédio da moral cristã, única droga capaz de neutralizá-lo.

Ei-nos novamente num tempo de médicos. No século XVII, porém, buscava-se o trânsito incessante dos humores e das paixões agindo nos corpos, enquanto agora o próprio Corpo Político se apresentava como campo para a arte recuperadora dos sábios, preocupados também em extirpar o mal, tendo por fim reencontrar a disposição perdida do organismo.

Talvez Cairu seja um ultrapassado. Talvez hoje se poupem as metáforas médicas que indicam a simples extirpação como procedimento adequado para a manutenção da ordem coletiva. Mas não se diga, francamente, que o discurso civilizador, reavivado em tempos de aparente dissolução moral, possa reclamar-se completamente infenso à violência que subjaz na contenção dos poderes dissolventes do corpo, ou do Corpo. Médicos, capazes de corrigir o desvio e reverter a corrupção, cremo-nos todos. Neste ou naquele século.

Notas

[1] Cf. "Autopsie du duc de la Rochefoucauld", em La Rochefoucauld, *Œuvres complètes* (Paris, Gallimard, 1980, Bibliothèque de la Pléiade), p. XLIII-XLVIII.

[2] Consulte-se Alain Montandon, *Les formes brèves* (Paris, Hachette, 1992). Para um paralelo interessante entre a pesquisa "antropológica" e a anatomia, explorando as raízes renascentistas desta busca da natureza no corpo humano, leia-se Louis van Delft, *Littérature et anthropologie: nature humaine et caractère à l'âge classique* (Paris, Presses Universitaires de France, 1993).

[3] José da Silva Lisboa, *Constituição moral, e deveres do cidadão, com exposição da moral publica conforme o espirito da Constituição do Imperio* (Rio de Janeiro, Typographia Nacional, 1824-1825), 3 volumes, seguidos de um "Supplemento á Constituição Moral contendo a exposição das principaes virtudes e paixões", e um "Appendice das Maximas de La Rochefoucauld, e Doutrinas do Christianismo". Na recente onda de reedição das obras de Cairu, encontramos, já em 1998, a publicação, a cargo de Anoar Aiex, dos três primeiros volumes da *Constituição moral, e deveres do cidadão*, com estudo introdutório e notas explicativas. Cf. José da Silva Lisboa, *Constituição moral, e deveres do cidadão, com exposição da Moral Pública conforme o espírito da Constituição do Império* (João Pessoa, Editora Universitária/UFPB, 1998). José da Silva Lisboa seria agraciado com o título de visconde de Cairu apenas em

· 35 ·

UM MORALISTA NOS TRÓPICOS

1826. Contudo, identifico-o, neste trabalho, indiferenciadamente como Cairu ou José da Silva Lisboa. Agradeço a João Kennedy Eugênio a gentileza da notícia e envio do material nordestino.

[4] La Rochefoucauld, "Réflexions ou Sentences et Maximes morales", em *Œuvres complètes*, op. cit., p. 385; La Rochefoucauld, *Máximas e reflexões* (trad. Leda Tenório da Motta; Rio de Janeiro, Imago, 1994), p. 15.

[5] Cf. Valéria Augusti, *O romance como guia de conduta:* A moreninha *e* Os dois amores (dissertação de mestrado apresentada ao Instituto de Estudos da Linguagem da Unicamp, Campinas, 1998).

[6] José de Alencar, *Obras completas* (Rio de Janeiro, José Aguilar, 1960), v. IV, p. 45. Agradeço a Jefferson Cano a gentileza de haver cedido o material que compunha sua tese, então em via de conclusão, a partir da qual busquei a passagem citada.

[7] José da Silva Lisboa, *Constituição moral, e deveres do cidadão...*, op. cit., "Appendice", p. 1.

[8] "O objeto da sociologia gira em torno do homem confrontado com o 'fato irritante da sociedade'." Ralf Dahrendorf, *Homo sociologicus: ensaio sobre a história, o significado e a crítica da categoria de papel social* (trad. Manfredo Berger; Rio de Janeiro, Tempo Social, 1969), p. 39.

[9] Catherine Maire, *De la cause de Dieu à la cause de la Nation: le jansénisme au XVIIIe siècle* (Paris, Gallimard, 1998), p. 14.

[10] "Se a vida medieval aspirava a uma bela harmonia e repousava sobre um sistema hierárquico, nada mais natural, pois que até no Céu existem graus de beatitude, segundo informa Beatriz ao Dante. A ordem natural é tão-somente uma projeção imperfeita e longínqua da Ordem eterna e explica-se por ela [...]". Cf. Sérgio Buarque de Holanda, *Raízes do Brasil* (Brasília, Editora Universidade de Brasília, 1963), p. 7.

[11] "Cairu tinha um sentimento missionário. [...]" Cf. Fernando Antonio Novais e José Jobson de Andrade Arruda. "Prometeus e atlantes na forja da nação", em José da Silva Lisboa, *Observações sobre a franqueza da indústria, e estabelecimento de fábricas no Brasil* (Brasília, Senado Federal, 1999), p. 19. Sobre a passagem de José da Silva Lisboa por Coimbra, consulte-se a biografia escrita por seu filho, Bento da Silva Lisboa. Cf. Bento da Silva Lisboa, "José da Silva Lisboa, visconde de Cayrú. Memoria escripta por seu filho o conselheiro Bento da Silva Lisboa, e lida na sessão do Instituto Historico, em 24 de Agosto de 1839", *Revista do Instituto Historico e Geographico do Brazil*, t. I, n. 3, 1839, p. 238-46. Consulte-se, ainda, José Soares Dutra, *Cairú: precursor da economia moderna* (Rio de Janeiro, Vecchi, 1943).

[12] Cf. Jean Lafond, *La Rochefoucauld: augustinisme et littérature* (Paris, Klincksieck, 1986).

[13] Um quadro informativo criterioso destas leituras encontra-se em Anoar Aiex,

· 36 ·

INTRODUÇÃO

"Estudo introdutório", em José da Silva Lisboa, *Constituição moral, e deveres do cidadão...*, op. cit. (Editora Universitária/UFPB), p. VII-L.

[14] Reparando uma tradução confusa de Adam Smith, da lavra de Cairu, Sérgio Buarque de Holanda critica severamente sua crença excessiva na "inteligência", lembrando que, "numa sociedade de coloração aristocrática e personalista" como a nossa, ela serviria apenas a contrastar o trabalho manual, servindo como sinal de distinção. Sobre Cairu, dirá o historiador que, "em 1819, já era um homem do passado, comprometido na tarefa de, a qualquer custo, frustrar a liquidação das concepções e formas de vida relacionadas de algum modo ao nosso passado rural e colonial. É semelhante empenho que se espelha, com perfeita nitidez, em suas opiniões filosóficas, em suas genuflexões constantes diante do Poder e, sobretudo, em sua noção bem característica da sociedade civil e política, considerada uma espécie de prolongamento ou ampliação da comunidade doméstica, noção essa que se exprime, com a insistência de um *leitmotiv*, ao longo de toda a sua obra" (*Raízes do Brasil*, op. cit., p. 71-3). A crítica do historiador à "inatualidade" do autor dos *Estudos do Bem Comum*, incluída em *Raízes do Brasil* a partir de sua segunda edição, era uma resposta à elogiosa conferência de Alceu Amoroso Lima, sobre Cairu, publicada no *Jornal do Comércio* em 1944, e originalmente proferida em 1936, na Universidade do Brasil. Cf. Alceu Amoroso Lima, "Época, vida e obra de Cairu", em José da Silva Lisboa, *Princípios de economia política* (Rio de Janeiro, Pongetti, 1956). A crítica de Sérgio Buarque bem se compreende se voltada nossa atenção, também, a um entusiasmado elogio de Cairu, como é o já referido livro de José Soares Dutra, publicado em 1943. Leia-se também Sérgio Buarque de Holanda, "A herança colonial – sua desagregação", em *História Geral da Civilização Brasileira* (Rio de Janeiro, Bertrand Brasil, 1993), t. II, v. 1, p. 9-39. Uma revisão crítica cuidadosa da presença de Cairu na historiografia brasileira, desde a literatura encomiástica do século XIX até a década de oitenta do século passado, encontra-se em Antonio Penalves Rocha, *A economia política na sociedade escravista: um estudo dos textos econômicos de Cairu* (São Paulo, Departamento de História-USP/Hucitec, 1996), p. 13-32.

[15] Cf. Fernando Antonio Novais e José Jobson de Andrade Arruda, "Prometeus e atlantes na forja da nação", op. cit. Cf. também Celso Furtado, *Formação econômica do Brasil* (São Paulo, Companhia Editora Nacional, 1995 [1959]), p. 99-105; Dea Ribeiro Fenelon, *Cairu e Hamilton: um estudo comparativo* (tese de doutoramento apresentada à Faculdade de Filosofia e Ciências Humanas da Universidade Federal de Minas Gerais, Belo Horizonte, 1973). Para a discussão de Cairu, em chaves diversas: Antonio Paim, *Cairu e o liberalismo econômico* (Rio de Janeiro, Tempo Brasileiro, 1968); Darcy Carvalho, *Desenvolvimento e livre comércio, as idéias econômicas e sociais do visconde de Cairu: um estudo de história do pensamento econômico brasileiro* (São Paulo, Instituto de Pesquisas Econômicas/USP, 1985); L. Nogueira de Paula, "In-

• 37 •

UM MORALISTA NOS TRÓPICOS

trodução", em José da Silva Lisboa, *Princípios de economia política* (Rio de Janeiro, Pongetti, 1956), p. 45-60; Wilson Martins, *História da inteligência brasileira* (São Paulo, Cultrix/Editora da Universidade de São Paulo, 1977), v. II, p. 16-27; 83-7.

[16] Cf. João Alfredo de Sousa Montenegro, *O discurso autoritário de Cairu* (Fortaleza, Edições Universidade Federal do Ceará, 1982); Hélio Vianna, "O visconde de Cairu – jornalista e panfletário (1821-1835)", em *Contribuição à história da imprensa brasileira (1812-1869)* (Rio de Janeiro, Imprensa Nacional, 1945), p. 359-446; Wilson Martins, *História da inteligência brasileira*, op. cit., v. II, passim; Isabel Lustosa, *Cairu, panfletário: contra a facção gálica e em defesa do trono e do altar* (Rio de Janeiro, Fundação Casa de Rui Barbosa, 1999; "Papéis avulsos", n. 34). Agradeço a João Cezar de Castro Rocha a gentileza da indicação e do envio deste último ensaio.

[17] Cf. Iara Lis Franco Schiavinatto Carvalho Souza, *Pátria coroada: o Brasil como corpo político autônomo (1780-1831)* (São Paulo, Fundação Editora da Unesp, 1999).

[18] Assim diz o jurista e político chileno Juan Egaña, em 1825, mesmo ano em que se concluía a publicação da *Constituição moral, e deveres do cidadão*: "Cuando un Estado se halla recientemente constituido, y necesita de la sanción del tiempo y de las costumbres para dar vigor a sus instituciones, son peligrosos los Congresos periódicos y puramente populares. Allí concurren una multitud de elementos desorganizadores, que funestamente se desarollan en estas reuniones numerosas, afectas a la innovación y tocadas de las pasiones y facciones que por largo tiempo fermentan después de las convulsiones con que se adquiere la libertad; especialmente si las nuevas instituciones no son análogas a las antiguas, cuya ventaja gozaron los Estados de Norte América. En semejantes Estados, si se establecen Repúblicas unitarias y consolidadas, es muy conveniente una magistratura conservadora cuya fuerza o intereses de cuerpo y de opinión consista en esta conservación. Una magistratura que teniendo por sistema la firmeza y tranquilidad, se afecte lo menos posible de las pasiones revolucionarias y que sujeta a responsabilidad y al imperio de la opinión, sólo pueda protegerse de la ley, y del respeto que ésta obtenga de los pueblos. [...]" Juan Egaña. "Memorias políticas sobre federaciones y legislaturas en general (1825)", em José Luis Romero e Luis Alberto Romero (Org.), *Pensamiento conservador (1815-1898)* (Caracas, Biblioteca Ayacucho, 1978), p. 164.

[19] Recorde-se a máxima 282, suprimida a partir da segunda edição das *Réflexions ou Sentences et Maximes morales*, de 1666: "le luxe et la trop grande politesse dans les Etats sont le présage assuré de leur décadence parce que, tous les particuliers s'attachant à leurs intérêts propres, ils se détournent du bien public" (La Rochefoucauld, *Maximes*, Paris, Bordas, Classiques Garnier, 1992, éd. Jacques Truchet, p. 146). Curioso momento em que parece anunciar-se a crítica da *politesse*, feita por Montesquieu: "la politesse est dans les Cours une qualité caractéristique et indispensable. Elle y est le supplément des vertus qu'on n'a pas". No plano do estudioso do espírito das leis, porém, a crítica faz-se acompanhar do elogio da *civi-*

lité, mais universal e republicana que a simples *politesse*, encerrada no meio restrito e pessoalizado da Corte: "la *politesse* flatte les vices des autres, et la civilité nous empêche de mettre les nôtres au jour; c'est une barrière que les hommes mettent entre eux pour s'empêcher de se corrompre" (*De l'esprit des lois*, XIX, 16). "Dans les Républiques, on dépend des lois plus que des personnes. La sécurité où l'on vit rend les ménagements inutiles, et il y a plus d'égalité parmi les citoyens et plus de liberté dans les esprits. Par toutes ces raisons, la politesse, qui n'est qu'une imitation des vertus sociales, doit être peu commune dans ce Gouvernement [...]" (*Considérations sur l'esprit et les mœurs*), apud Alain Montandon, "Politesse", em *Dictionnaire raisonné de la politesse et du savoir-vivre: du Moyen Âge à nos jours* (Paris, Seuil, 1995), p. 716. Ainda mais terrível se torna o quadro quando nos lembramos que, no horizonte de La Rochefoucauld, a *civilité* republicana simplesmente não existe, restando apenas uma *politesse* que pode muito bem ser signo de decadência ou corrupção, mais que verdadeiro liame do corpo social.

1. Um monumento literário

*Diz-se, com efeito, que o começo é mais que metade do todo,
e muitas das questões que formulamos são aclaradas por ele.*

Aristóteles, *Ética a Nicômaco*

Toca à filosofia, diz Sêneca, a cura da alma. Afinal, se um dia a humanidade pôde prescindir das leis e dos filósofos, foi porque apenas os sábios governavam e, então, era bem obedecer-lhes. Entretanto, quando os homens se corromperam, e os vícios se insinuaram entre eles, os reinados se converteram em tiranias e foi preciso que os mais sábios legislassem, protegendo os mais fracos.

Legislar sobre a cidade é também, e simultaneamente, legislar sobre a alma. Cícero, em seu elogio da filosofia, amiúde comparado ao de Sêneca numa de suas célebres cartas a Lucilius, nota a importância da ligação entre as palavras escrita e falada para que os homens se congreguem na cidade[1]. Não se trata somente de fazer coincidir a letra da lei e o agir dos homens, mas – velha questão retórica – trata-se de unir, ou lembrar que não podem desatar-se, o bem falar e o bem proceder. O orador não inspirará confiança se não for bom, prudente e virtuoso[2].

Tampouco será apenas uma coincidência desejável, que se possa emendar caso não se encontrem juntas as duas qualidades, o bem falar e o ser bom. O mesmo Sêneca, ainda em seu epistolário, lembra que as boas leis muitas vezes não foram buscadas ao foro ou aos jurisconsultos, mas ao recanto tácito em que se isolara Pitágoras[3]. Onde quer que se encontre o sábio, de lá virão as leis da cidade, e as leis serão escritas na alma do homem.

A palavra, bem empregada, comove, levando pelas mãos quem se afastou da retidão. E o corretivo, bem se sabe, pode vir da louvação dos homens bons, pelos homens que se creiam também bons.

UM MORALISTA NOS TRÓPICOS

• • •

Antonio Candido, em sua *Formação da literatura brasileira*, distingue as simples "manifestações literárias", culturalmente isoladas ainda quando esteticamente ricas, e a "literatura" propriamente dita, compreendida como um *sistema* em que se articulam os produtores literários, um mecanismo transmissor, isto é, uma linguagem traduzida em estilos, e, finalmente, um conjunto de receptores formando um público ledor regular[4].

Assim procedendo, torna-se-lhe possível mapear os primórdios da literatura brasileira, sondando as primeiras manifestações literárias que continham já, segundo esta clara visão, elementos orgânicos, dando azo não apenas ao aparecimento de algumas tímidas musas, mas, sobretudo, permitindo que os seus inspirados se congregassem em associações mais ou menos duradouras. É o caso de uma associação temporária como a Academia dos Seletos, criada em 1752, no Rio de Janeiro, para a celebração de Gomes Freire de Andrada, então nomeado comissário real para a questão das fronteiras ao sul da colônia.

O mau gosto da produção desta academia não resistiria à joeira do crítico. A revelação de um bizarro mecanismo encomiástico, conformado por autolouvações e louvações recíprocas, soma-se ao juízo severo, permitindo-lhe detectar, nos "doutores versejantes", além da "barulhenta orgia de elogios", momentos especialmente estéreis, quando a poesia some e resta apenas a "subliteratura", esteticamente desvalida[5].

Não creio ser possível negar, absolutamente, a eventual pobreza desta "literatura congregada", criada no Brasil, nos meados de seu século XVIII. Mas será possível, talvez, problematizar o juízo que rebaixa estas manifestações letradas a uma espécie de limbo da literatura, rebordo onde descansam os versos ensaiados pelos maus poetas, excluídos do terreno mais nobre das produções esteticamente ricas. Assim vistos, estes produtos mais pobres do espírito humano cumprem apenas a sua função ideológica, fornecendo, ademais, os elementos conformadores de um sistema literário forjado lenta e dramaticamente no coração da colônia.

Tratava-se de subliteratura, segundo Antonio Candido,

> não apenas pela qualidade estética inferior dos espíritos nela envolvidos, mas, ainda, pela deturpação da beleza e da coerência que foi o Cultismo português na sua fase final. A atual e justa revalorização do Barroco não nos deve levar ao extremo de dar valor à moxinifada sem músculo nem

• 42 •

UM MONUMENTO LITERÁRIO

alma desses versejadores e retóricos. É preciso aqui referi-los de passagem, porque representavam o ponto de apoio da reforma neoclássica e porque o seu espírito e a sua prática se prolongaram até bem longe na segunda metade do século, formando uma espécie de literatura oficial em decadência progressiva.[6]

Perceba-se, num extrato como este, a importância dada tão-somente ao aspecto *funcional* destas passageiras e já decadentes manifestações, como ponto de apoio de uma reforma que culminaria na Arcádia brasileira, nos versos justamente louvados dos mineiros Cláudio e Gonzaga, principalmente.

Porém, atendo-nos precisamente à funcionalidade desta produção, perceberemos que ela pode escapar àquele círculo encomiástico, exorbitando-o. Ao alterar a perspectiva que a vê pelo que ela representa para um determinado futuro da literatura brasileira em formação, será possível deixar de referi-la "de passagem"; não, é certo, para questionar os merecidos juízos negativos assentados pelo autor da *Formação da literatura brasileira*, mas, antes, para retirá-la momentaneamente do limbo em que se encontra, imaginando um outro enquadramento, outra situação, em que não será mais a frouxa peça de um sistema formando-se lentamente, nem tampouco uma mixórdia literária de pouco ou nenhum valor.

Afinal, talvez os versos dos seletos doutores pertençam a um tempo em que a literatura possuía ainda um forte vínculo moralizante. A estética, quando compreende a descrição e sobretudo a prescrição dos costumes, deixa de ser uma dimensão autônoma, relativamente apartada dos aspectos práticos e políticos concernentes à produção escrita, para revelar o horizonte ético que, não menos complexo e multifário que aquele, estrema a ação humana, conferindo-lhe um sentido propriamente moral.

Esta literatura de cunho moralizante, portanto, mostra-se particularmente resistente à análise que pretende elevar-nos ao plano autônomo no qual, consideradas as mediações e injunções de caráter social, a obra passa a constituir uma realidade mais ou menos tangível, oferecendo-se à mira do crítico e descerrando-se diante de suas categorias analíticas.

As manifestações literárias, vicejando no campo da moral, almejam alcançar não apenas a suavização dos costumes – l'*adoucissement de la barbarie*, – mas, ao mesmo tempo, alçar definitivamente o homem ao pla-

· 43 ·

UM MORALISTA NOS TRÓPICOS

no da civilização, libertando-o de um estado natural[7]. Ao buscar fazê-lo, levando-o para além de um plano natural e mesmo sensível, a literatura, ainda quando formalmente muito pobre, responde à necessidade impreterível do espírito, desassossegado num mundo em que não parecem realizar-se a felicidade e a beleza sempre sonhadas e, por vezes, transportadas a um passado ideal cujos contornos a imaginação tenta fixar.

Não será casual se, substituindo o prisma através do qual decompõe-se a luz lançada sobre a obra literária, vamos encontrar novas formações, realçando outros aspectos e ensejando outras definições do objeto literário. Assim, aquilo que se encobre e não se deixa iluminar, diante do sobrecenho carregado do crítico, pode merecer de outrem um tratamento mais cuidadoso ou generoso, até mesmo invertendo os sinais, a fim de ver, na "moxinifada sem músculo nem alma" daquela produção, nada menos que um "monumento" literário, pedra fundamental do edifício moralizante que se esconde, desmaiado, sob a pouca luz que naturalmente possui a aurora da literatura brasileira.

• • •

É José da Silva Lisboa quem considera os *Júbilos da América* – título da coleção de máximas, epigramas, anagramas, elegias, panegíricos, acrósticos e sonetos dos "seletos"[8] – um "monumento". Em um dos volumes de sua *Constituição moral, e deveres do cidadão*, publicada entre 1824 e 1825, na Typographia Nacional do Rio de Janeiro, Silva Lisboa seleciona algumas máximas e comentários dos acadêmicos, além de alguns dos sonetos em louvor ao governador Gomes Freire de Andrada. Assim, na "Satisfação" que antecede o terceiro volume, procura justificar a presença daquele antigo documento no corpo de sua obra:

> Destinando nesta ultima Parte promover a Virtude, particular e publica, de todas as classes de Cidadãos, com a exposição dos seus *Deveres*, espero se me releve a offerecer preliminarmente o seguinte Monumento da Historia desta Corte, hoje raro, e só de noticia dos mais curiosos das Coisas da Patria, e que he digno de se propor aos Presidentes das Provincias, que tanto podem operar com o Governo Imperial para o progresso, e rectidão da moralidade do Povo. Este Monumento se mostra não menos interessante, por ser memoria da Primeira Sociedade de Literatura do Rio de Janeiro, intitulada = *Academia dos Selectos* =, e que teve por objecto o cumprimento de hum *Dever Moral*.[9]

UM MONUMENTO LITERÁRIO

Recordando o antigo "monumento" em seu livro, Silva Lisboa pretendia melhor cumprir o "dever moral" que também o movia na redação de sua obra, dedicada à "mocidade" do Império que vinha de nascer. José da Silva Lisboa, como se sabe, participou na arquitetura da jovem nação brasileira, embora resistisse, durante muito tempo, à idéia da autonomia política, como o prova sua adesão tardia ao processo de Independência (ele se postaria francamente contra as Cortes portuguesas apenas em março de 1822, quando a muitos parecia claro o desejo de recolonização), e mesmo o papel moderador desempenhado à testa do jornalzinho *O Conciliador do Reino Unido*, de 1821.

A criação mesma das academias, no século anterior, respondera também a preocupações de ordem moral, não apenas por conta dos motes desenvolvidos pelos acadêmicos, como pelo princípio edificante que as presidia. Rocha Pita, referindo-se à criação da Academia Brasílica dos Esquecidos, na Bahia, lembra que as academias eram introduzidas, nas "Repúblicas bem ordenadas, para apartarem a idade juvenil do ócio contrário das virtudes, e origem de todos os vícios, e apurarem a sutileza dos engenhos"[10]. O plano literário casa-se ao moral, porque sutileza e engenho são a contraface do encaminhamento virtuoso dos jovens, numa bem ordenada sociedade.

Impossível apartar o estudo da constituição moral do homem – objeto das investigações de Silva Lisboa, em seu longo catecismo – da fundação nacional, a que se quer associar a glória dos antepassados, segundo uma preocupação de ordem simbólica que o autor da *Constituição moral* justifica, lembrando quão antigo é o conselho de louvarem-se os varões ilustres e a própria virtude, multiplicada sempre que recordada e enaltecida[11].

O louvor ao sábio, desta forma, rememora o valor inexaurível da pura virtude, inscrevendo-a no coração do homem, reforçando imaginariamente os liames que o prendem à coletividade. Afinal, a comunidade política é, ela mesma, uma comunidade simbólica. Nela, os signos parecem fundar a solidez e a virtude do edifício coletivo, porque cada cidadão pode e deve atribuir-lhes o sentido do universal, retirando, do símbolo patriótico, a idéia da fraternidade que descansa à sombra da pátria congregada. O individual e o coletivo se enlaçam, não apenas porque o cidadão deve bem comportar-se, mas porque é ele a célula da sociedade, o elemento sobre o qual se funda a constituição política que, no raciocínio de Silva Lisboa, será apenas o pálido reflexo de uma constituição superior,

UM MORALISTA NOS TRÓPICOS

emanada da ordem das coisas e determinada pelo "Autor da Natureza", espécie de supremo Arquiteto do mundo.

À parte os ideais de fundo maçônico que se possa imputar ao moralista, e a que retornaremos em outro momento, é notável o papel desempenhado pela fundação, já aqui, nesta obra primordial da jovem nação. Note-se a preocupação de Silva Lisboa em lembrar que a Academia dos Seletos teria sido a primeira sociedade de literatura do Rio de Janeiro[12].

O século XIX, como se sabe, assistiu ao desfile de inúmeros fundadores da pátria. A busca de uma origem mítica, esquecida na noite dos tempos, seria, num corte romântico, a pedra de toque da evocação do passado. No fundo buscava-se, na origem desconhecida, o termo de um povo ainda mal-arranjado como nação. Não apenas o desconcerto da questão servil informaria as memórias e a política do século, como a questão da moralidade do povo, nascida no âmbito do trabalho, absorveria as preocupações da gente culta do país.

Do ponto de vista literário, ficcional ou não, a fundação é o elemento obsedante de muitos escritores, não apenas na fabulação de um herói-civilizador tropical, como na busca da gênese da própria literatura. Em 1826, dez anos antes que Magalhães se perguntasse sobre a origem das letras brasileiras e apenas um ano depois da publicação da *Constituição moral*, já Ferdinand Denis instava os brasileiros a beberem inspirações em uma fonte genuinamente sua, buscando em seu próprio passado a idade áurea a animar a poesia[13].

José da Silva Lisboa, não sendo ainda um escritor romântico, postase contudo a cavaleiro nesta senda dos indagadores da origem do país. Se é verdade que em sua obra, cuja análise vamos iniciando, o objeto esquadrinhado não é a literatura, e sim a moral, não será menos verdadeira sua preocupação com a fundação da pátria. Outro não é o objetivo de sua *Constituição moral, e deveres do cidadão.*

Não se trata, insisto, de desorganizar o já bem cristalizado quadro de avaliação crítica da literatura nascente no Brasil. Mas é possível enxergar, talvez, em esforços como o daquele autor, o germe de preocupações futuras, ou antes, de preocupações que apenas futuramente seriam guindadas ao primeiro plano do pensamento, embora existissem já, difusas, entremeadas a questões de ordem moral. Pois, ainda na "Satisfação" dada ao leitor, lembra o futuro visconde de Cairu, em seu catecismo mo-

· 46 ·

UM MONUMENTO LITERÁRIO

ral, que ali transcrevera excertos da Academia dos Seletos "para dar idéa do espirito catholico, patriotico, e literario, dessa memoravel epocha"[14].

• • •

Inicia-se a lembrança da memorável época com as máximas em que se resumem as ações heróicas de Gomes Freire de Andrada. Dividem-se em "maximas christãas", "politicas" e "militares", seguidas de alguns dos sonetos e comentários compostos pelos "eruditos acadêmicos", como se autodenominavam os seletos[15].

São cinco as "maximas christãas":

I. A primeira parte do tempo para Deos.

II. Fundar Casa em Deos.

III. Attribuir tudo á Deos.

IV. O que se dá á Deos, da-lo totalmente.

V. A virtude de quem governa deve ser publica.[16]

Terão pretendido os doutores enaltecer a figura heróica de Gomes Freire, por meio do louvor a suas ações. Segundo o velho registro retórico, tratava-se de encarecer as virtudes do general, criando uma zona de confluência entre o que se diz sobre ele, ou o que ele próprio dizia, e aquilo que fazia. Na personagem louvada, a fala e a consignação de suas ações são coincidentes, ou antes, são o mesmo. Como na filosofia: *litterarum et vocum communione*.

Não será casual se, diferentemente dos *Júbilos da América*, a *Constituição moral* de José da Silva Lisboa não esclareça completamente o leitor sobre a autoria dos aforismos. Enquanto a primeira obra traz máximas "em que se resumem as ações heróicas do Ilustríssimo e Excelentíssimo Senhor Gomes Freire D'Andrada", a segunda apenas as registra como sendo "*Maximas* do Governador (que então era) Gomes Freire de Andrade"[17]. Aquilo que se diz, de todo modo, não estará jamais demasiado distante daquilo que se fez, proviessem as máximas da boca do próprio governador ou da seleta pena dos acadêmicos.

Provam-no os comentários apostos a cada um dos aforismos, dando conta de seus significados, esclarecendo-os, sempre, com a menção à conduta do general. Assim, "a primeira parte do tempo para Deos", primeira máxima cristã, diz respeito aos hábitos piedosos do governador:

• 47 •

UM MORALISTA NOS TRÓPICOS

Quando desperta pela manhaã, a sua primeira operação he rezar o Offi-
cio Parvo de Nossa Senhora, e fazer as suas costumadas Oraçoens, sem
que o interrompa outro cuidado.[18]

Esta explanação revela o porquê da máxima. O leitor cauteloso logo
imaginará o ilustre general despertando para a agitada carreira de mais
um dia de trabalho, não sem antes estacar diante do ofício religioso. Às
abluções matinais vão seguir-se, indefectivelmente, o gesto pio do herói.
Até aí, permanecemos no quadro debuxado pelos acadêmicos, re-
lembrado por Silva Lisboa. Entretanto, uma análise mais minuciosa nos
permitiria, talvez, entrever e pressentir, em uma passagem como esta, o
movimento singular a que é convidado o leitor da *Constituição moral*. A máxima, neste caso, não parece bastante; há que explicá-la. Explicando-a, porém, os autores transformam a explanação em uma senda de significações
possíveis e desejáveis, orientando a leitura, isto é, conduzindo o leitor.

Não será casual se as máximas dos seletos vieram a compor o catecismo de Silva Lisboa: louvando-se os bons, orientam-se os jovens. Mas, se
a orientação vem do exemplo, deve-se reforçá-la dando as mãos ao inex-
perto leitor, não como quem convida a um mergulho num universo maravilhoso, mas como quem conduz com segurança em meio a um caminho espinhoso.

As máximas, aparecendo vez por outra na *Constituição moral*, cumprem
a função de despertar o coração do leitor para a fé, inspirando a piedade e
corrigindo os seus vícios. São sentenças afirmativas, jamais aforismos in-
dagativos. A exposição escolástica do catecismo evitará, sempre, deixar o
leitor perder-se à deriva. Ainda mais, evitará que ele experimente perder-
se, porque a perda da orientação é, a um só tempo, perigosa e tentadora. A
pena de Silva Lisboa, ao recuperar as máximas dos seletos e, como veremos adiante, outras máximas, de outros tempos e lugares, procura apossar-
se dos sentidos do texto, transmitindo uma mensagem unívoca, cerrada
e transparente. Sobretudo, uma mensagem corretiva.

Isto não torna seu catecismo menos complexo que outros textos. Ao
contrário, se nele as vigas da moral fazem-se especialmente rijas, há que
explorar o que vai dentro da estrutura corretória, resultado do esforço
mental pelo bom encaminhamento dos jovens. "Promover a Virtude",
como escrevia o futuro visconde de Cairu, requeria a exposição minu-
dente dos deveres do cidadão, e o espírito pragmático – apanágio de nos-

· 48 ·

UM MONUMENTO LITERÁRIO

sa Ilustração – supunha aquelas máximas dignas não apenas da admiração dos coevos, mas de sua propositura aos presidentes provinciais, "para o progresso, e rectidão da moralidade do Povo". Judiciosamente, o autor do catecismo buscava os destinatários naturais das lições encerradas sob o exemplo augusto.

Desta forma, as orações matinais do general poderiam servir de espelho aos jovens. Assim também, no tocante aos demais aforismos. "Fundar Casa em Deos", a segunda das máximas cristãs, diz respeito à fundação de um convento, à sua sustentação e, em especial, às mesadas com que Gomes Freire assistia as jovens ingressantes, futuras religiosas.

"Attribuir tudo á Deos", máxima seguinte, encerra uma lição de abnegação, temperada pela vigilante lealdade ao soberano. De acordo com o texto dos seletos, reproduzido por Silva Lisboa, o general

> Costuma dizer: Que não póde succeder-lhe desgraça, que o perturbe; porque, estando certo, que a sua tenção he fazer em tudo o melhor serviço de Deos, e de ElRey, receberá qualquer adversidade por premio especial de quem só sabe o que lhe convem para sua salvação.

Toda adversidade serve como provação, e somente a entrega resoluta ao serviço de Deus e do Rei traria a salvação. Nesta máxima, o plano do eterno imiscui-se ao mundo do século, porque é deste que se trata, embora a piedade e a lealdade se devam ao poder superior e intangível do Senhor, e deste ao poder concreto do Rei, numa cadeia contínua, segundo um tópico do Antigo Regime muito valorizado por Silva Lisboa, ele próprio um realista convicto, temeroso dos achaques revolucionários que se viam na Europa e mesmo na América nada jubilosa, que proclamava repúblicas e sentia reavivar-se, aqui e ali, a revolta negra.

A quinta e última das máximas cristãs, "A virtude de quem governa deve ser publica", refere-se ao excelente hábito de ouvir "missa regularmente todos os dias em Igreja publica, para mover a outros com o seu exemplo". Tornar público o gesto decente não significaria tanto, nesta máxima, angariar a admiração da gente circunstante, e sim travar uma batalha contra os hábitos viciosos, a falta perante Deus ou o soberano. Uma vez mais, entrelaçam-se motivos vários, neste pequeno punhado de palavras: o poder do exemplo se revelava na aparente gratuidade do gesto piedoso, mas o eventual interesse da ação não residiria, simplesmente, na virtude reservada do encontro litúrgico, repousando, antes, na sua-

UM MORALISTA NOS TRÓPICOS

ve coerção da atitude exemplar que, por exemplar, deve-se imperiosamente seguir.

Se o general ouvia missas regularmente, era mister que a boa gente governada também o fizesse. Mas nem só a retórica dos *exempla* funciona aqui; há algo mais na explicação da quinta máxima, permitindo vislumbrar uma verdadeira arquitetura do poder, ali onde as ações privadas devem tornar-se públicas:

> Quando fundava o seu Palacio, ordenou as portas desorte [sic], que em nenhum tempo pudessem servir, sem serem vistos e observados os que por ellas entrassem.[19]

Desde que não se trata de simples motivo estratégico, mas de uma precisa ordenação arquitetônica visando à regulação da circulação da sociedade "de corte" (se assim pudermos chamá-la, no Brasil do século XVIII), veremos que a disposição das portas poderá, talvez, derramar alguma luz sobre as questões que nos interessam. Pois é precisamente desta zona de sombra, a separar os atos públicos e privados da pessoa, que se trata na explicação do aforismo.

Se era necessário criar um palácio deixando livres aos olhos as suas entradas, seria essencial tornar público o comparecimento de toda a gente àquela edificação. É possível, entretanto, que tal se desse não apenas como forma usual de controle sobre a afluência dos nobres e apaniguados, mas como estabelecimento de uma verdadeira zona pública, em que a virtude, essencialmente pessoal, pudesse tornar-se visível a todos. Assim, a reverência ao superior e a freqüência ao palácio seriam motivo de interesse geral, como o comparecimento à missa – ato piedoso e pessoal – era fundamentalmente público.

Naturalmente não se trata, no caso dos seletos e louvaminheiros doutores do século XVIII, de um princípio republicano, estampado na publicidade dos atos do governador. Tampouco para Silva Lisboa o caráter público das ações de Gomes Freire, relembradas no catecismo, significará a abertura de um espaço comum para a política. Não se trata da atribuição do poder, mas de sua manutenção, encarnado na pessoa, tornando imperioso içar a virtude ao palco da sociedade, destacando, simultaneamente, a pessoa e suas qualidades, o homem e suas virtudes.

· 50 ·

UM MONUMENTO LITERÁRIO

O louvor à publicidade dos atos do governador não significa, em momento algum, a reclamação de sua transparência; o caráter público serve apenas para enaltecer a virtude. Esta, pertencendo especialmente ao governante, deve erigir-se em exemplo, advindo daí a necessidade de sua ampliação, princípio retórico que movera os acadêmicos em seus júbilos, e que encontraria, no catecismo de Silva Lisboa, um solo fértil para arraigar-se, ganhando novas traves nas quais se fixar. Se nos *Júbilos da América* pode ser difícil, talvez mesmo impossível, ouvir mais que uma estrepitosa "orgia de elogios", na *Constituição moral* as longas explanações e cuidadosas citações oferecem aos ouvidos uma música bem mais complexa, concertada por um espírito bafejado já pelas idéias da Ilustração, reagindo contra todo o arroubo revolucionário, inspirando-se nos antigos e nos modernos, e buscando, até mesmo na pobre tradição literária do Brasil, exemplos a seguir e idéias a desenvolver.

É curiosa, todavia, a presença dos acadêmicos nesta obra do século XIX. O jogo das louvações, tão bem detectado pelo crítico, participa, justamente, desta elevação da virtude pessoal ao estatuto do *exemplum*. Assim, trazer à luz as qualidades ocultas dos homens bons é atitude meritória e necessária. Silva Lisboa, entretanto, não reproduz, em seu catecismo, um só dos auto-elogios ou dos elogios recíprocos dos acadêmicos. Embora aplauda os *Júbilos da América*, considerando-a obra fundante, ele colige precisamente algumas das inúmeras passagens em que Gomes Freire é louvado. Neste caso, a louvação possui um objetivo claro e importante, ainda que, por vezes, possa parecer-nos fruto do exagero ou do mau gosto dos acadêmicos.

Na quarta máxima cristã, "O que se dá á Deos, da-lo totalmente", referiram-se os seletos ao convento fundado pelo governador para as religiosas de Santa Tereza, onde não consentiu a gravação de seu próprio nome, argumentando que "o Author da Obra era Deos, cujo Nome, e não o das creaturas, se deve engrandecer".

Desvela-se, nesta máxima e em sua explicação, um mecanismo interessante: louvada e ampliada pelo discurso, a discrição do governador deixa, obviamente, de ser discrição, embora possa e deva incutir o espírito de desprendimento e desinteresse nos leitores. Assim se explica o soneto inspirado por aquela máxima à "Musa Jesuítica", e transcrito na *Constituição moral*:

· 51 ·

UM MORALISTA NOS TRÓPICOS

Esta Casa, Senhor, que á Deos fundastes,/ Paraizo da terra ennobrecido,/ De Thereza com ser jardim florido,/ Padrão he, que á Vós mesmo levantastes.// Em qualquer pedra sua eternizastes/ A fama vossa, e nome esclarecido,/ Quando na frente o titulo devido/ Nobremente discreto regeitastes.// Regeitai-o pois, para que o Romano/ Se não possa jactar vanglorioso/ Demais illustre ser, que o Lusitano.// Que, se Catão despreza por briozo/ Estatua no Senado, Vós ufano/ O Nome desprezais; que he mais glorioso.[20]

A conversão do gesto nobre e discreto em ufano, postando o ínclito Freire acima de Catão, e a glória lusitana acima da romana, é realmente desconcertante, desde que nestes versos louva-se o anonimato da ação. No registro daquelas máximas, porém, toda qualidade deve ser louvada e acreditada. O laureado ressuma a virtude sem mácula, a pura e indubitável virtude. Num outro registro, que nos interessará em outro momento, o fel pode instilar-se neste mundo de virtudes resplandecentes e cristalinas, manchando em sua origem a nobreza da ação: na França, um século antes que, no Rio de Janeiro, os seletos ensaiassem seus voejos poéticos, o duque de la Rochefoucauld sentenciava seu desencanto com os homens, na máxima de número 149 – "*le refus des louanges est un désir d'être loué deux fois*" ("a recusa de louvores é desejo de ser louvado duas vezes")[21].

De fato, a recusa em burilar o nome nas pedras do convento poderia esconder o desejo de vê-lo inscrito nos livros e gabado por toda a gente. A refutação da homenagem mal esconderia a pretensão de recebê-la em dobro. Este, porém, não é um segredo que aflore no discurso dos seletos, tampouco na prosa cautelosa de Silva Lisboa, em seu catecismo. Num caso, como no outro, as virtudes se mantêm inteiriças, instando o leitor a admirá-las, quase o cegando com sua luz excessiva.

É um mundo de verdades este, no qual a pena do escritor bate, pundonorosa, todo entretom, toda meia-luz, todo esconso sombrio em que a criatura humana vá esconder seus vícios, dissimulando o amor-próprio e o egoísmo, calando as virtudes ou, simplesmente, lembrando não serem elas mais que a criação engenhosa dos sábios, sancionada pelos moralistas e recordada pelos homens de bem.

Mundo de verdades em que a ação humana não pode dissimular, devendo oferecer-se sem véus à mira dos atentos observadores que são os moralistas, permitindo-lhes revelar plenamente a sua verdade, isto é,

UM MONUMENTO LITERÁRIO

não apenas a verdade de cada ação, mas a própria Verdade, postada além de todos os atos. Primeira das "maximas politicas" dos seletos, presente no catecismo: "A Verdade he a alma das acçoens"[22].

Na *Constituição moral*, há este princípio axial a afastar Silva Lisboa do universo desencantado de La Rochefoucauld, moralista talvez menos crédulo e pio, mas certamente mais profundo. Se nas máximas do duque *frondeur*, como veremos adiante, o retrato moral da gente de corte se dissolve numa teia envolvente e impiedosa, sugerindo um juízo moral que se exsolve igualmente no olhar errático e algo cético do autor, no catecismo de Silva Lisboa, bem ao contrário, o moralista prodigaliza esforços para fixar uma única imagem da virtude; ou antes, uma compacta imagem do homem virtuoso, como devera ter sido o nobre general setecentista.

Haverá aí talentos singulares de retratistas e comportamentos diversos do olhar. La Rochefoucauld desloca vertiginosamente sua mirada, detectando a raridade do *honnête homme* num meio em que a dissimulação não encontra limites. Já Silva Lisboa fita o homem em constante aperfeiçoamento, e seu olhar desembocará na imagem do herói cantado em prosa e verso pelos antepassados. Ambos são lúcidos, à sua maneira. Em La Rochefoucauld, distinguimos aquela "lucidez de lâmina" que corta e fere, deixando nada, ou quase nada, ao espírito[23]. Em Silva Lisboa, a lucidez advém do afã esclarecedor e reformador, deitando ferros aos vícios e combatendo toda dissimulação de caráter, numa prosa magnificente, posto que didática. Neste mundo, e não no outro, a Verdade fará sua morada.

Assim se pode compreender a primeira das máximas políticas que, na *Constituição moral*, mistura-se à segunda – "Do Povo só o respeito" –, cuja explicação serve também como exemplo das inabaláveis virtudes pessoais e cívicas de Gomes Freire, de acordo com o retrato dos seletos:

> Para conservar o seu respeito, he constante não haver recebido, em tantos annos de Governo, outro emolumento fóra do seu ordenado. Fez voltar huma borracha de ouro, que das Minas se lhe mandava com o pretexto de novo descobrimento, e por se não faltar ao estylo praticado com seus Antecessores, dizendo: Que não achava no seu regimento, nem na ley de Deos, capitulo algum, para acceitar similhantes offertas: Que o exemplo de seus Antecessores não podia servir-lhe de ley. Mandando-lhe cer-

· 53 ·

UM MORALISTA NOS TRÓPICOS

ta pessoa huma pedra cravada de diamantes, respondeo: Que aquella pedra hia parar melhor ás mãos de ElRey; e com effeito, pelo Secretario de Estado, a fez apresentar em nome da mesma pessoa, que lha mandou.[24]

Reponta, uma vez mais, a virtude do governador. A rareza desta refutação de um tesouro, em nome de leis mais importantes e nobres que a corrupção consueta dos homens, dá o timbre de exceção com que se exalta a pessoa do mandatário real, mais alto dentre os mais altos súditos. A Verdade, nesta como em outras explanações, comprova a dignidade dos seus atos, revelando um homem sublime, apartado dos demais. Conforme o soneto do acadêmico Dr. Tomás Rubi de Barros Barreto:

Quem afirma o que entende, he verdadeiro;/ Quem mente, falsifica a consciencia;/ Isto he operação de inconfidencia,/ E aquillo he nobre acção de Cavalheiro.// O mendáz, o falsário, e embusteiro,/ Na mentira mais leve de advertencia,/ Offende á Deos, Verdade por essencia,/ E o não faltar á este, está primeiro.// Oh quem ao nosso Heróe nisto seguira!/ Quem sem faltar á Deos, e á Magestade,/ Sempre puras Verdades proferira!// Mas esta prenda delle he propriedade;/ Pois conhece, seguir-se da mentira/ Faltar á Deos, e á si; esta he a verdade.[25]

O autor da *Constituição moral* colheu este, dentre os tantos poemas laudatórios dos *Júbilos da América*. O terreno é realmente árido, como nota o crítico; as musas, um pouco desajeitadas, quando não completamente ausentes. Interessa-nos, porém, seguir as pistas do raciocínio de um moralista a quem parecia importante tal colheita, talvez porque as máximas dos seletos exaltassem as puras virtudes, oferecendo à imaginação, com mediana clareza, a cisão que os jovens deveriam aprender: de um lado, o mendaz inconfidente; de outro, o nobre cavalheiro.

Outros tópicos, além da piedade, sinceridade e lealdade, aparecem nas máximas rememoradas pelo moralista. "Vagaroso em resolver, constante em executar", quarta máxima política, diz respeito à ponderação nas decisões públicas e à firmeza ao executá-las ("quem governa, não deve ter mais amigos que a sua consciencia, e a sua honra"). "Merecer o premio, mas não pedi-lo", quinta daquelas sentenças, reforça os traços a um só tempo humildes e resolutos do governador e general, para quem "não he bem desconfiar do agradecimento dos Reys", resultando daí a serena certeza de que o prêmio virá quando merecido, não se devendo

UM MONUMENTO LITERÁRIO

requerê-lo por meio de instâncias ao poder superior. Dos reis, aliás, há que pretender-se apenas os emolumentos mínimos para levar uma vida com honra; de Deus é que se pode esperar o prêmio principal, conforme à obra realizada na terra[26].

A abnegação da pessoa significa, invariavelmente, a entrega de si e de sua obra ao poder superior, em suas dimensões temporal e eterna. Esta é uma constante tanto nas máximas dos seletos quanto no catecismo de Silva Lisboa, onde elas figuram e ganham fôlego especial, retiradas que foram do "raro" e então pouco conhecido livro em que vegetavam, desde o século anterior.

As palavras são datadas, é claro. Mas os binômios "cavalheiro"/ "inconfidencia", falsa "consciencia"/ "verdadeiro", no soneto de Barros Barreto, podem anunciar as claras oposições existentes na *Constituição moral*. O leitor do catecismo é verdadeiramente embalado num jogo de opostos com que se almeja apartar a falsidade da verdade, a improbidade da honestidade, o mal do bem, o inimigo do justo. Jogo de claridades, uma vez mais, de iluminações sucessivas, varrendo o terreno do século, propondo a sua purgação ininterrupta. Talvez não se procure, naquela obra, resgatar, inteira e intocada, a pureza original do homem, mas apenas corrigir sua primeira falha, pondo-o em marcha no caminho da salvação, já neste vale de peregrinação que é o mundo.

A figura da Queda, como veremos em outro momento, é fundamental para a compreensão do catecismo de Silva Lisboa. Os sinais da corrupção humana são combatidos pela pena justíssima do futuro Cairu, a quem interessava redescobrir a bondade original do homem, embaciada por séculos de civilização e perigosamente olvidada num mundo ameaçado pelo gênio revolucionário. O que não significa imaginá-lo, na moda do tempo, um rousseauísta. As idéias do "Paradoxista de Genebra" seriam energicamente refutadas na *Constituição moral* e, não à toa, seu autor foi buscar, na prosa e nos versos piedosos dos seletos doutores, o conjunto de sentenças que, segundo lhe parecia, formavam um monumento pátrio, opondo a verdade da religião católica à malícia dos homens perdidos[27].

O antimaquiavelismo dos seletos brilha, como brilham as certezas do catecismo oitocentista. Silva Lisboa, naturalmente, leu com atenção os *Júbilos da América*, selecionando criteriosamente os aforismos e os sonetos com que figurar sua própria mensagem. O panegírico que, naquela obra

· 55 ·

UM MORALISTA NOS TRÓPICOS

colonial, segue as máximas dos doutores merece também nossa atenção, embora não apareça na *Constituição moral*.

Louvando longamente Gomes Freire, o panegirista lembra ser todo excesso perigoso e suspeitoso; por isto, o "Sumo Bem" deixou-nos regras certas a seguir, no caminho único que nos leva a Ele. Caminho tão mais pedregoso quanto o malogro espreita a todos: os humildes, por sua natural "falta de espírito"; os grandes, "pelo combate das paixões, exaltadas sobremaneira com a influência do poder". Tênue linha separa os vícios das virtudes, tornando-os próximos, perigosamente confinantes:

> Voltando a reflexão a todas as idades do mundo, notou já o Mestre dos Panegiristas, que não houve algum dos famosos Heróis, cujas virtudes não fossem ofendidas com alguma vizinhança de vícios. Este é o fado, que acompanha a todos os tempos.[28]

Fato antigo que, rememorado nos *Júbilos da América*, visita um velho lugar da retórica[29]. Avizinhando-se das virtudes, os vícios ofuscam a clareza daquelas, embaralhando as vistas do observador pressuroso na demarcação do campo moral. Deste quadro cediço é que deveria despontar a figura heróica de Gomes Freire, inquebrantável nas suas virtudes, quer se o considerasse como "Católico", "Político" ou "Soldado". As máximas dos seletos, dividindo-se em "cristãs", "políticas" e "militares", respondem não apenas a razões de ordem didática ou pedagógica, mas à necessidade de tornar inequívoca a conjunção dos três planos num só, amálgama perpetuado pelas soberanas virtudes, estampadas indistintamente pelo general.

É interessante que esta junção de piedade, bravura e correção afigure-se necessária, providencial até:

> Aonde pois se acharão, sem grande vantagem, e particular influxo da Providência, juntas em uma alma todas aquelas prendas, em que consiste a perfeição consumada? Uma alma, digo, obediente às ilustrações do bom, e que sobre o fundamento da Religião faz subir um edifício de virtudes Civis, e Militares? Uma alma perspicaz para a inteligência dos negócios, dominante para a decisão, deliberada para a execução? Florente nos empregos, e no retiro? Assim superior a si mesma, que tempera, e concorda a elevação do gênio com a doçura da bondade; a severidade com a alegria; a gravidade com a humanidade; a justiça com a benevo-

· 56 ·

UM MONUMENTO LITERÁRIO

lência, o respeito com o amor? Esta é a concórdia de virtudes, que a todos os homens se prescreve: e não bastam muitos séculos para produzir um exemplo.[30]

Varrido o campo moral e delida toda impureza, a política deve ser terreno para o exercício daquelas virtudes. Que distância, entretanto, do retrato ilustre do príncipe a sopesar as virtudes e os vícios, praticando-os conforme lhe tragam a segurança e o bem-estar! Se, de fato, o secretário florentino instituiu uma ciência burguesa do poder, foi porque divorciou a moral da política, ou antes, tratou de abolir, no dia-a-dia do príncipe, as indagações metafísicas e a preocupação com um bem proceder que não se pautasse, exclusivamente, pela correta manutenção do corpo civil. Correção, é claro, ditada antes pelas instâncias terrenas que por uma Vontade superior aos homens. A fortuna, com Maquiavel, se desinveste de todo o mistério providencial, tornando-se parte do campo de experimento da ação política[31].

Para os seletos, lidos e admirados por Silva Lisboa, a religião e a piedade católicas formavam "a base em que subsiste a firmeza dos Governos". Assim, os céus providenciam as luzes a iluminar o entendimento do governante, executor do amor e da justiça divinas. Porém, dirão nossos acadêmicos,

> que ditames, e que máquinas não tem inventado a malícia contra uma verdade tão sólida! Ainda soa com horror aos nossos ouvidos a doutrina pestilente daquele Espírito, que prometendo instruir a um Príncipe em consumada política, nada menos fez do que perdê-lo, e a muitos. *O Príncipe, que se quer conservar,* (escreveu o ímpio Mestre) *aprenderá poder alguma vez ser mau, e praticá-lo, segundo pedirem os negócios.* [...] Deste cruel aforismo brotaram febres incuráveis de ambição, e tirania, com ruína do mundo. Porque perdido o temor de Deus, o amor da Religião, e da virtude, e havida licença de praticar o mal; chorou, e ainda chora a Europa, não só a destruição de Ilustres Generais, e populosas Províncias, mas também a perda lamentável de grandes Monarcas. Julgaram, cegamente, que se não podiam conciliar, a brandura Cristã com a Soberania do mundo; a pobreza de espírito, com a soberba de altas riquezas; as lágrimas da penitência, com os divertimentos da Corte; a fome, e sede da justiça, com o desejo das Conquistas; a limpeza do coração, com o comércio das formosuras do mundo; a tranqüilidade do ânimo, com a licença de

UM MORALISTA NOS TRÓPICOS

Soldado; o sofrimento das ofensas particulares, com o poder absoluto de vingar-se, com os desígnios finalmente de avultar no mundo, uma Religião, que tem por timbre o desprezo do mesmo mundo.[32]

A reação antimaquiavélica dos seletos, corroborada no catecismo oitocentista, permite imaginar um quadro em que as virtudes fulgem, soberanas, envoltas em fumos agostinianos e platônicos. Existe, é verdade, em especial no catecismo, uma batalha secular contra os vícios; entretanto, não se deveria transigir nem tolerar as armas mundanas, que, muitas vezes, empregam meios viciosos para o combate. A guerra contra os fariseus jamais deveria servir-se da impiedade, ainda que nos seus fins se ocultem os valores irrecusáveis e absolutos da virtude cristã.

É curiosa esta presença maciça de um modelo ideal, seja na literatura encomiástica dos seletos, seja no texto mais cenhoso de Silva Lisboa. Não haveria que ceder, em momento algum, às armas do inimigo: apenas as virtudes, imaculadas, nos salvariam, conduzindo-nos a futuro e bem-aventurado estado, ainda que, então, se tratasse de um mundo compósito, no qual "o comércio das formosuras" mundanas formasse com "a limpeza do coração".

Não poderia, mesmo, haver menoscabo completo pelas armas oferecidas pelo mundo do século. A importância delas é patente, desde que se pretenda atingir um fim elevado. Não faltará quem veja aí a origem da concessão aos princípios maquiavélicos, segundo uma instância à qual nem mesmo os jesuítas puderam ou quiseram opor-se. Assim, o tão estudado voluntarismo inaciano, estremando os padres da Companhia do quietismo e, especificamente na França, do jansenismo, obrigava-os a agir num mundo em que os meios eram tão importantes quanto os fins.

Pensando bem, estes fins não poderiam, de fato, pertencer apenas à Razão celeste, nem os meios diriam respeito, exclusivamente, ao plano mundano em que erram os homens. Os meios para a construção de um Estado futuro que alcançasse a glória de Deus concerniam tanto à ordem falível do humano quanto à esfera perfeita do divino. A idéia de um aperfeiçoamento do mundo ou, na chave barroca, a busca de sua "perfectibilidade", permite-nos enxergar este ponto de cruzamento do voluntário e do providencial, nó escuríssimo, a partir do qual se irradiam os fios da trama secular das querelas sobre o livre-arbítrio[33].

José da Silva Lisboa, e mesmo os seletos doutores que o antecede-

· 58 ·

ram, não estariam distantes destes casuísmos. Embora não examine em profundidade nenhuma discussão teológica, o autor da *Constituição moral* nutre-se do espírito tomista, cuja raiz, naturalmente, vai buscar em Aristóteles, elogiando o engenho do Estagirita e a proficuidade da filosofia peripatética, pelo menos até que "o celebre Inglez" Bacon a fizesse cessar, nas nações mais cultas da Europa, graças a seu método experimental[34]. Restavam as classificações a balizar os atos humanos, virtuosos ou viciosos, bons ou maus. Poderia, entretanto, o ato mau justificar-se em nome do fim elevado? Certamente não, no raciocínio de Silva Lisboa. O que, de toda forma, descerra as cortinas de um palco mundano, para que ali, neste mesmo mundo manchado pelo pecado, se desse o exercício pleno e remissor das virtudes: palmilhamos o chão da impiedade, e nos desembaraçamos dos vícios. Na *Constituição moral*, a admiração pelos estóicos, posto que se desconfie da especiosidade de algumas de suas regras, sugere o valor de um continuado treinamento, tendo em vista o aperfeiçoamento do ser e a contenção dos instintos corpóreos.

Para tanto, seria necessário valer-se dos exemplos das vidas passadas e, por isto, Plutarco é louvado como mui instrutivo, "por mostrar as virtudes e vicios dos que insignemente figurarão no Theatro da Sociedade Civil". Marco Aurélio poderia ser um modelo de Imperador, não fora o descuido com a educação de seu filho e com a própria administração do Império. Epicteto, vivendo no tempo de Nero, deixara excelente manual de moralidade e é até provável, segundo o autor do catecismo, que conhecesse a moral evangélica[35].

A virtude não se deve deixar manchar pelos vícios. O sábio não seria, porém, aquele que se isola do mundo, e sim aquele que o enfrenta, pois nele se desenrola a boa batalha, ainda que sejam os céus a orientar, com graça e algum mistério, a luta suprema contra a corrupção, fazendo "avultar no mundo, uma Religião, que tem por timbre o desprezo do mesmo mundo". Creio ser sob este pano de fundo que se deva entender a presença do retrato de Gomes Freire no catecismo de Silva Lisboa.

O empenho civil do general – exemplo do sábio governador, do político e do homem pio – torna-se finalmente manifesto com as máximas militares:

I. A verdadeira gloria pelas armas.

II. Amar igualmente a honra, e o perigo.

UM MORALISTA NOS TRÓPICOS

III. Na paz, e na guerra a mesma vigilancia.
IV. Valor, e diligencia segurão a victoria.
V. Do inimigo recear sempre.[36]

Como no caso das demais máximas, o autor da *Constituição moral* segue o texto dos seletos, reproduzindo integralmente as explicações apostas aos aforismos, e selecionando alguns de seus sonetos.

A intrepidez é a qualidade principal louvada na primeira máxima; a glória advém, no caso, da Espada, a cujas instâncias o bravo Freire respondera prontamente, abandonando os estudos conimbricenses:

> Versando a Universidade de Coimbra, e ouvindo o estrondo da guerra, que principiou em 704., de tal sorte se accendeo em dezejos de conseguir gloria pela Espada, que repudiando os estudos, em que fazia notaveis progressos, passou logo ao Alentejo em 707., e militou 23. annos naquella Provincia em praça de Soldado, e Capitão de cavallos, servindo de estimulo á seu ardente espirito a lembrança de seus Ascendentes celebrados pelas armas.[37]

O tom entre épico e descritivo parece anunciar o herói das demarcações meridionais do Império português, o bravo executor do Tratado de Madri, que como tal se celebrizaria, aliás, na literatura brasileira. A alta prosápia do general, perceba-se, tem matriz bélica, e o próprio abandono dos estudos seria atenuado com o soneto do secretário Siqueira e Sá, transcrito na *Constituição moral*, associando Marte e Minerva, armas e letras unidas num único laço, nó górdio que caberia a Gomes Freire sabiamente desatar, no momento certo, partindo para o campo de batalha[38].

Assim também segue o próximo aforismo, associando a honra ao perigo, numa junção de que seriam provas incontestes os ferimentos e a prisão em batalha do homenageado.

Na terceira máxima, "Na paz, e na guerra a mesma vigilancia", o general revela-se possuidor de tino para o mando e para a boa manutenção da ordem, assistindo os comandados, premiando os mais eficazes dentre eles, mas também preocupando-se com a introdução de novas técnicas ("abrio Aula de Engenherîa, deo Illustraçoens, ensinou as evoluçoens, e operaçoens mais importantes, que até o seu tempo se ignoravão"), com a fortificação do Rio de Janeiro, e o aumento de suas milícias[39].

Nas duas últimas máximas militares o herói, novamente, alia as qua-

· 60 ·

UM MONUMENTO LITERÁRIO

lidades aparentemente opostas do ânimo guerreiro e da cautela do sábio. Letras e armas se reenlaçam, agora sob o pano de fundo dos sucessos das guerras ao sul da colônia:

> Sendo sitiada pelos Espanhoes a Praça da Colonia, acudio á sua defensa com a mais prompta diligencia, mandando socorros de gente, embarcaçoens, petrechos, e viveres, com todas as direçoens conducentes á huma feliz victoria. Esta se conseguio pela resistencia da Praça, que fez baldadas as operaçoens do inimigo; devendo-se a reputação das nossas armas ao influxo de hum General, que sabe vencer ausente, só com o respeito do seu nome.[40]

Refeririam-se os seletos à expedição enviada por Gomes Freire, em 1737, em socorro dos habitantes portugueses ao sul, que sofriam um cerco de quase dois anos, na Colônia do Sacramento[41]. Iniciava-se, então, a povoação definitiva do Rio Grande, e abria-se carreira para a solução diplomática de 1750, quando, finalmente, Tordesilhas seria esquecida e os Sete Povos das Missões viriam como resultado da permuta com os espanhóis, a quem caberia Sacramento.

Este é o palco em que se desenrolariam as guerras guaraníticas, cantadas nos versos heróicos de Basílio da Gama, justamente louvados pela crítica. Antes porém que Gomes Freire se tornasse o "grande Andrade" d'*O Uraguay*, os seletos, quando os jesuítas não haviam ainda sido expulsos de Portugal, cantavam as glórias e a astúcia do general, sempre receoso e cauteloso quanto à política da Coroa Católica (última máxima militar, transcrita na *Constituição moral*: "Do inimigo recear sempre")[42].

É interessante notar que o lapso entre os *Júbilos da América* e o catecismo de José da Silva Lisboa tenha visto florescer uma das obras fundamentais de nossa literatura. Ainda sem discutir a sua importância para as gerações românticas, e desconsiderando que, a acreditar-se em Machado de Assis, Basílio nunca tenha sido um poeta realmente popular, há que refletir, segundo me parece, sobre algum sentido comum às três obras, tão desiguais, seja nos seus objetivos, seja nos temas e, sobretudo, na fama angariada ao longo do tempo[43].

Claro está que n'*Os Júbilos da América* e n'*O Uraguay* o louvor dirige-se à mesma pessoa, enquanto, na *Constituição moral*, Gomes Freire é quase acidentalmente referido, e o fato de sê-lo deve-se antes à sua presença

· 61 ·

UM MORALISTA NOS TRÓPICOS

na obra dos seletos, muito prezada por Silva Lisboa, que à importância da personagem histórica.

Não se tratando de buscar uma linha evolutiva das obras, ligando-as numa cadeia arbitrária de significados, resta, porém, de comum a todas elas, o enaltecimento da figura heróica do homem virtuoso, o *vir bonus*, na expressão retórica. E é verdade que Gomes Freire, antes ainda de ser cantado na atmosfera violenta e quase épica surgida da pena de Basílio, já era louvado como uma espécie de herói-civilizador ou, quando menos, como assegurador das fronteiras lusitanas.

Escrito sob a sombra enorme de Pombal, e publicado em 1769, *O Uraguay* é o canto sublimado da civilização, do herói que arrosta e alarga as fronteiras, a despeito de toda a aleivosia jesuítica, retratada com tanto fel e incompreensão pelo poeta e ex-jesuíta Basílio da Gama. Já nos *Júbilos da América*, Gomes Freire, retratado pelos seletos, não é ainda, evidentemente, o guerreiro em ação, mas é também o expedicionário da civilização. Num caso e no outro a *civilização* é o ponto de chegada do discurso, estampada, aqui, no nobre proceder do súdito leal e, ali, em plena glória das batalhas, ao se brandirem as armas contra o inimigo, perverso exatamente por obstar a marcha civilizacional encabeçada pelo augusto militar.

Na explicação da terceira máxima política dos seletos, "Fazer-se temido pela justiça, e amado pelos benefícios", a onipresença das leis citadinas se garante com a autoridade do governante, e é interessante que o desenho mesmo da cidade se faça tão claro e harmonioso, por meio das pinceladas viris com as quais se rasga o terreno selvático, a fim de dar-lhe feição propriamente civil:

> Tendo sobre seus hombros o Governo vastissimo de tres Capitanias, a todas governa, como se em cada huma estivesse prezente; porque ainda aquellas, de que está ausente, só com o conhecimento de que elle as governa, se conservão na regra, em que as tem posto. Ao mesmo tempo em que todos o temem, todos o amão; porque todo se emprega no bem publico. Esgotou a Cidade, por meyo de huma valla, de todas as agoas, que fazião a sua habitação menos saudavel. Reparou o Aqueducto, donde bebe a Cidade, fazendo outro de maior magnificencia, e duração. Procura, e persuade a erecção dos Templos, e a symmetria dos Edificios, para estabelecer igualmente o Culto Divino, e a formosura da Cidade.[44]

A formosura da cidade parece indissociável, aqui, da simetria com

UM MONUMENTO LITERÁRIO

que se a edifica, das linhas antinaturais com as quais se risca o terreno abandonado pelo engenho humano e entregue às forças da natureza. Este domínio sobre o natural se parece bastante àquele postar-se além do mundo desorganizado dos elementos e dos instintos, adoçando-os com a vontade férrea do civilizador. Em momento algum, nos extratos dos seletos presentes na *Constituição moral*, a natureza ou o homem selvagem são motivo de elogio ou sequer de atenção.

Note-se que n'*O Uraguay*, ao contrário, a natureza ganha cores, se não idílicas, ao menos grandiosas. O mesmo Gomes Freire, rompendo o silêncio no canto primeiro, queixa-se dos índios, ora "Bárbaros" e "atrevidos", ora disciplinados na guerra, deixando porém que a mesma natureza fornecesse a praça insólita em que se guardaram os soldados:

Porém o Rio, e a forma do terreno
Nos faz não vista, e nunca usada guerra,
Sai furioso do seu seio, e toda
Vai alagando com o desmedido
Peso das águas a planície imensa.
As tendas levantei, primeiro aos troncos,
Depois aos altos ramos: pouco a pouco
Fomos tomar na região do vento
A habitação aos leves passarinhos.
Tece o emaranhadíssimo arvoredo
Verdes, irregulares, e torcidas
Ruas, e praças de uma, e de outra banda,
Cruzadas de canoas. Tais podemos
Co'a mistura das luzes, e das sombras
Ver por meio de um vidro transplantados
Ao seio de Adria os nobres edifícios,
E os jardins, que produz outro elemento.
E batidas do remo, e navegáveis
As ruas da marítima Veneza.
Duas vezes a Luz prateada
Curvou no Céu sereno os alvos cornos,
E inda continuava a grossa enchente.
Tudo nos falta no país deserto.
Tardar devia o Espanhol socorro.

UM MORALISTA NOS TRÓPICOS

E de si nos lançava o rio, e o tempo.
Cedi, e retirei-me às nossas terras.[45]

A voz civil do general não impede, antes exige que a natureza se revele, seja na força com que obrigou seus homens a juntarem-se aos pássaros, no cimo das árvores, seja no resultado incrível da enchente, ao produzir uma cidade fantástica, Veneza tropical surgindo como visão mirífica para logo desvanecer-se, nada restando no país deserto. Então, os bravos portugueses recuam diante da natureza, de sua força e de seu tempo.

No segundo canto, antes de desenrolar-se a batalha, dá-se o célebre diálogo entre o general e os índios Cepé e Cacambo. A sua insubmissão se expressa na honra guerreira com que recusam a autoridade real, mantendo-se sob o poder dos padres jesuítas, reclamando da perfídia secular da Europa. Porém, não vem da afronta aos portugueses e espanhóis, juntos desta vez, a força maior da natureza selvagem. Tal força parece guardar-se numa noite escura, quando, no canto terceiro, Cacambo, após a visão fantasmática do valente Cepé, mergulha nas águas e deixa-se levar até o inimigo:

> Pendura a um verde tronco as várias penas,
> E o arco, e as setas, e a sonora aljava;
> E onde mais manso, e mais quieto o rio
> Se estende, e espraia sobre a ruiva areia,
> Pensativo, e turbado entra; e com água
> Já por cima do peito as mãos, e os olhos
> Levanta ao Céu, que ele não via, e às ondas
> O corpo entrega. [...][46]

Impressionante o poder destas palavras, da imagem do homem que, mais que integrado ao meio, é ele próprio a natureza humanizada, confundindo-se às águas, tão turvas e enegrecidas quanto sua alma penserosa, com olhos postos no céu que não se vê, mas que aparece, nestes versos, imenso e poderoso, infinito em infinita noite. Somente restaria, ao selvagem, a entrega do corpo e da alma às vagas do grande rio, num ritmo sublime que a poesia vai buscar, preciosa, nestes belos decassílabos brancos.

A idealização do selvagem, numa chave bastante conhecida, atribui-

· 64 ·

UM MONUMENTO LITERÁRIO

lhe, a um só tempo, a força de uma natureza que os europeus conheciam já dominada pelas mãos da civilização, e a pureza que, pelos séculos de corrupção, vinha-se manchando e perdendo entre os homens. E, se nem todos os índios são como Cacambo, torna-se contudo interessante notar o poder de passagens como aquela, no tecido poético d'*O Uraguay*. As profundas observações de Antonio Candido, aliás, ensinam que o índio, tendo vindo ao primeiro plano, "salvou" o poema de Basílio da Gama. Isto é, a verrina antijesuítica é um eixo possível para a análise da obra, mas os seus melhores momentos estão no "encontro de culturas", ou neste plano em que o selvagem desponta, opondo-se ao branco civilizado[47].

Isto pode levar-nos de volta a Silva Lisboa e aos seletos. Se o encontro da civilização é o ponto comum das três obras, dispostas ao longo de setenta conturbados anos de história, esta mesma civilização aparece sob matizes diversos nos versos desiguais d'*O Uraguay* e dos *Júbilos da América*. Embora a personagem louvada seja a mesma, na poesia de Basílio, além da existência da lírica – ausente nos doutores –, a civilização é um encontro de duas mãos, e a voz do selvagem possui uma beleza inegável, a guardar-se no campo mítico, fugindo ao tempo humano. Já nos acadêmicos, presentes na *Constituição moral*, o mundo natural quase não aparece, constituindo mesmo um entrave à civilização, àquelas linhas precisas com que se procura cortar a paisagem inóspita, erguendo a Cidade.

Não será casual, portanto, se o moralista oitocentista for buscar nos seletos o elogio de Gomes Freire. Embora conhecesse a poesia de Basílio da Gama, apenas os versos dos acadêmicos cabiam bem em seu catecismo[48]. A Silva Lisboa importa a imagem especular do varão virtuoso, temente a Deus e ao soberano, construindo a civilização sem hesitar nem deixar-se encantar diante do selvagem. A natureza, para o futuro Cairu, era mestra da ação, porque nas leis naturais ocultava-se a infinita sabedoria do Criador. Mas seu esforço civilizatório afastava os homens do mundo intocado desta natureza, da qual são apenas observadores desapaixonados, procurando continuamente dela apartar-se, mantendo-a a prudente distância.

O retrato do homem civilizado, traçado pelo moralista, não admite o estado selvagem que tanto encantaria os românticos. A sublimação, na prosa travada de Silva Lisboa, não viria com o sonhado estado intocado dos homens em sua infância histórica, mas apenas com o ingente esfor-

· 65 ·

UM MORALISTA NOS TRÓPICOS

ço de construção da nação civilizada, com o estabelecimento preciso de regras, dos direitos e deveres do cidadão:

> Os homens não podem bem viver, e convenientemente crescer, e multiplicar-se no que se diz *estado da Natureza*, em que pouco differirião dos brutos; mas sim no *estado da Sociedade*, para o qual os impellem os communs instinctos, e sentimentos, para mutuo auxilio, e prazer. Então he bem que se podem dizer entes racionaes, e membros de alguma *communidade*, isto he, *cidade*, de povoação pequena ou grande; e portanto devem já ser considerados como *cidadãos*, tendo *direitos* a guardar, e *deveres* a cumprir.[49]

O estado de natureza é recusado e, em seu lugar, erige-se a sociedade dos homens civilizados, que respondem aos comuns e benéficos sentimentos de sua humanidade, segundo uma idealizada bondade natural, que residiria não tanto na natureza mesma, mas no coração cristão do homem.

Os deveres do cidadão fazem crer numa sociedade regulada pela consciência moral, onde os vícios se apartem das virtudes, os injustos se afastem dos justos, os maus se diferenciem dos bons. O esforço por esta partilha, e pelo descobrimento da bondade humana, é o tema que move José da Silva Lisboa, em sua *Constituição moral, e deveres do cidadão*. Sobre este fio, a separar vícios e virtudes, correrá sua vista. Sobre ele, inclinam-se tantos outros moralistas, alguns também otimistas, outros menos confiantes na bondade humana. Outros, ainda, profundamente indiferentes à remissão dos homens.

Notas

[1] "O philosophie, guide de la vie [...] Tu as enfanté les villes; tu as rassemblé en une société les hommes dispersés; tu les as liés entre eux d'abord par leurs demeures, puis par les unions conjugales, enfin par le lien de l'écriture et de la parole; tu as découvert les lois; tu es la maîtresse des mœurs et de l'instruction" ("*O vitae philosophia dux* [...] *Tu urbes peperisti, tu dissipatos homines in societatem vitae convocasti, tu eos inter se primo domiciliis, deinde coniugiis, tum litterarum et vocum communione iunxisti, tu inventrix legum, tu magistra morum et disciplinae fuisti* [...]"), Cícero, "Tusculanes", V (II), em *Les stoïciens* (trad. Émile Bréhier; Paris, Gallimard, 1997), p. 362;

· 66 ·

UM MONUMENTO LITERÁRIO

"M. Tulli Ciceronis tusculanarum disputationum", em *Tusculan disputations* (Cambridge, Harvard University Press, 1989), p. 428 (ênfase minha).

[2] Cf. Aristóteles, *Rhétorique*, II, 1 (trad. Médéric Dufour; Paris, Gallimard, 1998), p. 108.

[3] Sêneca, *Lettres à Lucilius*, XC (trad. François e Pierre Richard; Paris, Garnier, 1955), v. 2, p. 294-5.

[4] Antonio Candido de Mello e Souza, *Formação da literatura brasileira: momentos decisivos* (Belo Horizonte, Itatiaia, 1981), v. 1, p. 23.

[5] Ibidem, p. 82-3.

[6] Ibidem, p. 77.

[7] Cf. Georg W. F. Hegel, "Estética – a Idéia e o Ideal", em *Hegel* (trad. Orlando Vitorino; São Paulo, Abril, 1974), p. 101-13. Veremos, adiante, o alto preço desta libertação, desde que a sublimação das paixões, mesmo neste canto do mundo ocidental, deveria muitas vezes fazer-se acompanhar da mais penosa continência, opondo, ao vício que delas deriva, uma virtude soberana que nos aquieta e domina; sobretudo, pretende dominar-nos.

[8] Cf. José Aderaldo Castello (Org.), *O movimento academicista no Brasil: 1641-1820/22* (São Paulo, Conselho Estadual de Cultura, 1969), v. II, t. I. A primeira edição dos *Júbilos da América* data de 1754, organizada por Manuel Tavares de Siqueira e Sá.

[9] José da Silva Lisboa, *Constituição moral, e deveres do cidadão, com exposição da moral publica conforme o espirito da Constituição do Imperio*, op. cit., parte III, p. III.

[10] Apud José Aderaldo Castello, "O movimento academicista", em Afrânio Coutinho (Org.), *A literatura no Brasil* (Rio de Janeiro, Editorial Sul Americana, 1956), v. I, t. 1, p. 439.

[11] José da Silva Lisboa, *Constituição moral, e deveres do cidadão...*, op. cit., parte III, p. II.

[12] No Rio de Janeiro houvera já, entre 1736 e 1740, a Academia dos Felizes. Para uma justa "tentativa de valorização do movimento academicista no Brasil", consulte-se José Aderaldo Castello, "O movimento academicista", op. cit., p. 431-52.

[13] Cf. Ferdinand Denis, "Resumo da história literária do Brasil" (trad. Guilhermino Cesar), em Guilhermino Cesar (Org.), *Historiadores e críticos do romantismo* (Rio de Janeiro/São Paulo, Livros Técnicos e Científicos/Edusp, 1978), p. 36.

[14] José da Silva Lisboa, *Constituição moral, e deveres do cidadão...*, op. cit., parte III, p. IV.

[15] Cf. Manuel Tavares de Siqueira e Sá, "Epístola dedicatória ao Senhor José Antônio Freire de Andrada", em José Aderaldo Castello (Org.), *O movimento academicista no Brasil: 1641-1820/22*, op. cit., p. 11-6.

[16] José da Silva Lisboa, *Constituição moral, e deveres do cidadão...*, op. cit., parte III, p. V-VI.

[17] Ibidem, parte III, p. III; José Aderaldo Castello (Org.), *O movimento academicista no Brasil: 1641-1820/22*, op. cit., p. 73.

[18] José da Silva Lisboa, *Constituição moral, e deveres do cidadão...*, op. cit., parte III, p. V.

· 67 ·

UM MORALISTA NOS TRÓPICOS

[19] Ibidem, p. VI.

[20] Ibidem, p. XIII.

[21] La Rochefoucauld, "Réflexions ou sentences et maximes morales", em *Œuvres complètes*, op. cit., p. 423; *Máximas e reflexões* (trad. Leda Tenório da Motta), op. cit., p. 37.

[22] José da Silva Lisboa, *Constituição moral, e deveres do cidadão...*, op. cit., parte III, p. VI.

[23] "Lucidez de lâmina" é expressão tomada a Alfredo Bosi que, explorando o foco narrativo cambiante e precioso do último romance de Machado de Assis, nota que a aparente neutralidade do Conselheiro Aires é, de fato, a ambigüidade em que se oculta a lâmina cortante do moralista. Cf. Alfredo Bosi, "Uma figura machadiana", em *Machado de Assis: o enigma do olhar* (São Paulo, Ática, 1999), p. 135.

[24] José da Silva Lisboa, *Constituição moral, e deveres do cidadão...*, op. cit., parte III, p. VI-VII.

[25] Ibidem, p. XIV.

[26] Ibidem, p. VIII-IX.

[27] Silva Lisboa, em seu catecismo, é pródigo em epitetar seus contendores e mesmo os autores admirados. A refutação de Rousseau ("Paradoxista de Genebra"), a que se retornará em outro momento, aparece no capítulo "Da Educação Moral", no primeiro volume. Cf. ibidem, parte I, p. 66-70.

[28] "Oração panegírico (sic) ao general Gomes Freire D'Andrada", em José Aderaldo Castello (Org.), *O movimento academicista no Brasil: 1641-1820/22*, op. cit., p. 80-1.

[29] Renzo Tosi, em seu *Dicionário de sentenças latinas e gregas* (São Paulo, Martins Fontes, 1996, p. 773-4), lembra a presença ordinária desta idéia nos antigos, listando suas aparições, e sugerindo que Quintiliano diz tratar-se de uma transposição em chave tópica da reflexão de Aristóteles sobre a semelhança dos contrários. Contudo, matizem-se as fontes: se por um lado, de fato, Quintiliano refere-se a tal proximidade entre vícios e virtudes, por outro exorta o orador a bem distingui-los. O gramático deveria justamente conhecer a nuance delicada e importante que diferencia as figuras de retórica dos barbarismos e solecismos; e o conselho atribuído ao autor da *Retórica*, exagerado por outrem, de chamar os vícios pelos nomes das virtudes, aproveitando-se de sua proximidade, é energicamente recusado por Quintiliano. Cf. *Institution oratoire* (trad. Henri Bornecque; Paris, Garnier, 1954), I, V, 5, p. 64-5; III, VII, 25, p. 380-1. Aristóteles, na passagem referida por Quintiliano, fala da oportunidade desta aproximação quando se trata do elogio ou da detratação: "[...] Il faut aussi pour l'éloge comme pour le blâme traiter comme identiques aux qualités existantes celles qui en sont toutes proches; par exemple, représenter le circonspect comme froid et intrigant, le simple comme honnête; l'insensible comme calme, et dans chaque cas, faire parmi les qualités voisines le choix le plus flatteur; par exemple, faire de l'emporté et du furieux un homme sans détour; de l'arrogant un homme de grand air et imposant; représenter ceux

· 68 ·

UM MONUMENTO LITERÁRIO

qui sont dans les excès comme possédant les vertus correspondantes; par exemple, faire du téméraire un courageux, du prodigue un libéral; c'est ce que croient la plupart des gens [...]", *Rhétorique*, I (9), op. cit, p. 62.

[30] "Oração panegírico (sic) ao general Gomes Freire D'Andrada", em José Aderaldo Castello (Org.), *O movimento academicista no Brasil: 1641-1820/22*, op. cit., p. 81.

[31] É sempre impressionante a justeza do cálculo de Maquiavel, e a beleza de sua prosa, ao julgar que "a fortuna seja árbitra de metade de nossas ações, mas que, ainda assim, ela nos deixe governar quase a outra metade. Comparo-a a um desses rios impetuosos que, quando se encolerizam, alagam as planícies, destroem as árvores, os edifícios, arrastam montes de terra de um lugar para outro: tudo foge diante dele, tudo cede ao seu ímpeto, sem poder obstar-lhe e, se bem que as coisas se passem assim, não é menos verdade que os homens, quando volta a calma, podem fazer reparos e barragens, de modo que, em outra cheia, aqueles rios correrão por um canal e seu ímpeto não será tão livre nem tão danoso. Do mesmo modo acontece com a fortuna; o seu poder é manifesto onde não existe resistência organizada, dirigindo ela a sua violência só para onde não se fizeram diques e reparos para contê-la" (Maquiavel, "O príncipe", trad. Lívio Xavier em *Maquiavel*, São Paulo, Abril, 1973, p. 109). Reparar a fortuna, eis algo que nem os seletos nem Silva Lisboa ousariam imaginar. Afinal, contendo-se o poder violento da natureza dos homens, para organizá-los em sociedade, as discussões morais deslocam seu eixo, passando a orbitar em torno do homem desassistido pela Providência ou, na chave maquiavélica, do homem que soube dominar virilmente a fortuna. Assim se entrevê uma *virtù* que, antes de significar uma qualidade comungada no Eterno, ou uma virtude pura e inalterável, representa o cálculo preciso diante dos acontecimentos, o manejo adequado da balança em que os vícios e as virtudes são pesados, tendo como objetivo o equilíbrio de um poder mundano cujos árbitros são os próprios homens, em sua conturbada sociedade civil. Este, o *télos* contrário ao de Silva Lisboa.

[32] "Oração panegírico (sic) ao general Gomes Freire D'Andrada", em José Aderaldo Castello (Org.), *O movimento academicista no Brasil: 1641-1820/22*, op. cit., p. 81-2.

[33] Lembre-se, a propósito, o caso de Vieira defendendo os judeus, por considerar indispensáveis seus cabedais, para a maior glória do Estado português e de Deus: "... Daí que pensar conceitos de ética dispostos pelos sermões de Vieira implique, simultaneamente, considerar a maneira como se cumpre a necessária instância militante, operacional, coletiva, em suma, política, e aquela com que se cumpre a necessária instância finalista, providencial, teleológica, subordinada a uma natureza que se dirige para a perfeição do Ser que a criou. O conceito de 'mundo perfectível' ou 'perfectibilidade', tão grato aos moralistas do Barroco – melhor compreendido contemporaneamente, talvez, se confrontado com o vocábulo (entretanto, laico) de 'aperfeiçoamento' –, indica certamente essa dimensão dúplice

· 69 ·

UM MORALISTA NOS TRÓPICOS

indecomponível no homem". Cf. Alcir Pécora, "Política do céu (anti-Maquiavel)", em Adauto Novaes (Org.), *Ética* (São Paulo, Companhia das Letras/Secretaria Municipal de Cultura de São Paulo, 1993), p. 129. Para um contraponto, leia-se o ensaio de Alfredo Bosi, "Vieira ou a cruz da desigualdade", em *Dialética da colonização* (São Paulo, Companhia das Letras, 1992), p. 119-48.

[34] Cf. José da Silva Lisboa, *Constituição moral, e deveres do cidadão...*, op. cit., parte I, p. 13.

[35] "*Epicteto* viveo no primeiro seculo da Igreja, e foi escravo de hum Capitão Romano do Palacio do Imperador Nero. Parece haver tido algum conhecimento da Moral Evangelica; pois consta da Historia Ecclesiastica, que até na familia daquelle perseguidor do Christianismo, houverão muitos Christãos. Elle fez a sua obra grega *Enchiridon*, que he excellente *Manual de Moralidade*. A sua doutrina he substancialmente a de Zeno. Mr. *Rollin* [...] muito o recommenda. Elle cita uma excellente passagem, em que descreve bem as maravilhas do universo, e os beneficios de Deos aos homens, tanto na multidão das obras da natureza uteis e deliciosos, que lhes tem descoberto, como tambem pela multidão das artes que lhes tem inspirado para os usos da sociedade. 'Porisso (diz elle) quando os homens na maior parte se mostrão ingratos ao Creador, parecendo mergulhados em hum sonno lethargico, he necessario que, ao menos alguns, entõem, em nome de todos, hymnos e canticos de louvor. Que mais, ou melhor, podem fazer os velhos e estropiados? Se eu fosse hum cysne, ou roxinól, sempre cantaria, enchendo o meu destino. Mas *tive em partilha a razão*: devo pois occupar-me em louvar a Deos. Exhorto á todos os meus semelhantes a fazer o mesmo.' Sobre isto reflecte o pio *Rollin*: 'He hum Estoico, ou hum Christão, que tem taes sentimentos?' " (ibidem, p. 13-4).

[36] Ibidem, parte III, p. IX-XI.

[37] Ibidem, p. IX-X.

[38] "A verdadeira gloria pelas armas" serve de mote ao soneto do secretário da Academia, que se auto-intitula, então, "Ganso entre Cisnes": "Da Questão debatida assaz, sem fructo,/ Entre as Armas, e as Letras, me descarte/ A razão, e o discurso me coarte,/ Este Gordio deixando indissoluto.// Professor de Direito mal disputo/ O Direito das Armas nesta parte;/ Mas tropeçando nos preceitos da Arte,/ Venho a cahir no acerto do tributo.// Em Vós vemos, Senhor, se bem se observa,/ Letras, e Armas unidas, de tal sorte,/ Que de todo a Questão hoje se enerva.// E Alexandre á este Gordio dais tal córte,/ Que he Mavorte indistincto de Minerva,/ E Minerva indistincta de Mavorte" (ibidem, p. XVI). Cf. também José Aderaldo Castello (Org.), *O movimento academicista no Brasil: 1641-1820/22*, op. cit., p. 104.

[39] Cf. José da Silva Lisboa, *Constituição moral, e deveres do cidadão...*, op. cit., parte III, p. X.

[40] Ibidem, p. XI.

· 70 ·

UM MONUMENTO LITERÁRIO

[41] Cf. Ivan Teixeira, "História e ideologia em *O Uraguay*", em *Obras poéticas de Basílio da Gama: ensaio e edição crítica* (São Paulo, Edusp, 1996), p. 48-9.

[42] Cf. José da Silva Lisboa, *Constituição moral, e deveres do cidadão...*, op. cit., parte III, p. XI. Veja-se José Basílio da Gama, "O Uraguay", em Ivan Teixeira, *Obras poéticas de Basílio da Gama*, op. cit., p. 189-241.

[43] "Sem diminuir o alto merecimento de Gonzaga, o nosso grande lírico, é evidente que José Basílio da Gama era ainda maior poeta. Gonzaga tinha decerto a graça, a sensibilidade, a melodia do verso, a perfeição de estilo; mas ainda nos punha em Minas Gerais as pastorinhas do Tejo e as ovelhas acadêmicas. Bem diversa é a obra capital de Basílio da Gama. Não lhe falta, também a ele, nem sensibilidade, nem estilo, que em alto grau possui; a imaginação é grandemente superior à de Gonzaga, e quanto à versificação, nenhum outro, em nossa língua, a possui mais harmoniosa e pura. [...]Pois bem, não obstante tais méritos, a popularidade de Basílio da Gama é muito inferior à de Gonzaga; ou antes, Basílio da Gama não é absolutamente popular" (Joaquim Maria Machado de Assis, "A nova geração" [1879], em *Obra completa*, org. Afrânio Coutinho, Rio de Janeiro, Nova Aguilar, 1997, v. III, p. 815).

[44] José da Silva Lisboa, *Constituição moral...*, op. cit., parte III, p. VII.

[45] José Basílio da Gama, "O Uraguay", op. cit., p. 203-4.

[46] Ibidem, p. 219-20.

[47] Cf. Antonio Candido de Mello e Souza, "A dois séculos d'*O Uraguai*", em *Vários escritos* (São Paulo, Duas Cidades, 1995), p. 198.

[48] Outro terá sido o épico que encantou o moralista brasileiro. Na *Heroicidade Brasileira*, panfleto por ele publicado logo após o Fico, e mandado recolher pela censura, é transcrita parte d'*O Caramuru*, do frei Santa Rita Durão. Cf. Isabel Lustosa, *Cairu, panfletário...*, op. cit., p. 15. Entretanto, versos do *Uraguay* apareciam na *Reclamação do Brasil*, também em 1822, segundo observa Hélio Vianna, ao historiar a atividade "jornalística" de José da Silva Lisboa. E *O Caramuru*, por seu turno, seria parcialmente transcrito, ainda no ano da Independência, também no *Roteiro Brasílico ou Coleção de Princípios e Documentos de Direito Político em Série de Números*, em que o escritor baiano secundava a observação de que "os indígenas do Brasil haviam ainda em vários séculos passar (sic) por três metamorfoses para desenvolverem as próprias faculdades; mas [...] talvez algum dia teriam Newtons e Lockes". Cf. Hélio Vianna, "O visconde de Cairu – jornalista e panfletário (1821-1835)", op. cit., p. 382-4.

[49] José da Silva Lisboa, *Constituição moral, e deveres do cidadão...*, op. cit., parte III, p. 1.

· 71 ·

2. Leituras cruzadas

Em carta datada de 4 de maio de 1803, Charles de Villers contava a Mme. de Staël que, em Hamburgo, ouvira a um La Chevardière um recolho de sentenças, tiradas à sua obra:

> Cette série de pensées détachées de votre Delphine forme un recueil plus vrai, plus profond, plus agréable que celui du sec et superficiel Larochefoucauld, qui a étudié la nature dans la glace des hauts lieux[i].[1]

O juízo acerca das máximas de La Rochefoucauld não andaria isolado, contudo. Nem sempre o retrato da natureza humana, traçado na obra do século XVII, encontrou ouvidos abertos e corações prontos a aceitá-lo. Afinal, se é correta a suposição de que o espírito jansenista habita as máximas, não será mesmo fácil lê-las "agradavelmente", conquanto, em seu tempo, elas pretendessem também agradar[2].

Entre moralistas como La Rochefoucauld, a arte de manejar as palavras, revelando *esprit*, não se aparta jamais do exercício do desmascaramento mundano, buscando, no fundo e na forma, desmistificar as virtudes enaltecidas pelos filósofos estóicos, patenteando sua falsidade. Porém, basta ler as cartas enviadas a Mme de Sablé, e veremos que o autor das máximas se preocupava, também, com o juízo que delas faziam seus leitores, ou auditores:

---

[i] Esta série de pensamentos esparsos de sua Delphine forma um recolho mais verdadeiro, mais profundo, mais agradável que aquele do seco e superficial Larochefoucauld, que estudou a natureza no gelo dos altos lugares.

UM MORALISTA NOS TRÓPICOS

[...] J'avais toujours bien cru que Mme la comtesse de Maure condamnerait l'intention des sentences et qu'elle se déclarerait pour la vérité des vertus. C'est à vous, Madame, à me justifier, s'il vous plaît, puisque j'en crois tout ce que vous en croyez[ii].[3]

A justificação das sentenças, antes ainda de serem publicadas na forma de um livro, ficaria a cargo da marquesa de Sablé, tão próxima da condessa de Maure quanto dos Solitários, isto é, aqueles que trocavam Paris pelos bosques malsãos de Port-Royal-des-Champs, crendo assim fugir ao bulício do mundo, isolando-se nas preces e na reflexão, bem ao gosto jansenista.

A situação desta amiga de La Rochefoucauld é bastante significativa: a cavaleiro entre dois mundos, *précieuse* e *pénitente*, Mme. de Sablé partilhava a condenação dos valores humanos, segundo as crenças de um agostinismo reavivado em seu século, mas freqüentava o mesmo ambiente mundano desprezado pelos seguidores de Jansénius[4].

Do balanço entre o afastamento e a freqüentação do mundo pode surgir o poder de penetração das máximas. O olhar agudo do *moraliste* nutre-se de um ceticismo possibilitado, justamente, pelo relativo desprendimento do observador, capaz de passear pelas dobras do coração humano (*les replis du cœur*), penetrando as intenções ocultas que o fazem pulsar, ali deixando, entrementes, o rasto de sua incredulidade. Compõem-se, na análise moralista, o fascínio e o desprezo pelo mundo.

Charles de Villers terá sido injusto, em sua apreciação de La Rochefoucauld. Verdade que o aspecto edificante das sentenças tiradas à *Delphine*, uma vez contrastado ao mundo dos aforismos seiscentistas, podia torná-lo especialmente árido, sobretudo falso. Afinal, crendo sinceramente nos homens e naquilo que podem fazer neste mundo, afastamo-nos do pessimismo em que se funda a antropologia das máximas. Façamos jus, entretanto, a Villers. Se ele foi incapaz de ver ou aceitar a agudeza das sentenças do século XVII, não terá sido incapaz de detectar, para além do torneio discreto da pena de La Rochefoucauld, o traço da des-

---

[ii] Eu sempre havia pensado que Madame, a condessa de Maure, condenaria a intenção das sentenças e que ela se declararia pela verdade das virtudes. Cabe à senhora, Madame, justificar-me, por favor, pois eu creio em tudo o que a senhora crê.

· 74 ·

LEITURAS CRUZADAS

confiança no homem, deixado por um observador que se esconderia no cimo gelado de alguma montanha, extremo de onde se descortina o mundo e de onde provém a voz moralista.

• • •

Veremos, antes ainda de retornar à década de 1820, no Brasil, que a desconfiança de Villers não andava sozinha. O espanto é, talvez, a marca mais notável deixada por esta literatura fragmentária, capaz de despertar a admiração ou o ódio, quando não a admiração e o ódio, conjuntamente.

Consultando uma edição setecentista das máximas, hoje guardada na biblioteca Méjanes de Aix-en-Provence, pode-se notar, a propósito, uma inscrição na contracapa, como se fora uma mensagem cifrada:

> Les maximes de cet homme de genie doivent etre regardees comme celles d'un juge plus occupé a trouver des coupables qu'a se servir de ses lumières pour analyser les chefs d'accusation. Il croit que l'homme naît orgueilleux et mechant. Il se trompe et la majeure partie de nos philosophes [ou?] le croient tel que par [*ilegível*] acquisition. ses observations sont profondes et la plus part de ses pensées [neuves?][iii].[5]

Trata-se do registro da pena do doutor Jean-Joseph Baumier, morto em Aix-en-Provence no ano de 1828. O pequeno in-oitavo conta entre os mais de seis mil volumes deixados à biblioteca, em testamento[6]. A edição, publicada em Paris em 1777, contém, entremeados às máximas de La Rochefoucauld, os comentários e as anotações de Amelot de la Houssaye e do abade de la Roche, além de uma seleção das máximas cristãs de Mme. de la Sablière[7].

Seria difícil identificar imediatamente, no corpo do texto, quais as máximas de La Rochefoucauld, não fora a existência de algumas letras, destacadas lateralmente: "L" referindo-se a La Roche, "A" a Amelot de la

---

[iii] As máximas deste homem de gênio devem ser vistas como aquelas de um juiz ocupado a encontrar culpados mais que a se servir de suas luzes para analisar as peças de acusação. Ele acredita que o homem nasce orgulhoso e mau. Ele se engana e a maior parte de nossos filósofos [ou?] o crêem tal que pela [ilegível] aquisição. suas observações são profundas e a maior parte de seus pensamentos [novos?].

• 75 •

UM MORALISTA NOS TRÓPICOS

Houssaye e "LRf" ao autor original. De toda forma, uma tábua de matérias, repetindo uma tradição das edições das máximas, aposta-se ao livro, facultando ao leitor a localização dos aforismos e sua identificação em relação à numeração original, uma vez que os pensamentos encontram-se agrupados em torno de temas específicos, expostos em ordem alfabética.

Abra-se o livro e, no item "Bonté", leremos:

> Nul ne mérite le titre de bom, s'il n'a pas la force & la hardiesse d'être méchant: toute autre bonté n'est le plus souvent qu'une paresse ou une impuissance de la volonté[iv].

Logo após, lêem-se as observações judiciosas de Amelot de la Houssaye (A) e duas de suas citações; em seguida, o comentário secante do abade de la Roche (L):

> A   Ces sortes de gens sont méchans à force d'être bons. La douceur qui vient de la pusillanimité ou d'indolence n'est point bonté. Pour être bon, il faut savoir ne l'être pas toujours.

Parcere subjectis	Pardonner aux foibles, &
& debellare super-	savoir user de
bos.	ressentiment envers les
	méchans.

Saint Bernard dit:

Non irasci ubi	Que de ne se pas fâcher
irascendum sit, nolle	quand il le faut, c'est
emendare peccatum	fomenter le péché.
est.	

> Un homme qui a le renom de ne se fâcher jamais que bien à propos, & pour un grand sujet, se fait toujours un grand honneur quand il pardonne.

> L   Dans toutes les actions morales, le fondement le plus solide du mérite, c'est la liberté. Or un homme, qui n'a pas la force d'être méchant

---

[iv] Ninguém merece o título de bom, se não tem a força e a ousadia de ser mau: toda outra bondade não é, o mais das vezes, senão uma preguiça ou uma impotência da vontade.

· 76 ·

LEITURAS CRUZADAS

n'a pas cette liberté, & par-conséquent ne mérite ni louange, ni blâme. Il ne mérite point de louange, parce qu'il fait le bien par foiblesse[v].[8]

Já aqui a rede de leituras pode revelar-se em sua complexidade: vemo-nos diante de um texto, com sua voz original, e com as ressonâncias e distorções propiciadas pelos palpites dos dois leitores: o primeiro, praticamente contemporâneo de La Rochefoucauld; o outro, bem mais novo. Ambos, contudo, pertencendo ao círculo destes apreciadores de máximas para quem as luzes dos filósofos – *"nos philosophes"*, diria familiarmente o dr. Baumier – ainda não iluminaram completamente a cena moral.

Nem tão grande distância, porém, separará La Roche e Amelot de la Houssaye do desconhecido Baumier. Ao médico, pareciam incomodar sobremaneira as máximas do século XVII, conquanto o gênio de seu autor fosse reconhecido e louvado. La Rochefoucauld, no comento daquele leitor, é um juiz implacável (*"un juge plus occupé a trouver des coupables..."*), e é evidente o desassossego causado por seu veredito final (*"il croit que l'homme naît orgueilleux et méchant"*).

Sugestiva a crítica ao moralista, como árbitro da humanidade. Notável a denúncia deste veredito supostamente apressado, que parece pôr todo o universo humano sob suspeita. Baumier, ecoando o otimismo das Luzes que o autor das máximas não conhecera, confirma o erro do escritor (*"il se trompe"*), mas permanece medusado pelo brilho da diagnose moralista: profunda e amarga, posto que equivocada.

A atração por esse brilho sugere várias imagens. Já se falou da "rugosidade" do estilo, da "urgência" e "brutalidade" da escrita pascalina, por exemplo. Já se sugeriu que, como num rasgo de luz, ou de lâmina, a máxima ilumina. Notou-se também que é excessiva sua luz, cegante, até

---

[v] A. Pessoas deste tipo são más, por boas. A suavidade que vem da pusilanimidade ou da indolência não é de forma alguma bondade. Para ser bom, é preciso saber não sê-lo sempre./ Perdoar aos fracos, e saber usar de ressentimento contra os maus./ São Bernardo diz: Que não se zangar quando é preciso, é fomentar o pecado./ Um homem que seja reconhecido por não se zangar jamais senão com razão, e por uma questão importante, faz-se sempre honroso quando perdoa./ L. Em todas as ações morais, o fundamento mais sólido do mérito é a liberdade. Ora, um homem que não tem a força de ser mau não tem essa liberdade, e por conseqüência não merece nem elogio, nem repreensão. Ele não merece nenhum elogio, porque ele faz o bem por fraqueza.

· 77 ·

UM MORALISTA NOS TRÓPICOS

mesmo porque o aforismo entrega às vistas uma verdade que nunca se quis ver, embora lá estivesse, desde sempre[9].

Já no caso de La Rochefoucauld, a arte de aperfeiçoar o escrito, tornando-o mais e mais preciso – como as lâminas dos médicos –, pode ser fruto de um notável esforço, tão mais evidente quanto se recordem as variadas versões das máximas, e a preocupação do duque em publicá-las em forma confiável, depois que uma cópia "*méchante*" saíra a público, numa edição holandesa, em 1664[10].

Assim, em 1665, aparecia em Paris a primeira edição "autorizada" das *Réflexions ou sentences et maximes morales*[11]. Nela, a máxima em questão ganha o número CCLI:

> Nul ne mérite d'être loué de bonté, s'il n'a la force, et la hardiesse, d'être méchant: toute autre bonté n'est le plus souvent qu'une paresse ou une impuissance de la mauvaise volonté.[12]

Já no manuscrito de Liancourt, conservado hoje em fac-símile, lê-se:

> Nul ne mérite d'être loué de bonté s'il n'a la force et la hardiesse de pouvoir être méchant: toute autre bonté n'est en effet qu'une privation de vice ou plutôt la timidité des vices et leur endormissement[vi].[13]

Finalmente, a versão "definitiva", isto é, o texto que se fixaria, a partir da segunda edição, de 1666, como a máxima de número 237 de La Rochefoucauld:

> Nul ne mérite d'être loué de bonté, s'il n'a pas la force d'être méchant: toute autre bonté n'est le plus souvent qu'une paresse ou une impuissance de la volonté[vii].

E assim seguiríamos, de manuscrito em manuscrito, de edição em

---

[vi] Ninguém merece ser louvado por bondade, se não tem a força, e a audácia, de ser mau: toda outra bondade não é freqüentemente senão uma preguiça ou uma impotência da má vontade./ Ninguém merece ser louvado por bondade se não tem a força e a audácia de poder ser mau: toda outra bondade não é de fato senão uma privação do vício ou mais ainda a timidez dos vícios e seu adormecimento.

[vii] Ninguém merece ser louvado pela bondade que tem quando não tem a força de ser mau: sem o que, a bondade muitas vezes não é mais que lerdeza ou falta de força de vontade. Cf. *Máximas e Reflexões* (trad. Leda Tenório da Motta), op. cit., p. 51.

edição, para perceber que as máximas são uma forma instável, ainda que pareçam "lapidares". Trata-se, contudo, de uma lapidação continuada, preciosa, uma espécie de *depuração*. O estudo de sua criação exigiria, num esforço filológico, que se recriassem os passos caprichosos da fortuna diante deste texto fadado ao inacabamento, resultando daí uma reportagem que incluiria desde o incêndio de arquivos até o roubo de manuscritos. Tal empresa, porém, não eliminaria jamais a esperança de que, em meio à poeira das bibliotecas, possa surgir um dado novo, esclarecendo o nascimento da máxima e a origem de sua luz.

Limitemo-nos, por ora, às quatro versões do aforismo, aos comentários de La Roche e às citações eruditas de Amelot de la Houssaye – conjunto já suficientemente complexo, a sugerir a delicadeza com que devemos tentar acercar-nos deste universo de escritas e leituras cruzadas.

• • •

Entretanto, sendo o *cruzamento* a marca do conjunto, deixemos falar uma outra voz, deslocada no tempo e no espaço: em suas investigações sobre a história dos sentimentos morais, Nietzsche, leitor contumaz de La Rochefoucauld, toca porventura o coração desta arte de lapidar a máxima, para torná-la mais cortante, sempre.

Imprecando contra os leitores de seu tempo, o autor do *Humano, demasiado humano* lembra que

> nem mesmo o espírito mais refinado é capaz de apreciar devidamente a arte de polir sentenças, se não foi educado para ela, se nela não competiu. Sem tal instrução prática, consideramos esse criar e formar algo mais fácil do que é na verdade, não sentimos com suficiente agudeza o que nele é bem realizado e atraente. Por isso os atuais leitores de sentenças têm com elas um prazer relativamente insignificante, mal chegam a saboreá-las; de modo que lhes sucede o mesmo que às pessoas que examinam camafeus: as quais elogiam porque não sabem amar, e prontamente se dispõem a admirar, e ainda mais prontamente a se esquivar.[14]

A acreditar-se nas observações de Ida Overbeck, Nietzsche adorava La Rochefoucauld e o rigor de seu pensamento, revelava menos apreço pelo pobre La Bruyère e duvidava francamente do estoicismo difuso de Vauvenargues. Mas, sobretudo, irritava-o compararem sua própria arte à de Chamfort. O criador do Zaratustra amava o século de Luís XIV e de-

UM MORALISTA NOS TRÓPICOS

testava a Revolução[15]... O retrato é interessante, porquanto possa revelar as afinidades eletivas entre a máxima exigência do espírito crítico e a alma naturalmente aristocrática de um *frondeur*. A máxima, ela mesma, leva ao limite (*sententia maxima*) a exigência da imaginação, da inteligência, da linguagem e da memória. Uma arte para iniciados, não para reles admiradores de camafeus[16].

Acompanhe-se a aventura dos aforismos, a história de sua criação, e ver-se-á, fixando vários momentos, que a máxima é mesmo uma jóia em lapidação. A correspondência abundante de La Rochefoucauld, enviada a Jacques Esprit e à marquesa de Sablé, provam-no[17]. Ali, trocam-se as sentenças, numa criação quase coletiva, num demoníaco trabalho de lapidaria.

Nas traduções francesas de Nietzsche, onde se lê *"l'art d'aiguiser une maxime"*, tem-se a exata medida desta oficina em que se *afiam* as sentenças (*"die Kunst der Sentenzen-Schleiferei"*, no original), conformando uma idéia que talvez se perca, em parte, na edição brasileira, em que a arte referida é a de "polir sentenças". Questão de nuance, sem dúvida, mas muito importante, desde que se trata da agudeza e do poder de corte das palavras em conjunto.

"Aiguiser", lembraria o Littré, no século XIX, é um termo repleto de ressonâncias bélicas, tão caras a essa estirpe guerreira cujos estertores se ouviram no vazio de poder que marcou a metade do século XVII, na França. Tempo de um heroísmo *frondeur*, de que participa La Rochefoucauld, e que nos acostumamos a ver com as lentes românticas de Dumas, capazes de captar o rebrilho das espadas e dos brasões de uma nobreza idealizada, ainda não corrompida. Mas o desprezo dos velhos mosqueteiros pelo mundo dos homens *comuns* é incontornável, e revelador[18].

Aiguiser, ensina ainda Jean Mathieu-Rosay, proviria do latim popular *acutiare*. O mundo das máximas é o mundo dos mortais e acutíssimos golpes: *touché!*

• • •

Vejamos.

"Nul ne mérite d'être loué de bonté, s'il n'a pas la force d'être méchant." Na versão de 1665, lia-se ainda *"hardiesse"* junto a *"force"*: uma "ousadia" que posteriormente pareceria dispensável, tornando mais breve esta parte da sentença. Há aí, evidentemente, a economia própria das máxi-

mas, essa concisão a exigir que, do mínimo, nasça o máximo. O sentido que se oculta no quase silêncio, a totalidade que se abarca no fragmento: eis alguns paradoxos de sabor barroco, que a crítica das formas breves não deixará nunca de lembrar, e que nos fazem pensar na precariedade das tradicionais explicações sobre a racionalidade e a clareza do classicismo, opostas à natural obscuridade barroca[19].

Formas clássicas, as máximas de La Rochefoucauld, fugindo ao aspecto prescritivo das sentenças latinas, tratam de operar, na imaginação do leitor, um jogo de contrastes, de extremos, de claros e escuros, tudo manejado, é verdade, com o rigor da palavra, embora tal arte confinasse com o engenho labiríntico que, abaixo dos Pireneus, fazia sua escola[20].

Os poderes do verbo, nesta *"âge de l'éloquence"*, são patentes. Mas a *eloquentia*, tão cara aos clássicos e aos retores de todo tempo, podia ceder espaço, na metade do século XVII, ao exercício íntimo de vozes e escutas interiores. Se correta a chave interpretativa que vê em La Rochefoucauld um jansenista, há que prestar atenção ao sentido deste mergulho em si mesmo, no silêncio do retiro. A imagem do anacoreta, sempre que se trate do moralista, pode ser reveladora: Montaigne em sua torre, Pascal em sua célula, La Rochefoucauld exilado em Verteuil...

São exercícios diversos do espírito, aquele cético, este místico, e o de La Rochefoucauld, talvez simplesmente desencantado. É impressionante a melancolia de fundo que se pode perceber nas máximas, compreensível, talvez, mediante a crença fundamental na miséria deste homem entregue a si mesmo, e distante da Graça[21]. Mas o mais impressionante é mesmo o que separa La Rochefoucauld de Pascal, tornando-o, ao duque, ainda mais amargo que o autor das *Pensées*. Pois, se em Pascal o horizonte de misérias da condição humana guarda, ainda, a rara possibilidade de se vislumbrar a luz divina, situada além deste mundo, em La Rochefoucauld, diferentemente, Deus é quase ausente, mais que absconso. O homem abandonado a si mesmo, à sua vontade: este é o ponto que permitiu a Sainte-Beuve, na senda de De Maistre, aproximar La Rochefoucauld de Maquiavel ou Hobbes, estes "grandes observadores positivos" da natureza humana[22].

A máxima 237 perdeu aquela *"hardiesse"*, ganhando em brevidade, ou em leveza. Mas é da natureza destes aforismos carregar o paradoxo de ser leve e poderoso, num único tempo. Como em outros casos, a primeira frase da máxima encerra uma estrutura binária, possuindo um rit-

UM MORALISTA NOS TRÓPICOS

mo peculiar, um movimento de desvendamento que se faz pelo impacto mesmo de uma afirmação, mas na forma negativa e condicional (*nul ne mérite... s'il n'a pas...*). É porém o conteúdo deste impacto que interessa, e os extremos que é capaz de mobilizar na imaginação do leitor: "*bonté*" e "*méchant*", justamente os pólos de toda discussão ética, são os termos que se enlaçam, indissoluvelmente. Não há ninguém verdadeiramente bom se não for forte o suficiente para ser mau.

Há uma diferença importante se se fala, como na versão final, apenas na "*force d'être méchant*", ou, como na versão do manuscrito, fala-se antes em "*pouvoir être méchant*". Inegavelmente, a forma recente é mais forte e incisiva. Afinal, poder ser mau é menos que sê-lo, ou menos que ter efetivamente a força de sê-lo. Repare-se como uma pequena alteração pode produzir modificações fundantes no sentido, convidando o leitor, quase insensivelmente, a trilhar caminhos diversos, mas sempre complexos, pois que a máxima, sendo ainda diminuta, soube recolher, num punhado de palavras, uma massa expressiva de reflexões, condensando um trabalho gigantesco de escrita e procura[23].

O abade de la Roche, procurando pelos vocábulos e seus sentidos, aproximou-se desta versão primitiva da máxima. Retomemos seu comentário: "*Dans toutes les actions morales, le fondement le plus solide du mérite, c'est la liberté. Or un homme, qui n'a pas la force d'être méchant n'a pas cette liberté, & par-conséquent ne mérite ni louange, ni blâme. Il ne mérite point de louange, parce qu'il fait le bien par foiblesse*". O diagnóstico, seguindo a carreira aberta por La Rochefoucauld, é preciso, e a interpretação, completamente plausível. Mas há um pequeno detalhe a sinalizar a singularidade desta leitura. E – lembremos – este mundo das máximas se faz, justamente, de pequenos detalhes.

Ocorre que a ênfase de La Roche sobrecai na *liberdade* deste homem hipotético, ou universal ("*un homme*"). O tema do livre-arbítrio, bem se sabe, ocupou intensamente as mentes dos homens cultos do século XVII, marcando a ineludível oposição entre jesuítas e jansenistas, e alimentando querelas muito antigas, reavivadas nas modernas discussões sobre o molinismo. Marquemos o passo: se o ambiente jansenista em que respirava La Rochefoucauld é realmente importante para compreender seu pensamento, então a questão do livre-arbítrio é também importante, e talvez a supressão daquela palavra ("*pouvoir*"), no processo de lapidação da máxima, não se resuma a um jogo de estilo mais ou menos deleitoso. Ou melhor, falamos de um tempo em que os jogos com as palavras e o deleite com o discurso não eram questões secundárias. Tornar mais aguda a sentença, revelando *esprit*, pode não ser apenas a resposta aos prazeres e à frivolidade dos salões: Versailles estava à vista, é verdade, mas a máxima nasce do exercício atilado do espírito, que viu e viveu o ambiente dos salões, mas dele retirou-se, mais desencantado que nunca.

Duas palavras poupadas, e a primeira frase ganha uma força extraordinária: *"nul ne mérite d'être loué de bonté, s'il n'a pas la force d'être méchant"*. Não se tratava mais, nesta última versão, de uma simples possibilidade, ou de uma escolha – a *"liberté"* de La Roche – diante do mal e do bem. É mais trágico, mais substancial: a bondade, naturalmente laudável, depende do mal. Podemos aceitar a primeira versão, e a leitura do abade de la Roche sugerindo que tudo não passa de uma escolha, mas o fato é que a versão final da máxima suprime, no seu limite, o próprio campo de possibilidades aberto ao homem, diluindo o poder de sua livre vontade, pois o ser bom comunga na essência de uma força que aponta para o outro lado, negro demais para que o aceitasse o doutor da Sorbonne, moralista e editor de La Rochefoucauld[24].

Poupar-se ao mal parece ser o caminho natural na predicação de La Roche, enquanto, no universo das máximas de La Rochefoucauld, o horizonte moral do homem permanece submerso numa irredutível composição de vícios e virtudes. É curiosa, e muito significativa, a recusa implícita do ideal clássico da áurea mediocridade, ou medianidade, que marca tão fundo a ética aristotélica: para o autor das máximas, não há uma virtude que se resguarde dos excessos opostos dos vícios; diferentemente, os vícios são colaterais às virtudes e operam conjuntamente a elas, ao ponto de que a própria vida virtuosa não seja mais que o falseamento dos reais móbiles de uma sociedade substancialmente corrompida, em que o homem não ama senão a si mesmo, e em cujo horizonte a própria idéia de uma *honnêteté* desfaz-se, consumindo-se em sua rareza e fugacidade.

Revelador, ainda, é o comentário do mesmo La Roche à máxima de número 182 (*"les vices entrent dans la composition des vertus, comme les poisons entrent dans la composition des remèdes: la prudence les assemble et les tempère, et elle s'en sert utilement contre les maux de la vie"* ["entram os vícios na composição das virtudes tanto quanto os venenos na composição dos re-

UM MORALISTA NOS TRÓPICOS

médios: é a prudência que os ajunta e tempera, utilmente empregando-os contra os males da vida"][25]):

> Je ne vois pas trop quels sont les vices qui entrent dans la composition des vertus; à moins que notre Auteur n'ait eu dessein de dire, que les vraies vertus sont celles qui tiennent le milieu entre les qualités opposées. Nous avons, au contraire, un principe de Morale, qui nous apprend qu'une chose, pour être bonne, doit être entiérement bonne dans son principe: & que pour être réputée mauvaise, elle n'a besoin que du moindre défaut[viii].[26]

O tom é de emenda: trata-se de esclarecer o leitor, corrigindo o autor da máxima (*"à moins que notre Auteur n'ait eu dessein de dire..."*). Na interpretação, subjaz o critério moralizante de La Roche, incapaz de perceber o aspecto profundamente negativo desta mistura de vícios e virtudes, que ele preferiria, talvez, apartar, recuperando o quadro seguro das virtudes irredutíveis, ladeadas pelos dois vícios que lhes são sempre opostos, segundo o modelo clássico[27]. Ou, quem sabe, La Roche sentisse tão perto a negrura do mundo sugerido pelas máximas, que não lhe terá restado senão discordar dele.

Amelot de la Houssaye, menos peremptório, desfila suas notações eruditas, apostas ainda à máxima que se fixaria sob o número 237. Note-se, porém, que este tradutor de Maquiavel e Gracián não terá pretendido, necessariamente, que suas observações fossem levadas a público naquela forma. A primeira edição de seus comentários, entremeados às máximas, é póstuma, datando de 1714, e se deve aos cuidados de R. Pichet, que a dedica a *"Messire Baltazard Henry de Fourcy, Docteur de la Maison, & Société de Sorbonne, Abbé Commendataire de l'Abbaïe Royale de Saint Vandrille"*, em cuja biblioteca trabalhara Amelot de la Houssaye, e de onde o próprio Pichet surrupiou as anotações, tornando-as públicas sem o consentimento prévio daquele generoso protetor das Letras[28].

[viii] Eu não vejo minimamente quais são os vícios que entram na composição das virtudes; a menos que nosso Autor não tenha tido mais que a intenção de dizer que as verdadeiras virtudes são aquelas que têm lugar entre as qualidades opostas. Nós temos, ao contrário, um princípio de Moral que nos ensina que uma coisa, para ser boa, deve ser inteiramente boa em seu princípio: e que para ser reputada má, ela não tem necessidade senão de um mínimo defeito.

· 84 ·

Os dados não são secundários. Amelot de la Houssaye, a acreditar-se no "*Avertissement de l'Imprimeur*" da edição de 1714, reproduzido na edição de 1777, tinha as máximas como seu livro favorito, e delas se servia muito freqüentemente, em seus "momentos de lazer", tendo-as agrupado numa certa ordem, ornando-as de passagens e fatos que lhes servissem de prova ou as esclarecessem. Uma espécie de vade-mécum, portanto[29].

Recordemos a observação primeira de Amelot de la Houssaye ("*ces sortes de gens sont méchants à force d'être bons. La douceur qui vient de la pusillanimité ou d'indolence n'est point bonté. Pour être bon, il faut savoir ne l'être pas toujours*"), e veremos que ele se refere ao arremate da máxima ("*toute autre bonté n'est le plus souvent qu'une paresse ou une impuissance de la volonté*"), com alguma precisão, aliás. Mas, atendo-nos mais uma vez aos detalhes, há de se perceber que este comentador, a exemplo do que aconteceria a La Roche, anos depois, parece ter em mente o segundo livro da *Ética a Nicômaco*, onde Aristóteles se refere ao árduo "trabalho que é ser virtuoso", caracterizando a virtude como este meio-termo entre os extremos, um representado pelo excesso e o outro pela falta (II, 9).

Valendo-se da sabedoria de são Bernardo, Amelot de la Houssaye lembra que, para ser bom, é preciso não sê-lo sempre. Aqui, a bondade confina com a justiça, outra virtude rara e louvável, pois que o homem não pode ser fraco a ponto de tudo perdoar ou relevar. Note-se, porém, que o ser "bom" é resguardado, reafirmando-se mesmo quando não o somos, desde que tenhamos suspendido a "bondade" apenas por um momento, e por um motivo justo. Este é o sentido a explicar, parece-me, esta indolência que fomenta o pecado e apavora o santo ("*que de ne se pas fâcher quand il le faut, c'est fomenter le péché*").

O plano moral em que se desdobram o léxico e os motivos de Amelot de la Houssaye, entretanto, é ainda o de Aristóteles. Na "*douceur*" pervertida em pusilanimidade ou indolência, ressoa a πραοτηζ que, traduzida pelo latim *lenitas*, torna-se-nos mais familiar: trata-se de encontrar um lenitivo para a cólera (IV, 11). Segue importando o equilíbrio entre os extremos da indiferença e da irascibilidade.

Assim nos vemos, aristotelicamente, na corda bamba em que se equilibram os virtuosos, sem que tenhamos, a ajudar-nos, mais que nossa própria capacidade de discriminação, no fundo tão precária quanto necessária. Há que distinguir até onde devemos ser calmos, abrandando

UM MORALISTA NOS TRÓPICOS

a cólera, e até onde devemos deixar que esta paixão nos tome, para que a própria justiça não seja vilipendiada. A delicada linha da virtude ocupa ainda a mira do moralista, e é curioso que o Estagirita note, no quarto livro de sua *Ética a Nicômaco*, que muitas vezes um pequeno deslize, rumo ao excesso (a virilidade) ou à falta (a brandura), é capaz de despertar a admiração dos circunstantes. Este, porém, é um limite que, uma vez transposto, pode nos enganar, fazendo com que o pusilânime pareça simplesmente um homem brando e doce, e o irascível, um homem forte e apto ao comando (IV, 11).

Como sempre, tudo é uma delicada questão de medida. Esta última observação (a pusilanimidade confundida à brandura, e a irascibilidade à força) poderia mesmo servir de mote ao duque de la Rochefoucauld, cujas máximas, a exemplo da prosa de seu amigo Jacques Esprit, pretendem, no mais das vezes, revelar a falsidade das virtudes humanas.

Em seu famoso livro, Esprit trata de desarranjar a argumentação aristotélica, sugerindo que a cólera, a exemplo do que pensavam os estóicos, não pode ser considerada um sentimento bom para o homem, já que, insuflando-o, ela contenta apenas o seu prazer de vingança, pondo-o fora de si, frenético. Ao contrário, o zelo dos verdadeiros cristãos, que os põe contra os pecadores, proviria do amor de Deus, embora possa tornar-se também uma força sensível[30]. Até aqui, Amelot de la Houssaye, louvando a *"douceur"* comedida e piedosa, parece manter-se ao lado de Jacques Esprit. O autor de *La fausseté des vertus humaines*, porém, não acredita no poder realmente virtuoso desta "calma", como se ela servisse apenas a anteparar a cólera que nos toma de assalto.

Atentando para o estado corrompido da natureza humana, notaríamos, sugere Esprit, que esta aparente virtude não é mais que uma precária domesticação de nossas paixões mais vis:

> Si l'on avait une véritable idée de l'état de l'homme, et si l'on savait qu'il est possédé d'un amour aveugle et violent de lui-même, et que cet amour le rend fougueux, farouche et inhumain, la connaissance, qu'on en aurait épargnerait la peine de montrer que la douceur n'est pas une vertu véritable, puisque personne n'étant trompé par la douceur apparente d'un homme qui ne s'emporte presque jamais, tout le monde jugerait de lui comme l'on juge d'un lion qu'on ne laisse pas de croire furieux et cruel, quoiqu'on voie qu'il est souple et obéissant et qu'il ne fait

· 86 ·

LEITURAS CRUZADAS

aucun mal à celui qui le gouverne; et bien loin de prononcer, comme on fait, que cet homme est doux et paisible, l'on se contenterait de dire qu'il est apprivoisé[ix].[31]

Eis aqui o ponto em que parecem separar-se Amelot de la Houssaye e Jacques Esprit, bem como o duque de la Rochefoucauld. A crença jansenista na corrupção da natureza humana impede os dois amigos de imaginar que, por um momento sequer, o homem seria capaz de encontrar o equilíbrio da ação virtuosa, mediante o poder de seu próprio discernimento. Assim, aquilo que é aparente virtude – a calma e o equilíbrio demonstrados – oculta a fúria e a crueldade de uma natureza perdida, regida basicamente pelo amor-próprio. Se acaso nos revelamos "virtuosamente" calmos, não o fazemos senão para afetar a tranqüilidade ou a superioridade de que nos imaginamos dotados, velando a selvageria de nossa condição corrupta. As próprias virtudes, nesse registro, são o resultado daquela afetação, possibilitando, no fundo, a convivência dos homens. A serenidade ou a diversão deste conviver, porém, são apenas as grades que nos separam do semelhante, evitando que o devoremos[32].

Amelot de la Houssaye, ao contrário, parece crer piamente nas virtudes humanas. Ao menos, em seu comentário, nem toda *"douceur"* é censurada, sendo-a apenas aquela que provém da pusilanimidade ou da indolência, que nos impedem de ser bons. Como no caso do abade de la Roche, há um balanço entre o bem e o mal, desenhando-se o plano ético sobre o terreno da ação, e depositando-se, nas mãos do homem, o poder de optar por um dos pólos, instando-o, entretanto, a encontrar uma adequação que apenas a sabedoria e o equilíbrio podem facultar. Neste momento, identificamos o leitor pio de são Bernardo, mas também o leitor de Aristóteles e, porventura, o diplomata que andou por repúblicas italianas, tradutor d'*O príncipe*...

[ix] Se tivéssemos uma verdadeira idéia do estado do homem, e se nós soubéssemos que ele é possuído por um amor cego e violento por si mesmo, e que este amor o torna ardente, violento e inumano, o conhecimento que dele teríamos pouparia o trabalho de mostrar que a docilidade não é uma virtude verdadeira, pois, se ninguém se enganasse com a docilidade aparente de um homem que não se altera quase nunca, todo mundo o julgaria como se julga um leão que não se deixa de crer furioso e cruel, ainda que se o veja dócil e obediente e que ele não faça mal algum àquele que o governa; e longe de dizer, como se faz, que este homem é doce e pacífico, nós nos contentaríamos em dizer que ele está domesticado.

UM MORALISTA NOS TRÓPICOS

Já o universo de La Rochefoucauld parece, no limite, excluir a *opção*, o que é bem característico de uma imaginação marcada pela ambiência e pela conduta jansenistas. A única bondade possível, conforme acentuei, radica-se numa força comum entre o bem e o mal, pois este nosso mundo é já o resultado de um pecado primitivo cuja remissão não se dará aqui, no tempo passageiro em que vivemos. Pelo contrário, neste espaço faltoso a própria bondade jamais se desinvestirá da malícia, nada restando de ingênuo ou ilibado, nem mesmo nos homens bons. Máxima 387: *"un sot n'a pas assez d'étoffe pour être bon"* ("o tolo não tem estofo o bastante para ser bom")[33].

Será interessante, novamente, acompanhar o duque a escoimar a máxima 237, retirando-lhe um adjetivo que pode significar bastante. Na primeira edição, lia-se: *"toute autre bonté n'est le plus souvent qu'une paresse ou une impuissance de la mauvaise volonté"*. Na versão "definitiva", isto é, naquela que nos restaria, o *"mauvaise"* seria retirado, e é a vontade mesma do homem que se despe de todo qualificativo. Leia-se, uma vez mais, a máxima inteira: *"nul ne mérite d'être loué de bonté, s'il n'a pas la force d'être méchant: toute autre bonté n'est le plus souvent qu'une paresse ou une impuissance de la volonté"*. Feridos os olhos pela luz, podemos já imaginar o peso e o poder desta *vontade* bruta, tão profundamente oposta à preguiça e à impotência.

Busquemos, enfim, um daqueles momentos de nascimento das máximas, quando seu brilho é ainda pouco, mas quando parecem, já, prometer a resplandecência que delas se espera. Momento em que se oferecem como as pedras preciosas, as quais, ainda brutas, deixam o mundo mineral das essências para entregar-se ao artifício dos homens. Neste caso, porém, as essências não são propriamente minerais, mas demasiado humanas.

• • •

No manuscrito de Liancourt, esclarece-se a polaridade (vício e virtude, maldade e bondade) que é também composição, visto que os pólos simplesmente não existem sozinhos: *"toute autre bonté n'est en effet qu'une privation de vice ou plutôt la timidité des vices et leur endormissement"*. Interessante a imagem destes vícios que espreitam os homens bons, como se fitassem, sonolentos, a própria bondade. Aqui, corta-nos a frente o tópos da *tentação*, importante para a compreensão da proximidade do maligno,

• 88 •

LEITURAS CRUZADAS

ou da míngua deste bem que, no fundo, pode ser apenas a ausência acidental e momentânea do mal[34].

O mundo de La Rochefoucauld não se faz propriamente de certezas. As máximas são capazes de traçar, em conjunto, desenhos variados, afirmando, negando e recriando sentidos, sem que delas vá surgir, unívoco, o retrato do homem[35]. Como na fábula, as máximas podem ser o córrego em que o narciso, que todos somos, se olha e reconhece[36]; mas é um córrego, e, assim sendo, a imagem que nele se forma não será fixa nem constante, já que a correnteza permanece ativa, compondo e recompondo, sob a superfície mais ou menos lisa das águas, os sentidos da criatura humana.

Já se notou como a lapidação das máximas pode significar a atenuação das certezas. De fato, "*n'être en effet que...*" é uma partícula substituída, nas versões mais recentes da sentença 237, por "*n'être le plus souvent que...*" Permanece o módulo restritivo (*ne...que*), mas o movimento de afirmação, aí contido, atenua-se, o que, paradoxalmente, pode aumentar a impressão de agudeza, desde que não é mais um observador generalizante e peremptório que fala, antes uma testemunha atenta às particularidades, tradicionalmente proscritas dos tratados e catecismos, os quais, bem se sabe, refutam toda a visada cética sobre o mundo, crendo-a, talvez, excessivamente preocupada com o vário das coisas. O olhar cético, ao recair sobre o singular, para ali encontrar os sentidos e a veracidade – ou a legitimidade da observação – do mundo, recusa todas as prescrições, que, elas sim, vão desalterar-se na fonte segura da universalidade[37].

Mas La Rochefoucauld não é um cético. Não há que buscar, às máximas, a risonha dúvida de Montaigne, sempre confinante, aliás, com o escárnio. La Rochefoucauld talvez se aproxime mais deste espírito dos geômetras, caro ao século XVII. Foi pensando na geometria que os autores da gramática de Port-Royal, Nicole e Arnauld, mostraram como o conceber por abstração é um longo caminho, que nos leva do indivíduo até o mais alto grau da universalidade[38]. Aí estão contidos os "acidentes" a determinar o singular, e creio ser razoável acreditar que La Rochefoucauld exercite sua pena, com superior desenvoltura, nestas trilhas que levam do particular ao genérico, sem que haja, necessariamente, uma sucessão clara de etapas, ou de níveis. Isto é, a máxima é muitas vezes capaz de nos levar pelas mãos, em meio ao caminho, fazendo sentir que a mais geral das observações pode nos dizer respeito, mas sugerindo, ao

· 89 ·

UM MORALISTA NOS TRÓPICOS

mesmo tempo, que tal observação da natureza humana só faz sentido se descermos todos os degraus da abstração. Mas, então, essa natureza deixa de ser o apanágio do gênero, para reencontrar-se, em nós, atomizada[39].

Há que precaver-se, entretanto, porque nós somos capazes, a exemplo do médico provençal, de ler e ouvir com o auxílio dos filósofos das Luzes, pensando num *indivíduo* que se torna, progressivamente, a matéria mesma de um discurso sobre o homem, no plano literário ou filosófico. A "literatura" do século XVII, contudo, e se é lícito chamá-la assim, não contempla ainda estas nossas idéias de individualidade, embora o discurso cético e mesmo a experiência interior reavivada pela "literatura" jansenista possam prenunciá-las[40]. Mas, como no caso da referida cadeia de abstrações, manejada por La Rochefoucauld, não haverá aí uma linha evolutiva segura. Os homens do "futuro" é que se apossaram da memória letrada e dos conceitos forjados no século XVII, para conceber, finalmente, a idéia de um indivíduo em que se resguarda uma interioridade refratária às explicações, que a poética literária moderna tentará atingir de diversas maneiras.

O século XVII é mais claro, ou, se se quiser, mais lógico. Não busquemos, nas máximas, o discurso sobre o homem *in genere*, mas tampouco deixemo-nos iludir com a idéia de lá encontrar o discurso atormentado da individualidade, da compreensão multívoca ("equívoca", no vocabulário lógico de Port-Royal) do homem particular. A bem da verdade, o próprio La Rochefoucauld não se importava com estas questões, atento que estava aos caracteres, às paixões e aos humores capazes de conformar e explicar o humano.

* * *

O fundo jansenista sobre o qual se costura o discurso do moralista é um tema relevante, sem dúvida, para a compreensão do universo fragmentário das máximas, e de sua "antropologia". Para esclarecê-los, uma breve sondagem da "recepção" e da "fortuna editorial" do texto pode ser bastante útil.

Nos primeiros anos da década de 1660, antes ainda de serem publicadas, as sentenças eram submetidas a uma espécie de "levantamento", organizado a partir do núcleo de relações da marquesa de Sablé[41]. Em 1663, a amiga de La Rochefoucauld recebia uma carta, em que Mme. de Schonberg mostrava-se impressionada com os aforismos que lhe haviam

LEITURAS CRUZADAS

sido enviados, embora não parecesse inteiramente pronta a sucumbir aos seus encantos:

[...] tout ce qu'il m'en paraît, en général, c'est qu'il y a en cet ouvrage beaucoup d'esprit, peu de bonté, et forces vérités que j'aurais ignorées toute ma vie si l'on ne m'en avait fait apercevoir. Je ne suis pas encore parvenue à cette habileté d'esprit où l'on ne connaît dans le monde ni honneur ni bonté ni probité; je croyais qu'il y en pouvait avoir. Cependant, après la lecture de cet écrit, l'on demeure persuadé qu'il n'y a ni vice ni vertu à rien, et que l'on fait nécessairement toutes les actions de la vie. S'il est ainsi que nous ne nous puissions empêcher de faire tout ce que nous désirons, nous sommes excusables, et vous jugez de là combien ces maximes sont dangereuses. Je trouve encore que cela n'est pas bien écrit en français, c'est-à-dire que ce sont des phrases et des manières de parler qui sont plutôt d'un homme de la cour que d'un auteur. Cela ne me déplaît pas, et ce que je vous en puis dire de plus vrai est que je les entends toutes comme si je les avais faites, quoique bien des gens y trouvent de l'obscurité en certains endroits. [...] Je ne sais si cela réussira imprimé comme en manuscrit; mais si j'étais du conseil de l'auteur, je ne mettrais point au jour ces mystères qui ôteront à tout jamais la confiance qu'on pourrait prendre en lui: il en sait tant là-dessus, et il paraît si fin, qu'il ne peut plus mettre en usage cette souveraine habileté qui est de ne paraître point en avoir. Je vous dis à bâton rompu tout ce qui me reste dans l'esprit de cette lecture[x] [...][42]

---

[x] O que me parece, no geral, é que há nesta obra muito de espírito, pouco de bondade, e muitas verdades que eu teria ignorado toda a minha vida se não se me fizesse percebê-las. Eu ainda não alcancei esta habilidade de espírito em que nós não conhecemos no mundo nem honra nem bondade nem probidade; eu acreditava que poderia havê-las. Entretanto, depois da leitura deste escrito, nós nos persuadimos que não há virtude nem vício por nada, e que fazemos necessariamente todas as ações da vida. Se assim for que nós não poderíamos nos impedir de fazer tudo o que desejássemos, nós somos desculpáveis, e vós julgais por aí quanto são perigosas essas máximas. Eu acho ainda que aquilo não está bem escrito em francês, quer dizer que são frases e maneiras de falar que são mais de um homem de corte que de um autor. Isso não me desgosta, e o que eu posso vos dizer de mais verdadeiro é que eu as escuto todas como se as tivesse feito, ainda que muitas pessoas ali encontrem obscuridade em certos lugares. [...] Eu não sei se terão sucesso impressas como em manuscrito; mas, se eu fosse o autor, eu não publicaria de jeito nenhum esses mistérios que desnudam para sempre a confiança que

UM MORALISTA NOS TRÓPICOS

O sinal de "perigo", exposto neste documento coevo, acompanharia por muito tempo a leitura das máximas. Assim também, a impressão de que a linguagem aforística provinha de um autêntico cortesão, talvez libertino, e que além do mais colocava em dúvida a honra, a bondade e a probidade humanas, sobrepondo-lhes uma *habileté* que parece anunciar as armadilhas profundas do discurso, armadas num campo onde cresce e floresce o *esprit*.

Destaca-se, ademais, o misto de prazer e desagrado, de reconhecimento (*"comme si je les avais faites"*) e estranhamento (*"l'obscurité en certains endroits"*) da leitora diante de um texto compósito, em que se casam a agudeza da observação e um certo despeito em face dos valores humanos (*"beaucoup d'esprit, peu de bonté"*).

A mesma Mme. de Schonberg, ainda em 1663, enviava a Sablé uma carta que recebera, relativa às máximas. Seu autor, desconhecido, traz o testemunho inequívoco de que o jansenismo subjacente às sentenças podia ser plenamente identificado e caracterizado por um contemporâneo:

> A considérer superficiellement l'écrit que vous m'avez envoyé, il semble tout à fait malin, et il ressemble fort à la production d'un esprit fier, orgueilleux, satirique, dédaigneux, ennemi déclaré du bien, sous quelque visage qu'il paraise, partisan très passionné du mal, auquel il attribue tout, qui querelle et qui choque toutes les vertus, et qui doit enfin passer pour le destructeur de la morale et pour l'empoisonneur de toutes les bonnes actions, qu'il veut absolument qui passent pour autant de vices déguisés. Mais quand on le lit avec un peu de cet esprit pénétrant qui va bientôt jusqu'au fond des choses pour y trouver le fin, le délicat et le solide, on est contraint d'avouer ce que je vous déclare, qu'il n'y a rien de plus fort, de plus véritable, de plus philosophe, ni même de plus chrétien, parce que dans la vérité c'est une morale très délicate qui exprime d'une manière peu connue aux anciens philosophes et aux nouveaux pédants la nature des passions qui se travestissent dans nous si souvent en vertus. C'est la découverte du faible de la sagesse humaine et de la

---

se poderia ter nele: ele sabe tanto disso, e ele parece tão fino, que ele não pode mais pôr em uso esta soberana habilidade que é a de não parecer minimamente tê-la. Eu vos digo tudo o que me passou pela cabeça e tudo o que me resta no espírito desta leitura.

LEITURAS CRUZADAS

raison, et de ce qu'on appelle force d'esprit; c'est une satire très forte et très ingénieuse de la corruption de la nature par le péché originel, de l'amour-propre et de l'orgueil, et de la malignité de l'esprit humain qui corrompt tout quand il agit de soi-même sans l'esprit de Dieu. C'est une agréable description de ce qui se fait par les plus honnêtes gens quand ils n'ont point d'autre conduite que celle de la lumière naturelle et de la raison sans la grâce. C'est une école de l'humilité chrétienne, où nous pouvons apprendre les défauts de ce que l'on appelle si mal à propos nos vertus; c'est un parfaitement beau commentaire du texte de saint Augustin qui dit que toutes les vertus des infidèles sont des vices, c'est un anti-Sénèque, qui abat l'orgueil du faux sage que ce superbe philosophe élève à l'égal de Jupiter; c'est un soleil qui fait fondre la neige qui couvre la laideur de ces rochers infructueux de la seule vertu morale; c'est un fonds très fertile d'une infinité de belles vérités qu'on a le plaisir de découvrir en fouissant un peu par la méditation. Enfin, pour dire nettement mon sentiment, quoiqu'il y ait partout des paradoxes, ces paradoxes sont pourtant très véritables, pourvu qu'on demeure toujours dans les termes de la vertu morale et de la raison naturelle, sans la grâce. Il n'y en a point que je ne soutienne, et il en a même plusieurs qui s'accordent parfaitement avec les sentences de l'Ecclésiatique, qui contient la morale du Saint-Esprit. Enfin, je n'y trouve rien à reprendre que ce qu'il dit qu'on ne loue jamais que pour être loué, car je vous jure que je ne prétends nulles louanges de celles que je suis obligé de lui donner, et dans l'humeur où je suis je lui en donnerais bien d'autres. Mais il y a là-bas un fort honnête homme qui m'attend dans son carrosse pour me mener faire l'essai de notre chocolate. Vous y avez quelque intérêt, et moi aussi, parce que vous êtes de moitié avec Mme la princesse de Guymené pour m'en faire ma provision[xi].[43]

[xi] Considerando superficialmente o escrito que me enviastes, ele parece decididamente maligno, e se parece bastante à produção de um espírito sobranceiro, orgulhoso, satírico, desdenhoso, inimigo declarado do bem, sob qualquer aspecto que pareça, partidário muito apaixonado do mal, ao qual ele atribui tudo, que querela e que choca todas as virtudes, e que deve enfim passar pelo destruidor da moral e pelo envenenador de todas as boas ações, que ele absolutamente pretende que passem por tantos vícios disfarçados. Mas quando o lemos com um pouco deste espírito penetrante que vai bem mais ao fundo das coisas para ali encontrar o fino, o delicado e o sólido, nós somos obrigados a confessar isto que vos decla-

UM MORALISTA NOS TRÓPICOS

As máximas como um "comentário" do texto agostiniano é idéia que poderia afastar qualquer dúvida sobre as intenções cristãs do autor. Cruzando esta carta à correspondência enviada pelo próprio duque de la Rochefoucauld à marquesa de Sablé, Jacques Truchet nota o intenso interesse do moralista em ter consigo, por um momento que fosse, o *"discours"* epistolar[44].

Salta aos olhos, lendo a carta, a ambivalência do retrato moralista, a um só tempo mundano e elevado. A idéia das máximas como a "sátira" dos sucessos humanos de após a Queda deixa perceber o caráter dúplice de um discurso que volta para o mundo suas "luzes naturais" (as únicas disponíveis, num universo desprovido de Graça), mas que, permitindo perceber a corrupção e a fraqueza da sabedoria dos homens, podia também tornar-se uma "escola da humildade cristã".

---

ro, que não há nada mais forte, mais verdadeiro, mais filosófico, nem mesmo mais cristão, porque na verdade é uma moral muito delicada que exprime de uma maneira pouco conhecida dos antigos filósofos e dos novos pedantes a natureza das paixões que se travestem em nós tão freqüentemente de virtudes. É a descoberta do fraco da sabedoria humana e da razão, e disto que chamamos fortaleza de espírito; é uma sátira muito forte e engenhosa da corrupção da natureza pelo pecado original, do amor-próprio e do orgulho, e da malignidade do espírito humano que corrompe tudo quando age por si próprio sem o espírito de Deus. É uma agradável descrição disto que fazem as mais honestas pessoas quando elas não têm nenhuma outra conduta senão aquela da luz natural e da razão sem a graça. É uma escola de humildade cristã, onde nós podemos aprender os defeitos disto que tão mal chamamos de nossas virtudes; é um comentário perfeitamente belo do texto de santo Agostinho que diz que todas as virtudes dos infiéis são vícios; é um anti-Sêneca, que derruba o orgulho do falso sábio que este soberbo filósofo eleva ao lado de Júpiter; é um sol que faz fundir a neve que cobre a encosta destes rochedos estéreis da solitária virtude moral; é um fundo muito fértil de uma infinidade de belas verdades que temos o prazer de descobrir lavrando um pouco pela meditação. Enfim, para dizer claramente meu sentimento, porquanto haja paradoxos por toda parte, esses paradoxos são porém muito verdadeiros, visto que permaneçamos sempre nos termos da virtude moral e da razão natural, sem a graça. Não há um só que eu não sustente, e há mesmo diversos que concordam perfeitamente com as sentenças do Eclesiástico, que contém a moral do Espírito Santo. Enfim, eu não encontro ali nada a repreender a não ser que ele diz que nós não louvamos jamais senão para ser louvados, porque eu vos juro que eu não almejo nenhuns elogios daqueles que sou obrigado a dirigir-lhe, e no humor em que estou eu bem lhe dirigiria outros. Mas há aí um *honnête homme* que me espera em sua carruagem para me levar a provar nosso chocolate. Vós tereis algum interesse aí, e eu também, porque dividirei com a senhora princesa de Guymené para me providenciar minha reserva.

LEITURAS CRUZADAS

A humilhação recebida com gozo é um traço de submissão e humildade que uma certa tradição cristã terá acentuado, ao longo do tempo, buscando compreender a relação dos homens com a grandeza e a inefabilidade da esfera divina. No discurso engraçado de Pascal, a humilhação é tema constante, mas mesmo em La Rochefoucauld a humildade cristã não é estrangeira. Máxima 358: *"L'humilité est la véritable preuve des vertus chrétiennes: sans elle nous conservons tous nos défauts, et ils sont seulement couverts par l'orgueil qui les cache aux autres, et souvent à nous-mêmes"* ("a humildade é a primeira prova das virtudes cristãs: sem ela conservamos todos os nossos defeitos, que o orgulho só faz encobrir, escondendo-os dos demais e, não raro, de nós mesmos")[45].

A piedade se esvai, entretanto, se à máxima 358 contrastarmos a de número 254: *"L'humilité n'est souvent qu'une feinte soumission, dont on se sert pour soumettre les autres; c'est un artifice de l'orgueil qui s'abaisse pour s'élever; et bien qu'il se transforme en mille manières, il n'est jamais mieux déguisé et plus capable de tromper que lorsqu'il se cache sous la figure de l'humilité"* ("A humildade é muitas vezes somente ambição fingida que serve para submeter os outros, é artifício do orgulho que se rebaixa para se exaltar, que embora de mil maneiras se transforme, nunca melhor se esconde nem de tanto é capaz como quando escondido na figura da humildade")[46]. Estaremos, aqui, diante de um desses pontos altos na tessitura das máximas, quando a certeza e o conforto diante da leitura de uma sentença se diluem no caldo de desconfiança, que a vista de outra sentença terá oferecido ao leitor. Este movimento tampouco escaparia aos contemporâneos[47].

A humildade, portanto, será uma virtude rara, como rara é a máxima 358, estranhável num conjunto pouco favorável à sinceridade dos homens. É preciso insistir, porém, sobre o sentido desta humildade e da correlata humilhação da natureza humana, que deita raízes profundas na história do cristianismo.

As primeiras perseguições aos cristãos apareceram sob Nero, apenas algumas décadas após a morte de Jesus. Tácito supõe que o imperador os tenha acusado de causadores do incêndio de Roma para afastar os rumores de que ele próprio ateara fogo à cidade. (Roma, "onde tudo o que se conhece de atroz ou de infame aflui de todas as partes"...) Tácito, segundo Jean Daniélou, nota contudo que os seguidores do Cristo foram presos não tanto pela acusação de incendiários, como pelo ódio que votavam ao gênero humano. O *odium humani generis* de Tácito traduziria o

UM MORALISTA NOS TRÓPICOS

grego *misantropia*, deixando ver a primeira e radical aversão do cristianismo à Cidade terrestre[48].

Não se trata, claro está, de imaginar uma ponte segura entre o século XVII e o primeiro século desta era, mas apenas de notar que os cristãos podiam considerar-se misantropos, quando enquadrados pelas leis citadinas. Antes ainda dos suplícios, da anacorese e do longo martirológio, a humildade se punha à prova diante do poder da Cidade, e os cristãos eram perseguidos porque, supostamente, odiavam-na. A ponte não é segura, mas está lá: que se pense no ódio que Versailles – a cidade clássica – votou às religiosas e aos Solitários que ousaram afastar-se do mundo, recolhendo-se nos bosques de Port-Royal-des-Champs; que se recorde, finalmente, a significativa investida de Luís XIV, já velho, mandando arrasar a abadia e profanar os túmulos, pois nem os jansenistas mortos poderiam descansar.

Figura alguma terá marcado tão fundo esta imagem do retiro, e do recusar-se ao mundo – suprema misantropia, – que madre Maria Angélica, a flor dos Arnauld. A narrativa envolvente de Dominique de Courcelles, baseada livremente nos *Mémoires pour servir à l'Histoire de Port-Royal et à la vie de la Révérende Mère Marie Angélique Arnauld Réformatrice de ce Monastère*, publicados em Ultrecht, em 1742, e oriundos de testemunhos deixados pelas religiosas que viveram a morte da superiora, pode ser esclarecedora, se quisermos compreender o sentido da *humilhação*, no horizonte jansenista do século XVII[49].

"Morte em vida" é divisa de Bérulle, capaz de sintetizar o isolamento monástico, mas também o divino *aneántissement* que viviam as religiosas, negadas ao mundo, mas sobretudo – como nota com sensibilidade Dominique de Courcelles – anuladas em sua corporeidade e feminilidade. Ouçamo-la, referindo-se à morte de madre Maria Angélica, ocorrida em 6 de agosto de 1661, dia da Transfiguração:

> O que triunfava agora, neste dia da Transfiguração do ano de 1661, era exatamente o inverso da glória: a noite fria da campa e da morte e as cruéis aflições de Port-Royal. Tal era o "templo da paz e da glória de Deus", no qual convinha crer que Ela entrara. Tal era o termo do anulamento que Ela havia incessantemente procurado e do jogo difícil da justiça e da verdade. Esta verdade – a sua – não pertencia ao claror mas ao fundo noturno e glacial, secreto, mudo, sobre o qual o claror havia escolhido apa-

· 96 ·

recer. A transfiguração do Filho único e bem-amado que tem todo o favor do Pai não era no fim das contas mais que uma iluminação muito fugaz que fulgurava sobre a durável e sangrante paixão do Filho do Homem, reencontrando justamente aquela do filho único possuído e desfigurado pela potência de morte. Martin de Barcos, sobrinho de Saint-Cyran e ele mesmo abade de Saint-Cyran, escreveu: *Il est clair que Dieu lui a donné part à la gloire des Martyrs, laquelle ne s'acquiert pas seulement en souffrant les persécutions des infidèles et de hérétiques, mais aussi en recevant humblement les violences des Catholiques qui s'opposent à la justice et au service qu'on rend à Dieu selon l'Évangile* [é claro que Deus lhe deu parte na glória dos Mártires, a qual não se adquire somente sofrendo as perseguições dos infiéis e dos heréticos, mas também recebendo humildemente as violências dos Católicos que se opõem à justiça e ao serviço que rendemos a Deus segundo o Evangelho]. A anulação era o glorioso efeito da justiça e da verdade, do serviço de um Deus negado venerável e temível. O verdadeiro conhecimento era um saber recebido no vazio da consciência, este sono dos Justos, quando a alma tornara-se o deserto dos pensamentos. A verdade que destruía deificava. A casa de Port-Royal – deveria bem existir imóvel como Deus mesmo, desprovida de espaço e de tempo, extensão ou aventura d'Ele-mesmo eclipsada. Nos anos 1709-1711, o Rei, completados setenta anos e mestre de uma França arrasada, mandou destruir Port-Royal. Arrancaram-se as pedras dos prédios e dos túmulos. Assim se consumava a santificação da *inocente vítima que se ofereceu de mil maneiras todas santas sobre o altar de seu adorável Salvador*, e se dava também uma certa dramatização de Port-Royal pelo sacrifício. As Irmãs, mudas e chorosas, e os amadores de relíquias, febris e ávidos, rebateriam algum eco Àquela que pretendera pouco falar e menos ainda escrever? Cruz morta, árvore cortada, carne desfeita, pedra fundamental finalmente arrancada, fluxo interrompido, sem nenhum assentimento exterior, não restava nem mais uma sombra que se agitasse em vão sobre um palco já desaparecido e gelado. Ora, no tempo mesmo, se recolhia e se desenvolvia um verdadeiro rio de escritura: aquele da memória das Irmãs de Port-Royal, de que Ela fora – levado e escrito por aqueles que a ela sobreviveram.[50]

Aí estão os escritos das religiosas, como fonte de reportagem do silêncio significativo – tema agostiniano por excelência – de Port-Royal[51]. Tal silêncio, note-se bem, pode ser ouvido como despeito aos homens e

UM MORALISTA NOS TRÓPICOS

à política da Cidade. E é fato que uma repulsa ao mundo se deixa flagrar no isolamento físico e territorial da abadia, em sua versão campestre, e na opção por habitar o pântano malsão que é também um calvário – o caminho da morte – nesta vida[52].

Na carta recebida por Mme. de Schonberg, relativa às máximas de La Rochefoucauld, falava-se delas como uma "escola da humildade cristã", o que nos fez pensar na humilhação como primeiro passo para a consciência sobre a pequenez do homem diante da magnificência de Deus. Na imaginação jansenista, nada restaria à alma piedosa que pretendesse verdadeiramente seguir os passos do Cristo, senão o *anéantissement*, de que são exemplo a vida e a morte atormentadas de madre Maria Angélica.

Esta negação do mundo, almejando tocar as raias do divino, é capaz de nos lembrar a poesia religiosa forjada na ambiência barroca da Península Ibérica, de que não se exclui, contudo, um fundo sensível e mesmo erótico, conquanto o Esposo e a Esposa sejam as figurações do Cristo e da Alma, ou da Igreja, num casamento místico. Não é extemporânea a lembrança, porque, para bem compreender o mundo das máximas de La Rochefoucauld, será preciso acompanhar um movimento de desvendamento que se faz como percurso do espírito no universo danado da carne, com a entrada do observador na física e na lógica mundanas, para somente então, entregue à máquina das paixões humanas, retratá-la adequadamente.

Não será exagerado enxergar o duque moralista como um homem que empresta sua pena à *moral mundana*, buscando fixá-la e compreendê-la, decifrando-a a partir dos códigos de conduta e dos valores de um certo estrato social. Mas, antes de nos aproximarmos do século XIX, quando a imagem de um La Rochefoucauld corruptor encontraria um partidário mesmo nos trópicos, é preciso entender a fortuna do texto, e os movimentos que ele comporta, fazendo-nos oscilar entre a mais exigente moral cristã e a mais desabrida entrega aos prazeres mundanos. A carta do amigo de Mme. de Schonberg, aliás, interrompe-se, sugestivamente, com um prosaico convite para o chocolate, bebida porventura capaz de aquentar o espírito enregelado pela desconfiança, empenhado em humilhar a natureza humana para dignificar a divina.

• • •

A idéia de que o retrato traçado pelas máximas de La Rochefoucauld fosse apenas a imagem do homem em seu estado decaído (anunciando claramente a chave de leitura de José da Silva Lisboa) era presente entre os contemporâneos, e é interessante que o famoso *"Discours"* de La Chapelle-Bessé, prefaciando a primeira edição autorizada, de 1665, se desenvolvesse num tom profilático, respondendo antecipadamente aos argumentos que os leitores poderiam contrapor ao texto, criticando-o. Decerto, a expectativa sobre esse presumido leitor criou-se a partir da "consulta" de Mme. de Sablé, e das diversas cartas que, desde alguns anos antes, ela vinha colecionando.

Após deter-se sobre o caráter "desordenado" das máximas, de que trataremos adiante, La Chapelle-Bessé, em seu *discours*, adiantava-se às críticas daqueles que supunham

> [...] *que les Réflexions détruisent toutes les vertus.* On peut dire à cela que l'intention de celui qui les a écrites paraît fort éloignée de les vouloir détruire; il prétend seulement faire voir qu'il n'y en a presque point de pures dans le monde, et que dans la plupart de nos actions il y a un mélange d'erreur et de vérité, de perfection et d'imperfection, de vice et de vertu; il regarde le cœur de l'homme corrompu, attaqué de l'orgueil et de l'amour-propre, et environné de mauvais exemples comme le commandant d'une ville assiégée à qui l'argent a manqué: il fait de la monnaie de cuir, et de carton; cette monnaie a la figure de la bonne, on la débite pour le même prix, mais ce n'est que la misère et le besoin qui lui donnent cours parmi les assiégés. De même la plupart des actions des hommes que le monde prend pour des vertus n'en ont bien souvent que l'image et la ressemblance. Elles ne laissent pas néanmoins d'avoir leur mérite et d'être dignes en quelque sorte de notre estime, étant très difficile d'en avoir humainement de meilleures. Mais quand il serait vrai qu'il croirait qu'il n'y en aurait aucune de véritable dans l'homme, en le considérant dans un état purement naturel, il ne serait pas le premier qui aurait eu cette opinion. Si je ne craignais pas de m'ériger trop en docteur, je vous citerais bien des auteurs, et même des Pères de l'Eglise, et de grands saints, qui ont pensé que l'amour-propre et l'orgueil étaient l'âme des plus belles actions des païens. [...] L'auteur des Réflexions n'en fait pas de même: il expose au jour toutes les misères de l'homme. Mais c'est de l'homme abandonné à sa conduite qu'il parle, et non pas du chréti-

UM MORALISTA NOS TRÓPICOS

en. Il fait voir que, malgré tous les efforts de sa raison, l'orgueil et l'amour-propre ne laissent pas de se cacher dans les replis de son cœur, d'y vivre et d'y conserver assez de forces pour répandre leur venin sans qu'il s'en aperçoive dans la plupart de ses mouvements[xii].[53]

A apresentação das máximas pelo viés da "imperfeição" deste nosso mundo pode ajudar a esclarecer o jansenismo de seu autor, cuja fonte se encontra menos nas discussões teológicas de Port-Royal que no ambiente misto em que ele viveu, feito de prazeres e penitências. Mas o tom levemente pedagógico de La Chapelle-Bessé casa-se mal às sentenças.

Se o autor do *discours* insiste na idéia de um retrato do homem em seu estado decaído – alinhando-se a vários de seus contemporâneos –, ele contudo parece guardar alguma esperança na marca da boa moeda. Para acompanhar a metáfora bélica utilizada, é como se o sítio que nos foi imposto pudesse ser temporário. La Chapelle-Bessé entende perfeitamente o estado corrupto do homem, desenhado pela pena de La Rochefoucauld, embora o tom "esclarecedor" de seu discurso seja capaz de suge-

---

[xii] *que as Reflexões destroem todas as virtudes*. Pode-se dizer disto que a intenção daquele que as escreveu parece bastante longe de querer destruí-las; ele pretende somente fazer ver que não as há quase nenhumas puras no mundo, e que na maioria de nossas ações há uma mistura de erro e de verdade, de perfeição e de imperfeição, de vício e de virtude; ele olha o coração do homem corrompido, acometido pelo orgulho e pelo amor-próprio, e rodeado de maus exemplos como o comandante de uma cidade sitiada a quem o dinheiro tenha faltado: ele faz dinheiro de couro, de papel; esta moeda tem a figura da boa, debita-se-a pelo mesmo preço, mas não são senão a miséria e a necessidade que lhe dão curso entre os sitiados. Da mesma forma a maior parte das ações dos homens que o mundo toma por virtudes não tem delas amiúde mais que a imagem e a semelhança. Elas não deixam contudo de ter seu mérito e de ser de alguma maneira dignas de nossa estima, sendo muito difícil tê-las humanamente melhores. Mas quando fosse verdade que ele cria não haver uma única verdadeira no homem, considerando-o num estado puramente natural, ele não seria o primeiro que teria tido tal opinião. Se eu não temesse erigir-me muito em doutor, eu vos citaria vários autores, e mesmo Padres da Igreja, e grandes santos, que pensaram que o amor-próprio e o orgulho eram a alma das mais belas ações dos pagãos. [...] O autor das Reflexões não o faz da mesma forma: ele expõe à luz do dia todas as misérias do homem. Mas é do homem abandonado à sua conduta que ele fala, e não do cristão. Ele permite ver que, malgrado todos os esforços de sua razão, o orgulho e o amor-próprio não deixam de se esconder nas dobras de seu coração, de ali viver e conservar bastantes forças para dissipar seu veneno sem que ele se aperceba deles na maior parte de seus movimentos.

• 100 •

rir que um dia o sítio cairá, como se pudéssemos nos ver diante de uma nova economia, em que a moeda de papel se tornasse finalmente desnecessária, recuperando-se a verdadeira, metálica. É difícil compreender de outra forma sua ressalva: *"mais c'est de l'homme abandonné à sa conduite qu'il parle, et non pas du chrétien"*.

Pelo contrário, pode ser do homem cristão, consciente da perda de toda pureza original, que fala La Rochefoucauld. A diferença é de tom, mas sumamente importante: La Chapelle-Bessé, didático, parece no fundo preocupar-se com os "maus exemplos" de que se cerca o homem; já o autor das máximas jamais empenhou-se na redenção pelo exemplo, nutrindo antes o desengano capaz de abalar a confiança no humano[54].

A Queda está no horizonte original de ambas as visões de mundo, mas o desenvolvimento da história dos descendentes de Adão revela-se diferentemente, porque o tom é menos esperançoso no caso do duque, já que a "mistura" deste mundo, mais que motivo de aflição, torna-se uma *constatação*, aumentando absolutamente a distância que nos separa da pureza perdida, como se vivêssemos, até ao fim dos tempos, num imenso estado de sítio, condenados à falsidade nas nossas relações.

Interessante que o *discours* fosse suprimido, já a partir da segunda edição, apenas um ano após a primeira. La Rochefoucauld, atento à leitura e à fortuna de seu livro, não se afeiçoara talvez ao tom didático de La Chapelle-Bessé, desprezando com altivez a apologia das máximas. No *"Avis au lecteur"* da edição de 1666, lê-se:

> Mon cher lecteur, Voici une seconde édition des Réflexions morales que vous trouverez sans doute plus correcte et plus exacte en toutes façons que n'a été la première. Ainsi vous pouvez maintenant en faire tel jugement que vous voudrez sans que je me mette en peine de tâcher à vous prévenir en leur faveur, puisque si elles sont telles que je crois, on ne pourrait leur faire plus de tort que de se persuader qu'elles eussent besoin d'apologie[xiii].[55]

[xiii] Meu caro leitor, Eis aqui uma segunda edição das Reflexões morais que achareis sem dúvida mais correta e mais exata de todas as formas do que fora a primeira. Assim podereis agora julgar da maneira que quereis sem que eu precise dar-me o trabalho de vos prevenir em seu favor, porque se elas são tal que as creio, não se lhes poderia fazer mais mal que nos persuadindo de que elas precisassem de apologia.

UM MORALISTA NOS TRÓPICOS

O duque julgava desnecessária qualquer justificação. O leitor, igualmente, sentirá a inutilidade dos "esclarecimentos" prévios, pois o mundo que desenham as máximas parece invulnerável, sobretudo resistente às investidas pedagógicas e edificantes.

Tal fortaleza é paradoxal, uma vez que o autor das *Réflexions ou sentences et maximes morales* fala de um universo em ruínas, mais que de um mundo arrimado. Pode chocar, aos leitores confiantes na simpatia humana, sua ausência de escrúpulos, a qual, longe de caracterizar algum tipo de amoralismo, revela a clara consciência quanto à imperfeição humana, e a certeza de que pouco ou nada há a fazer diante dela. Segue apavorando, em todo o caso, a visão cristalina do homem e uma certa frieza analítica, a sugerirem o distanciamento característico do moralista. Como se, ao escrever sobre o homem corrompido, La Rochefoucauld pretendera poupar-se a qualquer aflição ou angústia diante do retrato traçado, oferecendo-as, entretanto, ao leitor estarrecido.

• • •

Não será incomum voltar os olhos ao século XVII para detectar, nas correntes pessimistas de que o jansenismo é o exemplo mais célebre, uma reação aos ventos do Renascimento. Haverá, contudo, quem proponha a compreensão da literatura do *grand siècle* como um balanço entre "humanismo" e "anti-humanismo". A moral de La Rochefoucauld, neste particular, parece apartar-se de uma linhagem pedagógica, conquanto o inquérito sobre o homem, que ela sem dúvida promove, não se deixe entender sem a *paideia* humanista que a precedeu, e que ela se empenhará em negar, até certo ponto[56].

Mas as máximas conformando certa mensagem, como "escola da humildade cristã", é uma idéia incompreensível sem aquela chave do rebaixamento do homem ao seu estatuto ínfimo diante de Deus. Evidentemente, entre as pregações de Jansénius, o tormento de madre Maria Angélica, e a moral mundana de La Rochefoucauld, restam diferenças importantes. Não os separam, contudo, aqueles planos imaginários do "humanismo" e do "anti-humanismo", porque, ao menos até onde os esquemas podem nos ajudar, são todos "anti-humanistas" em seu âmago, pois sua antropologia é a do homem decaído, desassistido do poder da Graça. O que os estrema, de certo modo, é justamente o plano em que se movem seus interesses e olhares: La Rochefoucauld entrega-se ao mundo, enquanto os jansenistas o evitam e demonizam.

Isto não impediria que, ainda no *"Avis au lecteur"* da segunda edição, após refutar a "apologia" de La Chapelle-Bessé, o autor das máximas reiterasse uma coisa, que

> [...] est la principale et comme le fondement de toutes ces réflexions, est que celui qui les a faites n'a considéré les hommes que dans cet état déplorable de la nature corrompue par le péché; et qu'ainsi la manière dont il parle de ce nombre infini de défauts qui se rencontrent dans leurs vertus apparentes ne regarde point ceux que Dieu en préserve par une grâce particulière[xiv].[57]

A ressalva, mantida até a edição de 1678, última em vida de La Rochefoucauld, esclarece o que não se poderia esquecer – a distância intransponível entre os mundos da Graça e da natureza –, resguardando o autor de qualquer interpretação enviesada, pondo-o a salvo das suspeitas de impiedade. Mas é significativo que apenas esta ressalva lhe parecesse bastante, mantendo-se, no intróito de seu livro, como a inscrição a sinalizar o início de uma aventura torta, rogando ao leitor-viajante que ali prostre suas últimas esperanças; esta comédia, entretanto, não se encenaria para muito além dos caminhos ínferos.

Importante particularidade, a desta cosmologia que enfatiza a Queda, transformando o leitor num quase cúmplice da lógica mundana que se vai devassar, corrompida já em sua origem.

Insisto sobre este convite ao leitor, por crer que aí se encontre não apenas o horizonte das expectativas do moralista em relação a seus contemporâneos, mas também um primeiro sinal da antropologia pessimista das máximas, que os leitores de outros tempos poderiam também reconhecer, aceitando-a ou recusando-a.

La Rochefoucauld julgou bastante a ressalva inicial, sem estender-se demasiado sobre a mensagem das sentenças, refutando os esclarecimen-

---

[xiv] [...] é a principal e como o fundamento de todas essas reflexões, é que aquele que as fez não considerou os homens senão neste estado deplorável da natureza corrompida pelo pecado; e que assim a maneira pela qual ele fala deste número infinito de defeitos que se encontram nas suas virtudes aparentes não se refere minimamente àqueles que Deus deles preserva por uma graça particular.

UM MORALISTA NOS TRÓPICOS

tos prévios que costumam fazer, dos tratados, algo linear e claro. Veremos, adiante, não ser secundária a questão da *ordem* dos aforismos, quando intentamos compreender sua mensagem, que não é una e nem mesmo se pretende modelar. As máximas falam de uma condição – humana – já não inteira, reportando o universo da *falta*, da perda de toda inteireza e clareza originais, o que torna menos enigmática a frase dirigida ao leitor: *"si elles sont telles que je crois, on ne pourrait leur faire plus de tort que de se persuader qu'elles eussent besoin d'apologie"*.

A supressão da apologia é também a recusa de uma explicação demorada, como se o enigma fizesse parte deste jogo de linguagem. Mas editores de outros tempos nem sempre compreenderiam a proposição e as regras do jogo, optando justamente pelo louvor e pela didática explicação prévia do texto, imaginando, talvez, que desta forma o leitor comum não se perderia num emaranhado em que o orgulho e o interesse, ladeados pelo amor-próprio, destacam-se e animam-se.

• • •

Na edição de 1737, o abade de la Roche detém-se longamente sobre a ilustre casa do duque, elogiando inclusive seu padrinho, o cardeal de la Rochefoucauld, o qual, sob o reinado de Luís XIII, concorrera para a reforma das ordens dos agostinianos e dos beneditinos, além de muito ter contribuído para a boa recepção das idéias tridentinas em Paris, aluno que fora e colaborador dos jesuítas[58].

Curioso que o organizador, já no prefácio a esta nova edição, se preocupasse em lembrar a ascendência ilustre de La Rochefoucauld, ressaltando o cardeal que, próximo da Companhia de Jesus, na França, tanto fizera pour *"y détruire l'Héresie"*. Curioso também que La Roche julgasse as máximas, desde suas primeiras edições, impressas sob o anonimato do autor. Assim sendo, o abade segue o costume, ocultando o nome de La Rochefoucauld da fronte daquela edição, não sem antes distinguir sua modéstia e glória: *"O que cette loi est glorieuse à celui qui la donne: la modestie y trouve son compte; mais la justice y perd toujours ses droits"* (Ó como esta lei é gloriosa àquele que a fornece: a modéstia aí tira vantagem; mas a justiça aí perde seus direitos")[59]. É inevitável lembrarmo-nos aqui do soneto, referido no capítulo anterior, inspirado pela "Musa Jesuítica" aos Seletos, quando se louvava, exatamente, o anonimato de uma ação de Gomes

• 104 •

Freire, supondo que aí se resguardasse a modéstia – virtude entretanto aluída pelo autor das máximas.

La Roche se vale da edição de 1693, póstuma, na qual se restabelecera o *"Discours"* de La Chapelle-Bessé[60]. Quanto à organização das máximas, ao contrário das edições anteriores de Amelot de la Houssaye (1714 e 1725, sempre por Étienne Ganeau[61]), o abade opta pela manutenção de sua "dispersão" original, apostando-lhes uma tábua de assuntos, como de praxe. Mas haveria diferenças importantes entre a sua edição e a daquele sábio admirador dos aforismos: Amelot de la Houssaye retirara suas notações da ciência dos antigos e também dos Padres da Igreja, enquanto La Roche se mantinha adstrito à influência pagã:

> Quant au plan que je me suis fait, de rapporter toutes mes Rémarques à la raison & à l'autorité Payenne, c'est moins moi, qui me suis prescript ces bornes, que les matieres elles mêmes. M. le Duc De La Roche-Foucault [sic], comme nous avons déja remarqué, n'a d'autres vûes dans ses Réflexions, que de considerer l'homme dans l'état de la nature corrompuë, abandonné à lui-même, raisonnable & abusant de sa raison; doüé de quelques perfections, mais presque toûjours dégradées par les motifs d'amour-propre & d'interêt qui les animent: Quoi de plus naturel, que de faire des rémarques tirées de la raison, sur des Réfléxions, qui ont pour objet l'homme raisonnable; & quand on récourt aux Autorités, de les tirer de ces grands Maîtres dans la Loi de Nature, qui quoiqu'ils n'eussent d'autres régles de vie, que celles que leur dictoit la raison, combattoient l'homme vicieux par leurs bons exemples, ou du moins par leurs beaux préceptes[xv].[62]

[xv] Quanto ao plano que me propus, de reportar todas as minhas Anotações à razão e à autoridade Pagã, sou menos eu, que me prescrevi tais limites, que as matérias elas mesmas. O senhor duque De La Roche-Foucault, como nós já observamos, não tem outros objetivos nas suas Reflexões, senão considerar o homem no estado da natureza corrompida, abandonado a ele mesmo, razoável e abusando da razão; dotado de algumas perfeições, mas quase sempre degradadas pelos motivos de amor-próprio e de interesse que as animam. Nada mais natural que fazer anotações tiradas da razão, sobre Reflexões, que têm por objeto o homem razoável; e quando nós recorremos às autoridades, de tirá-las destes grandes Mestres na Lei da Natureza, que, ainda que não tivessem outras regras de vida que aquelas ditadas pela razão, combatiam o homem vicioso pelos seus bons exemplos, ou pelo menos por seus bons preceitos.

UM MORALISTA NOS TRÓPICOS

Valer-se da autoridade pagã, ou simplesmente refutá-la, era um dilema candente desde o século anterior. A ressalva, vinda de um religioso, é compreensível: sendo o objeto das reflexões o homem decaído, desassistido da Graça, nada mais razoável que socorrer-se da sabedoria destes "grandes Mestres na Lei Natural". Impressiona, em todo caso, o lugar ocupado pelos "bons exemplos", ou "bons preceitos", no discurso do abade de la Roche.

A crença em "algumas perfeições" humanas tornava recomendável a freqüentação dos filósofos pagãos: embora ignorantes da verdade revelada, eles seriam capazes de combater os vícios, mediante o poder prescritivo de suas sentenças, ou pelo contágio do exemplo.

Não se trata de negar que La Rochefoucauld, como qualquer homem culto do século XVII, freqüentasse assiduamente a sabedoria antiga, cuja força se faz sentir em toda uma tradição das Letras francesas, de que Montaigne e Charron são exemplo. Trata-se de notar que estaremos porventura entre os antípodas do duque, no momento em que o exemplo e a virtude podem ser, para o editor das máximas, o resultado de um esforço puramente humano, governado apenas pelas regras da razão. A disposição de La Roche em justificar os antigos filósofos pode nos lembrar a passagem de Rollin, citada no capítulo anterior, na qual o pedagogo pergunta ao leitor se os dizeres de Epicteto não lembrariam, algumas vezes, a própria moral cristã – passagem glosada por José da Silva Lisboa, como vimos.

Os comentários de La Roche sobre as máximas mereceriam estudo à parte. É possível, entretanto, atermo-nos brevemente a algumas de suas considerações, para perceber que nem sempre a escrita de La Rochefoucauld logrou boa acolhida em sua edição. A bem dizer, o abade terá realizado, muitas vezes, uma espécie de intervenção sobre o texto, *corrigendo mores*.

Este será o caso, quando a máxima 49 (número 54, na edição de 1678) é objeto de seus comentários. Leiamo-la, em primeiro lugar:

> Le mépris des richesses était dans les philosophes un désir caché de venger leur mérite de l'injustice de la fortune par le mépris des mêmes biens dont elle les privait; c'était un secret pour se garantir de l'avilissement de la pauvreté; c'était un chemin détourné pour aller à la considération qu'ils ne pouvaient avoir par les richesses[xvi].

[xvi] "O desprezo das riquezas era nos filósofos desejo oculto de voltar seu mérito contra a injustiça da fortuna, de desprezar os mesmos bens que ela lhes negava;

Os *philosophes* são, no texto do século XVII, os filósofos antigos, especialmente os estóicos. A frase, num movimento que se nos vai tornando familiar, opera o desmascaramento da virtude, como o de Sêneca – vítima preferencial de La Rochefoucauld – na contracapa do livro, já na primeira edição das máximas[63].

A virtude do filósofo (o desprezo pelas riquezas) é, de fato, o desejo oculto de vingar-se da injustiça da fortuna, e mal se esconde, uma vez iniciada a leitura da máxima, seu horror pela pobreza. As expressões participam ativamente na mascarada (*un désir caché, un secret, un chemin détourné*), e o principal é que nada reste intacto na postura virtuosa, após o desvendamento dos reais móbeis da ação: o desejo de vingança, o medo da pobreza e a busca de consideração.

La Roche, comentando a máxima, parece não conformar-se à estratégia do desvendamento, procurando resguardar, intacta, a imagem de alguma virtude que, realmente, portassem os filósofos:

> Il se peut bien faire que quelques Philosophes ayent voulu se distinguer par le contraire de ce qui distingue les autres. [...] Mais pour la gloire de la Philosophie, je ne voudrois pas penser ainsi de tous les Philosophes. Quand j'entends un Aristipe me dire: *N'amassez point d'autres richesses que celles qui dans le naufrage nagent avec celui à qui elles appartiennent. (In sentent, versus med.)* Un Aristote rémarquer, *(Sect. 29. Problem. quæst. 4.) Que les richesses se trouvent plus souvent dans les méchans que dans les bons.* Un Platon *(Tom.3. Sizig. 60 Epist. 3. ad Dionis. in med.)* dire avec chaleur: *que le discours de ceux qui appellent les riches heureux, est un discours de femme & d'enfans, qui va jusqu'à effeminer ceux qui le tiennent.* Quand je vois ces grands hommes demeurer dans une précieuse médiocrité, lorsqu'ils pouvoient être dans l'abondance, j'ai peine à voir flétrir le motif de leur dépoüillement; je me dis à moi-même: ces hommes ne mettent au nombre des richesses, que les Vertus qui ne peuvent faire naufrage. Ils réconnoissent que les richesses corrompent les bons: mettons donc ce désinteressement sur le compte de la Vertu, plûtôt que d'augmenter la fierté du vice, en comptant de si grands hommes sous son empire[xvii].[64]

---

era segredo para se precaverem contra o aviltamento da pobreza; era caminho torto para chegar à consideração que pela riqueza não podiam ter". La Rochefoucauld, *Máximas e Reflexões* (trad. Leda Tenório da Motta), op. cit., p. 23.

[xvii] Pode bem ser que alguns Filósofos tenham querido se distinguir pelo contrário

UM MORALISTA NOS TRÓPICOS

Quase dispensáveis os comentários. Para além da idealização da mediocridade, oposta à abundância, desponta, nas palavras de La Roche, a preocupação com a glória da filosofia. Não se tratará ainda, porventura, da sombra dos *philosophes*, que as luzes do século tratariam de projetar no panteão dos sábios de todos os tempos; tratar-se-á, plausivelmente, do resguardo da virtude, da pura Virtude, como se fora possível encontrá-la, ou aos seus claros traços, neste mundo humano. Como em momento anterior, parece haver uma batalha entre vícios e virtudes, e este abade moralizador, já no século XVIII, preocupava-se em participar dela, enaltecendo os virtuosos e roubando o orgulho aos viciosos.

É notável, em casos assim, a insensibilidade do autor dos comentários, ao virar do avesso a empresa de La Rochefoucauld. Na passagem citada, La Roche empenha-se em corrigir o sentido da máxima, tornando evidente algo que muito nos ajudará, adiante, na tentativa de compreender a reação de José da Silva Lisboa diante dos aforismos seiscentistas: para o abade, a constatação da falsidade das virtudes humanas (plano sobre o qual, claramente, corre a pena de La Rochefoucauld) não é aceitável; há que reencontrar o rumo perdido, e o tempo verbal não nos deixa enganar – "*Mettons donc ce désinteressement sur le compte de la Vertu...*" A primeira pessoa do plural, no imperativo, inclui energicamente o leitor numa ação. Trata-se de uma ordem que as máximas, contudo, recusam, desde que, na perspectiva moralista, o desvendamento do mecanismo das paixões humanas, regidas pelo amor-próprio, basta-se. Bem verdade que o retrato traçado naquele texto possui também uma positividade, mas a

---

daquilo que distingue os outros. [...] Mas para a glória da Filosofia, eu não gostaria de pensar assim de todos os Filósofos. Quando eu escuto um Aristipo me dizer: Não junte nada de riquezas que não aquelas que num naufrágio vão com aquele a quem pertencem. Um Aristóteles observar Que as riquezas se encontram mais freqüentemente nos maus que nos bons. Um Platão dizer calorosamente: que o discurso daqueles que chamam aos ricos felizes é um discurso de mulheres e de crianças, que chega a efeminar aqueles que o têm. Quando eu vejo esses grandes homens manter-se numa preciosa mediocridade, quando poderiam estar na abundância, eu tenho dificuldade de ver obscurecer o motivo de seu desprendimento; eu digo a mim mesmo: estes homens não têm por riquezas mais que as Virtudes que não podem soçobrar. Eles reconhecem que as riquezas corrompem os bons: coloquemos então esse desinteresse sob a alçada da Virtude, bem mais que aumentar a pretensão do vício, considerando tão grandes homens sob seu império.

• 108 •

imagem que se forma, talvez ela própria podendo tornar-se modelar, é a do *honnête homme*, não a do *vir bonus*.

A *honnêteté*, diversamente da virtude estóica, anima a graça e o divertimento próprios de um ambiente aristocrático (*honestus*, de onde provém a palavra francesa, tem a mesma raiz de *honor, honoris*), estando porventura mais próxima da idéia da *bienséance* que da *civilité* ou da *urbanité*, as quais, juntas, remetem-nos à história de Roma, urbe incontrolável a reclamar, diuturnamente, o exercício das virtudes e o abafamento dos vícios. Mas as origens da civilização romana estão na Grécia, e é interessante lembrar que Péricles, na história de Tucídides, justificava a superioridade dos atenienses pela harmonia de sua convivência, denotando, assim, a *filantropia* própria aos citadinos[65].

Realçou-se, em capítulo anterior, o sentido harmônico do concerto civil – alvo de todo discurso edificante –, presente na fala da Cidade, que ouvimos em Sêneca e Cícero. A *honnêteté* não se confunde à *urbanitas* nem à *civilitas*, mas refere-se também à urbanidade e à civilidade, pois a própria convivência está em xeque, quando o *honnête homme* sai de cena. A sociabilidade se mantém com a *politesse* e a *bienséance*, expressando a gentileza no trato e nas ações, com a observância de um certo decoro que termina por reforçar os liames sociais, perpetuando-os. Próximos do universo da retórica, não distamos completamente, aqui, dos tratados de maneira à *la* Castiglione, caminhando, então, na esfera da civilidade.

É preciso compreender, porém, a estreiteza deste círculo em que se desenvolve o *honnête homme*, menor que o círculo perfeito pelos muros da Cidade. Não pretendo refutar, nem sequer demonstrar, as teses que buscam, nas regras da etiqueta, uma pré-história do espaço público moderno. Apenas, quero salientar esta circularidade em que talvez se consuma a convivência das *honnêtes gens*, muito diferentes dos *citoyens* que o século XVIII veria nascer.

Importa, nesta investigação, acentuar a negatividade da empresa de La Rochefoucauld, empenhado na desmistificação da palavra virtuosa, no desmascaramento e no desvendamento do engano da convivência. Recordemos um breve trecho de sua reflexão *De la société* (lembrando que as "Reflexões" não comporiam as edições das máximas senão postumamente[66]):

Il faut contribuer, autant qu'on le peut, au divertissement des personnes avec qui on veut vivre; mais il ne faut pas être toujours chargé du soin

UM MORALISTA NOS TRÓPICOS

d'y contribuer. La complaisance est nécessaire dans la société, mais elle doit avoir des bornes: elle devient une servitude quand elle est excessive; il faut du moins qu'elle paraisse libre, et qu'en suivant le sentiment de nos amis, ils soient persuadés que c'est le nôtre aussi que nous suivons.[xviii] [...][67]

O tom, diversamente do que encontramos nas máximas, é prescritivo (*il faut, il ne faut pas, doit, ils soient...*), com a valorização do resguardo de um espaço individual marcando uma certa soltura nos laços sociais, sem a qual a convivência entre os homens se tornaria insuportável. A complacência encontra seus limites neste ponto em que o aquiescer e o agradar (*complaire*) devem cessar, para não se tornarem servidão ao outro.

No entanto, a própria civilidade, e o bem assentado (*bienséance*) da fala e dos gestos, com o correlato respeito àquele espaço da individualidade, não estão imunes ao veneno do moralista. Como sempre, o homem transita num palco no qual as aparências e as crenças são o que importa; espaço de *divertissement*, palavra que significa, originalmente, o desvio das obrigações mais sérias, e cujo parentesco com a representação teatral é evidente.

O extrato da reflexão de La Rochefoucauld deixa ver a mascarada social, e a própria liberdade, resultante da reserva do espaço individual, é fruto de uma dissimulação: seguimos os desejos de outrem, mas devemos fazer crer que é nosso o querer (*...il faut du moins* [...] *qu'en suivant le sentiment de nos amis, ils soient persuadés que c'est le nôtre aussi que nous suivons*). Guiamo-nos pelas expectativas dos circunstantes, aparentando seguir nossa própria vontade, quando, de fato, nosso desejo pode ter sido suprimido.

Muito antes que a psicologia moderna teorizasse este poder socialmente armado, superior à individualidade, a perspectiva de Pascal e La Rochefoucauld lhes permitia sentir e descrever a anulação da vontade que, na chave jansenista, significaria o limite imposto ao livre-arbítrio, mas que, na perspectiva mundana de La Rochefoucauld, significava a subor-

---

[xviii] "É preciso contribuir o mais possível para o divertimento das pessoas com quem se quer viver, sem contudo sempre sobrecarregar-se com essa contribuição. A complacência é necessária à sociedade mas deve ter limites: torna-se servidão quando é excessiva, é preciso ao menos que pareça livre e que, ao seguirmos o sentimento dos amigos, os convençamos de que é o nosso que seguimos." La Rochefoucauld, *Máximas e Reflexões* (trad. Leda Tenório da Motta), op. cit., p. 105-6.

LEITURAS CRUZADAS

dinação do homem ao universo das aparências, impossibilitando o surgimento da "verdadeira" *honnêteté*.

Pois, para La Rochefoucauld, o *honnête homme* existe, embora raríssimo. Creio que possamos ler a máxima 203 (*"Le vrai honnête homme est celui qui ne se pique de rien"* ["o verdadeiro homem honesto é o de que nada se vangloria"][68]) nessa perspectiva essencialmente aristocrática, do homem capaz de fazer, de sua vontade, a própria lei, criando um espaço de afirmação que, no limite, desdenha o próximo, embora se mantenha o decoro próprio da *honnêteté*. Será preciso, para compreender a rareza desta qualidade (talvez a única verdadeira "virtude" no mundo de La Rochefoucauld), contrastar, à máxima 203, a de número 170, que põe em dúvida a existência de uma ação puramente *honnête*, desde que motivos ocultos, ligados às necessidades de representação diante do social, fazemse normalmente presentes: *"Il est difficile de juger si un procédé net, sincère et honnête est un effet de probité ou d'habileté"* ("difícil é julgar se o procedimento liso, sincero e honesto vem da probidade ou da habilidade")[69].

Lendo a máxima 170, podemos sentir que o moralista nos põe de sobreaviso quanto à probidade da ação humana, e a frieza de sua constatação (*il est difficile de juger si...*) simula uma objetividade que pode esconder, no fundo, uma dose de ironia: será mesmo difícil julgar se é a probidade, ou a habilidade, a mestra da ação[70]?

Não será difícil chegar ao veredito, sobretudo se nos ativermos ao ambiente das máximas, notando que a *habileté* é a arma suprema, escondida (245: *"c'est une grande habileté que de savoir cacher son habileté"* ["grande habilidade é saber esconder a própria habilidade"]) e poderosa. Neste mundo, a sinceridade e a probidade são componentes de aparência, compondo as artimanhas do convencimento. Todo o jogo é teatral, e a habilidade estará em compor o quadro das virtudes, de que não escapa a *honnêteté*, para se fazer apreciar pelos outros.

Entretanto, o controle absoluto é impossível: guiamo-nos de tal modo pelo universo das aparências, que é inevitável escondermo-nos a nós mesmos, o que explicará, talvez, o sentido deste ocultamento de nossos talentos e de nossa própria habilidade, que dormitam em nosso coração enquanto não os despertam as paixões. Máxima 404: *"il semble que la nature ait caché dans le fond de notre esprit des talents et une habileté que nous ne connaissons pas; les passions seules ont le droit de les mettre au jour, et de nous donner quelquefois des vues plus certaines et plus achevées que l'art ne saurait*

• 111 •

UM MORALISTA NOS TRÓPICOS

faire" ("dir-se-ia que a natureza escondeu no fundo de nosso espírito talentos e uma habilidade de que não temos conhecimento. Só as paixões têm o direito de os trazer à luz, dando-nos às vezes mais clarividência do que nos poderia dar a arte").

O homem, assim visto, coloca-se sob o império das paixões. Lembremos, ainda, a máxima 69 (*"s'il y a un amour pur et exempt du mélange de nos autres passions, c'est celui qui est caché au fond du cœur, et que nous ignorons nous-mêmes"* ["se existe amor puro e isento de mescla com outras paixões, é o que escondemos no fundo de nosso coração, e até nós mesmos ignoramos"]), para percebermos que, de fato, erramos no mundo da dissimulação, a tal ponto que nós mesmos ignoramos o que de valioso vai dentro de nós.

No plano da convivência, perfaz-se um jogo de ocultamento e revelação no qual as palavras, escritas ou faladas, são as peças principais, criando um mundo social completamente distante da natureza, afastando-nos, também e principalmente, de nosso próprio natural. Máxima 431: *"rien n'empêche tant d'être naturel que l'envie de le paraître"* ("nada impede mais de ser natural que o desejo de sê-lo")[71].

Este afã de parecer domina as máximas, impondo-se à imaginação do leitor, consumando-se como arte delicada e amável, feminina talvez, como bem poderia sugerir a sentença CLXXVI da primeira edição, logo suprimida: *"on peut dire de toutes nos vertus ce qu'un poète italien a dit de l'honnêteté des femmes, que ce n'est souvent autre chose qu'un art de paraître honnête"* ("podemos dizer de todas as nossas virtudes o que um poeta italiano disse da honestidade das mulheres, que não é freqüentemente outra coisa mais que uma arte de parecer honesto").

A visão inclemente do universo feminino, iluminado neste caso pela poesia de Guarini, rendeu a La Rochefoucauld, como se viu aqui, o puxão de orelha de Mme. de Rohan. Atente-se, entretanto, para o advérbio utilizado – *souvent* –, e restará claro o desvelo do moralista com a linguagem. Regularmente, ele evita a especulação abstrata, afugentando a peremptoriedade característica dos tratados. A arte de manejar as palavras é executada com a precisão da lapidaria, mas não se trata apenas de um jogo efêmero, ou de uma tirada de salão. O compromisso com a descrição dos costumes faz do moralista um artista delicado, que deve produzir jogos muito sutis; assim, aquilo que pareceria atenuação da certeza – o emprego do advérbio *souvent* – recobre-se de um espírito de persuasão,

• 112 •

LEITURAS CRUZADAS

exatamente quando a forma restritiva reforça a afirmação, embalando o leitor num movimento undante, levando-o da relativização à certeza, em poucos instantes (*...ce n'est souvent autre chose que...*). Isto é, no instante de uma máxima: *"on peut dire de toutes nos vertus ce qu'un poète italien a dit de l'honnêteté des femmes, que ce n'est souvent autre chose qu'un art de paraître honnête"*.

* * *

O abade de la Roche segue lendo as máximas, em busca de virtudes que não encontrará freqüentemente senão em cacos.

A máxima 504, última e longa, estilhaça, a propósito, o espelho em que se vê o filósofo estóico, célebre por desprezar a morte:

Après avoir parlé de la fausseté de tant de vertus apparentes, il est raisonnable de dire quelque chose de la fausseté du mépris de la mort. J'entends parler de ce mépris de la mort que les païens se vantent de tirer de leurs propres forces, sans l'espérance d'une meilleure vie. Il y a différence entre souffrir la mort constamment, et la mépriser. Le premier est assez ordinaire; mais je crois que l'autre n'est jamais sincère. On a écrit néanmoins tout ce qui peut le plus persuader que la mort n'est point un mal; et les hommes les plus faibles aussi bien que les héros ont donné mille exemples célèbres pour établir cette opinion. Cependant je doute que personne de bon sens l'ait jamais cru; et la peine que l'on prend pour le persuader aux autres et à soi-même fait assez voir que cette entreprise n'est pas aisée. On peut avoir divers sujets de dégoûts dans la vie, mais on n'a jamais raison de mépriser la mort; ceux mêmes qui se la donnent volontairement ne la comptent pas pour si peu de chose, et ils s'en étonnent et la rejettent comme les autres, lorsqu'elle vient à eux par une autre voie que celle qu'ils ont choisie. L'inégalité que l'on remarque dans le courage d'un nombre infini de vaillants hommes vient de ce que la mort se découvre différemment à leur imagination, et y paraît plus présente en un temps qu'en un autre. Ainsi il arrive qu'après avoir méprisé ce qu'ils ne connaissent pas, ils craignent enfin ce qu'ils connaissent. Il faut éviter de l'envisager avec toutes ses circonstances, si on ne veut pas croire qu'elle soit le plus grand de tous les maux. Les plus habiles et les plus braves sont ceux qui prennent de plus honnêtes prétextes pour s'empêcher de la considérer. Mais tout homme qui la sait voir telle

UM MORALISTA NOS TRÓPICOS

qu'elle est, trouve que c'est une chose épouvantable. La nécessité de mourir faisait toute la constance des philosophes. Ils croyaient qu'il fallait aller de bonne grâce où l'on ne saurait s'empêcher d'aller; et, ne pouvant éterniser leur vie, il n'y avait rien qu'ils ne fissent pour éterniser leur réputation, et sauver du naufrage ce qui n'en peut être garanti. Contentons-nous pour faire bonne mine de ne nous pas dire à nous-mêmes tout ce que nous en pensons, et espérons plus de notre tempérament que de ces faibles raisonnements qui nous font croire que nous pouvons approcher de la mort avec indifférence. La gloire de mourir avec fermeté, l'espérance d'être regretté, le désir de laisser une belle réputation, l'assurance d'être affranchi des misères de la vie, et de ne dépendre plus des caprices de la fortune, sont des remèdes qu'on ne doit pas rejeter. Mais on ne doit pas croire aussi qu'ils soient infaillibles. Ils font pour nous assurer ce qu'une simple haie fait souvent à la guerre pour assurer ceux qui doivent approcher d'un lieu d'où l'on tire. Quand on en est éloigné, on s'imagine qu'elle peut mettre à couvert; mais quand on en est proche, on trouve que c'est un faible secours. C'est nous flatter, de croire que la mort nous paraisse de près ce que nous en avons jugé de loin, et que nos sentiments, qui ne sont que faiblesse, soient d'une trempe assez forte pour ne point souffrir d'atteinte par la plus rude de toutes les épreuves. C'est aussi mal connaître les effets de l'amour-propre, que de penser qu'il puisse nous aider à compter pour rien ce qui le doit nécessairement détruire, et la raison, dans laquelle on croit trouver tant de ressources, est trop faible en cette rencontre pour nous persuader ce que nous voulons. C'est elle au contraire qui nous trahit le plus souvent, et qui, au lieu de nous inspirer le mépris de la mort, sert à nous découvrir ce qu'elle a d'affreux et de terrible. Tout ce qu'elle peut faire pour nous est de nous conseiller d'en détourner les yeux pour les arrêter sur d'autres objets. Caton et Brutus en choisirent d'illustres. Un laquais se contenta il y a quelque temps de danser sur l'échafaud où il allait être roué. Ainsi, bien que les motifs soient différents, ils produisent les mêmes effets. De sorte qu'il est vrai que, quelque disproportion qu'il y ait entre les grands hommes et les gens du commun, on a vu mille fois les uns et les autres recevoir la mort d'un même visage; mais ç'a toujours été avec cette différence que, dans le mépris que les grands hommes font paraître pour la mort, c'est l'amour de la gloire qui leur en ôte la vue, et dans les gens du commun ce n'est qu'un effet de leur peu de lumière qui les empêche de connaître la grandeur de leur mal et leur laisse la liberté de penser à autre chose[xix].

A morte como um naufrágio é metáfora capaz de nos reconduzir ao comentário de La Roche à máxima 54, quando ele tentava reverter o desmascaramento operado por La Rochefoucauld, resguardando as virtudes dos filósofos antigos que *"ne mettent au nombre des richesses, que les Vertus qui ne peuvent faire naufrage"*. Uma destas virtudes, sem dúvida, é o desprezo pela morte.

[xix] "Depois de haver falado da falsidade de tantas virtudes aparentes, é razoável dizer alguma coisa sobre o falso desprezo da morte: refiro-me a esse desprezo que os pagãos se gabam de extrair de suas próprias forças, sem a esperança de uma vida melhor. Há diferença entre suportar a morte com firmeza e desprezá-la: a primeira é coisa comum, mas a segunda, creio eu, nunca é sincera. Muito se tem escrito, no entanto, para nos persuadir de que a morte não é um mal e os mais fracos dos homens assim como os mais fortes nos têm dado mil exemplos célebres, capazes de estabelecer tal opinião. Duvido porém que pessoa de bom senso o possa crer, e o que há de penoso em querer-se persuadir a outrem e a si mesmo de tal coisa bem mostra que a empresa não é fácil. Pode-se ter na vida motivos vários de desgosto mas nunca se terá razão de desprezar a morte; mesmo os que se matam não a tomam por coisa pouca, ela os espanta e eles a respeitam como os demais se lhes chega por outra via que não a escolhida. A desigualdade na coragem de um número infinito de valentes está em que a morte diversamente se desvela à sua imaginação, fazendo-se mais presente numa hora que noutra: tendo assim desprezado o que não conheciam, ocorre-lhes temer o que enfim conhecem. Que evite encará-la em todas as suas circunstâncias quem não quiser crer que é o maior de todos os males. São os mais hábeis e os mais bravos que se valem dos pretextos mais honestos para se furtarem à sua consideração, mas quem a sabe ver tal como é descobre que tremenda coisa é. Da necessidade de morrer vinha toda a constância dos filósofos: acodia-lhes dirigir-se de bom grado para onde era impossível não ir; não podendo eternizar-se em vida, não havia o que não fizessem para a reputação eternizar e salvar do naufrágio o que nem por isso estava garantido. Contentemo-nos, para fazer boa figura, em não dizer a nós mesmos tudo o que dela pensamos, e esperemos mais do temperamento que desses frágeis arrazoados que fazem acreditar que é possível aproximar-se da morte com indiferença. A glória de morrer com firmeza, a esperança de ser deplorado, o desejo de legar uma boa reputação, a certeza de livrar-se das misérias da vida, de não mais depender dos caprichos da fortuna são remédios que não se rejeitam. Não se acredite porém que sejam infalíveis. Fazem, para nos proteger, o que uma simples cerca muitas vezes faz na guerra, protegendo os que se devem aproximar da linha de tiro: pensamos longe dela que pode dar boa cobertura, mas descobrimos, quando perto, que é recurso fraco. Lisonjeiro é acreditar que a morte vá parecer de perto como julgada de longe, e que nossos sentimentos, que são mera

UM MORALISTA NOS TRÓPICOS

A máxima 504, ao contrário, permite ver que, descrendo da vanidade desta vida, e enfrentando o perecimento, os filósofos pretenderam tão-somente salvar sua reputação, mantendo intacto o espelho, e evitando o soçobro nas águas da morte (*"...ne pouvant éterniser leur vie, il n'y avait rien qu'ils ne fissent pour éterniser leur réputation, et sauver du naufrage ce qui n'en peut être garanti..."*). Vanidade extrema, pois a morte, para o derrotado *frondeur*, era um inimigo invencível, e a firmeza diante dela funcionaria como a paliçada que, de longe, parece ao guerreiro suficiente para protegê-lo na linha de tiro, mas, de perto, revela-se frágil, pondo-o a descoberto ante a ameaça próxima. A morte, para La Rochefoucauld, tem esse quê de invencível e tangível, que a torna apavorante e fascinante, num único tempo. Não se trata ainda do fascínio romântico, é claro, mas haverá, aí, uma paixão transbordante, dando à luz uma das mais belas sentenças, a de número 26: *"le soleil ni la mort ne se peuvent regarder fixement"* ("nem o sol nem a morte podemos encarar fixamente")[72].

Temor, mesclado à paixão: recuperava-se o *páthos* da morte, que a apatia estóica quisera sufocar, e que o próprio duque viveria, em seus estertores. A crítica de Vinet, no século XIX, pretendeu fixar a imagem da morte de La Rochefoucauld como uma morte *bienséante*, como se a extrema-unção e o sofrimento fossem o último ato do *vieux libertin*, segundo a expressão posterior de Émile Magne[73]. Como se tudo não passara de mais uma mascarada.

---

fraqueza, tenham têmpera o bastante para não sofrer o golpe da mais rude de todas as provas. Assim também, é desconhecer os efeitos do amor-próprio pensar que nos possa ajudar a dar por nada o que deve necessariamente destruir; a razão, em que tantos recursos pensamos encontrar, é fraca demais em tal embate para nos convencer do que queremos; é ela, ao contrário, que quase sempre nos trai, pois que, em lugar de nos inspirar o desprezo pela morte, ajuda-nos a descobrir o que tem de pavoroso e temível; tudo o que por nós pode fazer é aconselhar a desviar os olhos, a pousá-los em outros objetos. Catão e Brutus os escolheram ilustres, mas um lacaio contentou-se, faz algum tempo, em dançar sobre o cadafalso em que ia ser supliciado. Assim, são os motivos diferentes, mas idênticos os efeitos: por mais desproporção que haja entre os grandes e a gente comum, mil vezes vemos uns e outros acolherem a morte com a mesma face; com a diferença que, no desprezo votado à morte pelos grandes, é o amor da glória que impede a visão, enquanto que, no comum das pessoas, é somente a pouca luz que impede de conhecer a grandeza de seu mal, e lhes dá a liberdade de pensar em outra coisa." La Rochefoucauld. *Máximas e Reflexões* (trad. Leda Tenório da Motta), op. cit., p. 90-2.

Analisando finamente as cartas nas quais Mme. de Sévigné reporta a morte do moralista, Jean Lafond nota que a boa "disposição" e a admirável força do duque, em seus estertores, pouco se parecem à auto-suficiência e ao orgulho dos estóicos diante do inevitável. O crítico não atribui a brevidade da epistológrafa apenas à economia própria ao gênero, mas sim a uma discrição elegante e essencial, desde que o assunto era a morte e, portanto, a emoção de um estado íntimo: experiência que La Rochefoucauld terá vivido como cristão, não por conveniência ou aparência, nem por afetação de superioridade, mas, fundamentalmente, porque a temia, conquanto o ministério de Bossuet e o conforto dos braços do senhor de Marsillac, entre os quais o duque fitaria finalmente a morte, pudessem aliviá-lo[74].

No caso da máxima 504, La Roche se incumbe de um acréscimo cujo despropósito é flagrante:

> On ne peut rien ajouter à cette réflexion. Il n'y a pas un mot qui ne soit tiré de la nature des choses & du cœur des hommes. J'ajouterai cependant, ce qui semble être échappé à M. le Duc*** c'est que ce qui peut nous donner de l'héroïsme à la mort, ou du moins diminuer nos craintes, c'est la tranquillité de la conscience. Je n'emprunte pas ce secours du Christianisme, je le trouve dans le Paganisme même. Ceux-là meurent contens, dit Caton le Poëte, dont la vie a été sans crime.
>
> *Felices obeunt quorum sine crimine vita est.*
>
> (*Lib. 4. Distich. met. 93.*)
>
> "Que le voyage de la mort, dit Ciceron, (*Lib. I. Tuscul. quæt. post med.*) doit être agréable à celui qui au bout de sa carrière, n'a aucune crainte pour l'avenir". Voilà ce qui peut donner de la constance à la mort: encore faut-il qu'elle soit dépoüillée de présomption, & fondée sur la confiance, & que nous puissions nous dire à nous-mêmes, sans nous flatter: "Avant ma vieillesse j'ai travaillé pour bien vivre; arrivé au terme de mes jours, je fais mon possible pour bien mourrir". *Ante senectutem curavi ut bene viverem: in senectute curo ut bene moriar. (Epist. 61. in med.*[xx])[75]

[xx] Nada se pode acrescentar a esta reflexão. Não há uma só palavra que não seja tirada da natureza das coisas e do coração dos homens. Eu acrescentaria, entretanto, o que parece ter escapado ao senhor duque é que aquilo que pode fornecer à morte heroísmo, ou ao menos diminuir nossos temores, é a tranqüilidade da consciência. Eu não busco tal socorro ao Cristianismo, eu o encontro no Paga-

UM MORALISTA NOS TRÓPICOS

Trata-se, simplesmente, de uma inversão de princípios, corroborando a emenda com a mesma filosofia que se quis detratar.

Mas La Roche não andaria sozinho, nesta sua incompreensão. Avancemos sessenta anos, e veremos o marquês de Fortia d'Urban, numa edição também repleta de acréscimos, deter-se igualmente sobre a máxima 504, para ver, na terribilidade da morte, o índice da modéstia do autor:

> Des ames fortes sont peut-être surprises d'y voir le duc de la Rochefoucault représenter la mort comme le plus grand de tous les maux, et assurer qu'on ne peut la voir telle qu'elle est, sans trouver que c'est une chose épouvantable. Mais ces expressions, loin de montrer en lui de la faiblesse, font connaître son caractère modeste, sans ostentation, plein de défiance de lui-même, et d'une fermeté admirable[xxi][...][76]

A intenção mais evidente do autor das máximas é o desvendamento do homem, disfarçado em virtuoso. Aqui, contudo, ele recebe de volta a máscara que ousou tirar, e podemos vê-la a encobrir seu próprio rosto: o moralista teria retratado a morte de maneira terrível, sem que isso sinalizasse sua fraqueza, mas sim a modéstia e a firmeza de caráter.

Entre os extremos da negação e do louvor, caminhamos ainda pelo desvio dos sentidos mais plausíveis do texto. Fortia d'Urban nega qualquer fraqueza do autor, mas justamente a fraqueza do homem, diante da morte, é capaz de abrir, à nossa compreensão, a miséria que, na chave jansenista, é a marca indelével do humano. Porém, como vamos vendo, a moral de La Rochefoucauld deixa-se marcar, ao mesmo tempo, por um caráter aristocrático, e a exigência de ser forte torna-se tão mais dra-

---

nismo mesmo. Morrem contentes, diz Catão o Poeta, aqueles cuja vida passou-se sem crime. "Que a viagem da morte, diz Cícero, deve ser agradável àquele que ao fim de sua carreira, não tem temor algum para o futuro." Eis o que pode dar constância à morte: é preciso ainda que ela seja desprovida de presunção, e fundada na confiança, e que nós possamos dizer-nos a nós mesmos, sem nos gabarmos: "Antes de minha velhice eu trabalhei para bem viver; chegado ao termo de meus dias, eu faço o possível para bem morrer."

[xxi] As almas fortes são talvez surpreendidas de ali ver o duque de la Rochefoucault representar a morte como o maior de todos os males, e afirmar que não podemos vê-la tal qual ela é, sem descobrir que é uma coisa apavorante. Mas estas expressões, longe de revelar fraqueza, fazem conhecer seu caráter modesto, sem ostentação, pleno de desconfiança de si mesmo, de uma firmeza admirável.

mática quanto isto se mostre difícil e raro, sendo apanágio de uns poucos privilegiados, oriundos de uma estirpe guerreira[77].

A fraqueza é talvez o maior dos males a afligir os homens (máxima 445: *"la faiblesse est plus opposée à la vertu que le vice"* [a fraqueza é mais oposta à virtude que o vício][78]. Basta recordarmos o papel hediondo de sua parenta – a *preguiça* –, figurada como uma imensa rêmora a retardar nossa viagem pelo mundo, ou como beatitude d'alma que se revela, ao fim, uma espécie de bestificação. Conforme a máxima suprimida 54:

> De toutes les passions celle qui est plus inconnue à nous-mêmes, c'est la paresse; elle est la plus ardente et la plus maligne de toutes, quoique sa violence soit insensible, et que les dommages qu'elle cause soient très cachés; si nous considérons attentivement son pouvoir, nous verrons qu'elle se rend en toutes rencontres maîtresse de nos sentiments, de nos intérêts et de nos plaisirs; c'est la rémore qui a la force d'arrêter les plus grands vaisseaux, c'est une bonace plus dangereuse aux plus importantes affaires que les écueils, et que les plus grandes tempêtes; le repos de la paresse est un charme secret de l'âme qui suspend soudainement les plus ardentes poursuites et les plus opiniâtres résolutions; pour donner enfin la véritable idée de cette passion, il faut dire que la paresse est comme une béatitude de l'âme, qui la console de toutes ses pertes, et qui lui tient lieu de tous les biens[xxii].

Encarando a preguiça personificada, como paixão maligna, podemos vê-la empenhada em frear, a um só tempo violenta e insensivelmente, nossos sentimentos, interesses e prazeres, entorpecendo-nos sem que nos

---

[xxii] De todas as paixões aquela que é mais desconhecida de nós mesmos é a preguiça; ela é a mais ardente e a mais maligna de todas, conquanto sua violência seja insensível, e que os estragos que ela causa fiquem muito escondidos; se nós considerarmos atentamente seu poder, veremos que ela se torna em todos os contatos dona de nossos sentimentos, de nossos interesses e de nossos prazeres; é a rêmora que tem a força de parar os maiores barcos, é uma bonança mais perigosa aos mais importantes negócios que os escolhos, e que as maiores tempestades; o repouso da preguiça é um charme secreto da alma que suspende abruptamente as mais ardentes perseguições e as mais opiniosas resoluções; para dar enfim a verdadeira idéia desta paixão, é preciso dizer que a preguiça é como uma beatitude da alma, que a consola de todas as suas perdas, e que lhe faz as vezes de todos os bens.

UM MORALISTA NOS TRÓPICOS

apercebamos de seu poder destruidor. Apenas sentimos o monstro que nos atarda, submerso e invisível.

A metáfora é poderosa, e a fatalidade lamentável desta força retroativa, que nos pára, permite entender que o mundo imaginado por La Rochefoucauld possui, mesmo imperfeitamente, um bom caminho a seguir, de que se excluiriam, seguramente, a preguiça e a fraqueza.

Não será exagerado imaginar que, no espírito das máximas, as forças da natureza, sobretudo as paixões que nos governam, mantêm-nos prisioneiros deste mundo, cegos para o que brilha além dele. Mas é claro que, na perspectiva idealista em mira, será possível detectar os reflexos apagados dos valores que se perderam. Assim funciona no que toca às virtudes, cuja pureza nos é inacessível, e também no que toca aos valores nobres, eventualmente transportados a um passado ideal, quando a *honnêteté* e a *politesse* eram plenamente reconhecíveis[79].

No caso das máximas, as interpretações se dividem, ora apontando a existência de uma moral positiva, ora reforçando os traços de sua negatividade[80]. Importa-nos, neste momento, sintonizar o desencanto que faz delas uma espécie de gigantesco negativo (em sentido fotográfico, como sugere a crítica) dos valores e virtudes. Estendendo o campo imagético, poderíamos dizer que habitamos um mundo de sombras, no qual o norte para onde rumamos é inespecífico, enquanto aquelas forças nos atardam e confundem, sem que a luz possa, nem por um momento sequer, derramar-se sobre o caminho.

A ausência de um norte prontamente identificável é a figuração do dilema moral, significando o embaralhamento e ulterior apagamento das virtudes. No plano formal, do texto, significa a entrega do leitor a uma escrita fragmentária, sem que os movimentos textuais o levem a um único lugar. Já se falou em uma pré-história do hipertexto entre os moralistas franceses do século XVII, mas, aqui, interessa-nos apenas salientar esta soltura que, longe de indicar a ausência absoluta de um norte – o que nos levaria ao mais escandaloso amoralismo –, sugere a pluralidade de caminhos[81].

O leitor se vê, então, diante de um mapa versátil, e é natural que os mais ciosos, preocupados diante da desordem aparente (apenas aparente), apostem na reordenação dos aforismos, ou, num expediente que se nos vai tornando familiar, aponham ao texto uma espécie de contratexto. Fortia d'Urban, cujo comentário sobre a sentença 504 apreciamos há pouco, organizou cuidadosamente uma edição das máximas, em 1796, mas julgou necessário contrabalançá-las com um tratado, por ele escrito quinze anos antes, e agora adaptado a seus novos intentos, *"destiné à servir de supplément et de correctif aux Œuvres morales de la Rochefoucault* [sic]". Logo na introdução, o marquês esclarece a natureza de seu livro:

> Je n'ai ni la présomption ni la modestie d'offrir au public un second volume de la Rochefoucault. Je ne ferai pas aussi bien que lui, parce que je n'atteindrai sûrement pas l'élégance et la précision de son style. Je ferai plus que lui, en ce qu'il s'est contenté de peindre l'homme tel qu'il le voyait, sans lui donner beaucoup de conseils, au lieu que mon but est de diriger la conduite de l'homme, et de l'attacher à la vertu par son intérêt. La Rochefoucault veut que la plupart de nos vertus ne soient que des vices cachés, parce que le mobile secret en est l'amour-propre. Je prétends que l'homme ne peut s'aimer véritablement lui-même qu'en aimant ses semblables, et qu'il ne peut mieux servir son intérêt qu'en ne le distinguant pas de celui des autres. Mon ouvrage est en quelque sorte le supplément et le contre-poison de celui de la Rochefoucault; il est nécessaire à ceux qui veulent retirer quelque fruit du plaisir qu'ils auront trouvé à lire les Maximes où je ne craindrai pas de puiser mes preuves, afin de faire voir qu'elles ne sont pas aussi contraires à mes principes, qu'elles le paraissent au premier coup d'œil. Je rappellerai ces Maximes par des renvois au bas des pages[xxiii].[82]

[xxiii] Eu não possuo nem a presunção nem a modéstia de oferecer ao público um segundo volume de la Rochefoucault. Eu não faria tão bem quanto ele, porque eu não alcançaria seguramente a elegância e a precisão de seu estilo. Eu farei mais que ele, nisto que ele se contentou em pintar o homem tal qual o via, sem lhe dar muitos conselhos, enquanto meu objetivo é dirigir a conduta do homem, e prendê-lo à virtude por seu interesse. La Rochefoucault pretende que a maior parte de nossas virtudes não sejam senão vícios ocultos, porque seu móbil secreto é o amor-próprio. Eu pretendo que o homem não pode amar-se a si mesmo verdadeiramente senão amando seus semelhantes, e que ele não pode melhor servir seu interesse senão quando não o distingue do dos outros. Minha obra é de alguma forma o suplemento e o contraveneno daquela de la Rochefoucault; ela é necessária àqueles que queiram retirar algum fruto do prazer que terão encontrado ao ler as Máximas onde eu não temerei mergulhar meus testemunhos, a fim de fazer ver que elas não são tão contrárias aos meus princípios quanto o parecem à primeira vista. Eu reportarei essas Máximas pelas indicações ao pé das páginas.

UM MORALISTA NOS TRÓPICOS

Contre-poison: o mal utilizado contra o próprio mal. Vimos já, no caso da máxima 182 (*"les vices entrent dans la composition des vertus comme les poisons..."*), que é possível fazê-lo. Fortia d'Urban, entretanto, não pretende encontrar a mistura adequada do remédio nas próprias máximas. Diversamente, o conjunto das sentenças, com sua lógica mundana, forma o veneno contra o qual o seu texto será usado. A farmácia somente se consuma quando o antídoto das máximas é previamente preparado e, somente então, oferecido ao leitor[83].

A postura terapêutica nos é familiar[84]. Menos de trinta anos depois, seria revelada ao jovem leitor brasileiro, quando José da Silva Lisboa, em seu catecismo, refere-se à obra de Volney. Vale a pena acompanhar a evolução do tratamento, cuja anamnese aponta a decadência progressiva do espírito cristão em França, submetido ao gênio revolucionário do século XVIII:

> Na França, que antes se prezava de *Reino Christianissimo*, depois que o seu intitulado *Bello Espirito*, e *Idolo do Seculo*, – *Voltaire*, emprehendeo ridicularisar, em prosa e verso, os sentimentos religiosos e moraes, que doutrinarão os eminentes sabios de seu paiz, taes como *Bossuet*, *Fenelon* [sic], *Rochefoucault* [sic], *La-Bruyere* [sic], que tanto illustrarão o Seculo do Monarcha Luiz XIV; (fazendo todavia, á seu geito, breve Poema da Religião Natural, de moral commoda aos de sua Seita) a Mocidade da Europa em grande parte se perverteo, e com a corruptéla se preparou a Catastrophe revolucionaria de 1799 [sic]. Depois de varios Cathecismos de Libertinagem, appareceo em 1793 huma obrinha superficial, mas especiosa, do Escriptor das – *Ruinas de Palmyra*, – *Volney*, (que com as declamações do seu phantastico Genio tanto afogueou os fachos da Revolução,) á que deo o titulo de – *Lei Natural* – ou *Cathecismo do Cidadão Francez*, o qual (se he possivel) ainda he mais sophistico, e pestifero. [...] Correndo este e outros perniciosos livros Francezes devassamente no Brasil, he do dever de todos que desejão a pureza da Moral Publica do Imperio para se generalisar o genuino caracter do Cidadão probo, oppor, quanto em si estiver, antidoto literario á taes drogas gallicas, que são mais mortiferas que os venenos de Colchos. Tal he o proposito do trabalho que apresento á Indulgencia Nacional, e que emprehendi entre muitos encargos de officio, já valetudinario, no ultimo quartel da vida, estando quasi nas raias da eternidade. Tomei a seguinte lição de hum dos mais pios Moralistas da Gram

• 122 •

LEITURAS CRUZADAS

Bretanha *Hugh Blair*: "Huma parte mui substancial do dever dos idosos consiste em estudar ser util á geração, que lhes hade succeder. Aqui se abre extenso campo, em que possão empregar o resto de seus dias em promover a felicidade do Genero Humano. A elles pertence communicar aos jovens o fructo de sua longa experiencia, instruillos nos bons costumes, e advertir-lhes os perigos da vida, moderando com prudentes conselhos o seu precipitado ardor, e, tanto por preceito, como pelo exemplo, formallos á piedade, e á virtude".[85]

Ainda que La Rochefoucauld seja citado entre Bossuet, Fénelon e La Bruyère, a ressalva é significativa ("fazendo todavia, á seu geito, breve Poema da Religião Natural, de moral commoda aos de sua Seita" – supondo, como parece razoável, que a ressalva se dirija àqueles autores, e não ao próprio Voltaire) e, como veremos, a idéia de contrapor um antídoto à obra do moralista reaparecerá, no "Appendice" à *Constituição moral*, na oposição entre a moral mundana (apresentada por meio das máximas) e a moral cristã (representada, sobretudo, pela mensagem paulina)[86].

De toda forma, La Rochefoucauld torna-se um alvo secundário, quando Voltaire está sob a mira de Silva Lisboa. As idéias do autor do *Siècle de Louis XIV* conformam, então, um dos objetos principais de sua crítica, voltada para uma corrupção cujo resultado fora a erupção do mal revolucionário, em 1789.

Por ora, importa fixar a noção de um "antídoto literário", a ser ministrado contra as "drogas gálicas". As idéias deste Blair, empunhadas pelo velho moralista baiano, repousavam sobre a virtude e o exemplo devidos aos mais novos, como mezinha a proteger da desintegração do tecido da "Moral pública do Império", que vinha nascendo – e se manteria por muito tempo ainda – sem a nódoa da Revolução, ou da simples desordem[87].

A verdade das virtudes não é apenas o esteio do discurso de Blair, ocultando-se também na acusação a Volney, com a aliança de dois adjetivos: "pestífero" e "sofístico". O mundo gálico, pior que o dos colchos, opunha-se à Grã-Bretanha, produtora de sábios e decanos moralistas. A mentira que subjaz na sofisticação do discurso revolucionário, especioso, associa-se, na imaginação do leitor, ao veneno que devemos combater.

O vocabulário e o imaginário nosológico nos mantêm próximos ao discurso do marquês de Fortia d'Urban, embora sua obra se publicasse no

UM MORALISTA NOS TRÓPICOS

ano quarto da República, já vencida, entretanto, a fase do Terror. O compromisso seguia sendo a boa conduta, com o oferecimento de um tratado capaz de corrigir o retrato de La Rochefoucauld, onde não havia lugar para os bons conselhos. Mas, diversamente da obra brasileira, a edição de 1796 das máximas não terá pretendido desabonar o poder incontrolável do amor-próprio, sobrepondo-lhe a moral evangélica. O objetivo, mais moderno, era descobrir os vínculos secretos entre o interesse privado e o benefício público.

• • •

A questão afastava o leitor, portanto, da constatação e lamentação da Queda, cuja principal marca seria esse amor-próprio incapaz de atingir o amor divino, e deslocava suas vistas para o futuro brilhante prometido pelas Luzes. A idéia das máximas como um texto envenenado não é exclusiva de Fortia d'Urban, tendo granjeado adeptos já no início do século XVIII.

Leibniz, em carta datada de 1708, dirigida à condessa Sophie de Brunswick-Lunebourg, opusera-se vigorosamente ao livro de Louis des Bans, *L'Art de connoistre les hommes*, publicado em Paris, em 1702. A obra – um plagiato de *La fausseté des vertus humaines* de Jacques Esprit, segundo Jean Lafond – torna-se objeto da repulsa do filósofo, afinal, como Maquiavel, Louis des Bans (e as críticas atingem diretamente La Rochefoucauld) tomara a exceção pela regra: *"tourner tout en mal* [...] *c'est faire des injustices et des jugements temeraires, c'est empoisonner la pureté, c'est enseigner la méchanceté"* ("tornar tudo mal é cometer injustiças e julgamentos temerários, é envenenar a pureza, é ensinar a maldade")[88].

A reação ao espírito jansenista não se resumiria, porém, a uma ação pedagógica ou corretiva, com o oferecimento da droga adequada ao tratamento do mal. O desvendamento da lógica das paixões, a denúncia da falsidade das virtudes humanas, e o remédio moral a ser ministrado, não bastariam a muitos dos homens práticos do século das Luzes. Era preciso inverter os princípios, justificar a imperfeição, pois, de qualquer maneira, a certeza sobre esta imperfeição era uma sensação a acompanhar os filósofos, e não haveria mesmo como vencê-la, com as armas precárias do ser humano.

Investigando as origens da Economia Política, radicada no moralismo de língua inglesa, Jean Lafond lembra um dado que muito nos interessa: Mandeville, o homem que associou os benefícios públicos aos vícios privados, abrindo alas ao liberalismo econômico, era um rigoroso protestante. A lembrança pode soar estranha, se lembrarmos, a propósito, as censuras de Adam Smith, na *Teoria dos sentimentos morais* (tratado abundantemente citado na *Constituição moral, e deveres do cidadão*), à "licenciosidade" do autor da *Fábula das abelhas*.

Licenciosidade no pensar (*"licentious system"*, na expressão que, originalmente, englobava Mandeville e La Rochefoucauld num único sistema de pensamento[89]) e rigor religioso casam-se em Mandeville. Seria, talvez, bastante simples atribuir tal casamento ao deslize de um pensador premido pelas circunstâncias: enriquecidas as classes dominantes inglesas, haveria que escavar, nas teorias morais, um lugar para o consumo e a fruição dos bens materiais; daí, então, a exigência ascética do moralista ceder ao apologista das abelhas que, procurando o bem privado, atingem, paradoxalmente, o público.

É sobre este "paradoxalmente" que diversos pensadores do século XVIII se deteriam, esmerando-se em explicar não apenas o acúmulo de riquezas, mas, sobretudo, a ação livre do indivíduo, antes condicionada e reprimida pela angustiante certeza de que a perfeição da ação moral seria inatingível, fadando-nos a errar num mundo de incertitude e medo, o que poderia aumentar a auto-exigência dos homens. Agora, porém, a ação liberta dos condicionamentos morais seria não apenas possível, mas plenamente justificada.

A conversão do negativo em positivo, do vício em virtude, é característica do século XVIII, e é significativo que um pensador como Mandeville, devedor dos moralistas franceses, tenha sido um pioneiro: um homem rigoroso, capaz de sentir o infinito da distância entre o mundo divino, perfeito e estático, e o mundo dos homens, sobrecarregado pelas exigências práticas, inconstante e perecível[90].

O pensamento levado ao limite faria os filósofos redescobrir a bondade de Deus, não mais encerrada num universo transcendente, mas sim revelada nos resultados – paradoxais – de nossa imperfeição. O caminho nos faz passar por Malebranche que, buscando explicar os "laços naturais" da união social, notara que os homens compuseram corpos

[...] dont toutes les parties aient entre elles une mutuelle correspondance. C'est pour entretenir cette union que Dieu leur a commandé d'avoir de

UM MORALISTA NOS TRÓPICOS

la charité les uns pour les autres. Mais parce que l'amour-propre pouvait peu à peu éteindre la charité, et rompre ainsi le nœud de la vie civile, il a été à propos, pour la conserver, que Dieu unît encore les hommes par des liens naturels qui subsistassent au défaut de la charité et qui intéressassent l'amour-propre[xxiv].[91]

Estava aberta a senda para descobrir os sentimentos inatos de sociabilidade, uma busca que Hutcheson e Shaftesbury, autores muito freqüentados por Cairu, levariam a cabo. Mas nem só à moral dos bons sentimentos chegariam os caminhantes da via malebranchista. Resta o paradoxo de Mandeville, fundante para o pensamento liberal que o mesmo Cairu introduziria no Brasil.

Seguindo ainda os argumentos esclarecedores de Jean Lafond, somos levados a lembrar a metamorfose por que passa o Providencialismo dos séculos XVI e XVII, ao ser ressignificado pelo tempo das Luzes:

O basculamento operado por esta passagem da condenação do mau amor de si à sua justificação supõe a intervenção de uma Natureza benfazeja, que provê a infelicidade da condição humana tornando proveitoso aquilo que se teve alhures pelo Mal: o orgulho, a presunção, a ilusão, que são todos produtos do mau amor de si. Esta Natureza se confunde, de Montaigne a Malebranche, com a Providência ou a Sabedoria divina que, na maquinaria complexa do universo, preestabeleceu um mecanismo de regulação, de autoregulação, destinado a paliar as conseqüências mais desastrosas da decadência do ser humano.[92]

Buscando satisfazer o amor-próprio, terminamos, paradoxalmente, por alimentar a máquina do universo, mantendo-o coeso e funcionando. Não apenas a Providência se vê laicizada (poucas vezes nos lembramos que a "*invisible hand*" provém originalmente de Deus[93]), mas a máquina do mundo é azeitada por aquilo que, anteriormente, supunha-se pecaminoso.

[xxiv] ...cujas partes todas tenham entre elas uma mútua correspondência. É para entreter esta união que Deus lhes ordenou terem a caridade uns pelos outros. Mas porque o amor-próprio podia pouco a pouco anular a caridade, e romper assim o nó da vida civil, foi que, para conservá-la, Deus uniu ainda os homens por laços naturais que subsistissem à falha da caridade e que interessassem ao amor-próprio.

• 126 •

LEITURAS CRUZADAS

Jean Lafond aponta, no "naturalismo dos Antigos", sobretudo os estóicos, as primeiras manifestações deste providencialismo natural, ou disto que, modernamente, conheceríamos sob o rótulo da "causalidade universal". É notável que, na obra do pensador que mais terá impressionado o visconde de Cairu, a imagem da máquina, justamente, se tornasse fascinante e esclarecedora, como uma metáfora (senão alegoria) da sociedade a organizar-se, a alimentar-se e realimentar-se do combustível humano que lhe é ofertado, perfeita e admirável em seu trabalho. Tudo se encaixa na maquinaria moderna[94].

Alterando o sentido das palavras e abandonando o tom otimista de Adam Smith, poderíamos lembrar a *machine* pascalina, tão ambígua no desprezo que provoca e na utilidade com que se revela. A própria *crença* – combustível de nossa vida – dá-se mediante uma aposta, feita neste mundo limitado, embora o prêmio seja o espaço infinito em que se abriga o divino. Mas o discurso da *machine*, ele mesmo, se ouve no plano imperfeito em que vagamos, sem a assistência superior: *"parlons maintenant selon les lumières naturelles"* ("falemos agora conforme as luzes naturais")[95]. Mesmo na perspectiva jansenista de Pascal, haveria que prestar atenção à ordem natural. E a *seconde nature* (social) pode ser condenável, mas, paradoxalmente, viver *en honnête homme* poderia nos habituar ao mundo cristão[96].

Trata-se de uma ambigüidade já presente em santo Agostinho: o *amor sui*, embora irremediavelmente oposto ao *amor Dei*, possui sua dignidade própria, e uma função no mundo corrupto dos homens.

Seguindo ainda as pistas de Jean Lafond, o *essendi appetitus* – "apetite de ser" – de Jansénius tem também um sentido importante para a vida social: Deus habilitou o homem com um instinto (o *"amour de soi"*, mais que o *"amour-propre"*) de autoconservação capaz de mantê-lo vivo. Mas, diferentemente dos seres naturais, dotou-o de razão, o que o impede de encontrar a paz, como os animais, nos desejos e necessidades do corpo. Seria preciso, então, voltar-se para o Bem, única instância a facultar-lhe o contentamento pleno[97].

Entretanto, haverá uma distância razoável a separar o "utilitarismo agostiniano", presente em Jansénius, Pascal ou Nicole, do utilitarismo próprio ao século das Luzes, sobretudo se notarmos que aquela instância poderosa, superior aos homens, pode, subitamente, desinvestir-se de seu caráter intangível, para revelar-se mundanamente, numa bondade que

· 127 ·

UM MORALISTA NOS TRÓPICOS

é a da própria Natureza, obra afinal da criação divina e campo de atuação da Providência[98].

O plano moral se desloca, e a severidade do julgamento sobre o amor-próprio, embora atenuado por aquele primeiro "utilitarismo", de origem agostiniana, cede espaço a um conceito muito mais benévolo. Helvétius, leitor admirativo do duque de la Rochefoucauld, associaria, em meados do século XVIII, o julgamento do espírito (*esprit*) às sensações que o mundo nos causa. Destarte, subtraía o peso das abstrações que são as virtudes inatingíveis, desenhando um universo moral em que o importante seria a atenção à utilidade das ações, isto é, ao quanto elas concorreriam para a felicidade de todos, neste mundo presente.

Uma historieta, logo no início de sua investigação *De l'esprit*, é instrutiva, e parte de uma indagação: desde que se trate de julgar se, no caso de um Rei, a justiça é preferível à bondade, pode-se ainda imaginar que o julgamento nada mais seja que uma sensação?

> Cette opinion, sans doute, a d'abord l'air d'un paradoxe: cependant, pour en prouver la vérité, supposons dans un homme la connoissance de ce qu'on appelle le bien et le mal; et que cet homme sache encore qu'une action est plus ou moins mauvaise, selon qu'elle nuit plus ou moins au bonheur de la société. Dans cette supposition, quel art doit employer le poëte ou l'orateur, pour faire plus vivement appercevoir que la justice, préférable, dans un roi, à la bonté, conserve à l'état plus de citoyens? L'orateur présentera trois tableaux à l'imagination de ce même homme: dans l'un, il lui peindra le roi juste qui condamne et fait exécuter un criminel; dans le second, le roi bon qui fait ouvrir le cachot de ce même criminel et lui détache ses fers; dans le troisieme, il représentera ce même criminel qui, s'armant d'un poignard au sortir de son cachot, court massacrer cinquante citoyens: or, quel homme, à la vue de ces trois tableaux, ne sentira pas que la justice, qui, par la mort d'un seul, prévient la mort de cinquante hommes, est, dans un roi, préférable à la bonté? Cependant ce jugement n'est réellement qu'une sensation. En effet, si par l'habitude d'unir certaines idées à certains mots, on peut, comme l'expérience le prouve, en frappant l'oreille de certains sons, exciter en nous à peu près les mêmes sensations qu'on éprouveroit à la présence même des objets; il est évident qu'à l'exposé de ces trois tableaux, juger que, dans un roi, la justice est préférable à la bonté, c'est sentir et voir que, dans le premier tableau, on n'immole qu'un citoyen; et que, dans le troisieme, on en

massacre cinquante: d'où je conclus que tout jugement n'est qu'une sensation[xxv].[99]

A parábola tem um objetivo preciso: provar que o julgamento é fruto de uma sensação. Não é necessária grande dose de imaginação para perceber o que isto significa, no campo moral: o bem e o mal, associados à manutenção do corpo social, tornam-se o resultado de um cálculo, ou melhor, de um jogo de sensações. O amor-próprio, nesta perspectiva, não seria mais o elemento ambíguo que, a um só tempo, afasta-nos do plano ideal das virtudes, mas nos mantém vivos e capazes de louvar a Deus, crendo num plano que nos é incompreensível, e amado.

O amor-próprio, na perspectiva de Helvétius, é apenas mais um sentimento, e a má fama de La Rochefoucauld lhe parece de todo injustificada:

> Lorsque le célebre M De La Rochefoucault dit que l'amour-propre est le principe de toutes nos actions, combien l'ignorance de la vraie signification de ce mot amour-propre ne souleva-t-elle pas de gens contre cet illustre auteur? On prit l'amour-propre pour orgueil et vanité; et l'on

---

[xxv] "Esta opinião parece, à primeira vista, um paradoxo: todavia, para provar a verdade, suponhamos num homem o conhecimento do que se chama o bem e o mal, e que este homem saiba ainda que uma ação é pior ou melhor, à medida que prejudique mais ou menos a felicidade da sociedade. Nesta suposição, que arte deve empregar o poeta ou o orador para fazer perceber mais intensamente que a justiça, preferível, num rei, à bondade, conserva para o Estado maior número de cidadãos? O orador apresentará três quadros à imaginação deste mesmo homem: num, ele delineará o rei justo que condena e executa um criminoso; no segundo, o rei bom que abre o cárcere deste mesmo criminoso e o liberta dos grilhões; num terceiro, representará o mesmo criminoso que, munindo-se de seu punhal ao sair do calabouço, massacra cinqüenta cidadãos. Ora, qual homem, na visão desses três quadros, não sentirá que a justiça, que, pela morte de um só, evita a morte de cinqüenta homens, é, num rei, preferível à bondade? Todavia, este juízo realmente é apenas uma sensação. Com efeito, se, pelo hábito de unir certas idéias a certas palavras, pode-se, como a experiência o prova, impressionando a audição mediante alguns sons, excitar em nós quase as mesmas sensações que se experimentam na própria presença dos objetos, é evidente que, na exposição dos três quadros, julgar que, num rei, a justiça é preferível à bondade é sentir e ver, que, no primeiro quadro, se imola apenas um cidadão, e, no terceiro, massacram-se cinqüenta: donde concluo que todo juízo é apenas uma sensação." Helvétius, "Do espírito, Discurso I" (trad. Nelson Aguilar), em *Condillac, Helvétius, Degerando* (São Paulo, Abril, 1973), p. 185-6.

UM MORALISTA NOS TRÓPICOS

s'imagina, en conséquence, que M De La Rochefoucault plaçoit dans le vice la source de toutes les vertus. Il étoit cependant facile d'appercevoir que l'amour-propre, ou l'amour de soi, n'étoit autre chose qu'un sentiment gravé en nous par la nature; que ce sentiment se transformoit dans chaque homme en vice ou en vertu, selon les goûts et les passions qui l'animoient; et que l'amour-propre, différemment modifié, produisoit également l'orgueil et la modestie. La connoissance de ces idées auroit préservé M De La Rochefoucault du reproche tant répété qu'il voyoit l'humanité trop en noir; il l'a connue telle qu'elle est. Je conviens que la vue nette de l'indifférence de presque tous les hommes à notre égard est un spectacle affligeant pour notre vanité; mais enfin il faut prendre les hommes comme ils sont: s'irriter contre les effets de leur amour-propre, c'est se plaindre des giboulées du printemps, des ardeurs de l'été, des pluies de l'automne, et des glaces de l'hyver[xxvi].[100]

Impressionante, no quadro pintado pelo filósofo, como estas intempéries podem torná-lo acessível, exatamente pelo plano das sensações, permitindo que se compreenda, ao fim, a força irresistível da natureza, sobretudo da nossa própria natureza.

A naturalização dessa força joga o *inevitável*, que na imaginação jansenista significava a perdição e a miséria de nossa condição atual, para o plano do presente, com o qual convivemos mais diretamente – pelas

---

[xxvi] "Quando o célebre Rochefoucault disse que o amor-próprio é o princípio de todas as nossas ações, como a ignorância da verdadeira significação desse termo *amor-próprio* levantou pessoas contra esse ilustre autor! Tomou-se o amor-próprio como orgulho e vaidade e imaginou-se, por conseguinte, que Rochefoucault colocava no vício a fonte de todas as virtudes. No entanto, era fácil perceber que o amor-próprio, ou o amor de si, não era outra coisa a não ser um sentimento gravado em nós pela natureza; que esse sentimento se transformava em cada homem em vício ou virtude, segundo os gostos e as paixões que o animavam; e que o amor-próprio, diferentemente modificado, produzia igualmente o orgulho e a modéstia. O conhecimento dessas idéias teria preservado Rochefoucault da censura tão repetida de que ele via a humanidade negra demais; ele a conheceu tal como é. Concordo que a visão nítida da indiferença de quase todos os homens a nosso respeito é um espetáculo desolador para a nossa vaidade, mas, enfim, é preciso tomar os homens como são: irritar-se com os defeitos de seu amor-próprio é queixar-se dos aguaceiros da primavera, dos ardores do verão, das chuvas do outono e das geadas do inverno." Helvétius, "Do espírito, Discurso I" (trad. Nelson Aguilar), op. cit., p. 195.

• 130 •

LEITURAS CRUZADAS

sensações –, e de forma talvez menos sofrente, pois o próprio castigo e a recompensa passam a estabelecer-se neste nosso mundo, sem a interferência de uma instância divina, e o moralista, não mais responsável pela descrição de nossos tormentos, passa a observar a utilidade de nossas ações, tornando-se, no limite, um legislador[101].

O moralista, então, passa a ser um atento e próximo observador da natureza, o que muito nos ajudará a compreender o moralismo de José da Silva Lisboa – bastante influenciado pelo utilitarismo do século XVIII, embora lhe seja resistente –, mas pouco pode ajudar-nos a compreender o moralismo de Pascal ou La Rochefoucauld. Afinal, filiando-os ambos às correntes jansenistas do século XVII, é razoável supor que não se empenhassem exclusivamente na observação direta da natureza e de suas leis, mas que, na natureza humana, fossem buscar, justamente, os sinais do pecado, da falta original e da distância que nos separa da Graça.

Aqui deve ressurgir a diferença fundamental entre Pascal e o autor das máximas. Embora influenciada pelo jansenismo, a empresa deste último é essencialmente mundana, o que, mantida a matriz agostiniana, pode torná-lo ainda mais torvo que o autor das *pensées*, desde que o universo de seus aforismos não comporta nenhuma saída mística, concentrando-se, como já sugerimos, numa mecânica das paixões, como se nos encerrássemos, definitivamente, na ordem da concupiscência.

Vimos que o mundo social é então retratado numa perspectiva que permite desmascarar as virtudes, mas, paradoxalmente, mantém-se ativa uma grande comédia, o que é também o tema de Pascal, embora sua visada sobre a teatralidade de nossas ações seja francamente negativa, enquanto o moralista La Rochefoucauld se esconde por trás de sua bem simulada objetividade, sem deixar ver suas intenções reais, ou antes, desconfiando de todas as intenções reais, e do que se oculta sob as formas galantes do falar e do agir.

O tema nos transporta, outra vez, para diante de uma delicada questão sociológica, tratada com sensibilidade, recentemente, por um lingüista:

A conversação é a forma favorita de troca social para La Rochefoucauld: a um só tempo porque ela se dá num círculo necessariamente limitado, do qual não se pode assegurar desde antes que todos os membros partilhem "a vontade de ser de fato *honnête homme*"; e porque ela se presta à regulamentação; é uma prática puramente social, e é isto que atrai sua atenção:

· 131 ·

UM MORALISTA NOS TRÓPICOS

ele não se interessa pela legislação, nem pelas estruturas políticas, ele não propõe remédios para situações de crise; ele se contenta em agir (em tentar agir) sobre os costumes, em educar. Na troca comum, "não há quase nenhuma pessoa que não pense bem mais no que quer dizer que em responder precisamente ao que se lhe diz" (M 139): negligenciamos a comunicação, e favorecemos a expressão, preferimos o individual ao social. Na conversação controlada, em compensação, sabemos que "é preciso evitar falar longamente de si, mas escutar aqueles que falam", "falar-lhes daquilo que os toca"; é preciso "conhecer o pendor e a posição daqueles a quem falamos", "é preciso nunca ferir os sentimentos dos outros, nem parecer chocado com aquilo que disseram" (*Reflexões*, 4). Em uma palavra, a conversação honesta se faz em nome do outro, não de si. Não é hipocrisia nem manipulação, ou então esses termos devem ser tomados em um sentido positivo: porque puramente social, deve-se conduzir esta atividade até uma submissão completa ao código da sociabilidade.[102]

Talvez se pudesse reparar o discurso de Todorov, lembrando que o mundo das máximas é bem mais acre que o das "Reflexões". Não será casual se, neste extrato, ele se utiliza da quarta *Réflexion*, sobre a *"conversation"*, contrapondo-a, precisamente, à máxima 139, de que cita um fragmento. Bem verdade que a máxima em questão também é relativamente longa, referindo-se ao comum das gentes, em tudo distante da *honnête conversation*.

Aproximemo-nos um pouco mais, para notar que o mundo das máximas, a despeito da promessa que ali colheu o lingüista, dificilmente se presta a uma leitura puramente pedagógica, ou basicamente sociológica. Se as máximas educam (um jansenista sempre podia atribuir-lhes papel eminente na educação para o *"grand monde"*[103]), fazem-no contudo recusando o espírito escolástico, e a ordem fragmentária pode ser ilustrativa, neste ponto.

É a condição fragmentária do homem, imperfeita e faltosa, que reportam as máximas. Ainda que nos permitam enxergar, ou até promovam um mundo onde a conversação é valorizada, substituindo-se a guerra de todos contra todos pelo diálogo potencial, elas seguem operando o desmascaramento, e o que terminam por revelar não é motivo de orgulho nem felicidade. A guerra continua, oculta sob as palavras e as ações.

· 132 ·

LEITURAS CRUZADAS

As leituras utilitaristas ou otimistas, com matizes sociológicos ou pedagógicos, podem ser importantes para a compreensão de questões fundamentais contempladas pelas máximas, e altamente sugestivas, mas serão incompletas, enquanto não enfrentarem esse fundo sombrio contra o qual se desenrola a aventura do homem decaído, eternamente errante, estrangeiro em seu próprio mundo.

A Queda ainda é, para todos os efeitos, o ponto de partida do homem retratado por La Rochefoucauld.

• • •

A edição de 1796, organizada pelo marquês de Fortia d'Urban, compõe-se de dois volumes, o primeiro contendo as sentenças originais, e o segundo trazendo o tratado e os comentários sobre cada uma delas. As edições consideradas válidas (*"les seules que l'on distingue aujourd'hui"* ["as únicas que hoje distinguimos"]) eram a do abade Brotier, de 1789, e a de Suard, de 1778. No fim do século XVIII, portanto, as edições de La Roche e Amelot de la Houssaye iam sendo descartadas, embora o marquês demonstre conhecê-las, preferindo, contudo, valer-se da edição Brotier[104].

No segundo volume, os "Princípios e questões de moral natural" precedem os comentários das máximas, dividindo-se em várias seções. Na quinta parte, Fortia d'Urban discorre sobre *"les moyens de rendre heureux notre patrie, notre société, et l'univers"* ("os meios de tornar felizes nossa pátria, nossa sociedade, e o universo"). O título seria já suficiente para pressentir a presença de idéias caras ao século XVIII, não fora o texto revelar diretamente algumas de suas influências:

> Sans doute ce titre paraîtra ridicule à ceux qui ont désapprouvé la paix perpétuelle de l'abbé de Saint-Pierre, et qui se sont moqués de la république universelle d'Anacharsis Clootz dont je ne prétends nullement faire ici l'éloge. Il ne paraîtra pas plus raisonnable à ceux qui regardant les hommes comme naturellement méchans, ont eu le malheur de se laisser aller à une sorte de misantropie qui les rend indifférens au bonheur de l'espèce humaine, et qui même les conduit quelquefois à la haine des hommes. Mais celui qui se sent échauffé par le besoin d'être utile à ses amis et à ses semblables, cette ame noble et généreuse qui ne jouit que du bien qu'elle fait aux autres, celui qui sera prêt à faire le sacrifice de sa vie pour un inconnu, celui-là ne sera point effrayé par l'idée de

• 133 •

UM MORALISTA NOS TRÓPICOS

contribuer au bonheur général. Je plains ceux à qui cet espoir est étranger, et je sens que je n'écris pas pour eux. C'est pour les autres que je continue[xxvii].[105]

O otimismo exacerbado une, no cabeçalho, o velho abade de Saint-Pierre, autor do *Projet pour rendre la paix perpétuelle* (1712), e o revolucionário prussiano Clootz, guilhotinado em 1794, como seguidor de Hébert. Da junção, surge algo como uma Paz perpétua na República universal: ideal compósito, talvez mais próximo de um certo naturalismo confiante na felicidade universal que das idéias políticas em pauta.

Uma vez mais, encontramo-nos diante da acusação de misantropia, aqui associada não apenas ao ódio pelo gênero humano, mas também à indiferença diante da felicidade geral. Declaradamente, Fortia d'Urban dirige-se, com sua edição das máximas, àqueles para quem o homem não é "naturalmente mau", àqueles capazes de excitar-se com a necessidade de fazer o bem (*bienfaisance*, segundo o neologismo do abade de Saint-Pierre)[106].

No livro, chama a atenção a brevidade do comentarista, e é notável que, a propósito da sentença 236, lhe parecesse suficiente uma afirmação seca: "*Sans doute l'amour-propre bien entendu doit nous rendre bons, et c'est tant mieux*" ("sem dúvida o amor-próprio bem-compreendido deve tornar-nos bons, e tanto melhor")[107].

Vejamos a máxima referida:

Il semble que l'amour-propre soit la dupe de la bonté, et qu'il s'oublie lui-même lorsque nous travaillons pour l'avantage des autres. Cependant

---

[xxvii] Sem dúvida esse título parecerá ridículo àqueles que desaprovaram a paz perpétua do abade de Saint-Pierre, e que motejaram da república universal de Anacharsis Clootz da qual não pretendo minimamente fazer aqui o elogio. Ele não parecerá tampouco razoável àqueles que, encarando os homens como naturalmente maus, tiveram a infelicidade de deixar-se levar por uma sorte de misantropia que os torna indiferentes à felicidade da espécie humana, e que até os conduz algumas vezes ao ódio pelos homens. Mas aquele que se sente animado pela necessidade de ser útil a seus amigos e a seus semelhantes, esta alma nobre e generosa que não goza senão do bem que faz aos outros, este que estará pronto a sacrificar sua vida por um desconhecido, este não será minimamente amedrontado pela idéia de contribuir para a felicidade geral. Eu me apiedo daqueles a quem tal esperança é estrangeira, e sinto que não escrevo para eles. É para os outros que continuo.

c'est prendre le chemin le plus assuré pour arriver à ses fins; c'est prêter à usure sous prétexte de donner; c'est enfin s'acquérir tout le monde par un moyen subtil et délicat[xxviii].

"Il semble...". À primeira vista, o amor-próprio, como personagem que é, deixa-se enganar pela bondade, esquecendo-se de si mesmo, distanciando-se para nos permitir o bem-fazer, como se pouco lhe importasse nosso trabalho. *"Cependant..."*. Logo se descobre a solércia da personagem: recostara-se apenas, esperando seu prêmio, sabendo de antemão que ganhará mais, sempre que nos deixar trabalhar pelos outros. Eis a usura, delicada e sutilmente praticada. O amor-próprio sofistica-se, ao simular o engano diante da bondade. Tudo calculado, entretanto, como convém aos usurários.

A versão mais antiga da máxima não deixa margem a dúvidas. Número CCL, na primeira edição:

> Qui considérera superficiellement tous les effets de la bonté qui nous fait sortir hors de nous-mêmes, et qui nous immole continuellement à l'avantage de tout le monde, sera tenté de croire que lorsqu'elle agit, l'amour-propre s'oublie et s'abandonne lui-même, ou se laisse dépouiller et appauvrir sans s'en apercevoir, de sorte qu'il semble que l'amour-propre soit la dupe de la bonté. Cependant c'est le plus utile de tous les moyens dont l'amour-propre se sert pour arriver à ses fins; c'est un chemin dérobé, par où il revient à lui-même, plus riche et plus abondant; c'est un désintéressement qu'il met à une furieuse usure; c'est enfin un ressort délicat avec lequel il réunit, il dispose et tourne tous les hommes en sa faveur[xxix].

[xxviii] "Dir-se-ia que o amor-próprio se deixa engodar pela bondade e de si mesmo esquece quando obramos em benefício de outrem. O que ele faz porém é tomar o caminho mais seguro para chegar a seus próprios fins: é emprestar com juros, pretextando dar; é subornar enfim a todos de modo sutil e delicado." La Rochefoucauld, *Máximas e Reflexões* (trad. Leda Tenório da Motta), op.cit., p.51.

[xxix] Quem considerará superficialmente todos os efeitos da bondade que nos faz sair de nós mesmos, e que nos imola continuamente em vantagem de todo o mundo, será tentado a crer que, quando age, o amor-próprio se esquece e se abandona ele mesmo, ou se deixa despojar e empobrecer sem aperceber-se, de modo que parece que o amor-próprio seja o engodo da bondade. Entretanto é o mais útil de todos os meios de que o amor-próprio se serve para chegar a seus objetivos; é um atalho, por onde ele retorna a si mesmo, mais rico e mais abundante; é um desin-

UM MORALISTA NOS TRÓPICOS

Perde-se a leveza e um pouco da complexidade da versão final, nesta sentença ainda bruta, longa e algo tortuosa, se não reiterativa. Mas o recuo é útil, pois, nela, o sentido se abre completamente e o ardil do amor-próprio se deixa enxergar, em toda a sua crueza.

O comentário de Fortia d'Urban não é propriamente o resultado de uma inversão de sentidos na interpretação da máxima, como foi o caso do abade de la Roche. Trata-se, bem mais, de uma concessão: *"sans doute l'amour-propre bien entendu doit nous rendre bons, et c'est tant mieux"*. Tanto melhor que o amor-próprio se faça de logrado diante da bondade; o importante é que deixe ela exercitar-se e, assim, o homem se liga à virtude pelo seu interesse, como queria o marquês, em sua introdução (*"mon but est de diriger la conduite de l'homme, et de l'attacher à la vertu par son intérêt"*). Distantes da denúncia do amor-próprio, circulamos já na órbita do utilitarismo.

• • •

A contraposição de comentários às sentenças de La Rochefoucauld terá sido um expediente bem acolhido, ao longo do século XVIII. Numa publicação holandesa, datada de 1772, Jean Manzon providenciava nova coleção das máximas, "mais correta que qualquer uma das que apareceram", adicionando-lhes, é claro, seus próprios comentários. Neste caso, como acontecera com Amelot de la Houssaye, os aforismos são dispostos em ordem alfabética, classificados pelos assuntos de que tratem[108].

As considerações do editor são, por vezes, bastante longas. O tom geral é de louvor ao amor-próprio, mas ao amor-próprio *"bien placé"*. Como no caso das edições anteriores, valeria a pena um cuidadoso estudo desta obra. Limitemo-nos, entretanto, a alguns de seus comentários.

No item *"Société"*, chama a atenção a seguinte máxima:

La Société, et même l'amitié de la plûpart des hommes n'est qu'un commerce, qui ne dure qu'autant que le besoin[xxx].

---

teresse que ele usa para uma furiosa usura; é enfim uma flexibilidade delicada com a qual ele reúne, ele dispõe e volta todos os homens a seu favor.

[xxx] A sociedade, e mesmo a amizade da maior parte dos homens não é senão um comércio, que não dura mais que a necessidade.

LEITURAS CRUZADAS

Nem tão "correta" era a edição, pois estamos diante da máxima 77 da marquesa de Sablé[109]. A sentença, de toda forma, passaria bem por uma máxima de La Rochefoucauld. Vale, portanto, conferir o comentário de Manzon:

Cela est si vrai que ce n'est que le besoin qui a rassemblé les hommes épars dans les forêts, et qui les a portés, à former des sociétés pour s'entreaider et se sécourir, les uns les autres. Envain chercheroit-on ailleurs, que dans le besoin, et dans l'amour que chaque individu a pour lui même, la source de toute liaison qui subsiste parmi les hommes. Supposez-les pour un moment impassibles, ou tellement constitués que chaque individu puisse absolument se suffire à lui-même, et se passer de son semblable, et essayez de réunir ces hommes en société[xxxi].[110]

Se ambos se referem à sociabilidade, e à amizade que lhe é correlata, há porém uma diferença de tom, capaz de nos situar, novamente, diante do problema detectado na edição de Fortia d'Urban.

Sablé é mais seca que Manzon (aqui também, a forma restritiva é *tranchante*: "*la société... n'est qu'un commerce...*") na detecção de um interesse de fundo na formação deste "comércio" que são a amizade e a sociedade entre os homens. O "interesse" não está na máxima, mas ali aparece, transfigurado na "necessidade" e no "amor que cada indivíduo tem por si mesmo". Salta aos olhos, todavia, a instabilidade deste comércio, sua fugacidade e precariedade ("*...ne dure qu'autant que le besoin*"). Embora as máximas de Mme. de Sablé deixem-se, eventualmente, tomar deste "*souci pédagogique*" ("preocupação pedagógica") que lhe atribui Jean Lafond[111], ao menos neste caso, da máxima 77, o caráter contingente do contrato – se razoável a expressão – transparece, deixando que a imaginação do leitor se guie num mundo de relativa incerteza diante da própria sociedade dos homens, submetidos a uma ordem de necessidades que, no pensamen-

---

[xxxi] Isto é tão verdade que não é senão a necessidade que juntou os homens esparsos nas florestas, e que os levou a formar sociedades para se entreajudar e se socorrer, uns a outros. Em vão procurar-se-á alhures, se não na necessidade, e no amor que cada indivíduo tem por ele mesmo, a fonte de toda ligação que subsiste entre os homens. Suponde-os por um momento impassíveis, ou de tal forma constituídos que cada indivíduo possa bastar-se absolutamente a si mesmo, e prescindir de seu semelhante, e tentai reunir esses homens em sociedade.

· 137 ·

UM MORALISTA NOS TRÓPICOS

to jansenista, pouco tem de louvável, conquanto sejam reconhecidas sua importância e sua inevitabilidade.

Não é este o tom de Manzon. Em seu comentário, o reino da necessidade não aparece como um elemento perturbador, nem como indício da instabilidade ou da precariedade da sociedade humana, mas, precisamente, como seu elemento fundador (*"ce n'est que le besoin qui a rassemblé les hommes épars dans les forêts"*). O amor-próprio logo se converte em laço indispensável de coesão social (*"la source de toute liaison qui subsiste parmi les hommes"*), idéia confirmada pelo seu negativo: em vão esperaríamos, de homens isolados, auto-suficientes e impassíveis, a formação da sociedade (*"supposez-les pour un moment impassibles, ou tellement constitués que chaque individu puisse absolument se suffire à lui-même, et se passer de son semblable, et essayez de réunir ces hommes en société"*).

É clara a intenção do editor: apontar a utilidade do amor-próprio. A já referida máxima 87 (*"les hommes ne vivraient pas longtemps en société s'ils n'étaient les dupes les uns des autres"* ["não viveriam os homens muito tempo em sociedade, não fossem os joguetes uns dos outros"][112]), ainda no item *"Société"*, provoca-lhe o seguinte comentário:

> C'est le sistême de Hobbes et de Mandeville; mais ce sistême est faux. Il est bien vrai que la plûpart des hommes sont dupes les uns des autres, et que le genre humain pourroit être divisé en deux classes bien distinctes, celle des sots, et celle des frippons; mais il n'est pas moins vrai, que si les hommes étoient aussi éclairés et aussi bien gouvernés qu'ils peuvent l'être, l'intérêt particulier bien entendu et bien ordonné suffiroit pour former les sociétés, et pour les maintenir[xxxii].[113]

Hobbes e Mandeville, mal-afamados, têm seus sistemas recusados, mas é salva a honra do amor-próprio, ou, pelo menos, sua importância. Interessante que, no caso de ambos os filósofos, a idéia da sociedade tãosomente como um logro é bem pouco plausível. Em Hobbes, se temos

---

[xxxii] É o sistema de Hobbes e de Mandeville; mas esse sistema é falso. É bem verdade que a maior parte dos homens são iludidos uns dos outros, e que o gênero humano poderia ser dividido em duas classes bem distintas, a dos tolos e a dos patifes; mas não é menos verdade, que, se os homens fossem tão esclarecidos e tão bem governados quanto podem sê-lo, o interesse particular bem compreendido e bem ordenado seria suficiente para formar as sociedades, e para as manter.

· 138 ·

necessidade de um soberano forte, é para apaziguar uma guerra secular, e o medo, então, torna-se o principal elemento da contensão social. Na postura de Mandeville, uma dualidade básica marca sua visão do homem, revelando porventura a filiação jansenista deste holandês de origem francesa: o autor da *Fábula das abelhas* censurava em Shaftesbury a reunião da "inocência dos costumes" e "grandeza mundana", incompatíveis[114].

Na visão de fundo agostiniano, a esfera mundana segue sendo condenável, e é vão procurar, em terreno tão seco, os frutos da verdadeira virtude, ou a inocência do costume, como queriam os partidários dos bons sentimentos. Os caminhos da Providência, entretanto, são misteriosos e benignos, e da imperfeição mesma da criatura decaída nascerá o bem arranjado do mundo, sua funcionabilidade e a eventual beleza de sua máquina. Este é o caminho do utilitarismo mais estrito que, levado ao paroxismo, abstém-se de investigar ou reformar a *intenção*, contentando-se com a utilidade do *ato*. Momento em que uma leitura utilitarista de Mandeville pode aproximá-lo de Hobbes[115].

Parentesco bem notado pelos leitores do século XVIII, que Manzon terá também percebido. Como no caso de Fortia d'Urban, circulamos já na esfera utilitária, embora, para o marquês, as preocupações com a intenção não se desvaneçam jamais. Nos comentários de sua edição das máximas, de 1796, o homem deveria ligar-se à virtude pelo seu interesse, mas seria necessário, antes, despertar nele a simpatia pela felicidade geral, educá-lo enfim para o benefício público ("*La Rochefoucault veut que la plupart de nos vertus ne soient que des vices cachés, parce que le mobile secret en est l'amour-propre. Je prétends que l'homme ne peut s'aimer véritablement lui-même qu'en aimant ses semblables, et qu'il ne peut mieux servir son intérêt qu'en ne le distinguant pas de celui des autres*"). O interesse próprio, para Fortia d'Urban, não é, por si só, suficiente. Há que esclarecer, educar, para aproximá-lo e finalmente igualá-lo ao interesse geral: *distinguo* às avessas, fruto do esforço moralista, socialmente útil[116].

A busca de um "sentimento moral", das noções inatas do bem e do mal, não cabe no horizonte estritamente utilitário. Entre Shaftesbury (e demais autores admirados pelo visconde de Cairu) e Mandeville, sem dúvida há uma gradação, existindo moralistas mais ou menos preocupados em reformar a intenção ou descobri-la em sua pureza, e mais ou menos crentes na Providência que a quase tudo arranja, até o bom funcionamen-

UM MORALISTA NOS TRÓPICOS

to do corpo social, desde que, é claro, saibamos obedecer aos seus sinais, estampados na natureza (o moralista tornando-se, então, o exegeta do mundo natural). Ou, talvez, a escala gradativa pouco nos auxilie, pois as crenças se misturam, e o moralismo do século XVIII revela-se irredutível a esquemas cristalinos.

Um quartel antes da edição de Fortia d'Urban, a edição holandesa de Manzon já permitia ler as máximas sob um viés utilitário, embora talvez não estritamente utilitário.

Acompanhando o texto do editor, é possível notar que, para o comum das gentes, não haveria necessidade de perscrutar a intenção das ações dos governantes, bastando que se soubesse serem boas para todos. A prolixidez não invalida a complexidade e a importância do extrato seguinte:

> S'il y avoit une mésure précise, à laquelle on pût rapporter les diverses actions des hommes, & fixer au juste dégré d'estime qu'elles méritent, il y auroit peu de véritables héros dans le monde. Il seroit à souhaiter qu'un homme de génie voulût nos donner, si je peux me servir de ce terme, un *Tarif*, où fussent marqués la valeur & le mérite de chaque action, comme on en a pour évaluër les epèces, & mésurer le titre, ou le dégré de finesse des divers métaux. Si c'est aux Souverains qu'il appartient, de fixer le titre, de ces derniers, la philosophie a le droit incontestable de déterminer le degré de mérite des diverses actions des Rois & des Grands, comme de celles du reste des hommes. Cette table seroit d'une commodité & d'une utilité, qu'il est aisé d'appercevoir au prémier coup d'œil. Elle serviroit à guider les jugemens du peuple, trop ignorant pour pénétrer les vrais motifs d'une action, la suivre dans ses conséquences bonnes ou mauvaises, particulières ou générales, & l'estimer précisément ce qu'elle vaut. Elle seroit une règle constante & fixe pour les Historiens, les Poëtes & les Panégiristes, qui n'auroient plus la liberté dangereuse de faire briller ou d'obscurcir le mérite d'une action, selon leurs intérêts, leurs goûts, ou leurs préjugés. [...] On commenceroit pas [sic] établir pour règle ou mésure générale, que *les actions des hommes sont d'autant plus dignes d'estime, qu'elles sont plus généralement utiles.* Ainsi, le Législateur qui tire un peuple de l'ignorance & de la barbarie, pour le faire vivre sous des Loix douces, sages, modérées, propres enfin à le rendre Heureux, tiendroit le prémier rang parmi les bienfaiteurs de l'humanité, & par conséquent dans l'estime des hommes. Après lui viendroient les Rois justes & bons [...]. Les Ministres équitables, humains & généreux, qui ont oublié

leur intérêt particulier, pour s'occuper entièrement du bien de l'Etat & de l'utilité de leurs concitoyens [...]. Viendroient ensuite les grands hommes, qui ont fait des découvertes dans tous les genres [...]. C'est ainsi que l'on parviendroit à mettre quelque chose de précis dans une matière, sur laquelle il est si essentiel pour le bonheur de l'humanité, de ne pas se tromper, & qui malheureusement a été jusqu'ici presque arbitraire, & à la diposition du peuple, qui juge moins sur la réalité, que sur les apparences. Il arriveroit de là, que le désir de l'estime de nos semblables, qui nous est si naturel, ne se porteroit que sur des objets réellement capables de nous la mériter. Erostrate ne bruleroit plus le temple d'Ephese, pour arriver à l'immortalité. Les Rois préféreroient l'olivier de la paix, aux lauriers teints du sang de leurs sujets. En un mot, chaque chose seroit à sa place, chaque action auroit son prix déterminé: comme la considération seroit attaché au seul vrai mérite, les hommes ne prendroient que cette voye pour y parvenir; & le scélerat illustre n'usurperoit plus l'estime dûe à la sagesse, aux talens & à la vertu. Tel est le tableau qui nous guideroit dans l'évaluation du mérite extérieur des actions: Il suffiroit pour le commun des hommes qui ne sont pas faits pour pénétrer plus avant, & qui ne peuvent juger des choses, que par l'utilité ou le désavantage qu'elle leur apportent. Mais il en est un autre qui demande plus de profondeur & de connoissance du cœur humain, & qui ne seroit à la portée que des philosophes & des personnes éclairées. Dans celui-ci, on feroit pour un moment abstraction des qualités extérieurs, bonnes ou mauvaises d'une action, & l'on ne considéreroit que le motif qui a porté à la faire. C'est assez pour le peuple, que toutes les actions des Rois & de leurs Ministres tendent au Bien général, & parviennent à le faire: son utilité s'y trouve, & c'est tout ce qu'il peut demander. Mais c'est trop peu pour le philosophe, qui sait, combien le motif qui détermine à une action, peut augmenter, ou diminuer sa valeur intrinsèque. Qu'importe, dira-t'on, que la cause soit mauvaise, si l'effet est bon? J'ai déjà dit, que cela n'importoit pas pour le peuple; & j'ajoûte, qu'il est peut-être bon, qu'il ne connoisse pas toujours à fonds, le motif d'une action qui lui est avantageuse: Il seroit souvent dans le cas de n'en savoir aucun gré à son Auteur; et pour le bien de la société, il est nécessaire qu'il y ait un commerce réciproque de bonnes actions d'une part, d'éloges & de reconnoissance de l'autre. Sauvez votre patrie par un principe de vengeance, d'orgueil, ou de générosité; cela est indifférent pour vos concitoyens qui sont sauvés: Mais cela n'est pas indifférent pour vous, pour votre gloire particulière,

UM MORALISTA NOS TRÓPICOS

pour le témoignage intérieur de votre propre conscience, pour l'Historien qui doit vous faire connoître à la postérité tel que vous avez été, pour moi, qui n'aime point à me tromper, & qui veux voir l'homme tel qu'il est. Ainsi donc, pour former ce tableau philosophique du cœur humain, qui évaluât le mérite de chaque action, par la considération du motif qui l'a fait faire, on commenceroit par établir comme une règle générale, que *l'homme ramène tout à lui-même, & que, quelque action qu'il fasse, bonne ou mauvaise, il ne la fait jamais que pour une satisfaction particulière quelconque.* De ce principe incontestable il s'ensuivroit d'abord, comme on voit, qu'à le prendre à la rigueur, l'homme juste dans toutes ses actions, n'a pas plus de droit de prétendre aux éloges & à la reconnoissance de ses semblables, que l'homme pervers; puisque tous deux agissent pour un intérêt particulier quel qu'il soit: l'on en concluroit encore avec le même fondement, qu'une bonne action, (par rapport à celui qui la fait,) n'a pas plus de mérite qu'une mauvaise. Mais pour ôter à cette vérité, tout ce qu'elle semble avoir d'odieux & de révoltant pour la vanité humaine, on distingueroit, entre faire une bonne ou une mauvaise action en vûe de soi-même; & l'on établiroit, qu'il y a des motifs plus nobles & plus épurés que d'autres, quoiqu'il n'y en ait point de parfaits; que celui-là approche le plus de la perfection, & a plus lieu de s'estimer lui-même, qui évite les mauvaises actions pour faire les bonnes, & qui les fait par le motif le plus noble & le plus désintéressé, dont le cœur de l'homme soit capable. On ne seroit jamais en droit, il est vrai, d'exiger que nos semblables nous tiennent compte d'une action dont le prémier objet est nous-mêmes; mais on pourroit se rendre justice, & s'avouër intérieurment, que si l'on a agi par amour-propre, au moins cet amour propre étoit-il bien placé[xxxiii].[117]

[xxxiii] Se houvesse uma medida precisa à qual se pudessem referir as diversas ações dos homens e fixar o justo grau de estima que elas merecem, haveria poucos verdadeiros heróis no mundo. Seria de desejar que um homem de gênio quisesse darnos, se eu posso me servir deste termo, uma tabela, onde fossem marcados o valor e o mérito de cada ação, como se as têm para avaliar as espécies, e medir o título, ou o grau de pureza dos diversos metais. Se é aos Soberanos que cabe fixar o título destes últimos, a filosofia tem o direito incontestável de determinar o grau de mérito das diversas ações dos Reis e dos Grandes, como as do resto dos homens. Esta tábua seria de uma comodidade e de uma utilidade que é fácil perceber ao primeiro olhar. Ela serviria a guiar os julgamentos do povo, demasiado ignorante

LEITURAS CRUZADAS

para penetrar os verdadeiros motivos de uma ação, segui-la nas suas conseqüências boas ou más, particulares ou gerais, e estimá-la precisamente segundo o que vale. Ela seria uma regra constante e fixa para os Historiadores, os Poetas e os Panegiristas, que não teriam mais a liberdade perigosa de fazer brilhar ou de obscurecer o mérito de uma ação, segundo seus interesses, seus gostos, ou seus preconceitos. Começaríamos por estabelecer por regra ou medida geral, que *as ações dos homens são tão mais dignas de estima, quanto são mais geralmente úteis*. Assim, o Legislador que tira um povo da ignorância e da barbárie, para fazê-lo viver sob Leis amenas, sábias, moderadas, próprias enfim a torná-lo feliz, teria o primeiro lugar entre os benfeitores da humanidade, e por conseqüência na estima dos homens. Após ele viriam os Reis justos e bons. Os ministros equânimes, humanos e generosos que esqueceram seu interesse particular para ocupar-se inteiramente do bem do Estado e da utilidade de seus concidadãos. Viriam em seguida os grandes homens, que fizeram descobertas de todos os gêneros. É assim que nós terminaríamos por introduzir alguma coisa de preciso numa matéria sobre a qual é tão essencial para a felicidade da humanidade não enganar-se, e que infelizmente tem sido até aqui quase arbitrária, e à disposição do povo, que julga menos sobre a realidade, que sobre as aparências. Segue daí que o desejo da estima de nossos semelhantes, que nos é tão natural, não se reportaria senão aos objetos realmente capazes de nos fazê-la merecer. Erostrato não queimaria mais o templo de Éfeso para atingir a imortalidade. Os Reis prefeririam a oliveira da paz aos lauréis tintos do sangue de seus súditos. Em uma palavra, cada coisa estaria no seu lugar, cada ação teria seu preço determinado: como a consideração seria relacionada ao único verdadeiro mérito, os homens não tomariam senão esta via para lá chegar; e o celerado ilustre não usurparia mais a estima devida à sabedoria, aos talentos e à virtude. Tal é o quadro que nos guiaria na avaliação do mérito exterior das ações: seria suficiente para o comum dos homens, que não são feitos para penetrar mais além, e que não podem julgar as coisas, senão pela utilidade ou desvantagem que lhes trazem. Mas há um outro que exige mais profundidade e conhecimento do coração humano, e que não seria alcançável senão pelos filósofos e pessoas esclarecidas. Nele, far-se-ia por um momento abstração das qualidades exteriores, boas ou más de uma ação, e não se consideraria mais que o motivo que levou a fazê-la. É bastante para o povo que todas as ações dos Reis e de seus Ministros tendam ao Bem geral, e venham a consumá-lo: sua utilidade ali se encontra, e é tudo o que se pode exigir. Mas é muito pouco para o filósofo, que sabe quanto o motivo que determina a uma ação pode aumentar ou diminuir seu valor intrínseco. Que importa, dirão, que a causa seja má, se o efeito é bom? Eu já disse que isto não importava para o povo; e acrescento que talvez seja bom que ele não conheça sempre a fundo o motivo de uma ação que lhe é vantajosa: Ele estaria freqüentemente no caso de não dar reconhecimento algum a seu Autor; e, para o bem da sociedade, é necessário que haja um comércio recíproco de boas ações de uma parte, de elogios e de reconhecimento de outro. Salvai vossa pátria por um princípio de vingança, de orgulho, ou de generosidade; isto é indiferente para vossos concidadãos que foram salvos: Mas isto não é indiferente para vós, para vossa glória particular, para o testemunho interior de vossa própria consciência, para o Historiador que deve vos fazer conhecido à posteridade tal qual vós fôreis, para mim, que não amo nem um pouco enganar-me, e que quero ver o homem tal qual ele é. Assim então, para formar esse quadro filosófico do coração humano, que avaliasse o mérito de cada ação, pela consideração do motivo que o fez fazer, começaríamos por esta-

· 143 ·

UM MORALISTA NOS TRÓPICOS

Embora reclame a falsidade do "sistema" do autor do *Leviatã*, Manzon explicita uma idéia fundadora do contrato hobbesiano: o apaziguamento da natureza pela lei, com a submissão ao soberano oferecida em troca da proteção, o sangue sendo substituído pela obediência.

Há um princípio "moderno" na prosa deste editor, que muito nos ajudará a compreender, adiante, o moralismo de Silva Lisboa: a superioridade incontestável da sabedoria filosófica sobre o fazer poético, dos historiadores aos panegiristas. Como se a própria *poiesis* se apagasse diante de um moralismo que se transformava, aos poucos, em investigação científica, agora econômica, logo mais sociológica. De toda maneira, a filosofia deteria o direito incontestável de atribuir o mérito das ações, numa perspectiva já utilitária, não mais descritiva, ou poética.

O moralista se tornava outro, e o próprio texto de La Rochefoucauld, em edições como essas, torna-se "outro", ele mesmo. Se, de acordo com Aristóteles, é aos princípios que devemos atentar, façamos as devidas comparações: a edição "definitiva" de La Rochefoucauld, de 1678, inicia-se com a conhecida epígrafe – *"nos vertus ne sont, le plus souvent, que des vices déguisés"* –, enquanto o filósofo imaginado por Manzon principia *"par établir pour règle ou mésure générale, que les actions des hommes sont d'autant plus dignes d'estime, qu'elles sont plus généralement utiles"*. O moralista mudou, mudaram os princípios e as intenções, antes desmascaradoras, agora simplesmente utilitárias.

---

belecer como uma regra geral que *o homem carreia tudo para ele mesmo, e que qualquer ação que ele faça, boa ou má, ele não a faz jamais senão para uma satisfação particular qualquer.* Deste princípio incontestável, seguir-se-ia inicialmente, como se vê, que, a rigor, o homem justo em todas as suas ações não tem mais direito de aspirar aos elogios e ao reconhecimento de seus semelhantes que o homem perverso; desde que os dois agissem por um interesse particular qualquer que seja: concluiríamos, ainda com o mesmo fundamento, que uma boa ação (em relação àquele que a faz) não possui mais mérito que uma má. Mas, para subtrair esta verdade, tudo o que ela parece ter de odioso e de revoltante para a vaidade humana nós distinguiríamos entre fazer uma boa ou uma má ação em vista de si mesmo; e estabeleceríamos que não há motivos mais nobres e mais puros que outros, porquanto não os haja nunca perfeitos; que aquele se aproxima mais da perfeição, e se faz mais admirável a si mesmo, que evita as más ações para fazer as boas, e que as faz pelo motivo mais nobre e o mais desinteressado de que seja capaz o coração do homem. Não teríamos jamais o direito, é verdade, de exigir que nossos semelhantes nos prestem conta de uma ação cujo primeiro objeto somos nós mesmos; mas poderíamos fazer justiça, e confessar-nos interiormente, que, se agimos por amor-próprio, ao menos este amor-próprio estava bem disposto.

LEITURAS CRUZADAS

Demasiado ignorante para penetrar os motivos das ações, o povo apenas segue o retrato moral, que aponta o devido lugar das coisas, atribuindo-lhes seu verdadeiro preço. Único capaz de sondar as profundezas do coração humano (*"...il en est un autre [tableau] qui demande plus de profondeur & de connoissance du cœur humain"*), o filósofo-moralista poderia, diferentemente do homem do povo, abstrair as exterioridades que tornam boas ou más as ações, para escavar seus reais motivos (*"...on feroit pour un moment abstraction des qualités extérieurs, bonnes ou mauvaises d'une action, & l'on ne considéreroit que le motif qui a porté à la faire"*). Mas é ainda preciso fugir à indiferenciação moral: justificar-se-iam as causas más, em nome dos bons efeitos? (*"Qu'importe, dira-t'on, que la cause soit mauvaise, si l'effet est bon?"*)

Impressiona a mescla de referências, sinalizando talvez esse meio caminho onde se enxerga, ainda, a velha busca dos moralistas jansenistas, a percorrer *"les replis du cœur"*, e o horizonte utilitário que se anunciava, deixando que a intenção das ações se escondesse por trás dos simples resultados, obsedantes para o novo moralista, transmutado em economista.

A indiferenciação moral, como horizonte de transmutação, não seria atingida, entretanto, por Manzon. É até bom, na sua perspectiva, que o povo não conheça os motivos de cada uma das ações de seus governantes, mas a dimensão moral, que recusa a ação desviante, faz-se ainda presente para o editor de La Rochefoucauld: *"mais cela n'est pas indifférent pour vous, pour votre gloire particulière, pour le témoignage intérieur de votre propre conscience, pour l'Historien qui doit vous faire connoître à la postérité tel que vous avez été, pour moi, qui n'aime point à me tromper, & qui veux voir l'homme tel qu'il est"*.

Eis o moralista, jogado entre a desilusão, o falseamento das virtudes, e o abandonar-se às mãos (invisíveis) da Providência. Manzon é talvez vítima deste dilema que se apresenta a todo aquele que ousa enfrentar os extremos do utilitarismo (*"...l'homme juste dans toutes ses actions, n'a pas plus de droit de prétendre aux éloges & à la reconnoissance de ses semblables, que l'homme pervers; puisque tous deux agissent pour un intérêt particulier quel qu'il soit"*), e se vê obrigado a recuar, voltando à demarcação dos limites perdidos (*"...pour ôter à cette vérité, tout ce qu'elle semble avoir d'odieux & de révoltant pour la vanité humaine, on distingueroit, entre faire une bonne ou une mauvaise action en vûë de soi-même [...]. On ne seroit jamais en droit, il est vrai, d'exiger que nos semblables nous tiennent compte d'une action dont le prémier objet*

· 145 ·

UM MORALISTA NOS TRÓPICOS

est nous-mêmes; mais on pourroit se rendre justice, & s'avouër intérieurment, que si l'on a agi par amour-propre, au moins cet amour propre étoit bien placé").

O editor avançou, aproximando-se do utilitarismo "moderno", mas em seguida recuou, escorando-se novamente nas traves do utilitarismo "agostiniano" (*"...l'on établiroit, qu'il y a des motifs plus nobles & plus épurés que d'autres, quoiqu'il n'y en ait point de parfaits; que celui-là approche le plus de la perfection, & a plus lieu de s'estimer lui-même, qui évite les mauvaises actions pour faire les bonnes, & qui les fait par le motif le plus noble & le plus désintéressé, dont le cœur de l'homme soit capable"*). Uma vez mais, tratava-se de constatar a distância infinita que nos separa da beleza e da virtude perdidas, ou, diferentemente, tratava-se apenas de descansar o espírito, deixando que a máquina da sociedade funcionasse, ostentando a beleza e a virtude finalmente reencontradas.

• • •

No último quartel do século das Luzes, um zelo editorial começa a despontar, como vimos nas preocupações de Fortia d'Urban, que utiliza, como base para seu texto, a edição de Gabriel Brotier, de 1789.

Nela, o abade Brotier trazia a público as máximas de La Rochefoucauld, recuperando aquelas que se perderam, depois de décadas de maus-tratos, entregues que ficaram a editores menos conscientes. Reproduzo um trecho do prefácio:

Depuis près d'un siècle, on n'a point d'éditions exactes des Maximes du Duc de la Rochefoucault [sic]; & jamais livre n'a été aussi maltraité par les Éditeurs. Les uns, sous le vain prétexte d'un rapprochement commode, ont fait de cet excellent Ouvrage un Dictionnaire triste et ennuyeux de morale, qu'ils ont surchargé des Pensées de Madame de la Sablière, avec de longs & inutiles Commentaires. Ces éditions, qui dégoûteroient du meilleur des livres, sont répandues dans les Cabinets, dans les Bibliothèques & dans tout le Royaume. A peine y connoît-on le vrai la Rochefoucault. D'autres ont porté plus haut leurs prétentions; ils ont cité les Maximes de la Rochefoucault à leur tribunal; ils les ont jugées: plusieurs ont été expulsées, & leur place a été occupée par celles que le Duc de la Rochefoucault avoit lui-même rejettées. Pour donner du poids à un jugement si étrange, et si contraire à toutes les loix [sic], on a fait paroître

• 146 •

LEITURAS CRUZADAS

les nouvelles éditions avec tout le luxe de la typographie. Ce désordre a commencé en 1778 [...][xxxiv].[118]

Brotier refere-se à edição de Suard, de 1778, cujo *"Avertissement de l'Éditeur"* continha críticas muito semelhantes àquelas esgrimidas pelo abade, contra os antigos editores:

Les Réflexions morales *de M. le Duc de la Rochefoucauld ont été imprimées pour la première fois en 1665. On en a fait en dix ans cinq éditions successives, avec des additions & des changemens considérables, dirigés par l'Auteur même. Depuis ce temps les éditions s'en sont fort multipliées; mais jamais ouvrage n'a été plus maltraité par ses Éditeurs. Ils ont défiguré le texte par des négligences typographiques de tous les genres; ils ont interverti l'ordre que l'Auteur avoit donné aux pensées, sous prétexte d'y en mettre un dont la nature de l'ouvrage n'est pas susceptible; ils ont joint, on ne sait pourquoi, aux Maximes morales de M. de la Rochefoucauld, des maximes chrétiennes de Madame de la Sabliere [sic]; ils ont noyé les unes & les autres dans une foule de notes inutiles, pour la plupart puériles & quelquefois ridicules. C'est sur le manuscrit original de M. de la Rochefoucauld & sur des exemplaires des premières éditions, corrigés de sa propre main, qu'on a fait cette nouvelle édition. On a restitué un grand nombre de pensées omises ou ignorées par les éditeurs précédens; on a rétabli l'ordre que l'Auteur avoit jugé à propos de leur donner, & l'on a suppléé au défaut de liaison qui s'y trouve par une table exacte & commode. On a corrigé le texte en un grand nombre d'endroits; on l'a purgé de toutes les superfluités dont il avoit été surchargé par le zèle des Commentateurs & l'avidité des Libraires. Enfin on n'a rien négligé pour rendre cette*

---

xxxiv Desde quase um século, não se tem nenhuma edição exata das Máximas do Duque de la Rochefoucault; e jamais livro foi tão maltratado pelos Editores. Uns, sob o vão pretexto de uma associação cômoda, fizeram desta excelente Obra um Dicionário triste e aborrecido de moral, que eles sobrecarregaram de Pensamentos de Madame de la Sablière, com longos e inúteis Comentários. Essas edições, que tornariam repugnante o melhor dos livros, estão distribuídas pelos Gabinetes, pelas Bibliotecas e por todo o Reino. A custo lá reconhecemos o verdadeiro la Rochefoucault. Outros levaram mais longe suas pretensões; eles citaram as Máximas de la Rochefoucault em seu tribunal; eles as julgaram: diversas foram expulsas, e seu lugar foi ocupado por aquelas que o Duque de la Rochefoucault havia ele mesmo rejeitado. Para dar peso a um julgamento tão estranho, e tão contrário a todas as leis, fez-se aparecer as novas edições com todo o luxo da tipografia. Esta desordem começou em 1778.

· 147 ·

UM MORALISTA NOS TRÓPICOS

édition plus complète, plus correcte, plus digne de la célébrité de l'ouvrage & de l'attention du Public[xxxv].[119]

A sobrecarga de comentários inúteis, a inversão da ordem original, os descuidos de variado tipo, nada escapava aos novos editores. Sabemos, porém, que seria necessário esperar a edição de Gilbert, no século XIX, ou as edições mais recentes do século XX, para que, finalmente, se esclarecessem as questões da ordem e da autenticidade das máximas.

O texto de La Rochefoucauld sendo utilizado no "tribunal" dos editores, segundo a imagem de Brotier, sugere a complexidade da recepção das máximas em edições como as que vamos analisando. O abade, aliás, ainda que o guiasse um agudo senso de objetividade na recomposição dos fragmentos, transformou sua pesquisa, cujo resultado seria a edição de 1789, numa trajetória de valor pessoal, pois a busca das máximas muitas vezes se pautara pela lembrança juvenil de um aforismo que ele conhecera, e que via subtraído em muitas das edições contemporâneas, obrigando-se então a reencontrá-lo. No trabalho de colagem de cacos, o novo editor saía vitorioso, compreendendo, ao fim, o grau de perfeição da escrita fragmentária do moralista: "*je vois alors l'origine et la suite des pensées du duc de la Rochefoucault, je saisis son esprit, je suis ses traces, et je découvre par*

[xxxv] As *Reflexões morais* do Senhor Duque de la Rochefoucauld foram impressas pela primeira vez em 1665. Fez-se delas em dez anos cinco edições sucessivas, com adições e mudanças consideráveis, dirigidas pelo próprio Autor. Desde então as edições se multiplicaram; mas jamais obra foi tão maltratada por seus editores. Eles desfiguraram o texto por negligências tipográficas de todos os gêneros; inverteram a ordem que o Autor dera aos pensamentos, sob pretexto de estabelecer uma de que a natureza da obra não é suscetível; eles juntaram, não se sabe por quê, às Máximas morais do Senhor de la Rochefoucauld, máximas cristãs de Madame de la Sablière; eles mergulharam umas e outras numa massa de notas inúteis, por sua maior parte pueris e não raro ridículas. É sobre esse manuscrito original do Senhor de la Rochefoucauld e sobre exemplares das primeiras edições, corrigidas de seu próprio punho, que fizemos esta nova edição. Restituímos um grande número de pensamentos omitidos ou ignorados pelos editores precedentes; restabelecemos a ordem que o Autor havia julgado próprio dar-lhes, e suplantamos o defeito de ligação que ali se encontra por uma tábua exata e cômoda. Corrigimos o texto em um grande número de locais; purgamo-lo de todas as superfluidades de que ele havia sido sobrecarregado pelo zelo dos Comentadores e avidez dos Livreiros. Enfim, não negligenciamos nada para tornar esta edição mais completa, mais correta, mais digna da celebridade da obra e da atenção do Público.

quelles voies il est arrivé à ce haut point de perfection où il s'est élevé, et où personne ne s'est élevé après lui" ("eu vejo então a origem e a seqüência dos pensamentos do duque de la Rochefoucault, eu capto seu espírito, sigo seus traços, e descubro por que vias ele atingiu este alto ponto de perfeição a que se elevou, e aonde ninguém chegou depois dele")[120].

O cuidado de Brotier não impediria, contudo, que o editor, no *"Avertissement"* daquela edição, usasse o texto reorganizado de La Rochefoucauld como peça de acusação em seu próprio tribunal, sem dúvida nas mesmas barras diante das quais o abade gostaria de defender-se, em tempos tão turbulentos. Transgredida a ordem social em Paris, as máximas viriam esclarecer o mundo enganoso das paixões humanas e, quiçá, acalmar os espíritos sediciosos:

> [...] quel ouvrage mérita plus d'être recherché? Dans un moment où tous les esprits s'agitent, où toutes les passions se développent et se heurtent, il est essentiel de remonter à la source des actions des hommes: on y voit combien peu, de ceux sur-tout qui briguent le plus les suffrages publics, méritent la confiance de leurs concitoyens; combien peu méritent encore moins le dévouement du zele & de l'amitié. Cette étude des ressorts qui les font agir, est plus propre qu'aucune autre à calmer les esprits, et à éloigner de ces partis et de ces factions qui finissent par le désordre et le bouleversement des familles & des états[xxxvi].[121]

A utilização dos aforismos pode prestar-se a inúmeros objetivos. Neste caso, o desvendamento da falsidade das virtudes humanas poderia desmascarar a virtude revolucionária, logo mais republicana.

Em sentido diverso, a edição de 1794, de Delisle de Sales, publicada em Paris, tomaria como base a luxuosa edição de 1778, ocultando porém o nome de Suard:

[xxxvi] ...qual obra mereceu mais ser pesquisada? Num momento em que todos os espíritos se agitam, em que todas as paixões se desenvolvem e se batem, é essencial remontar à fonte das ações dos homens: aí se vê quão poucos, destes sobretudo que mais manobram os sufrágios públicos, merecem a confiança de seus concidadãos; quão poucos ainda menos merecem o devotamento do zelo e da amizade. Este estudo das forças que os fazem agir é mais próprio que qualquer outro para acalmar os espíritos, e distanciar desses partidos e dessas facções que terminam pela desordem e pela comoção das famílias e dos estados.

UM MORALISTA NOS TRÓPICOS

> On ne verra point ici la notice sur la personne de l'auteur, qui est à la tête de cette belle édition: d'abord, parce que le ton qui y règne est un peu en dissonance, avec celui que les Sages de la Révolution Française semblent avoir adopté: ensuite parce que ce morceau, tout bien écrit qu'il est, n'offre rien que de vague et d'indéterminé; le panégyriste s'y est moins attaché à nous faire connaître le caractère original de l'amant de la Duchesse de Longueville, qu'à faire de l'esprit de la Rochefoucauld[xxxvii].[122]

Omitia-se o nome do autor da "Notice" (cuja versão mais recente seria utilizada por Cairu, anos depois, na *Constituição moral, e deveres do cidadão*), então amargando o exílio, de onde retornaria apenas após o 18 Brumário. Suard sofria, entretanto, o banimento também de seu nome, na edição organizada por Delisle de Sales, ainda no calor da Revolução.

Como os demais editores, o organizador de 1794 precavia-se contra as *"éditions parasites"* que o precederam. E, como seu antecessor Brotier e o sucessor Fortia d'Urban, julgava ser chegada a hora de uma edição definitiva, capaz de resgatar o espírito do autor, mantendo-a à altura de seu gênio:

> Aucune des éditions, qui ont paru depuis 1665 jusqu'en 1778, n'a rempli l'attente de l'homme de gout. Tantôt on assujetissait le livre à un ordre bizarre, qui n'était ni dans le manuscrit original, ni dans la logique naturelle; tantôt on le chargeait de notes scientifiques, comme si un ouvrage, dont le grand mérite consistait à être simple et à parler au cœur de tous les hommes, était un tissu d'énigmes pour l'intelligence, que la sagacité d'un Œdipe fut obligée d'expliquer[xxxviii].[123]

[xxxvii] Não veremos de forma alguma aqui a nota sobre a pessoa do autor, que encabeça esta bela edição: primeiro, porque o tom que ali impera está um pouco em dissonância com aquele que os Sábios da Revolução Francesa parecem ter adotado: em seguida porque este extrato, bem escrito que seja, não oferece senão algo de vago e indeterminado; o panegirista ali está menos comprometido a nos fazer conhecer o caráter original do amante da Duquesa de Longueville, que a exibir seu engenho com La Rochefoucauld.

[xxxviii] Nenhuma das edições que apareceram desde 1665 até 1778 preencheu a expectativa do homem de bom gosto. Ora se sujeitou o livro a uma ordem bizarra, que não estava sequer no manuscrito original, nem na lógica natural; ora se o carregou de notas científicas, como se uma obra cujo grande mérito consistia em ser simples e em falar ao coração de todos os homens fosse um tecido de enigmas para a inteligência, que a sagacidade de um Édipo fosse obrigada a explicar.

• 150 •

LEITURAS CRUZADAS

O zelo com a configuração original das máximas não o impediria de, uma vez detectada a ausência de uma ordem *"philosophique"*, aditar-lhes um suplemento, no segundo volume da edição, nomeado *"Esprit des Maximes"*: uma espécie de tábua de matérias, contendo porém as próprias máximas, ou parte delas, e não apenas sua numeração, oferecendo, portanto, um fio de Ariadne a quem pretendesse adentrar o "labirinto inextricável" de La Rochefoucauld[124].

As máximas se dividem em dois volumes, e vários são os anexos, contendo desde uma notícia encomiástica do infortunado François X, último duque de la Rochefoucauld, até o recolho de máximas políticas que ele organizara, precedido por extratos de vários filósofos, do século XVIII e de antes. Curioso é que o espírito das sentenças recolhidas pelo descendente do moralista em nada se casa às máximas originais[125].

Embora a data seja a mesma, no frontispício de ambos os tomos (ano terceiro da República), dezoito meses separam a publicação do primeiro e do segundo volumes. Neste ínterim, sossegaram-se os ânimos, e vemos os editores escrevendo, ao que tudo indica, sob o Diretório. No segundo volume, completava-se a edição das máximas, enquanto o retorno à ordem ia aliviando os espíritos:

> Près de dix-huit mois se sont écoulés, entre l'impression du premier, et du second volume de cet ouvrage: dans cet intervalle la tyrannie Révolutionnaire excerçait son activité sur tous les points de la surface de la France: cent mille Caligulas Plebeyens machinaient dans l'ombre, le moyen d'abattre d'un seul coup les têtes de vingt-cinq millions d'hommes; et le Sage sans énergie, n'aspirait qu'a la gloire inutile de sçavoir mourir. Alors les arts n'éxistaient plus que dans quelques monuments muets de notre ancienne gloire, qu'une nuée de Vandales tentait, par civisme, d'aneántir. Alors la pensée captive se laissait mutiler par les Eunuques tout puissants, qui s'indignaient de ce que nous avions eu un siècle de Louis XIV. Alors la Patrie était un nom, et la souveraineté nationale un vain phantôme. Bénissons nos législateurs, de ce que le règne de nos Phalaris n'est plus: de ce que la pilosophie cesse de marcher couverte d'un crêpe funèbre: de ce que l'homme de bien peut espérer de s'endormir en paix dans la tombe de ses pères. Le disciple de Socrate reprend sans danger sa plume: on peut imprimer inpunément [sic] tout ce qui ne porte point l'empreinte d'un esprit perturbateur, et le philosophe vertu-

· 151 ·

UM MORALISTA NOS TRÓPICOS

eux n'expiera plus dans l'horreur d'un cachot, le délit d'avoir été l'éditeur de Platon, de Montagne ou de la Rochefoucauld[xxxix].[126]

Passada a tormenta revolucionária, o século de Luís XIV podia voltar a brilhar, e com ele as Letras francesas. Mas o La Rochefoucauld emerso deste quadro violento não seria o mesmo, ao menos não na edição de Delisle de Sales. Ainda no primeiro volume, no *"Essai sur l'auteur des Maximes"*, podemos flagrar um duque a decidir-se pela Fronda não apenas por conta dos sortilégios de Mme. de Longueville, que ele amara, mas também pelo *"civisme du Philosophe"*, capaz de despertar sua *"ame citoyenne"*[127].

Seguindo o retrato de Suard, o autor do ensaio sobre La Rochefoucauld nota que a educação do duque fora pouco cultivada, mas atribui o fato a

[...] qu'on n'avait pas encore tout-à-fait secoué le préjugé des ages de la Chevalerie; que la naissance supplée aux lumières, et qu'un trône est perdu, si celui qui l'occupe cesse d'être le Roi des Gentils-hommes, pour devenir le Roi des Philosophes[xl].

Rei dos *philosophes*, numa gloriosa República, entretanto:

[xxxix] Perto de dezoito meses se passaram, entre a impressão do primeiro e do segundo volume desta obra: neste intervalo a tirania Revolucionária exercia sua atividade sobre todos os pontos da superfície da França: cem mil Calígulas Plebeus maquinavam na sombra o meio de abater de um só golpe as cabeças de vinte e cinco milhões de homens; e o Sábio sem energia não aspirava senão à glória inútil de saber morrer. Então as artes não existiam mais senão em alguns monumentos mudos de nossa antiga glória, que uma nuvem de Vândalos tentava, por civismo, aniquilar. Então o pensamento cativo se deixava mutilar pelos Eunucos todo-poderosos, que se indignavam que tivéssemos tido um século de Luís XIV. Então a Pátria era um nome e a soberania nacional um vão fantasma. Abençoemos nossos legisladores, que este reino de nossos Falaris não é mais: que a filosofia cessa de andar coberta por um manto mortuário: que o homem de bem pode esperar descansar em paz na tumba de seus pais. O discípulo de Sócrates retoma sem perigo sua pluma: pode-se imprimir impunemente tudo o que não porta nenhuma marca de um espírito perturbador, e o filósofo virtuoso não expiará mais no horror de uma célula o delito de haver sido o editor de Platão, de Montagne ou de La Rochefoucauld.
[xl] ...que não se havia ainda completamente batido o preconceito das eras da Cavalaria; que o nascimento completa as luzes, e que um trono é perdido, se aquele que o ocupa deixa de ser o Rei dos Gentis-homens, para tornar-se o Rei dos Filósofos.

· 152 ·

LEITURAS CRUZADAS

[...] affranchi des liens qui le tenaient enchaîné à la Fronde et à l'hôtel de Longueville, [il] n'aspira plus qu'à la gloire Républicaine des Lettres. Il se forma une espéce de Lycée, où il n'admit, en société intime, que des morts illustres, tels que Plutarque, Tacite et Montagne: il descendit dans son propre cœur, pour y étudier l'homme de tous les siècles[xli].[128]

Imagem gloriosa do sábio moralista, associada à sondagem profunda do coração, iluminada pela filosofia de todos os tempos. As máximas surgem, então, como um precioso código moral, a abrir caminho para que outros filósofos escavassem os sentidos do amor-próprio, a fim de descobri-lo como móbil da vida em sociedade – constatação insofismável, "verdade-mãe" de La Rochefoucauld e Helvétius:

A la tête des productions philosophiques, dont ce petit Code de morale a été le germe, il faut mettre les écrits justement célèbrés d'Helvétius. [...] Les deux Sages ont eu tort, sans doute, de présenter cette vérité-mère, dans toute sa nudité philosophique: de ne pas pressentir que le vulgaire, parmi les penseurs mêmes, en abuserait pour flétrir jusqu'à la vertu. Mais ils croyaient tous deux que l'exemple de leur vie déposerait contre le danger de leur théorie: tous deux furent bons pères, tendres époux, amis sublimes, tous deux, en resserrant les nœuds sacrés de la nature, prouvèrent qu'ils ne voulurent jamais relâcher ceux de l'ordre social[xlii].[129]

Igualados pela coragem, os dois "filósofos" não previram a repercussão de sua teoria: o amor-próprio, desnudado filosoficamente, ensejaria uma interpretação vulgar, capaz de conspurcar a virtude, não fora o exemplo de suas vidas pessoais.

[xli] ...liberado dos laços que o mantinham ligado à Fronda e ao hotel de Longueville, ele não aspirou senão à glória Republicana das Letras. Formou-se uma espécie de Liceu, onde ele não admitiu, em íntima sociedade, mais que mortos ilustres, tais como Plutarco, Tácito e Montagne: ele desceu a seu próprio coração, para ali estudar o homem de todos os séculos.

[xlii] À testa das produções filosóficas, de que este pequeno Código de moral foi o germe, é preciso colocar os escritos justamente célebres de Helvétius. Os dois Sábios não tiveram razão, sem dúvida, de apresentar esta verdade-mãe, em toda a sua nudez filosófica: por não pressentir que o vulgo, entre os pensadores mesmos, dela abusaria para manchar até a virtude. Mas ambos acreditavam que o exemplo de suas vidas deporia contra o perigo de sua teoria: ambos foram bons pais, ternos esposos, amigos sublimes, os dois, cerrando os nós sagrados da natureza, provaram que não pretenderam jamais relaxar os da ordem social.

· 153 ·

UM MORALISTA NOS TRÓPICOS

À parte a identificação dos dois autores, de resto tão diferentes, chama a atenção este *exemplo* que, sabemos, inspirou a La Rochefoucauld a mais profunda desconfiança. Máxima 230: *"rien n'est si contagieux que l'exemple, et nous ne faisons jamais de grands biens ni de grands maux qui n'en produisent de semblables. Nous imitons les bonnes actions par émulation, et les mauvaises par la malignité de notre nature que la honte retenait prisonnière, et que l'exemple met en liberté"* ("nada é mais contagioso que o exemplo, e não fazemos grandes bens e grandes males que não produzam similares. Imitamos as boas ações por emulação e as más por natural maldade, que a vergonha refreava e o exemplo põe em liberdade")[130].

Os tradicionais *exempla*, tão importantes no catecismo de Cairu, vão por água abaixo quando se os esvazia de sua única bondade, para apresentá-los como bons ou maus conforme deixemos falar a simples emulação ou ainda a "malignidade de nossa natureza" – expressão pertencente ao vocabulário religioso do jansenismo, como nos lembra Jacques Truchet[131].

Bons pais, ternos esposos e amigos sublimes: não se trata apenas de uma imagem idílica. Interessa ao organizador das máximas, escrevendo num momento em que o tecido social se vira esgarçado pela Revolução, identificar os laços sagrados da natureza – pai, esposo, amigo – aos laços que mantêm a coesão da coletividade, isto é, a "ordem social" em que teimam acreditar tantos dos leitores de La Rochefoucauld.

• • •

O acolhimento das máximas e o reconhecimento da força do amor-próprio, bem como o horizonte ilimitado aberto por ele (máxima 3: *"quelque découverte que l'on ait faite dans le pays de l'amour-propre, il y reste encore bien des terres inconnues"* ["por mais descobertas que se façam no país do amor-próprio, há sempre terras por conhecer"][132]), podem dar o tom a interpretações positivas, ensejando leituras várias no século XVIII. De outro lado, porém, o travo amargo dos jansenistas seria amiúde percebido, tornando-se motivo de repulsa.

Em meados do século, Saint-Lambert, no artigo *"Intérêt"* da *Encyclopédie*, já lembrava que a paixão da ordem e da justiça, conquanto tenha sua fonte no amor-próprio, é a primeira virtude e o verdadeiro heroísmo dos homens:

• 154 •

LEITURAS CRUZADAS

Voilà des vérités qui ne devraient être que triviales et jamais contestées; mais une classe d'hommes du dernier siècle a voulu faire de l'amour-propre un principe toujours vicieux; c'est en partant d'après cette idée que *Nicole* a fait vingt volumes de morale, qui ne sont qu'un assemblage de sophismes méthodiquement arrangés et lourdement écrits. Pascal même, le grand Pascal, a voulu regarder en nous comme une imperfection ce sentiment de l'amour de nous-mêmes que Dieu nous a donné, et qui est le mobile éternel de notre être. M. de La Rochefoucauld qui s'éxprimait avec précision et avec grâce, a écrit presque dans le même style que Pascal et Nicole; il ne reconnaît plus de vertus en nous, parce que l'amour-propre est le principe de nos actions. Quand on n'a aucun *intérêt* de faire les hommes vicieux; quand on n'aime que les ouvrages qui renferment des idées précises, on ne peut lire son livre sans être blessé de l'abus presque continuel qu'il fait des mots *amour-propre, orgueil, intérêt*, etc. Ce livre a eu beaucoup de succès, malgré ce défaut et ses contradictions; parce que ses maximes sont souvent vraies dans un sens; parce que l'abus des mots n'a été aperçu que par fort peu de gens; parce qu'enfin le livre était en maximes; c'est la folie des moralistes de géneraliser leurs idées, de faire des maximes. Le public aime les maximes, parce qu'elles satisfont la paresse et la présomption; elles sont souvent le langage des charlatans répeté par les dupes. Ce livre de M. de La Rochefoucauld, celui de Pascal, qui étaient entre les mains de tout le monde, ont insensiblement accoutumé le public français à prendre toujours le mot *d'amour-propre* en mauvaise part; et il n'y a pas longtemps qu'un petit nombre d'hommes commence à n'y plus attacher nécessairement les idées de vice, d'orgueil, etc[xliii].[133]

[xliii] Eis aqui verdades que não deveriam ser mais que triviais e jamais contestadas; mas uma classe de homens do último século pretendeu fazer do amor-próprio um princípio sempre vicioso; é partindo dessa idéia que Nicole fez vinte volumes de moral, que não são mais que uma junção de sofismas metodicamente arranjados e pesadamente escritos. Pascal mesmo, o grande Pascal, pretendeu ver em nós como uma imperfeição esse sentimento do amor por nós mesmos que Deus nos deu, e que é o móbil eterno de nosso ser. O senhor de La Rochefoucauld, que se exprimia com precisão e graça, escreveu quase no mesmo estilo que Pascal e Nicole: ele não reconhece mais virtudes em nós, porque o amor-próprio é o princípio de nossas ações. Quando não temos nenhum interesse em tornar os homens viciosos; quando não amamos senão as obras que contêm idéias precisas, não podemos ler seu livro sem sermos feridos pelo abuso quase contínuo que ele faz das palavras *amor-próprio, orgulho, interesse*, etc. Esse livro teve bastante sucesso, mal-

UM MORALISTA NOS TRÓPICOS

Na batalha contra o século XVII, as palavras são as peças de artilharia. As críticas recaem sobre a sofisticação do pesado discurso de Nicole e sobre a forma de máximas escolhida por La Rochefoucauld, a aproximá-lo dos charlatães. Os leitores são loucos por máximas porque são presunçosos ou preguiçosos. Mas o abuso maior foi mesmo com as palavras: "amor-próprio" e "interesse" foram tomadas em acepções condenáveis, na ótica de Saint-Lambert, que reconhece o esforço de alguns de seus contemporâneos por purgar o vocábulo de seus sentidos equívocos, o que quer dizer, especificamente, desligar o "amor-próprio" do "vício" e do "orgulho", abrindo sendas novas para o pensamento.

A máxima de número 3 também sugeria a abertura contínua de novas trilhas, no país do amor-próprio, mas parece que suas terras ilimitadas se encerravam no círculo condenatório característico do jansenismo, respirado por La Rochefoucauld. As queixas expressas na *Encyclopédie* vão contra os inimigos do amor-próprio, e o novo horizonte se abre como possibilidade de resgate e legitimação desta força que nos mantém vivos.

Recuperando o amor-próprio, por meio de seu reenquadramento semântico, Saint-Lambert ajudava a promover a expatriação do vocábulo de seu ambiente original, onde sabia ainda ao pessimismo jansenista, para integrá-lo num novo país, onde "amor-próprio" não é mais sinônimo de "vício" ou "orgulho", mas será revalorizado como "móbil eterno do nosso ser".

Sabemos que o reconhecimento e a recusa do "sistema do amor-próprio" foram temas candentes no século XVIII, mas não apenas a reabilitação da palavra ou do conceito estava em mira. Houve também as simples reações, mais ou menos brutais, sem que o amor-próprio devesse, necessariamente, ser recuperado e reinvestido de virtuosidade. As querelas en-

---

grado esse defeito e suas contradições; porque suas máximas são freqüentemente verdadeiras em um sentido; porque o abuso das palavras não foi percebido senão por bem pouca gente; porque enfim o livro era feito em máximas; é a loucura dos moralistas generalizar suas idéias, fazer máximas. O público ama as máximas porque elas satisfazem a preguiça e a presunção; elas são freqüentemente a linguagem dos charlatões repetida pelos ingênuos. Esse livro do senhor de La Rochefoucauld, aquele de Pascal, que estavam entre as mãos de todo o mundo, insensivelmente acostumaram o público francês a tomar sempre a palavra *amor-próprio* em mau partido; e não há muito tempo que um pequeno número de homens começa a não associar-lhe necessariamente as idéias de vício, orgulho, etc.

· 156 ·

tre jesuítas e jansenistas, que já tivemos a oportunidade de lembrar, gravitavam em torno do tema do livre-arbítrio, mas o elemento político em pauta era a missão que ambas as correntes podiam atribuir-se diante do profano. Que fazer no mundo do século? A pergunta não excluía a conceituação do amor-próprio, pois as paixões naturais eram, no limite, condenáveis para os jansenistas, embora se reconhecesse sua importância no mundo secular. Para os membros da Companhia, ao contrário, as sementes da virtude poderiam encontrar-se também neste mundo, e o maravilhamento diante do continente intocado, plenamente natural, é talvez o traço sublime de uma imagem missionária fixada ao longo dos séculos, e era a virtude cristã que se levaria aos povos ainda ignorantes da Palavra divina, mas inocentes, como fomos todos, no passado edênico[134].

Quando os últimos *Messieurs* de Port-Royal já eram mortos, mas muito antes que os jansenistas se tornassem personagens importantes no jogo político do século XVIII, e bem antes também do advento da *Encyclopédie*, o "sistema do amor-próprio", deslindado por La Rochefoucauld, recebia o tratamento poético de Houdar de la Motte que, nos primeiros anos do Setecentos, compunha sua *"Ode sur l'Amour-propre"*. A reação jesuítica não tardaria, contudo. Jean Deprun relata que os padres de Trévoux, preocupados em defender a causa das virtudes naturais, assim respondiam, em abril de 1709, à poesia de La Motte:

> Encore un mot de l'Ode sur l'amour-propre. Le système de l'amour-propre dominant doit sa vogue à M.l.D.d.l.r. [*le duc de la Rochefoucauld*], auteur des *Réflexions morales* si estimées. Il lui est arrivé ce qui arrive ordinairement aux inventeurs des systèmes de physique et de médecine, qui tombent dans le faux parce qu'ils veulent tout réduire à un seul principe. L'homme est étrangement corrompu; l'amour-propre, l'intérêt sont le mobile de la plupart de ses actions, il faut en convenir. Mais faut-il convenir que toutes les semences des vertus naturelles aient été détruites par une corruption générale, et que sans la grâce on ne fasse que changer de vice? L'expérience y répugne[xliv].[135]

[xliv] Ainda uma palavra sobre a Ode do amor-próprio. O sistema do amor-próprio dominante deve sua voga ao senhor duque de la Rochefoucauld, autor das *Reflexões morais* tão estimadas. Aconteceu-lhe o que acontece ordinariamente aos inventores dos sistemas de física e de medicina, que resvalam para o falso porque querem tudo reduzir a um só princípio. O homem é estranhamente corrompido;

UM MORALISTA NOS TRÓPICOS

Sem dúvida, a experiência jesuítica tornava repugnante a idéia de uma corrupção geral. Assim explica-se a reação dos padres de Trévoux, confiantes nas sementes cultivadas há tanto tempo pela Companhia, infensas à corrupção generalizada a que a Europa assistia. Torna-se mais clara, então, a diferença em relação a uma perspectiva estritamente jansenista como a de Louis Racine, que escrevia na primeira metade do século XVIII, como nos lembra, uma vez mais, Jean Deprun[136].

Vauvenargues, também no início do Setecentos, compartilharia, com os padres jesuítas, a repugnância diante do texto seiscentista, como esclarece a abertura de sua *Critique de quelques maximes du Duc de La Rochefoucauld*:

> La répugnance que j'ai toujours eue pour les principes que l'on attribue au Duc de La Rochefoucauld, m'a engagé à discuter quelques-unes de ses *Maximes*. Ce sont les erreurs des hommes illustres qu'il importe le plus de réfuter, leur réputation leur donnant de l'autorité, et les grâces de leurs écrits les rendant plus propres à séduire... Quelles qu'aient été ses intentions, l'effet m'en paraît pernicieux; son livre, rempli d'inventives délicates contre l'hypocrisie, détourne, encore aujourd'hui, les hommes de la vertu, en leur persuadant qu'il n'y en a point de véritable[xlv].[137]

Oscilando entre os extremos da delicadeza e da virulência, o moralista provençal separava, em todo caso, as intenções do autor e os resultados presumíveis da leitura. O efeito de suas máximas seria pernicioso: ei-nos tocando novamente o terreno nosológico, embora a imagem da droga não tenha sido utilizada. Mas a terapêutica, que podemos pressentir nas palavras de Vauvenargues, aponta somente para os efeitos do veneno, não mais para a consciência do apologista.

---

o amor-próprio, o interesse são o móbil da maior parte de suas ações, é preciso convir. Mas é preciso convir que todas as sementes das virtudes naturais tenham sido destruídas por uma corrupção geral, e que sem a graça não façam mais que mudar de vício? A experiência o repugna.

[xlv] A repugnância que eu sempre tive pelos princípios que se atribuem ao Duque de La Rochefoucauld me obrigou a discutir algumas de suas *Máximas*. São os erros dos homens ilustres que importa mais refutar, sua reputação lhes garantindo autoridade, e as graças de seus escritos os tornando próprios para seduzir... Quaisquer tenham sido suas intenções, o efeito me parece pernicioso; seu livro, repleto de inventivas delicadas contra a hipocrisia, desvia, ainda hoje em dia, os homens da virtude, persuadindo-os de que não as há nunca verdadeiras.

LEITURAS CRUZADAS

As reações se dão em sentidos diversos, conforme vamos acompanhando a presença das máximas no século das Luzes. Em meio à variedade e à complexidade dos posicionamentos de filósofos e moralistas, editores ou simples leitores, podemos porventura reconhecer certas atitudes comuns diante do amor-próprio e do mais célebre de seus retratos, legado pelo século anterior. É mesmo possível imaginá-los, aos filósofos deste tempo e de antes, como se estivessem numa imensa batalha, divididos em duas grandes frentes:

> Il y a deux classes de Moralistes et de Politiques: ceux qui n'ont vu la nature humaine que du côté odieux ou ridicule, et c'est le plus grand nombre: Lucien, Montaigne, La Bruyère, La Rochefoucauld, Swift, Mandeville, Helvétius, etc. Ceux qui ne l'ont vue que du beau côté et dans ses perfections; tels sont Shaftesbury et quelques autres. Les premiers ne connaissent pas le palais dont ils n'ont vu que les latrines. Les seconds sont des enthousiastes qui détournent leurs yeux loin de ce qui les offense, et qui n'en existe pas moins. *Est in medio verum*[xlvi].[138]

Chamfort, o autor de máximas odiado por Nietzsche, apostava, já na segunda metade do século XVIII, na mediocridade louvada pelos clássicos, aqui transportada para a análise moral. Diante do homem, os políticos e moralistas se dividem entre os que acreditam ingenuamente no esplendor do palácio humano e os que não vêem senão seus dejetos.

Talvez a observação de Chamfort seja ingênua ou, quando menos, redutora e empobrecedora. Mas é verdade que, diante do olhar voltado para aquilo que se deteriora – sinal inequívoco da corrupção –, haverá sempre os que se empenham em corrigir a mirada, terminando por encantar-se com o monumento que eles mesmos ajudam a construir. "Shaftesbury e alguns outros", a propósito, são exatamente alguns dos autores convocados, na *Constituição moral, e deveres do cidadão*, a formar

---

[xlvi] Há duas classes de Moralistas e de Políticos: aqueles que não viram a natureza humana senão do lado odioso e ridículo, e é a maioria: Luciano, Montaigne, La Bruyère, La Rochefoucauld, Swift, Mandeville, Helvétius, etc. Aqueles que não a viram senão do lado belo e de suas perfeições; tais como Shaftesbury e alguns outros. Os primeiros não conhecem o palácio de que não viram mais que as latrinas. Os segundos são entusiastas que desviam seus olhos do que lhes ofende, e que não menos existe. No meio está a verdade.

· 159 ·

UM MORALISTA NOS TRÓPICOS

contra o espírito pervertido dos que se encantaram com o amor-próprio, postados, estes, ao lado do duque de la Rochefoucauld.

• • •

A reação ao pessimismo das máximas iniciou-se, como vimos, já entre seus contemporâneos. Desde então, vem correndo o *"procès à La Rochefoucauld et à la maxime"*, segundo a feliz expressão de Corrado Rosso. Vimos também que a reação não se limita à França.

Na Inglaterra, no *Tatler* de 17 de dezembro de 1709, Addison relatava sua preferência pelos grandes autores da antigüidade, em cujos textos se exalta a dignidade humana. Sua repulsa pelos franceses pode anunciar a empresa de José da Silva Lisboa, lembrando que a anglofilia do moralista brasileiro é, talvez, a contraparte da francofobia tantas vezes demonstrada ao longo da *Constituição moral*, como já tivemos a oportunidade de verificar, ao menos uma vez. Leiamos as queixas de Addison:

> [...] eu jamais leio os autores franceses em moda entre nós, nem nossos compatriotas que imitam e admiram esse povo superficial, sem ficar durante algum tempo chateado comigo mesmo e com tudo que me diz respeito. Eles se dão por tarefa denegrir a natureza humana e considerá-la sob seus aspectos mais desprezíveis. Eles dão interpretações mesquinhas e motivações baixas às ações mais nobres: a virtude e o vício não são para eles mais que uma questão de temperamento. Por fim, eles pretendem obscurecer toda distinção entre os homens, assim como entre os homens e os animais. Como exemplo deste gênero de autor, que se leia o célebre La Rochefoucauld cuja filosofia toda não visa senão a consolar os preguiçosos, os invejosos e toda essa fatia miserável da humanidade.[139]

Não se atribui a miséria à condição humana, mas tão-somente a uma parte lamentável dos homens: os preguiçosos e os invejosos. Não é necessário nos estender sobre o sentido de mais esta incompreensão. Apenas guardemos este "superficial", para perceber que, mais que definidor do caráter de um povo, o vocábulo pode referir-se à escassez de espírito para penetrar o mundo das ações nobilitadas.

No extrato, como no pensamento de Addison, formam-se dois planos, alto e baixo. No plano rasteiro, os franceses confundem os homens aos animais, e – o que será especialmente irritante, para um inglês – fazem

LEITURAS CRUZADAS

do amesquinhamento das virtudes um trabalho todo seu, não sem algum despeito. Referimo-nos, ainda, à primeira década do século XVIII, mas a imagem das máximas como consolo dos viciosos já ganhava forma e fama.

Será também o caso de Hughes, no *Spectator* de 15 de novembro de 1712:

> Há autores que tiram um retrato muito diferente da natureza humana, e se escreveram Máximas para mostrar *A Falsidade de todas as Virtudes humanas*. As reflexões sobre esse tema traem em geral o temperamento e o caráter de seus autores... É uma filosofia muito corrompida esta que põe os mais virtuosos dos homens no mesmo nível que os mais viciosos, e que denigre a espécie humana por causa dos defeitos de um homem em particular. Uma tal filosofia tende a destruir não somente a estima que nós temos por outrem, mas também aquela que temos por nós mesmos, guardiã de nossa inocência e fonte de nossa virtude.[140]

Vale ressaltar, como o faz McKenna, a oposição revelada pelo ensaísta, entre Pascal e La Rochefoucauld. Enquanto este último se esmerava em pintar a baixeza e a miséria da natureza humana, Pascal se preocupava em acompanhar o balanço que nos mantém jogados entre a besta e o anjo. Hughes cita, então, a *pensée* 153 (ed. Sellier):

> Il est dangereux de trop faire voir à l'homme combien il est égal aux bêtes, sans lui montrer sa grandeur. Et il est encore dangereux de lui trop faire voir sa grandeur sans sa bassesse. Il est encore plus dangereux de lui laisser ignorer l'un et l'autre, mais il est très avantageux de lui réprésenter l'un et l'autre[xlvii].[141]

Como sugeri, La Rochefoucauld pode ser mais sombrio que Pascal: nas máximas, não encontramos os delírios metafísicos das *pensées*, mas apenas – ou quase apenas – o logro da sociedade e a vanidade das virtudes humanas. Interessa, aqui, a censura do inglês a um La Rochefoucauld supostamente satisfeito com a "sátira" desenhada, insensível ou indife-

---

[xlvii] É perigoso fazer ver demasiado ao homem o quanto ele é igual às bestas, sem mostrar-lhe sua grandeza. E é ainda perigoso fazê-lo ver demasiado sua grandeza sem sua baixeza. É ainda mais perigoso deixá-lo ignorar uma e outra, mas é muito vantajoso representar-lhe uma e outra.

· 161 ·

UM MORALISTA NOS TRÓPICOS

rente às "contrariedades" que compõem, nos fragmentos pascalinos, esperança e desesperança, num texto uno[142].

A sátira apoiada na antropologia jansenista, que vê o homem em seu estado decaído, fora importante também para a literatura ficcional inglesa. O mesmo McKenna sugere que os moralistas franceses eram alguns dos autores prediletos de Swift, e os *"yahoos"*, na quarta parte do *Gulliver*, são, segundo o crítico, caricaturas do *"moi haïssable"*, não sem a influência do homem naturalmente feroz de Hobbes[143].

É a um mundo rigorosamente natural, selvagem, que pode levar uma leitura das máximas atenta à máquina das paixões, deslindada em suas mínimas engrenagens. A corrupção dos costumes assusta, sobretudo quando não há escapatória à vista. A recepção de La Rochefoucauld carrega a marca de algo que venho chamando de "incompreensão", mas que, bem examinados os motivos dos leitores, pode ser a recusa de uma mensagem convenientemente entendida. Curioso que os críticos mais veementes conheçam bastante o texto, e dele se aproximem com um horror suspeitoso, talvez eivado de desejo. A bem da verdade, o texto muitas vezes assusta e fascina, como aqueles sol e morte da máxima 26: medusa cuja visão sabemos proibida, mas desejamos, ainda assim.

Insisto sobre o moralismo de língua inglesa, pois esta é a principal fonte do visconde de Cairu. David Hume, notadamente, aparece diversas vezes na *Constituição moral, e deveres do cidadão*, e foi também um crítico severo dos retratos do amor-próprio. O capítulo XIV da primeira parte do catecismo brasileiro, significativamente intitulado "Systema Anti-egoistico", é quase todo ele um "extracto" da *"Inquirição sobre os Principios da Moral"* do filósofo escocês que, segundo José da Silva Lisboa,

> [...] ainda que fosse tachado de *Sceptico* na sua *Historia da Religião Natural*, comtudo tem o merito de refutar o *Systema Egoistico*, que estava grassando na Gram Bretanha, maiormente depois da engenhosa, mas sophistica, Novella da *Fabula das Abelhas de Mandeville*, que negou a pureza das virtudes da sociedade civilisada, e pôs a base dos deveres só no *amor proprio*, ou *interesse particular*. Elle [Hume] estabeleceo a *Theoria da Moralidade* na *Geral Utilidade* da Especie humana, qualificando de virtuosa ou viciosa a acção, na proporção em que se conforma ou repugna áquella Geral Utilidade. A sua theoria pois se póde intitular – *Systema Anti-egoistico* –.[144]

LEITURAS CRUZADAS

Contrapostas a Mandeville, as idéias de Hume poderiam minar, nas mentes dos jovens leitores brasileiros, a soberania atribuída ao amor-próprio, identificado ao egoísmo, como princípio que exclui toda a virtude, ou "sentimento moral". Cairu não poupa críticas à origem "depravada" de tal princípio. Segundo ele,

> [...] conforme ao systema dos que propugnão pela existencia, intensidade, e universal operação deste principio, que dizem ser da natureza humana, toda a *benevolencia* he mera hypocrisia; a amizade he falsidade; o patriotismo, e espirito publico he farça; e fidelidade huma armadilha para obter confidencia; de sorte que todos os homens, na verdade, em todos os seus procedimentos só tem em vista o seu particular interesse, e por isso pratição os mais especiosos disfarces, a fim de ficarem os outros desacautelados, e fóra de sua guarda, e serem expostos a cahirem em todas as machinações e fraudes. – He facil conhecer o caracter de toda a pessoa, que professa taes principios, e que em sua consciencia não desminta tão permiciosa [sic] theoria, que representa a Constituição moral da Humanidade em tão odiosas côres: mas he difficil persuadir, que homens de entendimento, sem terem o coração pervertido, possão adoptar tal systema egoistico, a não ser por terem feito negligente e precipitado exame. Pessoas superficiaes, tendo observado, que muitos homens obrão com falsos pretextos, e simulados sentimentos, tirarão de factos particulares a conclusão geral, que todos são igualmente corruptos, e egoistas, e que nelles não ha gráos de bons ou máos, mas que são creaturas só cheias de disfarces e apparencias.[145]

Impressionam as semelhanças entre os discursos. Novamente, estamos diante da acusação de um engano original do moralista que, equivocadamente, toma o particular (vicioso) pelo universal (potencialmente virtuoso), retratando o homem com cores sombrias, mas de forma superficial. Novamente também vemos a corrupção do retratado sendo atribuída ao retratista: é fácil, na perspectiva do censor, conhecer o caráter das pessoas capazes de empunhar tão odiosa paleta. Era este, justamente, o temor de La Rochefoucauld: a confusão entre os retratos, ou antes, a possibilidade de que as intenções do moralista fossem confundidas à impiedade dos homens falsos, que ele descreve com cores de fato odiosas, mas reais, desde que por real se tenha a corrupção da natureza humana.

Essa corrupção original, marca da soberba soprada por Eva, mergu-

· 163 ·

UM MORALISTA NOS TRÓPICOS

lha-nos a todos num mundo "odioso". Daí a reação do moralista brasileiro, em busca não de uma pureza original, em todo seu esplendor, mas da gradação entre os "maus" e "bons" – exercício de medição impossível enquanto o disfarce utilizado pelos homens em sociedade fosse mantido. Já o mundo do moralista francês, como vimos, pode ser uma gigantesca mascarada.

Não há dúvidas quanto ao alvo de Cairu. O sistema "egoistico", do amor-próprio, reaparecerá, ao fim do catecismo, nas máximas do duque de la Rochefoucauld. É notável, entretanto, que possamos reconhecê-las nos motivos desaprovados neste capítulo da *Constituição moral*, inspirado em Hume. "Toda a *benevolencia* he mera hypocrisia", afirmam os perniciosos partidários do egoísmo, enquanto a sentença 121 dizia que "*on fait souvent du bien pour pouvoir impunément faire du mal*" ("muitas vezes fazemos o bem para impunemente podermos fazer o mal"). "A amizade he falsidade" é frase, no catecismo brasileiro, que se pode relacionar às máximas de Mme. de Sablé, discutidas há pouco, mas também à máxima 83 de La Rochefoucauld: "*ce que les hommes ont nommé amitié n'est qu'une société, qu'un ménagement réciproque d'intérêts, et qu'un échange de bons offices; ce n'est enfin qu'un commerce où l'amour-propre se propose toujours quelque chose à gagner*" ("o que os homens denominaram amizade é somente uma sociedade, zelo mútuo de interesses e troca de bons ofícios; é comércio, enfim, em que o amor-próprio tem sempre algo a ganhar"). "O patriotismo, e espirito publico he farça", divisa dos egoístas, poderia muito bem lembrar os nobres envilecidos, que vão à guerra salvar sua honra pessoal, esquecendo-se dos desígnios maiores a movê-los, como sugere a máxima 219: "*la plupart des hommes s'exposent assez dans la guerre pour sauver leur honneur. Mais peu se veulent toujours exposer autant qu'il est nécessaire pour faire réussir le dessein pour lequel ils s'exposent*" ("a maior parte dos homens expõe-se na guerra o bastante para salvar a honra, mas poucos expõem-se o necessário para fazer vingar a causa pela qual se expõem"). A fidelidade como "huma armadilha para obter confidencia" é idéia que se casa à máxima 247: "*la fidélité qui paraît en la plupart des hommes n'est qu'une invention de l'amour-propre pour attirer la confiance. C'est un moyen de nous élever au-dessus des autres, et de nous rendre dépositaires des choses les plus importantes*" ("a fidelidade que se vê no comum dos homens não é mais que invenção do amor-próprio para atrair confiança, é meio de nos elevar acima dos outros e de nos fazer depositários das coisas mais importantes"). Finalmente, a noção de que "todos os homens, na verdade, em to-

LEITURAS CRUZADAS

dos os seus procedimentos só tem em vista o seu particular interesse, e por isso praticão os mais especiosos disfarces" lembra não apenas o amor-próprio bajulador da máxima número 2 (*"l'amour-propre est le plus grand de tous les flatteurs"* ["o amor-próprio é o maior dos aduladores"]), ou ainda habilíssimo, como na máxima 4 (*"l'amour-propre est plus habile que le plus habile homme du monde"* ["o amor-próprio é mais hábil que o homem mais hábil deste mundo"]), mas lembra também a *finesse* dos disfarces, capazes de armar um mundo de armadilhas sucessivas, em que a dissimulação é tão universalizada que o próprio enganar se torna virtualmente impossível, como na máxima 117: *"la plus subtile de toutes les finesses est de savoir bien feindre de tomber dans les pièges que l'on nous tend, et on n'est jamais si aisément trompé que quand on songe à tromper les autres"* ("a mais sutil de todas as astúcias é saber fingir cair nas armadilhas que nos preparam, e nunca se é mais facilmente logrado do que quando se quer lograr o outro")[146]. São disfarces em cascata, inadequados para uma empresa cristalina como a de Cairu, empenhado em detectar o grau de bondade e maldade nas ações humanas.

No capítulo em pauta, o catequista censura o princípio segundo o qual "a mais sincera e generosa amizade he *mera modificação do amor proprio*"[147]. Aí divisamos, com absoluta clareza, o tópos do amor-próprio transmudado em amizade, desenvolvido na máxima 83, como vimos, mas comum a Jacques Esprit e Mme. de Sablé[148].

As invectivas não cessam de brotar da pena de Cairu. Ainda no capítulo XIV, um golpe fatal é desfechado contra os partidários do sistema egoístico:

> Por estes systemas pois ninguem he capaz de ter os verdadeiros sentimentos da benevolencia, e de respeito á *genuina virtude*. Porém esta philosophia malina he antes a satyra da depravação do actual estado da sociedade, do que a imparcial e candida delineação da natureza humana; pois, na prática, não ha quem não sinta e experimente o proprio desinteresse em innumeraveis acções da vida.[149]

A idéia de uma "sátira" da condição humana depravada casa-se bem ao mundo das máximas, tanto mais quanto nos recordemos da carta anônima, enviada a Mme. de Schonberg, que a enviaria a Mme. de Sablé e que despertaria, finalmente, o interesse de La Rochefoucauld[150]. Idéia encontradiça, de resto, nas apreciações do texto do século XVII, não fora um detalhe, a sinalizar a incompatibilidade profunda entre o autor fran-

UM MORALISTA NOS TRÓPICOS

cês e o escritor brasileiro: o missivista, amigo de Mme. de Schonberg, referia-se a uma *"satire très forte et très ingénieuse de la corruption de la nature par le péché originel, de l'amour-propre et de l'orgueil, et de la malignité de l'esprit humain qui corrompt tout quand il agit de soi-même sans l'esprit de Dieu"*. Aceita a chave agostiniana, torna-se impossível pensar numa corrupção passageira, desde que se trata de uma mancha pecaminosa carregada pelos primeiros pais, e nunca apagada. O universo de Cairu é outro, outra sua antropologia: "esta philosophia malina he antes a satyra da depravação do actual estado da sociedade, do que a imparcial e candida delineação da natureza humana".

Trata-se de uma diferença de tempo, e veremos, no capítulo seguinte, como as flexões do tempo podem refletir-se na tradução de uma máxima, dando-lhe nuances novas, mas talvez comprometendo seus sentidos mais verossímeis. Cairu fala numa filosofia malina, numa sátira da depravação, mas da depravação *do atual estado da sociedade*, e não da natureza humana. Esta, em sua visão, aguarda ainda uma "candida delineação", capaz de descobri-la em sua pureza.

O "actual estado da sociedade", oposto a uma natureza humana que o moralista se esforçaria por perceber benigna, diz respeito a uma situação política e social muito singular. A fundação de um novo Estado se fazia na contramão das independências latino-americanas, mantendo o corpo político coeso sob a égide do Império, recusando princípios republicanos então em voga. A devassidão dos revolucionários franceses e a corruptela do Consulado – tempo em que emerge o *"Dragão Côrso"*, – parecem-lhe irretorquíveis[151].

A "constituição moral" se fazia no tempo da constituição do Império, quando o catecismo, dirigido à mocidade brasileira, procurava protegernos da dissolução dos costumes, sobretudo da morbidez dos princípios filosóficos e literários franceses, cujas raízes Cairu vai buscar no século XVII, no sistema egoístico representado por La Rochefoucauld. Um sistema "Sympathico", de "Sensibilidade Moral", vai contrapor-se àquele, e Cairu o encontrará lendo e interpretando David Hume ou Adam Smith. Momento em que o economista encontra o moralista:

> *Adam Smith* celebrizou-se no meado do seculo passado com a insigne obra da *Theoria dos Sentimentos Moraes*, em que se achão explanadas [sic], com muita originalidade, varios phenomenos da vida humana, de acções

· 166 ·

LEITURAS CRUZADAS

de virtude, vicio e crime, que promovem a felicidade, ou fazem a desgraça da sociedade. Nesta obra pôz os fundamentos da outra, que ainda mais o afamou, e á que deo o titulo de – *Inquirição da Natureza e causas da Riqueza das Nações*. – Sem duvida as Sciencias da Moral Publica e Economia Politica tem entre si a mais intima e indissoluvel connexão; pois he impossivel haver Geral Moralidade sem um bom Systema Economico, que mostre e assegure os meios de subsistencia decente, activa industria, e occupação certa e honesta aos povos.[152]

Há ainda que esclarecer o conteúdo deste "bom Systema Economico", mas já é possível perceber que o autor da *Constituição moral, e deveres do cidadão* não prescinde da moralidade, que um utilitarismo estrito tende a esquecer. O Adam Smith da *Teoria dos sentimentos morais* é também um crítico impiedoso do protestante Mandeville, como vimos.

A economia política dificilmente descarta a moral, porque lá está seu berço. Analisando a "árvore do conhecimento" do "grande matemático D'Alembert", na *Encyclopédie*, José da Silva Lisboa inverte os seus galhos, redesenhando a "ordem natural das coisas":

A ciência da subsistência é evidentemente a primeira na série dos conhecimentos humanos, e se pode dizer a raiz e o tronco da árvore científica, e até a *ciência do bem e do mal*.[153]

Ciência que despertara, em priscas eras, a cobiça dos primeiros homens, causando a sua desgraça e marcando a corrupção definitiva de sua natureza. Agora, em outro tempo, a árvore mantinha seu poder de atração, fascinando os homens cultos.

Adentrando o país da moral, Cairu não sente, entretanto, a falta de uma felicidade primeva. Antes disso, ele parece empenhado em reencontrar a felicidade neste mesmo país, erguendo as colunas imaginárias do edifício político, cingindo-o com a constituição moral capaz de corrigir, finalmente, a decadência e a corrupção que grassaram do outro lado do oceano. Um mundo novo, a construir-se com as pedras desagregadas do antigo.

Notas

[1] Madame de Staël, Charles de Villers e Benjamin Constant, *Correspondance* (dir. Kurt Kloocke; Frankfurt, Peter Lang, 1993).

UM MORALISTA NOS TRÓPICOS

[2] O jansenismo na obra de La Rochefoucauld é tema amiúde trabalhado pela crítica, e desenvolvido em profundidade, contemporaneamente, por Jean Lafond, cujos textos fixam uma das principais chaves analíticas para a compreensão do autor das máximas. Destaco, dentre a imensa fortuna crítica: Jean Lafond, *La Rochefoucauld: augustinisme et littérature*, op. cit.; idem, *L'homme et son image: morales et littérature de Montaigne à Mandeville* (Paris, Honoré Champion, 1996); idem, *L'homme et son image* (Paris, Honoré Champion, Collection Unichamp, 1998); Philippe Sellier, "La Rochefoucauld, Pascal, Saint Augustin", *Revue d'histoire littéraire de la France*, année 69, n. 3-4, mai/août 1969, p. 551-75; Jean Mesnard, "La rencontre de la Rochefoucauld avec Port-Royal", em Jean Lafond e Jean Mesnard (Org.), *Images de La Rochefoucauld: actes du tricentenaire (1680-1980)* (Paris, Presses Universitaires de France, 1984), p. 161-5; Charles-Augustin Sainte-Beuve, *Port-Royal* (numérisation BnF da edição de Paris, Inalf, 1961; reprodução da edição de Paris, Hachette, 1860, v. III), consultada, em versão digitalizada, no servidor Gallica da Bibliothèque Nationale de France (http://gallica.bnf.fr/), doravante referido apenas como "Gallica".

[3] Verteuil, 5/12/1660. La Rochefoucauld, "Correspondance", em *Œuvres complètes*, op. cit., p. 609.

[4] A marquesa de Sablé ocupou, durante quase dez anos, um aposento contíguo a Port-Royal, em Paris, antes que a perseguição aos jansenistas se tornasse mais aguda e as religiosas se deslocassem para Port-Royal-des-Champs. Para um retrato da personalidade dessa senhora, leia-se o belo ensaio de Jean Lafond, "Madame de Sablé et son salon", em *L'homme et son image*, 1996, op. cit., p. 249-65.

[5] Contei com o auxílio prestimoso do conservador-chefe da biblioteca para a decifração dessas anotações. Ao final, houve uma discordância: onde eu li *"neuves"*, ele viu escrito, numa primeira e rápida abordagem, *"amères"*.

[6] Cf. *Notice sur la Bibliothèque D'Aix, dite Méjanes; Précédée d'un essai sur l'histoire littéraire de cette ville, sur ses anciennes bibliothèques publiques, sur ses monuments, etc*, par E. Rouard, Bibliothécaire, Paris, chez Firmin Didot Frères, Libraires, Treuttel et Wurtz, Libraires, Aix, chez Aubin, Libraire, sur le cours, 1831, p. 149.

[7] *Les Pensées, Maximes et Réflexions Morales de François VI, Duc de la Rochefoucauld. Avec des Remarques & Notes Critiques, Morales, Politiques & Historiques sur chacune de ces Pensées, par Amelot de la Houssaye & l'Abbé de la Roche, & des Maximes Chrétiennes par Madame de la Sablière* (A Paris, Chez Veuve De Saint, Libraire, rue du Foin – Saint-Jacques, 1777). Há uma edição bastante semelhante, publicada também em Paris, mas "Chez Bailly, Libraire, Quai des Augustins", que se pode consultar na Bibliothèque Nationale de France, cota Z-17852. Doravante, o texto referido, para tal edição, será o de Bailly. Foi impossível, entretanto, confrontar ambas as edições, para, por meio do cotejamento, verificar se há entre elas alguma diferença.

[8] Idem, p. 88-9.

[9] Cf. Pascal Quignard, "Traité sur Esprit", em Jacques Esprit, *La fausseté des vertus humaines* (Paris, Aubier, 1996 [1678]), p. 9-10. Tratei do tema da instantaneidade do dito aforístico, referindo-a ao roteiro de um filme de Patrice Leconte. Cf. Pedro Meira Monteiro, "Ridicule", *Revista Entretextos Entresexos*, GEISH/ Unicamp, n. 3, out. 1999, p. 159-91.

[10] Para acompanhar a evolução das máximas, desde os manuscritos até a edição

· 168 ·

"definitiva" (1678), consulte-se a edição Truchet. Cf. La Rochefoucauld, *Maximes* (éd. Jacques Truchet), op. cit.

[11] *Réflexions ou Sentences et Maximes Morales* (A Paris, Chez Claude Barbin, vis à vis le Portail de la Sainte Chapelle, au signe de la Croix, 1665).

[12] Cf. *Maximes* (éd. Truchet), op. cit., p. 340.

[13] Idem (manuscrito de Liancourt), p. 423. Doravante, as máximas serão referidas no texto apenas com a indicação de seu número, sem notação bibliográfica. Dentre as edições atuais, a de Jacques Truchet é a mais completa, e se encontra acessível, sem o aparato crítico, no servidor Gallica da Bibliothèque Nationale de France.

[14] Friedrich Nietzsche, *Humano, demasiado humano* (trad. Paulo César de Souza; São Paulo, Companhia das Letras, 2000), p. 44. A propósito das repercussões das máximas de La Rochefoucauld sobre o espírito de Nietzsche, é sem dúvida tentadora, embora fundamentalmente anacrônica, a idéia de que, na crítica dos valores e da moral estóica, haja um prenúncio da *transvaloração*. Consulte-se, a respeito, o importante texto de Jean Starobinski, "La Rochefoucauld et les morales substitutives", *La Nouvelle Revue Française*, juil. 1966, n. 163, p. 16-42, août 1966, n. 164, p. 211-29.

[15] "Erinnerungen von Frau Ida Overbeck", apud Margot Kruse, "La Rochefoucauld en Allemagne. Sa réception par Schopenhauer et Nietzsche", em Jean Lafond, Jean Mesnard (Org.), *Images de La Rochefoucauld*, op. cit., p. 118-9.

[16] Ainda que a busca de uma "estrutura" das máximas possa ser enganosa, terá razão Christoph Strosetzki ao aproximá-las das divisas barrocas, apontando o seu caráter naturalmente "elitista", pois que, a exemplo do que ocorre com as antíteses e paralelismos daquelas, a máxima exige muitíssimo do leitor, que não será um qualquer. Cf. Christoph Strosetzki, "La tradition de la devise chez Saavedra Fajardo, Gracián et dans les maximes de La Rochefoucauld", em Benito Pelegrin (Org.), *Fragments et formes brèves. Actes du IIe Coloque International* (Aix-en-Provence, Publications de l'Université de Provence Aix-Marseille 1, 1990), p. 71-85. Quanto à questão de uma "estrutura" das máximas, e a alta exigência da inteligência do leitor, é interessante a análise de Jean Martin e Jean Molino que, vivendo a ressaca estruturalista da década de 1980, esbarram justamente no problema das definições, que a ciência costuma buscar tão sofregamente, e as máximas de La Rochefoucauld, por princípio, podem e devem relativizar. Cf. Jean-Maurice Martin, Jean Molino, "Analyse des *Maximes* de La Rochefoucauld", em Jean-Claude Gardin (Org.), *La logique du plausible: essais d'épistemologie pratique* (Paris, Éditions de la Maison de l'Homme, 1981, p. 212-3).

[17] La Rochefoucauld, "Correspondance", op. cit., p. 605-60.

[18] Leia-se, da trilogia dos três mosqueteiros, *Vinte anos depois*, cujo entrecho retrata, de forma muito particular, a Fronda. Cf. Alexandre Dumas, *Vingt ans après* (éd. Charles Samaran; numérisation BnF de l'édition de Paris, Bibliopolis, 1998-1999; reprod. de l'éd. de Paris, Bordas, 1981 [Classiques Garnier] [Gallica]). A referência, devo-a a Luiz Dantas e Alcir Pécora, no belo curso de pós-graduação em que se originou esta pesquisa.

[19] A relativização da expulsão do barroco do horizonte intelectual francês permite notar que o "classicismo" do século XVII terá sido, ele próprio, parte de uma construção mental do século XIX, quando uma doutrina "romântica" se afirmava *contra* o gosto clássico, ao mesmo tempo em que os historiadores da literatura

UM MORALISTA NOS TRÓPICOS

recuperavam as raízes deste gosto, criando isto a que se chamará (não sem a influência dos juízos de Voltaire) uma era clássica das Letras francesas. Cf. Claude-Gilbert Dubois, *Le baroque en Europe et en France* (Paris, Presses Universitaires de France, 1995), p. 62. Se há, tão claramente, uma recusa francesa do barroco, não é menos verdade que este impreciso movimento, com seus "attardés et égarés" – segundo a fórmula implacável de Lanson –, experimentaria uma espécie de "reabilitação" romântica, como no caso dos *Grotesques* de Gautier: "... Le ragoût de l'œuvre bizarre vient à propos raviver votre palais affadi par un régime littéraire trop sain et trop régulier; les plus gens de goût ont besoin quelquefois, pour se remettre en appêtit, du piment de concetti et de gongorismes", apud Bertrand Gibert, *Le baroque littéraire français* (Paris, Armand Colin, 1997), p. 31-2.

[20] "[...] Il n'y a point d'utilité, ni de plaisir, à jouer à jeu découvert. De ne se pas déclarer incontinent, c'est le moyen de tenir les esprits en suspens, surtout dans les choses importantes, qui font l'objet de l'attente universelle. Cela fait croire qu'il y a du mystère en tout, et le secret excite la vénération. Dans la manière de s'expliquer, on doit éviter de parler trop clairement, et, dans la conversation, il ne faut pas toujours parler à cœur ouvert. Le silence est le sanctuaire de la prudence. Une résolution déclarée ne fut jamais estimée. Celui qui se déclare s'expose à la censure, et, si'il ne réussit pas, il est doublement malheureux. Il faut donc imiter le procédé de Dieu, qui tient tous les hommes en suspens." Baltasar Gracián, *L'homme de cour* (Oráculo manual y arte de prudencia; traduit de l'espagnol par Amelot de la Houssaie; numérisation BnF de l'édition de Paris, G. Lebovici, 1990; reprod. de l'éd. de Paris, Veuve Martin et J. Boudot, 1684; Gallica), III, p. 2.

[21] Desde que falamos de um homem do século XVII, não será descabido, para compreender um pouco o traço melancólico de sua pena, lembrar a melancolia estampada em suas próprias feições. São tempos em que os retratos deviam revelar os homens, seus caracteres. Cf. La Rochefoucauld, "Portrait fait par lui-même", em *Œuvres complètes*, op. cit., p. 4.

[22] Confrontando a crítica de De Maistre à "église gallicane", e notadamente ao jansenismo, Sainte-Beuve refere-se ao caráter forçado da aproximação entre Hobbes e Jansénius, embora tenda, no fundo, a aceitá-la, ao menos em parte. Cf. Charles-Augustin Sainte-Beuve, *Port-Royal*, v. III, op. cit., p. 168-71.

[23] Diferenciando *clarté* e *force*, o padre Lamy parecia encontrar, em sentenças como as de La Rochefoucauld, sobretudo a energia (*elle*[s] *frappe*[nt] *fortement l'esprit*), notando, em sua *Rhétorique*, que "on peut mettre au nombre des sentences toutes ces expressions ingenieuses qui renferment en peu de paroles de grands sens, ou qui disent plus de choses que de paroles. Neanmoins leur prix ne consiste pas tant dans les choses que dans le tour de paroles, ou l'art avec lequel on peut avec peu de paroles dire beaucoup". Bernard Lamy, *La Rhétorique*, 4ᵉ éd., 1701, apud Jean Lafond, *La Rochefoucauld: augustinisme et littérature*, op. cit., p. 118.

[24] Jean-Baptiste-Louis de la Roche, nascido por volta de 1700 e morto em Paris, em 1780, tem obras de moralista e orador, além de ter editado as máximas de La Rochefoucauld, numa preparação do texto vinda a público, pela primeira vez, em 1737. Cf. *Dictionnaire des Lettres françaises. Le XVIIIᵉ siècle* (dir. Cardinal Georges Grente, revu et mis à jour sous la direction de François Moureau, Paris, Fayard, 1995), p. 690. Cf., também, *Les Pensées, Maximes, et Réflexions Morales de M. le Duc***. Onziéme Edition, Augmentée de Remarques Critiques, Morales & Historiques, sur chacune*

· 170 ·

LEITURAS CRUZADAS

des Réfléxions. Par M. l'Abbé de la Roche (A Paris, Chez Etienne Ganeau Pere, ruë Saint-Jacques, aux Armes de Dombes, 1737).

[25] La Rochefoucauld, *Máximas e Reflexões* (trad. Leda Tenório da Motta), op. cit., p. 37.

[26] *Les Pensées, Maximes et Réflexions Morales de François VI, Duc de la Rochefoucauld...*, op. cit., 1777, p. 424.

[27] Cf. Aristóteles, *Ética a Nicômaco*, II, 8. Consulte-se, ainda, o interessante quadro de vícios e virtudes do *Vocabulario Portuguez, & Latino*, de Raphael Bluteau. Cf. *Vocabulario Portuguez, & Latino* (Lisboa, Off. Pascoal da Sylva, 1716). Devo a referência a Adma Muhana.

[28] Cf. "Epitre de R. Pichet", em *Réflexions, Sentences, et Maximes Morales, Mises en nouvel ordre, avec des Notes Politiques, & Historiques. Par M. Amelot de la Houssaye* (A Paris, Chez Etienne Ganeau, rue Saint Jacques, vis-à-vis la Fontaine S. Severin, aux Armes de Dombes, 1714). Nicolas Amelot de la Houssaye nasceu provavelmente em Orléans, em 1634, tendo falecido em Paris, em dezembro de 1706. Foi secretário de embaixada em Veneza, e traduziu *O príncipe*, obras de Gracián, e também a História do concílio de Trento, de Fra Paolo Sarpi. Cf. *Dictionnaire des Lettres françaises. Le XVIIIe siècle*, 1995, op. cit., p. 36-7. Também Alexandre Cioranescu, *Bibliographie de la littérature française du dix-septième siècle* (Paris, Éditions du CNRS, 1965), t. 1, p. 201-2.

[29] Cf. "Avertissement de l'Imprimeur", em *Réflexions, Sentences, et Maximes Morales, Mises en nouvel ordre, avec des Notes Politiques, & Historiques*, op. cit., 1714, s. p.

[30] Cf. Jacques Esprit, *La fausseté des vertus humaines*, op. cit., p. 189-202.

[31] Idem, p. 203.

[32] Mais uma vez, como no caso das observações de Sainte-Beuve, explicitam-se os pontos de toque que ligam Hobbes aos jansenistas, embora, no caso do autor do *Leviatã*, o contrato pareça fundar-se no plano do Direito, enquanto a sociedade de corte em que vive La Rochefoucauld estabelece regras tácitas, conformando paulatinamente um código de conduta restrito, exclusivo de um estrato social. Sabemos, porém, que a *etiqueta* pode ter participado na gênese do espaço público moderno, como bem sugerem as teses de Norbert Elias. Cf. Norbert Elias, *A sociedade de corte* (trad. Ana Maria Alves; Lisboa, Editorial Estampa, 1987); "Sugestões para uma teoria de processos civilizadores", em *O processo civilizador* (trad. Ruy Jungmann; Rio de Janeiro, Zahar, 1993), v. 2, p. 191-274. A civilidade nascendo de uma regulagem que é da ordem discursiva é tema que nos reenvia à retórica clássica, de que partimos, apontando, ao mesmo tempo, para a importância da *honnêteté* como avatar da urbanidade, sugerindo que a convivência mais ou menos pacífica entre os homens é fruto da contenção dos apetites individuais, ou do *amor-próprio* que, desenfreado, estabeleceria o estado de guerra, ali onde a sociedade quer ver nascer o estado civil. Consulte-se finalmente Tzvetan Todorov, "La comédie humaine selon La Rochefoucauld", *Poétique*, n. 53, fév. 1983, p. 37-47.

[33] La Rochefoucauld, *Máximas e Reflexões* (trad. Leda Tenório da Motta), op. cit., p. 73.

[34] A perene proximidade do maligno será a experiência diuturna dos quarenta dias no deserto, para onde o Filho foi lançado, porém, pelo Espírito Santo (Mt, 4,1; Lc, 4,1; Mc, 1,12). Experiência retomada, no campo ficcional, por José Saramago: "Jesus olhou para um, olhou para outro, e viu que, tirando as barbas de Deus, eram como gêmeos, é certo que o Diabo parecia mais novo, menos enrugado, mas seria uma ilusão dos olhos ou um engano por ele induzido." Cf. José

• 171 •

Saramago, *O evangelho segundo Jesus Cristo* (São Paulo, Companhia das Letras, 1991), p. 368-9. Outra experiência ficcional moderna, não menos próxima do mundo compósito de La Rochefoucauld, foi traçada por Machado de Assis, no famoso conto "A igreja do Diabo", primeira das *Histórias sem data*. Cf. Joaquim Maria Machado de Assis, "A igreja do Diabo", em *Obras completas*, op. cit., v. 2, p. 369-74. Reste claro que a excursão por textos modernos cumpre apenas a função de uma reflexão sobre a perenidade daquele olhar de moralista, embora, evidentemente, o mundo das máximas de La Rochefoucauld não prescindisse, ele tampouco, do Deus que nunca – ou quase nunca – faz presente.

[35] A idéia é encontradiça na crítica de La Rochefoucauld. Formulou-a, com uma imagem particularmente interessante, Roland Barthes, ao referir-se a um desvendamento do homem "em zigzag". Cf. Roland Barthes, "La Rochefoucauld: 'Réflexions ou Sentences et maximes'", em *Le degré zéro de l'écriture suivi de Nouveaux essais critiques* (Paris, Seuil, 1972), p. 71-88.

[36] La Fontaine dedicaria, ao duque de la Rochefoucauld, "L'homme et son image", onde as máximas são representadas como fonte de (des)encantamento deste eterno narciso que todos somos. Cf. Jean de La Fontaine, "L'homme et son image" (I, 11), *Fables* (éd. J.-P. Collinet ; Paris, Gallimard, 1991), p. 63-4.

[37] É o que terá permitido, a Philippe-Joseph Salazar, falar em uma *hyperphysique*, referindo-se à busca cética de uma natureza humana sempre variada e mutante. Cf. Philippe-Joseph Salazar, "*Aut asinus aut rex: La Mothe Le Vayer courtisan*" (Colloque "Le Philosophe et la Cour; XVIᵉ-XVIIIᵉ siècles", org. Emmanuel Bury, Versailles, octobre 1999).

[38] Cf. Antoine Arnauld, Pierre Nicole, *La logique ou l'art de penser, contenant, outre les régles communes, plusieurs observations nouvelles, propres à former le jugement* (éd. Pierre Clair, François Girbal; Paris, Vrin, 1993 [1662]), p. 56-7.

[39] "Cette parenté des deux univers, l'univers humain et l'univers intérieur, parenté que dénote l'usage du vocabulaire de l'individualité et de l'activité humaines pour l'expression de la vie intérieur, montre l'unité de vue d'une œuvre: continuité et discontinuité, permanence et changement ne sont que les faces complémentaires d'une réalité que la pensée ne peut qu'approcher, sans parvenir jamais à l'exprimer totalement." Jean Lafond, *La Rochefoucauld: augustinisme et littérature*, op. cit., p. 50.

[40] Seria talvez possível elucidar a falência dos códigos retóricos, e o surgimento deste discurso sobre o "individual", sondando o complexo entroncamento entre cartesianismo e literatura agostiniana no século XVII (investigando Malebranche e Bayle, notadamente), tarefa que foge às pretensões deste livro. Convém lembrar, entretanto, que o autor do *Discurso do método* fundava o conhecimento sobre um *cogito* que prescindiria, inicialmente, da memória letrada, apoiando-se apenas na experiência disciplinada do próprio pensar, mas, ao mesmo tempo, os mestres de Port-Royal procuravam demolir a autoridade dos pagãos (anunciando ou alimentando a querela dos Antigos e Modernos, tão candente nos últimos decênios do século), questionando toda pedagogia que não repousasse sobre a experiência da descoberta interior, e de uma escuta voltada para o silêncio significativo da prece. Cf. René Descartes, *Discours de la méthode* (Paris, Bookking International, 1996), p. 11-95. Malebranche parece mesmo ser um dos autores fundamentais

para compreender o salto mortal entre um tempo em que a retórica era ainda plena de sentido, e o momento seguinte, quando a procura de uma verdade interior se sobrepõe à busca da verossimilhança, fundando preocupações que poderíamos já nomear, sem risco de anacronismo, "estéticas": "d'une part, à la suite de Descartes, il [Malebranche] instruit à son tour un véritable procès du savoir livresque lorsqu'il établit les fondements de la recherche de la vérité. D'autre part, sa réflexion sur le plaisir et l'affirmation d'un 'sentiment intérieur' posent d'une façon inédite les rapports entre conscience morale et esthétique, ce qui aura un grand retentissement par la suite", Emmanuel Bury, *Littérature et politesse: l'invention de l'honnête homme (1580-1750)* (Paris, Presses Universitaires de France, 1996), p. 147. É verdade que, então, abria-se caminho, a contrapelo das crenças jansenistas, para a busca de uma moralidade natural, baseada nos sentimentos e instintos: o século XVIII se anunciava. Pode-se já imaginar que José da Silva Lisboa, experimentando a sobrevida da retórica nos domínios intelectuais luso-brasileiros, no início do século XIX, pretendia justamente reencontrar o poder organizador da palavra, reafirmando seu valor como pedra fundamental da coletividade. É significativo que o faça esconjurando, em grande medida, a experiência pedagógica defendida por Rousseau, toda calcada na renúncia à cultura letrada e no respeito à natureza, com a crença na superioridade dos instintos. Como veremos adiante, o autor brasileiro termina seu catecismo contrapondo-se, vigorosamente, à desconfiança jansenista nos valores humanos, propondo, se não estou enganado, uma espécie de resgate da ética aristotélica. Não é surpreendente, entretanto, que o estabelecimento das linhas que separam o mal e o bem, vícios e virtudes, seja, em sua obra moralizadora, o restabelecimento de valores tradicionais, que os homens do século XVIII, especialmente na França, tinham posto a perder. Assim, o que o incomodava, mais que a simples "moral mundana", parecia ser a experiência – essencialmente mundana, também – que anuncia os direitos do indivíduo, subvertendo uma ordem secularmente estabelecida, imperfeitamente estampada, segundo suas crenças, na superior ordem divina. O tema é objeto do próximo capítulo.

[41] Com o "levantamento", a marquesa pretendia avaliar a sorte das máximas perante o público. Segundo Jacques Truchet, assim se explicaria, em parte, a existência de manuscritos diferentes, datados de 1663, de onde proviria, inclusive, a edição holandesa rejeitada por La Rochefoucauld, publicada clandestinamente em 1664, sem o nome do autor. De Truchet, consultem-se as notas e introduções a cada uma das seções da edição crítica das máximas. Cf. La Rochefoucauld, *Maximes* (éd. Truchet), op. cit., especialmente p. 385-90.

[42] "Lettre de Mme de Schonberg à Mme de Sablé, 1663", em La Rochefoucauld, *Maximes* (éd. Truchet), op. cit., p. 564-7.

[43] "Lettre, d'auteur inconnu, à Mme de Schonberg, transmise par elle à Mme de Sablé, 1663", em La Rochefoucauld, *Maximes* (éd. Truchet), op. cit., p. 568-9.

[44] Num bilhete autógrafo, La Rochefoucauld pedia à marquesa de Sablé que lhe enviasse o discurso, cujo conteúdo deve tê-lo impressionado: "Ce dimanche au soir. – Je ne sais plus d'invention pour entrer chez vous; on m'y refuse la porte tous les jours. Je ne sais si la fille à qui j'ai parlé vous aura bien expliqué la grâce que je vous demande; c'est de me prêter pour une heure le discours que Mme de Schonberg vous a envoyé sur les maximes. Je vous supplie très humblement

UM MORALISTA NOS TRÓPICOS

de ne me refuser pas. Outre l'envie que j'ai de le voir, il est même nécessaire pour une raison que j'aurai l'honneur de vous dire. Je vous donne toutes les sûretés que vous pouvez désirer pour le secret; mais, au nom de Dieu, ayez la bonté de m'envoyer cet écrit par le retour de ce laquais", La Rochefoucauld, *Maximes* (éd. Truchet), op. cit., p. 569-70, nota 3.

[45] La Rochefoucauld, *Máximas e Reflexões* (trad. Leda Tenório da Motta), op. cit., p. 69.

[46] Idem, p. 54.

[47] Nos primeiros anos da década de 1670, La Rochefoucauld enviava a Mme. de Rohan, abadessa de Malnoue, uma série de máximas destinadas à quarta edição, e dela recebia uma resposta elogiosa, mas com alguns reparos, não apenas ao olhar masculino do duque, que, segundo ela, penetrara o coração dos homens, bem mais que o das mulheres, mas também à máxima 358 sobre a humildade: "La maxime sur l'humilité me paraît encore parfaitement belle, mais j'ai été bien surprise de trouver là l'humilité. Je vous avoue que je l'y attendais si peu qu'encore qu'elle soit si fort de ma connaissance depuis longtemps, j'ai eu toutes les peines du monde à la reconnaître au milieu de tout ce qui la précède et qui la suit. C'est assurément pour faire pratiquer cette vertu aux personnes de notre sexe que vous faites des maximes où leur amour-propre est si peu flatté. [...]". "Réponse de Mme de Rohan à l'envoi précédent", em La Rochefoucauld, *Maximes* (éd. Truchet), op. cit., p. 588-9.

[48] Sobre as primeiras perseguições aos cristãos e o relato de Tácito, leia-se Jean Daniélou, "Des origines à la fin du troisième siècle", em L.-J. Rogier, R. Aubert, M. D. Knowles (Dir.), *Nouvelle Histoire de l'Église* (Paris, Seuil, 1963), v. 1, p. 112-3.

[49] Cf. Dominique de Courcelles, *Le sang de Port-Royal* (Paris, L'Herne, 1994).

[50] Idem, p. 31-3.

[51] A imagem do deserto era fundamental para Saint-Cyran. A relação com o silêncio, lugar do Verbo, lembra, então, a importância de calar-se e isolar-se do burburinho do mundo. Nota Dominique de Courcelles que madre Maria Angélica atribuía extrema importância à celebração dos ofícios litúrgicos sem novos cantos ou música, mas simplesmente em canto-chão, como ensinava o velho costume cisterciense. Cf. Idem, p. 89-90. Suponho ainda que o tema da *música* e do *silêncio* em santo Agostinho possa ajudar a compreender a simulação de um "afastamento" do mundo – fundamental na perspectiva moralista –, na sondagem do foco narrativo do último romance de Machado de Assis, o *Memorial de Aires*. Machado, como se sabe, era freqüentador assíduo de Pascal, e lia Agostinho na tradução de Arnauld d'Andilly, irmão de madre Maria Angélica. Cf. Pedro Meira Monteiro, "Um sonho machadiano", *Estudos avançados*, São Paulo, IEA/USP, (42), mai-ago. 2001, p. 449-70.

[52] É impressionante, entretanto, o misto de mundanidade e elevação, quando a referência era a abadia de Port-Royal-des-Champs e seus arredores. Inegável que, a despeito da sinceridade dos sentimentos cristãos dos Solitários, podia haver qualquer coisa de *charmante* em fugir ao bulício de Paris. Mme. de Sévigné rendeu-se a Port-Royal em 1674, e, numa de suas famosas cartas, confessava à filha, entusiasmada: "Je vous avoue que j'ai été ravie de voir cette divine solitude, dont j'avais tant ouï parler; c'est un vallon affreux, tout propre à faire son salut" (apud Dominique de Courcelles, *Le sang de Port-Royal*, op. cit., p. 83). Momento em que o prazer mesmo se mescla à abnegação, e o amor-próprio se entremostra, quan-

do o críamos expulso de nossas vistas: que se recorde ainda o caso de Mlle. d'Épernon, afilhada de Luís XIII e Ana D'Áustria, retirada no convento das carmelitas, à rua Saint-Jacques, onde leria, provavelmente em 1659, uma das primeiras versões do célebre retrato do amor-próprio, da lavra de La Rochefoucauld, a ela oferecido. Significativamente, entretanto, o retrato seria assinado pelo amor-próprio, ele mesmo ("Vostre tres humble et tres obéissant serviteur L'Amour propre"). Curioso é que a protéica criatura, pouco talvez à maneira da loucura de Erasmo, declare-se um velho amigo de Mlle. d'Épernon, por ela ultrajado, mas ainda assim um seu fiel e sempre inseparável companheiro... Leia-se, a propósito, Jacqueline Plantié, "'L'amour-propre' au Carmel: petite histoire d'une grande maxime de La Rochefoucauld", *Revue d'Histoire littéraire de la France*, n. 4, juillet-août 1971, p. 561-73.

[53] "Discours sur les Réflexions ou sentences et maximes morales", em La Rochefoucauld, *Maximes* (éd. Truchet), op. cit., p. 271-2. A fixação da autoria do discurso – anônimo em sua origem – deve-se a Gilbert, no século XIX.

[54] O "Discours" de La Chapelle-Bessé pode ser, porém, altamente esclarecedor, e sua gênese, como demonstra Jacques Truchet, encontra-se na vontade do próprio La Rochefoucauld que, em fevereiro de 1664, enviava uma carta ao padre Thomas Esprit, pedindo-lhe que a mostrasse ao senhor de la Chapelle. Nela, parte importante dos argumentos presentes no "Discours" são costurados pelo próprio duque, alinhado a Jacques Esprit. Cf. La Rochefoucauld, *Maximes* (éd. Truchet), op. cit., p. 578.

[55] "Avis au lecteur" (deuxième édition), em La Rochefoucauld, *Maximes* (éd. Truchet), op. cit., p. 373.

[56] Cf. Emmanuel Bury, "Humanisme et anti-humanisme dans les morales du grand siècle", em Jean Dagen (Org.), *La morale des moralistes* (Paris, Honoré Champion, 1999), p. 51. Paul Bénichou, em que pese a fineza de suas análises, parece contrapor mais decididamente o jansenismo às correntes otimistas do humanismo: "le XVIIe siècle a connu un idéalisme optimiste, confiant jusqu'à un certain point dans les mouvements naturels de l'homme. C'est là le véritable adversaire du jansénisme, qu'il faut reconnaître et situer lui-même si l'on veut s'expliquer Port-Royal [...]". O crítico alinha o anti-humanismo jansenista à decadência de um ideal heróico da nobreza, por demais crente nas capacidades do humano, revelando-nos uma espécie de paradoxo das conseqüências, já que a resistência de Port-Royal ao otimismo podia esboroar os alicerces de uma idéia do homem em que se escorava todo um sistema de relações sociais, que o mesmo século XVII via malograr-se. Cf. Paul Bénichou, "La métaphysique du jansénisme", em *Morales du grand siècle* (Paris, Gallimard, 1996 [1948]), p. 106-7.

[57] "Avis au lecteur" (deuxième édition), em La Rochefoucauld, *Maximes* (éd. Truchet), op. cit., p. 373.

[58] Cf. *Les Pensées, Maximes, et Réflexions Morales de M. le Duc***. Onziéme Edition, Augmentée de Remarques Critiques, Morales & Historiques, sur chacune des Réflexions*, op. cit., 1737, p. VII-VIII. Ver, também, Jean Mesnard, "La rencontre de la Rochefoucauld avec Port-Royal", op. cit., p. 161.

[59] *Les Pensées, Maximes et Réflexions Morales de M. le Duc***. Onzième Edition*, op. cit., 1737, p. X. De fato, nem sempre o nome do autor aparecia nos frontispícios dos livros das máximas. Alguma vez, apareciam as iniciais, como no caso da edição em versos de Boucher (1684), segundo o catálogo da Bibliothèque nationale de

• 175 •

UM MORALISTA NOS TRÓPICOS

France, e outra vez, como no caso da edição holandesa de 1705, que La Roche provavelmente não conheceu, aparecia o nome do autor. Cf. *Réflexions ou Sentences et Maximes Morales de Monsieur de la Rochefoucault. Maximes de Madame la Marquise de Sablé. Pensées Diverses de M.L.D. Et les Maximes Chrétiennes de M.**** (A Amsterdam, Chez Pierre Mortier, Libraire, 1705).

[60] *Réflexions ou Sentences morales. Sixième édition augmentée* (A Paris, Chez Claude Barbin et Mabre Cramoisy, 1693). Nota Jean Marchand que, diferentemente do que supôs Gilbert, o "Discours" de La Chapelle-Bessé seria retomado, integralmente, já na edição de 1690, póstuma, em todo caso. Cf. "Notes", em La Rochefoucauld, *Œuvres complètes*, op. cit., p. 811.

[61] Cf. *Réflexions, Sentences, et Maximes Morales, Mises en nouvel ordre, avec des Notes Politiques, & Historiques. Par M. Amelot de la Houssaye*, op. cit., 1714; *Réflexions Sentences et Maximes Morales. Mises en nouvel Ordre, avec des Notes Politiques & Historiques. Par M. Amelot de la Houssaye. Nouvelle Edition corrigée & augmentée de maximes chretiennes* (A Paris, Chez Etienne Ganeau, rue Saint Jacques, vis-à-vis la Fontaine St. Severin aux Armes de Dombes, 1725).

[62] *Les Pensées, Maximes et Réflexions Morales de M. le Duc***. Onzième Edition*, op. cit., 1737, p. XVII-XVIII.

[63] Veja-se, nos anexos, a reprodução da gravura de Sêneca desmascarado. Recorde-se, também, a máxima CV da primeira edição, suprimida a partir de 1666: "Les philosophes, et Sénèque surtout, n'ont point ôté les crimes par leurs préceptes: ils n'ont fait que les employer au bâtiment de l'orgueil."

[64] *Les Pensées, Maximes et Réflexions Morales de M. le Duc***. Onzième Edition*, op. cit., 1737, p. 38-9.

[65] Cf. Alain Pons, "Civilité – urbanité", em Alain Montandon (Dir.), *Dictionnaire raisonné de la politesse et du savoir-vivre...*, op. cit., p. 95. Note-se que, conforme já discutimos, os primeiros cristãos foram suspeitos, justamente, de *misantropia* – o *odium humani generis* que, na lógica da Cidade, é uma barbaridade a ser expurgada. Vai-se evidenciando, assim, o receio que, a todo campeão da civilização, podem causar a recusa das virtudes urbanas e, sobretudo, a audácia de denunciá-las como falsas. Ao misantropo opõe-se, sem concessões, o filantropo. Sobre a *bienséance*, leia-se o verbete correspondente, no mesmo dicionário. Cf. Alain Montandon, "Bienséances", em *Dictionnaire raisonné de la politesse et du savoir-vivre*, op. cit., p. 29-44.

[66] Segundo Truchet, a primeira publicação das "Réflexions diverses" data de 1731, quando algumas delas foram incluídas no *Recueil de pièces d'histoire et de littérature* do abade Granet e do padre Desmolets. Depois, elas apareceriam na edição de 1789 do abade Brotier e, finalmente, as dezenove "Réflexions" seriam publicadas na edição dos Grands Écrivains de la France, no volume dedicado a La Rochefoucauld, de 1868, organizado por Gilbert. Cf. "Notice", em La Rochefoucauld, *Maximes* (éd. Truchet), op. cit., p. 177-82.

[67] La Rochefoucauld, "Réflexions diverses", em *Maximes* (éd. Truchet), op. cit., p. 186-7.

[68] La Rochefoucauld, *Máximas e Reflexões* (trad. Leda Tenório da Motta), op. cit., p. 45.

[69] Idem, p. 40.

[70] No processo de "laicização" do texto, Deus sumiu da sentença 170. No manuscrito de Liancourt, bem como na edição holandesa de 1664, lia-se "Il n'y a que

• 176 •

LEITURAS CRUZADAS

Dieu qui sache si un procédé net, sincère et honnête est plutôt un effet de probité que d'habileté", enquanto, na primeira edição autorizada, de 1665, lia-se "Il n'y personne qui sache si un procédé net, sincère et honnête est plutôt un effet de probité que d'habileté". O que se poderia detectar como "ironia", na sentença em sua versão final, é a substituição, portanto, de uma instância divina pela constatação objetiva. Significativa é a substituição daquele "ou" pelo "plutôt... que". Apenas Deus poderia, com absoluta segurança, detectar a probidade da ação, pois apenas Ele é capaz de penetrar a intenção. Já o ponto de vista humano é reduzido a um sintomático "il est difficile", e a uma escolha ("probité ou habileté") que se revela tão mais dramática quanto não há instância alguma capaz de justificá-la plenamente. Paul Bénichou chamou a atenção para estas modificações na máxima 170, vendo aí um afastamento ineludível da perspectiva jansenista, o que revelaria, do ponto de vista da análise crítica, o oposto das teses de Jean Lafond, que aprofundam a impossibilidade da escolha correta – apanágio do ser moral –, relacionando-a contudo ao estatuto decaído do homem, segundo uma antropologia de origem agostiniana. A questão é importante, desde que, para compreender a recepção de La Rochefoucauld por José da Silva Lisboa, será necessário imaginar que visão do homem ele soube colher nas máximas: o homem corrompido, tragicamente distante da Salvação, ou o homem que se lança no plano moral desassistido da instância superior, confiante em si próprio? De Bénichou, leia-se "L'intention des Maximes". Cf. Paul Bénichou, "L'intention des Maximes", em *L'écrivain et ses travaux* (Paris, José Corti, 1993 [1966]), p. 3-37.

[71] La Rochefoucauld, *Máximas e Reflexões* (trad. Leda Tenório da Motta), op. cit., passim.

[72] Idem, p. 19.

[73] Cf. Jean Lafond, " 'Voilà qui est fait': la mort de La Rochefoucauld dans la correspondance de Madame de Sévigné", em *L'homme et son image*, op. cit., 1996, p. 240-1.

[74] Idem, p. 239-47.

[75] *Les Pensées, Maximes et Réflexions Morales de M. le Duc****. *Onzième Edition*, op. cit., 1737, p. 287-8.

[76] Fortia D'Urban, *Principes et Questions de Morale Naturelle. Seconde Édition, Destinée à servir de supplément et de correctif aux Œuvres morales de la Rochefoucault* (De l'Imprimerie de Delance, A Paris, Chez Desenne, Libraire, au Palais-Égalité, n.os 1 et 2; Delance, Imprimeur, rue de la Harpe, n.º 133, L'An Quatrième de la République, 1796), p. 279-80.

[77] Analisando as tendências da pesquisa sobre o moralista, no século XX, Jacques Truchet sugere o interesse em fazer saírem da sombra os Mémoires de La Rochefoucauld, inclusive para melhor compreender as suas máximas. Cf. Jacques Truchet, "Orientation de la recherche sur La Rochefoucauld au XXᵉ siècle", em Jean Lafond, Jean Mesnard (Org.), *Images de La Rochefoucauld*, op. cit., p. 63. Os *Mémoires*, em parte escritos durante a "desgraça" do moralista, exilado em Verteuil, retratam, entre outros, os tempos turbulentos da Fronda. Cf. La Rochefoucauld, "Mémoires", em *Œuvres complètes*, op. cit., p. 11-267. Leia-se, ainda, Noémi Hepp, "Idéalisme chevaleresque et réalisme politique dans les *Mémoires* de La Rochefoucauld", em *Images de La Rochefoucauld*, op. cit., p. 125-40.

[78] La Rochefoucauld, *Máximas e Reflexões* (trad. Leda Tenório da Motta), op. cit., p. 81.

[79] É o caso, notado pela crítica, do romance de Mme. de Lafayette. Leiam-se as pri-

UM MORALISTA NOS TRÓPICOS

meiras páginas de *La princesse de Clèves* (de cuja redação, suspeitava-se à época, teria participado La Rochefoucauld), e ver-se-á a descrição de uma corte ideal ("La magnificence et la galanterie n'ont jamais paru en France avec tant d'éclat que dans les dernières années du règne de Henri second. [...] Jamais cour n'a eu tant de belles personnes et d'hommes admirablement bien faits..."). Cf. Mme. de Lafayette, *La princesse de Clèves* (Paris, Garnier-Flammarion, 1966 [1678]), p. 35-6. Também Emmanuel Bury, *Littérature et politesse*, op. cit., p. 94.

[80] Em um ensaio escrito entre as décadas de 1950 e 1960, Paul Bénichou, na esteira das investigações críticas sobre La Rochefoucauld (Starobinski, Jeanson), supunha, de início, existirem nas máximas duas morais, até certo ponto opostas: denúncia do egoísmo e rebaixamento da natureza humana, oriundos da teologia cristã, e uma especulação natural, ou "física", já com um pé no naturalismo moderno e em sua causalidade universal. À parte o eventual anacronismo desta última suposição, o que então se revelaria, na busca da "intenção das máximas", era a contradição entre a afirmação (mesmo que pelo lado negativo) do amor-próprio, das forças do eu, e a negação radical da liberdade, pela via da constatação da força dos fatores naturais, nomeadamente a fortuna, os humores e os caprichos vários que independem do interesse e da vontade (máxima 435: "la fortune et l'humeur gouvernent le monde"). O crítico buscava, entretanto, a unidade dos contrários, expressa no próprio caráter do escritor: "le 'je suis sordide' et le 'qui suis-je?' s'entretiennent et se renforcent l'un l'autre. La dissolution de la conscience peut servir de refuge et d'excuse à la mauvaise conscience, et cette excuse amère, qui est en même temps une abdication, peut aiguiser le dégoût de soi. Un marasme de ce genre peut avoir été le fond du caractère de La Rochefoucauld. Il se dit lui-même mélancolique...". Mas seria daí, do fundo deste marasmo característico do homem – joguete da fortuna, das paixões e do amor-próprio que ele mesmo não controla –, que o moralista tiraria, em negativo, a imagem exigente de um homem que excele na generosidade, rompendo as malhas do determinismo natural e psicológico, o Homem surgindo, idealmente, para além do palco em que o homem é um comediante (máxima 87: "les hommes ne vivraient pas longtemps en société s'ils n'étaient les dupes les uns des autres"). Ainda segundo Bénichou, "La Rochefoucauld ne parle guère de liberté ni de nécessité: c'étaient des notions étrangères à l'usage commun, et qui de son temps étaient l'objet de débats théologiques épineux. Il aborde d'ordinaire cette question par le biais du mérite de nos actions: terrain plus modeste et plus accessible". Do "sentimento de inautenticidade" que as máximas expressam, nasceria uma moral exigente, um "culto implícito" da virtude, de um homem que se posta além do homem, mas não no plano divino. O crítico acompanhou a evolução das máximas, supondo que delas se tenha apagado, progressivamente, a idéia cristã da Redenção. A laicização do texto marcaria, então, a abertura de novas perspectivas: "ce qui était effroi et ferveur devient clairvoyance tout humaine, capacité de mesurer sans illusion la distance entre ce que nous sommes et ce que nous voudrions être". Finalmente, é um potencial civilizador que se anuncia nas máximas: "ce que La Rochefoucauld propose, ce n'est pas de répudier le mensonge de ce monde pour la vérité d'un autre; c'est exactement le contraire: d'accepter la comédie humaine, connue comme telle, et réduite de ce fait à des proportions honnêtes, comme la loi d'existence sociale. Telle est l'intention des *Maximes*, qui se sont orientées dès le début dans ce sens [...].

· 178 ·

LEITURAS CRUZADAS

Dès qu'il commence à composer son recueil, La Rochefoucauld, à partir de constatations amères, ne suggère pas une doctrine de salut, mais une civilisation". Cf. Paul Bénichou, "L'intention des *Maximes*", op. cit., p. 3-37. Jean Lafond, em linha oposta, supõe La Rochefoucauld ainda próximo de Pascal, e distante de Voltaire. A chave que, em sua análise, parece unir o desprezo pelo universo mundano e a crença na importância dos instrumentos – todavia imperfeitos – deste mundo é o "utilitarismo agostiniano" e seu caráter dúplice, que aponta a positividade da ação necessária e a negatividade exposta na precariedade e falsidade desta mesma ação. Cf. Jean Lafond, *La Rochefoucauld: augustinisme et littérature*, op. cit., p. 151-2.

[81] Talvez a idéia de um hipertexto *avant la lettre* não seja absurda, mas será razoável precaver-nos contra uma leitura "pós-moderna" das máximas, que tomaria o texto como um suporte fluido, generoso repositório de toda e qualquer mensagem. O paradoxo formal das máximas estará porventura nisso: elas são capazes de nos conduzir, quando nos cremos condutores, o texto revelando-se como imensa armadilha, tão mais eficiente quanto não sintamos as malhas que nos cingem, cosidas pelo autor. É mesmo notável que as sentenças, dada sua natureza fragmentária, não comportem explicações conclusivas sobre o conjunto, conquanto haja um conjunto e, portanto, um livro inteiro e único a descobrir-se. A tese, muito bem alinhada, com atenção voltada para "arquitetura, séries e ciclos" das máximas, notando o concerto de sua semeadura, encontra-se em André-Alain Morello, para quem "les *Maximes* forment un livre, avec un début, une fin, un ordre même, que tire peut-être sa force de la place qu'il octroie au désordre". André-Alain Morello, "Actualité de La Rochefoucauld", em Jean Lafond (Dir.), *Moralistes du XVIIᵉ siècle*, op. cit., p. 103-31. Para uma história do hipertexto, acompanhe-se o estimulante percurso de Jean Clément, para quem, contudo, o século XVII se afigura como um tempo no qual "la pensée philosophique est inséparable de son organisation hiérarchique et donc linéaire". Jean Clément, "Du texte à l'hypertexte: vers une épistémologie de la discursivité hypertextuelle", disponível em <http://hypermedia.univ-paris8.fr/>.

[82] *Principes et Questions de Morale Naturelle. Seconde Édition, Destinée à servir de supplément et de correctif aux Œuvres morales de la Rochefoucault*, op. cit., p. 5-6.

[83] Procedimento já contemplado, de certa forma, nos comentários do abade de la Roche e, em parte, nos de Amelot de la Houssaye. A contraposição de um texto às máximas de La Rochefoucauld, ou a edição de um texto tendo as máximas por referência, é todavia uma iniciativa que encontramos já nos "obscuros escritores" do fim do século XVII que, como Vernage, Rousseau, Sergé, Boucher, Mailly ou Leven de Templery, foram estudados por Jacqueline Plantié. Consulte-se Jacqueline Plantié, "Les 'continuateurs' de La Rochefoucauld à la fin du XVIIᵉ siècle", em Jean Lafond, Jean Mesnard (Org.), *Images de La Rochefoucauld*, op. cit., p. 17-29.

[84] E não apenas a nós. A ascendência da máxima 182 é ilustre, reportando a Senault e Montaigne, como ensina Jean Lafond. Cf. Jean Lafond, "De la morale à l'économie politique, ou de La Rochefoucauld et des moralistes jansénistes à Adam Smith par Malebranche et Mandeville", em Pierre Force, David Morgan (Org.), *De la morale à l'économie politique: dialogue franco-américain sur les moralistes français. Actes du colloque de Columbia University, octobre 1994* (Pau, Presses Universitaires de Pau, 1996), p. 189.

[85] José da Silva Lisboa, *Constituição moral, e deveres do cidadão...*, op. cit., parte I,

· 179 ·

UM MORALISTA NOS TRÓPICOS

p. VI-VIII. O nome de La Rochefoucauld aparece, neste primeiro volume, de 1824, como "Rochefoucault", e é depois corrigido, no terceiro volume, no ano seguinte, em errata. Para além das singularidades da grafia da época, existem, ao que tudo indica, numerosos erros tipográficos na *Constituição moral*, mas nem todos terão sido corrigidos até a publicação do terceiro volume, com sua errata. Interessa aqui, em todo caso, ressaltar que a intimidade de Cairu com os autores de língua inglesa não terá correlato em seu trânsito com os franceses, e um indício disto podem bem ser estes nomes citados erradamente. No caso do autor das máximas, o detalhe é especialmente significativo: José da Silva Lisboa utiliza, para a tradução dos aforismos e para os comentários prévios, a edição de 1825, com o comentário de Suard. De fato, a primeira edição contendo tal comentário data de 1778, e várias são as reedições, até o ano de 1825. A errata aparece no mesmo ano em que Cairu adquiria o livro (1825, ano de publicação da edição utilizada das máximas e, também, da publicação dos últimos volumes do catecismo), e é certo que ele conhecia as sentenças anteriormente, quiçá numa edição em que o nome do autor, como no caso da edição do marquês de Fortia d'Urban, aparecesse como "Rochefoucault". Não é possível afirmar categoricamente quais as edições utilizadas pelo autor da *Constituição moral*, mas é bastante provável que ele conhecesse uma destas que vamos analisando, tendo preferido, ao fim, valer-se da mais recente que lhe caía em mãos, a qual, como veremos adiante, no próximo capítulo, ajusta-se perfeitamente ao enquadramento que ele pretende dar às máximas. Sobre as edições de Suard, a primeira, de 1778, não traz ainda o nome do autor da "Notice". Cf. *Maximes et réflexions morales du duc de la Rochefoucauld* (A Paris, de l'Imprimerie Royale, 1778). Em 1825, a versão contendo a notícia de Suard era publicada numa edição conjunta de Peytieux e Chambert ainé, bem como, numa outra edição, organizada por Gaëtan de la Rochefoucauld, pelo livreiro Ponthieu. Cf. *Maximes et réflexions morales du duc de la Rochefoucauld. Nouvelle édition* (A Paris, Chez Peytieux, Passage Delorne; A Lyon, Chez Chambert ainé et Cⁱᵉ, Libraires, Éditeurs des Tablettes Lyonnaises, Quai des Célestins, Nᵒ 2, 1825). Cf. também *Oeuvres complètes de La Rochefoucauld, avec notes et variantes, précédées d'une notice biographique et littéraire* (A Paris, Chez Ponthieu, Libraire, Palais-Royal, 1825). Baseando-nos no catálogo da Bibliothèque Nationale de France, temos ainda, no que toca às edições contendo a notícia de Suard (além da aqui referida, de 1778), duas em 1779, uma em 1784, uma em 1796, outra em 1798 (em que se compõem a edição de Fortia d'Urban e a notícia de Suard), em 1799, 1801, 1802, 1813 (contendo as fábulas de La Fontaine relativas às máximas), 1815, 1817, 1818 (novamente com as fábulas de La Fontaine), 1820 (duas edições, uma delas com as fábulas), 1823 (edição mista, contendo as máximas de La Rochefoucauld e Vauvenargues), 1824 e, finalmente, as duas em 1825, uma das quais terá sido utilizada por Cairu, muito provavelmente a edição de Peytieux e Chambert ainé. Posteriormente, século XIX adentro, a notícia de Suard apareceria ainda algumas vezes, mas aí as novas edições de Aimé-Martin (primeira em 1822) e, depois, Duplessis (1853, com um prefácio de Sainte-Beuve), faziam as máximas adentrar definitivamente o século da crítica literária, tornando-as, entretanto, alvo de uma incompreensão por vezes não menos severa que a das edições do século anterior. [86] Cf. José da Silva Lisboa, *Constituição moral, e deveres do cidadão...*, op. cit., "Appendice".

· 180 ·

LEITURAS CRUZADAS

[87] Como não lembrar aqui, entretanto, o *élève divin*, o "pio Rollin", segundo a apreciação reverenciosa de José da Silva Lisboa? Escrevendo um tratado que seria muito lido no século XVIII, o célebre pedagogo preocupara-se já com a dissolução do corpo social, elogiando o concerto civil a que fomos destinados. Cf. Charles Rollin, *De la manière d'enseigner et d'étudier les Belles-Lettres par raport à l'esprit & au cœur*, par M. Rollin, ancien Recteur de l'Université de Paris, Professeur d'Eloquence au Collége Roial, & Associé à l'Académie Roiale des Inscriptions & Belles-Lettres (tome premier, nouvelle edition; A Paris, Chez la Veuve Estienne, & Fils, rue Saint Jacques, à la Vertu, 1755).

[88] Apud Jean Lafond, "Avatars de l'humanisme chrétien (1590-1710): amour de soi et amour-propre", em *L'homme et son image*, op. cit., 1996, p. 425.

[89] No capítulo quarto da segunda seção de sua *Teoria dos sentimentos morais*, intitulado "Of licentious Systems", Smith recapitula os sistemas de moral, para finalmente notar que havia também o errôneo sistema de Mandeville, a que, até a quinta edição da obra, se associava o nome de La Rochefoucauld, finalmente retirado a pedido de seus descendentes. Cf. Adam Smith, *The theory of moral sentiments* (ed. D. D. Raphael, A. L. Macfie; Indianapolis, Liberty Fund, 1984 [1759]), p. 308 [ed. bras.: *Teoria dos sentimentos morais*, São Paulo, Martins Fontes, 1999]. Informa ainda Jean Lafond que, em 1725, George Bluet publicara, em Londres, *An Enquiry Whether a general practice of Virtue tends to the Wealth or Poverty*, onde Mandeville era justamente criticado por haver utilizado Montaigne, Bayle, Jacques Esprit e La Rochefoucauld sem que as fontes fossem citadas. Cf. Jean Lafond, "Mandeville et La Rochefoucauld, ou des avatars de l'augustinisme", em *L'homme et son image...*, 1996, op. cit., p. 443. As máximas de La Rochefoucauld e *La fausseté des vertus humaines*, de Jacques Esprit, seriam publicados em inglês, conjuntamente, em 1706. Sobre a recepção das máximas na Inglaterra, onde foram numerosas as edições, desde o século XVII, e copiosas as críticas, no século XVIII, leia-se Antony McKenna, "Quelques aspects de la réception des *Maximes* en Angleterre", em Jean Lafond, Jean Mesnard (Org.), *Images de La Rochefoucauld*, op. cit., p. 77-94.

[90] Cf. Jean Lafond, "De la morale à l'économie politique, ou de La Rochefoucauld et des moralistes jansénistes à Adam Smith par Malebranche et Mandeville", op. cit., p. 190-1. A Fábula das abelhas aparecia em 1714.

[91] Apud Jean Lafond, "De la morale à l'économie politique, ou de La Rochefoucauld et des moralistes jansénistes à Adam Smith par Malebranche et Mandeville", op. cit., p. 190. *De la recherche de la Vérité*, obra de Malebranche aqui citada, foi publicada pela primeira vez em 1674.

[92] Jean Lafond, "De la morale à l'économie politique, ou de La Rochefoucauld et des moralistes jansénistes à Adam Smith par Malebranche et Mandeville", op. cit., p. 193.

[93] A expressão aparece já na *Teoria dos sentimentos morais*, mas, segundo nota dos editores, "Smith first used the expression 'invisible hand' in Astronomy, III.2, when writing of early religious thought, in which only irregular events were attributed to supernatural agency. 'Fire burns, and water refreshs; heavy bodies descend, and lighter substances fly upwards, by the necessity of their own nature; nor was the invisible hand of Jupiter ever apprehended to be employed in those matters'". Cf. Adam Smith, *The theory of moral sentiments*, op. cit., p. 184-5. No prefácio a seus

· 181 ·

UM MORALISTA NOS TRÓPICOS

Estudos do bem comum, publicados entre 1819 e 1820, José da Silva Lisboa confessa sua dívida para com os *"Triumviros da Economia Politica"*, Malthus, Ricardo e Smith, ressaltando a importância deste último, e a necessidade de perceber a Economia Política como *"Physica Social"* e *"Dynamica Civil"*, para saber explorar aquilo que a Providência, em sua infinita bondade, dispusera aos homens, lembrando, entretanto, que o "sobredito Smith, meu principal Mestre na Economia Politica, e que primeiro mostrou com evidencia, que a producção dos bens da vida se proporciona á *extensão do mercado*, e que, por este meio, a *Mão Invisivel* do Creador, do conflicto dos interesses particulares, extrahia, pelo commercio franco legitimo, o Bem Geral, aconselha [...] aos Administradores Publicos o consultarem sempre a *Sabedoria da Natureza* na Ordem Civil, e não a presumpçosa arrogancia do juizo humano [...]". *Estudos do Bem-Commum e Economia Politica, ou Sciencia das Leis Naturaes e Civis de Animar e Dirigir a Geral industria, e Promover a Riqueza Nacional, e Prosperidade do Estado*, por José da Silva Lisboa Do Conselho de Sua Magestade, Deputado da Real Junta do Commercio, Desembargador da Casa da Supplicação do Reino do Brazil (Rio de Janeiro, Na Impressão Regia, 1819-1820, p. XIII-XV; edição contemporânea: Rio de Janeiro, IPEA/INPES, 1975).

[94] "Human society, when we contemplate it in a certain abstract and philosophical light, appears like a great, an immense machine, whose regular and harmonius mouvements produce a thousand agreeable effects. As in any other beautiful and noble machine that was production of human art, whatever tended to render its mouvements more smooth and easy, would derive from this effect, and, on the contrary, whatever tended to obstruct them would displease upon that account: so virtue, which is, as it were, the fine polish to the wheels of society, necessarily pleases; while vice, like the vile rust, which makes them jar and grate upon one another, is as necessarily offensive." Adam Smith, *The theory of moral sentiments*, op. cit., p. 316.

[95] Blaise Pascal, Pensées (éd. Philippe Sellier), em Jean Lafond (Dir.), *Moralistes du XVIIᵉ siècle*, op. cit. ([XLV], 680), p. 515.

[96] Cf. Philippe Sellier, "Introduction aux *Pensées*", em Jean Lafond (Dir.), *Moralistes du XVIIᵉ siècle*, op. cit., p. 300.

[97] Cf. Jean Lafond, *La Rochefoucauld: augustinisme et littérature*, op. cit., p. 180.

[98] Quanto ao "utilitarismo agostiniano", Nicole, em seu ensaio "De la charité et de l'amour-propre", nota que os efeitos do amor-próprio podiam ser os mesmos que os da caridade. Cf. Pierre Nicole, "De la charité et de l'amour-propre" [1675], em *Essais de morale* (éd. Laurent Thirouin; Paris, Presses Universitaires de France, 1999), p. 406-7.

[99] Claude-Adrien Helvétius, *De l'esprit* (numérisation BnF de l'édition de Paris, Inalf, 1961; reprodução da edição de Paris, Durand, 1758) (Gallica), p. 9-10.

[100] Idem, p. 34-5.

[101] Idem, p. 220-1.

[102] Tzvetan Todorov, "La comédie humaine selon La Rochefoucauld", op. cit., p. 46.

[103] É o caso de Arnauld d'Andilly, que, associando as máximas de La Rochefoucauld às *Instructions chrestiennes* de Saint-Cyran, lembra que as primeiras haveriam de ser úteis para aqueles "qui ne se trouvent pas seulement engagez dans le monde, mais dans le grand monde [...] parce que faisant connoistre d'une maniere tres-évidente la profondeur des playes causées par le peché dans le cœur de

l'homme, elle les prépareront à mieux comprendre le besoin des remedes necessaires pour les guerir qui sont si fortement proposez dans ces Instructions chrestiennes". "Avertissement" aux *Instructions chrestiennes* de Saint-Cyran, Paris, 1672, s.p., apud Jean Lafond, *La Rochefoucauld: augustinisme et littérature*, op. cit., p. 155.

[104] Cf. *Maximes et Œuvres Complètes de François, Duc de La Rochefoucault, Terminées par une Table alphabétique des Matières, plus ample et plus commode que celles des Éditions précédentes* (De L'Imprimerie de Delance; A Paris, Chez Desenne, Libraire, au Palais-Égalité, n.ºs 1 et 2; Delance, Imprimeur, rue de la Harpe, n.º 133, L'An Quatrième de la République, 1796, p. 3-4). A edição de Amelot de la Houssaye, além das já referidas versões de 1714 e 1725, repete-se em 1743, 1746, 1754, 1765 (Amsterdam), e em 1777, na edição conjunta com os comentários do abade de la Roche. Deste último, como organizador, têm-se, além da edição de 1737, as de 1741, 1765, 1777 e 1779 (Dresden). Os dados se restringem aos catálogos da Bibliothèque Nationale de France e da Bibliothèque Municipale de Versailles. Quanto à edição de 1754: o livro da cota Z-17847 (BnF) traz no frontispício, como comentador, o abade de la Roche, quando se trata, de fato, da edição de Amelot de la Houssaye. Cf. *Les Pensées, Maximes et Réflexions Morales de M. le Duc*** Nouvelle Edition. Augmentée de Remarques Critiques, Morales & Historiques, sur chacune des Réflexions. Par M. l'Abbé de La Roche* (A Paris, Chez Ganeau, rue Saint Severin, Bauche, Quai des Augustins, D'Houry Fils, rue Vieille Bouclerie, 1754). É possível que o projeto da edição conjunta de La Roche e Amelot de la Houssaye fosse bastante anterior a 1777. Observando o "Privilège" de 1754, os livreiros eram justamente autorizados a publicar ambas as edições. E, já na edição La Roche de 1737, Ganeau mantinha o privilégio da publicação das máximas, aumentadas das sentenças de Mme. de la Sablière, notas de Amelot de la Houssaye, máximas cristãs e reflexões do abade de la Roche, conforme o "Privilège du Roi". Cf. *Les Pensées, Maximes et Réflexions Morales de M. le Duc***. Onzième Edition*, 1737, op. cit., p. XXI. De fato, as edições francesas de La Roche e Amelot de la Houssaye ficariam a cargo da família Ganeau, até pelo menos 1754. A edição deste ano seria dividida com demais editores (Bauche e d'Houry), e a conjunta de 1777 ficaria a cargo de livreiros outros.

[105] *Principes et Questions de Morale Naturelle. Seconde Édition, Destinée à servir de supplément et de correctif aux Œuvres morales de la Rochefoucault*, op. cit., p. 45-6.

[106] "Bienfézance" é termo forjado pelo abade, utilizado posteriormente por Voltaire. Cf. *Dictionnaire des Lettres françaises. Le XVIIIe siècle*, 1995, op. cit., p. 1204.

[107] *Principes et Questions de Morale Naturelle. Seconde Édition, Destinée à servir de supplément et de correctif aux Œuvres morales de la Rochefoucault*, op. cit., p. 214.

[108] Cf. *Réflexions et Maximes Morales de M. le Duc de La Rochefoucauld. Nouvelle Edition plus correcte qu'aucune de celles qui ont paru jusqu'ici. Avec des commentaires par M. Manzon* (À Amsterdam, Et se trouve à Cleves, J. G. Baerstecher, Libr., 1772).

[109] "La société, et même l'amitié de la plupart des hommes, n'est qu'un commerce qui ne dure qu'autant que le besoin." Madame de Sablé, "Maximes", em Jean Lafond (Dir.), *Moralistes du XVIIe siècle*, op. cit., p. 254. Leia-se também a máxima seguinte, de número 78: "Quoique la plupart des amitiés qui se trouvent dans le monde ne méritent point le nom d'amitié, on peut pourtant en user selon les be-

UM MORALISTA NOS TRÓPICOS

soins comme d'un commerce qui n'a point de fonds certain, et sur lequel on est ordinairement trompé."
[110] *Réflexions et Maximes Morales de M. le Duc de La Rochefoucault. Nouvelle Edition plus correcte qu'aucune de celles qui ont paru jusqu'ici. Avec des commentaires par M. Manzon*, op. cit., p. 436.
[111] Cf. Jean Lafond, "Madame de Sablé et son salon", em *L'homme et son image*, 1996, op. cit., p. 263.
[112] La Rochefoucauld, *Máximas e Reflexões* (trad. Leda Tenório da Motta), op. cit., p. 28.
[113] *Réflexions et Maximes Morales de M. le Duc de La Rochefoucault. Nouvelle Edition plus correcte qu'aucune de celles qui ont paru jusqu'ici. Avec des commentaires par M. Manzon*, op. cit., p. 436.
[114] Cf. Jean Lafond, "Mandeville et La Rochefoucauld, ou des avatars de l'augustinisme", op. cit., passim. Sobre Shaftesbury e La Rochefoucauld, consulte-se Antony McKenna, "Quelques aspects de la réception des *Maximes* en Angleterre", op. cit., p. 82. Leiam-se ainda, de Hutcheson, suas *Remarks upon the Fable of the Bees*, de 1750. Cf. Frances Hutcheson, *Remarks upon the Fable of the Bees*, 1750 (versão digitalizada, McMaster University Archive for the History of Economic Thought, disponível em <http: //socserv2.socsci.mcmaster.ca/ %7Eecon/ugcm/3ll3/>).
[115] A perpectiva de Hobbes não apenas coroa uma investigação material das paixões dos homens belicosos, como se escora numa tradição do Direito diversa da romana, abrindo mão da análise da intenção em nome da observação do manifesto (*apparent*, nos termos da *common law*). Cf. Renato Janine Ribeiro, *Ao leitor sem medo: Hobbes escrevendo contra o seu tempo* (São Paulo, Brasiliense, 1984), p. 29-30. Não importa, ao autor do *De cive*, a punição da intenção, mas sim a prevenção da transgressão futura: a lei serve para coibir o mal, evitá-lo pela prevenção, e a culpa que carregamos desde a transgressão adâmica é praticamente expulsa de seu horizonte. A culpa só existirá quando o ato destruidor da sociedade se efetivar; é preciso, entretanto, que o medo ajude a evitá-lo.
[116] Não se diga porém que, no caso de Mandeville, a passagem ao estado civil prescindisse da educação: "si la civilisation et ses valeurs supposent l'action de l'amour-propre, désir d'être considéré et désir de paraître tout à la fois, cela ne signifie pas pour Mandeville que, l'amour-propre de chacun entrant en conflit avec celui des autres, la société ne puisse être, sans contrainte extérieure, en état de conflit violent, de 'guerre de tous contre tous'. L'homme de la *Fable* n'est pas naturellement associal, comme le voulait Hobbes. Il a même besoin des autres pour se confirmer par 'approbation et l'estime d'autrui' dans la bonne opinion qu'il a de lui-même. Sans doute connaît-il un 'instinct de dominer' qui lui est naturel, et cela, dès la relation familiale du père envers ses enfants. Mais c'est là que Mandeville met sa confiance, après Locke, dans l éducation et qu'il s'attarde, avant Rousseau qui le lira attentivement, sur le passage de l'état de nature à l'état civil. L'éducation a pour tâche d'assurer la maîtrise de soi et de ses passions, et par là elle engage l'individu dans le procès fécond qui le civilise". Jean Lafond, "Mandeville et La Rochefoucauld, ou des avatars de l'augustinisme", op. cit., p. 451.
[117] *Réflexions et Maximes Morales de M. le Duc de La Rochefoucault. Nouvelle Edition plus correcte qu'aucune de celles qui ont paru jusqu'ici. Avec des commentaires par M. Manzon*, op. cit., p. 5-9.
[118] *Réflexions ou Sentences, et Maximes Morales de M. le Duc de la Rochefoucault: Avec des*

Observations de Mr. l'Abbé Brotier, de l'Académie des Inscriptions & Belles-Lettres (A Paris, Chez J. G. Mérigot, Libraire, quai des Augustins, au coin de la rue Pavée, 1789), p. XI-XII.

[119] *Maximes et Réflexions Morales du Duc de La Rochefoucauld* (A Paris, de l'Imprimerie Royale, 1778), p. III-VI. Itálico no original.

[120] *Réflexions ou Sentences, et Maximes Morales de M. le Duc de la Rochefoucault: Avec des Observations de Mr. l'Abbé Brotier*, 1789, op. cit., p. XV. Ou ainda, na edição de Bruxelas, de 1790: *Réflexions ou Sentences et Maximes Morales de M. le Duc de La Rochefoucault. Avec des Observations de Mr. l'Abbé Brotier*, 1790, op. cit., p. VII.

[121] Idem, ed. 1789, p. VIII-IX.

[122] *Maximes de La Rochefoucauld, Nouvelle Édition augmentée de Vies et de Notices*, t. II (A Paris, L'an III. de la République [1794]), p. VIII-IX.

[123] Idem, p. III-IV.

[124] "Il règne un grand désordre dans l'arrangement des Maximes. C'est une espèce de labyrinthe inextricable: le fil d'Ariane pouvait être dans la tête de la Rochefoucauld, mais il se trouve difficilement dans celui de ses lecteurs. Des éditeurs ineptes, ont cru y remédier, par une aride table des matières, que personne ne daigne consulter. D'autres plus intelligens, ont tenté classer ce cahos d'idées philosophiques: mais d'abord ils l'ont fait sans philosophie, ensuite ce n'est plus l'ouvrage de la Rochefoucauld. Après de mûres réflexions, il m'a paru que je retrouverais le fil égaré qui lie ces Maximes, en offrant, sous le nom d'ESPRIT, la méthode, sans laquelle l'auteur n'aurait pas trouvé une seule des routes du cœur humain: et j'ai rendu cet ESPRIT commode pour la paresse des lecteurs, en l'assujettissant à des renvois qui en font une table raisonnée des matières." *Maximes de La Rochefoucauld, Nouvelle Édition augmentée de Vies et de Notices*, t. II (A Paris, L'an III. de la République [1794]), p. 161-2.

[125] Por exemplo, no item "liberté", lemos a seguinte sentença: "La liberté mal définie est le fléau du Globe civilisé. Des Rois se sont servi de son nom pour opprimer les peuples, et l'anarchie populaire s'en sert pour opprimer les Rois". Ou ainda, sob a rubrica "législation": "Le législateur, qui a le courage de ne lier ses loix qu'avec le ciment de la raison et des mœurs, bâtit pour l'éternité". Idem, t. I, p. LXV-LXXVI.

[126] Idem, t. II, p. I-IV. (Aqui, como na maioria dos casos, reduzi a citação a um único parágrafo.)

[127] Idem, t. I, p. XVI-XVII.

[128] Idem, p. XIII-XIV; XXIII-XXIV.

[129] Idem, p. XXVIII-XXX.

[130] La Rochefoucauld, *Máximas e Reflexões* (trad. Leda Tenório da Motta), op. cit., p. 50.

[131] Cf. La Rochefoucauld, *Maximes* (éd. Truchet), op. cit., p. 59.

[132] La Rochefoucauld, *Máximas e Reflexões* (trad. Leda Tenório da Motta), op. cit., p. 15.

[133] Apud Corrado Rosso, *Procès à La Rochefoucauld et à la maxime* (Pisa, Editrice Libreria Goliardica, 1986), p. 19-20.

[134] Que fazer no mundo do século? Não é meu objetivo estabelecer bases de comparação entre visões de mundo tão complexas e multifárias como a dos jesuítas e a dos "jansenistas". Mas é importante, para o bom termo da distinção, lembrar a

UM MORALISTA NOS TRÓPICOS

relação dos jesuítas com o mundo visível, marcada pelo mistério, sem dúvida, mas simultaneamente privilegiadora dos sentidos, notadamente o visual. Sérgio Buarque de Holanda lembra os *Exercícios Espirituais*, quando requerem, logo de início, a "composição de lugar, vendo o lugar": "nessa contemplação ou 'meditación visible' deve apresentar-se à imaginação, declara [santo Inácio], 'o lugar corpóreo, onde se acha a coisa que quero contemplar'. E explica: 'Digo o lugar corpóreo assim como o templo ou monte onde se ache Jesus Cristo ou Nossa Senhora, segundo o que quero contemplar'". Cf. Sérgio Buarque de Holanda, *Visão do paraíso: os motivos edênicos no descobrimento e colonização do Brasil* (São Paulo, Brasiliense, 1992), p. 232. A valorização do campo visível, devedora do neoplatonismo de certos humanistas, como bem mostrou o historiador, nos faz pensar nas críticas recorrentes aos jesuítas e à valorização das exterioridades, ou isto a que Pascal chamou sua "dévotion aisée", na nona Provincial. Cf. Philippe Sellier, *Pascal et saint Augustin* (Paris, Albin Michel, 1995), p. 318. A questão é delicada, e importante, desde que se trata de um maior ou menor relaxamento nas coisas da fé e, sobretudo, trata-se de interiorizar os movimentos da crença, com a exigência típica dos jansenistas, ou exteriorizá-los, a tal ponto que se possa recompor "o lugar, vendo o lugar". José da Silva Lisboa não era infenso ao espírito missionário dos jesuítas, que ele talvez tenha herdado em sua formação conimbricense, marcada todavia pelas reformas pombalinas. Voltaremos ao tema no próximo capítulo.

[135] Apud Jean Deprun, "La réception des Maximes dans la France des Lumières", em Jean Lafond, Jean Mesnard (Org.), *Images de La Rochefoucauld*, op. cit., p. 41.

[136] "On a reproché à M. de La Rochefoucauld d'avoir dans ses *Maximes* anéanti nos vertus en rapportant toutes nos actions à l'amour-propre. Il nous a peints tels que nous sommes, dans le désordre du péché". É o que escrevia Louis Racine em 1742, em *La Religion*, apud Jean Deprun, "La réception des Maximes dans la France des Lumières", op. cit., p. 42.

[137] Apud Corrado Rosso, *Procès à La Rochefoucauld et à la maxime*, op. cit., p. 16.

[138] Nicolas de Chamfort, *Maximes et pensées*, apud Corrado Rosso, *Procès à La Rochefoucauld et à la maxime*, op. cit., p. 26-7.

[139] Apud Antony McKenna, "Quelques aspects de la réception des Maximes en Angleterre", op. cit., p. 83.

[140] Idem, p. 83.

[141] Blaise Pascal, "Pensées" (éd. Philippe Sellier), op. cit., 153, p. 353.

[142] Cf. Antony McKenna, "Quelques aspects de la réception des Maximes en Angleterre", op. cit., p. 84.

[143] Idem, p. 89. Consulte-se Jonathan Swift, *Gulliver's Travels* [1726]. (Versão digitalizada, "based on the 1735 Faulkner edition", disponível em <http://www.jafferbros.com/lee/gulliver>). Part IV ("A voyage to the country ot the Houyhnhnms"), onde o baralhamento das características da besta e do humano promove o estranhamento do fundo selvagem do aparentemente civilizado, no registro fabuloso dessas viagens do século XVIII.

[144] José da Silva Lisboa, *Constituição moral, e deveres do cidadão...*, op. cit., v. I, p. 54.

[145] Idem, p. 54-5.

[146] La Rochefoucauld, *Máximas e Reflexões* (trad. Leda Tenório da Motta), op. cit., passim.

· 186 ·

LEITURAS CRUZADAS

[147] José da Silva Lisboa, *Constituição moral, e deveres do cidadão...*, op. cit., v. I, p. 55-6. (Ênfase do autor.)

[148] É o que nota Jacques Truchet, referindo-se à máxima 83 e à idéia da amizade como um "comércio". Cf. La Rochefoucauld, *Maximes* (éd. Truchet), op. cit., p. 26. Para melhor compreender o "utilitarismo agostiniano" que subjaz a essa transmutação do amor-próprio em amizade, leia-se Jacques Esprit, *La fausseté des vertus humaines*, op. cit., p. 129-30. Para uma visada completamente diversa da amizade, no mesmo século XVII francês, consulte-se Saint-Évremond, "Sur l'amitié. A Madame la duchesse Mazarin", em *Œuvres en prose* (éd. René Ternois; Paris, S.T.F.M., 1966), t. III, p. 306-23; "L'amitié sans amitié. A Monsieur le Comte de Saint-Albans", p. 291-3. Sobre o epicurismo de Saint-Évremond, leia-se Jean-Charles Darmon, "Le gassendisme 'mondain' de Saint-Évremond", em *Philosophie épicurienne et littérature au XVIIe siècle* (Paris, Presses Universitaires de France, 1998), p. 315-73.

[149] José da Silva Lisboa, *Constituição moral, e deveres do cidadão...*, op. cit., v. I, p. 56.

[150] Cf. nota 44 deste capítulo.

[151] "[...] a immoralidade de Luiz XV, na França, facilitando pelo máo exemplo a licenciosidade da Nação, antes enfreada pela Moral, e Religião, desencadeou a clandestina infidelidade dos impios inimigos do Altar e Throno, que se inculcarão por *Grandes Luminares*, organizando *sociedades secretas*, (seminarios de rebelliões), e introduzindo, até com distribuição gratis, os livros os mais perversos e immundos, derão o ridiculo á virtude e honra do bello sexo, e á lealdade, e prudencia de seus orthodoxos Escriptores, estimados por sabios da primeira ordem na Europa, como *Bossuet* e *Fenelon* [sic], que estabelecerão as verdadeiras bases do Sacerdocio e Imperio, não obstante defenderem as *Liberdades da Igreja Gallicana*. O resultado foi o Terremoto Revolucionario, que tanto desmoralizou o Povo Francez, e quasi anniquilou o Caracter Nacional, por tantas crueldades, e mudanças de Constituições, até fazendo do juramento brinco de crianças; rematando a desordem em fim na idolatria do Despotismo Militar, acclamando os Francezes por seu Imperador ao Dragão Côrso, á que derão o titulo de Soldado feliz." José da Silva Lisboa, *Constituição moral, e deveres do cidadão...*, op. cit., v. III, p. 50.

[152] José da Silva Lisboa, *Constituição moral, e deveres do cidadão...*, op. cit., v. I, p. 61.

[153] José da Silva Lisboa, "Ensaio Econômico sobre o Influxo da Inteligência Humana na Riqueza e Prosperidade das Nações" [1851], em *Estudos do Bem Commum e Economia Política...*, op. cit., 1975, p. 463 (ênfase do autor.) Em seu sugestivo estudo, Antonio Penalves Rocha supõe que tal afirmação "não passa de um recurso retórico, que visava persuadir seus leitores da importância da ciência". Cf. Antonio Penalves Rocha, *A economia política na sociedade escravista...*, op. cit., p. 61. Veremos, por meio das observações do próximo capítulo, que essa afirmação de Cairu pode ser central, como central é a organização retórica de seu discurso. A investigação "natural" que pressupõe a Economia Política, no entender de Silva Lisboa, pode torná-la de fato axial em seus estudos, no âmbito político, econômico e moral, ligando a nova disciplina, definitivamente, ao Direito, como de resto mostra, com precisão, o mesmo Antonio Penalves Rocha.

3. Sobre as ruínas do Capitólio

*Peut-être la critique n'a-t-elle d'autre tâche que de
faire comprendre comment les livres commencent[1].*

Jean Starobinski, "La Rochefoucauld et les morales substitutives"

No mês de junho de 1787, Edward Gibbon, então em Lausanne – terra que conhecera ainda jovem, quando, a mando de seu pai, um ministro calvinista passou cinco anos a dissuadi-lo das crenças católicas adquiridas em Oxford –, encerrava sua obra sobre o declínio e a queda do Império Romano lembrando a origem singular do estudo: "Foi entre as ruínas do Capitólio que eu primeiro concebi a idéia de um trabalho que tem entretido e exercitado perto de vinte anos de minha vida[...]"[1].

Encantado diante do espetáculo das ruínas, o escritor inglês terá sonhado, ainda por um instante, com a gravidade do que se perdera[2]. O último capítulo de seu livro traz, a propósito, as impressões deixadas por dois servidores do papa Eugênio IV, quando, vendo-se entre os escombros que encantariam os séculos vindouros, puseram-se a moralizar sobre as vicissitudes da fortuna romana (*moralising on the vicissitudes of fortune*, no original). A beleza do extrato e a exuberância da prosa de Gibbon reclamam uma citação completa, aqui na tradução de José Paulo Paes:

> Sua aparência primeira, tal como poderia se mostrar numa época remota, quando Evandro entreteve o forasteiro de Tróia, foi esboçada pela fantasia de Virgílio. A rocha Tarpéia era então um bosque selvático e solitário; na época do poeta, coroava-o o teto dourado de um templo; o templo foi arrasado, o ouro pilhado, a roda da fortuna completou seu giro, e o solo sagrado está de novo desfigurado por espinheiros e silvados. A coli-

---

[1] Talvez a crítica não tenha outra tarefa senão fazer compreender como os livros começam.

UM MORALISTA NOS TRÓPICOS

na do Capitólio, em que nos assentamos, foi outrora o topo do império romano, cidela da terra, o terror de reis, ilustrada pela passagem de tantos triunfos, enriquecida com os espólios e tributos de tantas nações. Esse espetáculo do mundo, como decaiu! como mudou! como se desfigurou! A senda da vitória está obliterada por vinhas, e os bancos dos senadores escondidos por um monturo. Voltai vossos olhos para a colina palatina e procurai entre os informes e gigantescos fragmentos o teatro de mármore, os obeliscos, as estátuas colossais, os pórticos do palácio de Nero; examinai as outras colinas da cidade: o espaço vazio só é interrompido por ruínas e jardins. O foro do povo romano, onde este se reunia para estabelecer as suas leis e eleger os seus magistrados, foi agora cercado para cultivo de hortaliças ou escancarado para receber porcos e búfalos. Jazem por terra, desnudos e esfacelados como os membros de um poderoso gigante, os edifícios públicos e privados erguidos para a eternidade; a ruína torna-se ainda mais visível por causa das estupendas relíquias que sobreviveram às injúrias do tempo e da fortuna.[3]

A desolação, expressa na paisagem invadida pelos animais e plantas, mal esconde o entusiasmo do narrador, o "douto Poggio", com aquilo que se erguera outrora naquele sítio. O gigante desnudo, finalmente prostrado, oferecia, à imaginação do servidor papal, matéria para um devaneio mórbido, próprio aos amantes de ruínas.

Embora o tivesse por "hum dos maiores sceptptos, e apostata da Igreja Catholica", José da Silva Lisboa conheceu e admirou a prosa de Gibbon. Logo nas primeiras páginas de sua *Constituição moral, e deveres do cidadão*, o moralista brasileiro lembra uma passagem de um capítulo célebre do *Declínio e queda do Império Romano*, em que as pinceladas a um só tempo delicadas e viris de seu autor reproduzem a sorte da religião cristã, medrando entre os escombros da civilização passada:

[...] ella suavemente se insinuou no espirito dos homens, cresceo no silencio e escuridade, adquirio novo vigor com a opposição, e á final arvorou a triumphante bandeira da Cruz sobre as ruinas do Capitolio; e depois de decorridos tantos seculos, ainda he professada pelas Nações da Europa, que formão a porção do Genero Humano mais distincta nas Artes e Sciencias, sendo pela industria e zelo dos Europeos espalhada nas mais distantes regiões d'Africa e Asia, e firmemente estabelecida n'America desde o Canadá até o Chili.[4]

· 190 ·

SOBRE AS RUÍNAS DO CAPITÓLIO

O futuro visconde de Cairu, profundo conhecedor da língua inglesa, traduzia com cuidado o texto, reforçando porém o caráter orgânico da imagem forjada por Gibbon, a fim de transmutá-la, definitivamente, em metáfora botânica: como uma semente, guardada no silêncio e no escuro da terra, vigorava a planta do cristianismo, até arvorar-se (simplesmente *to erect*, no original) em cruz, vitoriosa sobre as ruínas, como aliás no trecho de Poggio os elementos naturais – hortaliças, búfalos e porcos – cercaram os restos dos edifícios erguidos pelos homens, votados à eternidade.

A forte impressão causada pela decadência da civilização parece originar-se, ao menos em parte, desta espécie de dramatização do processo histórico, capaz de caracterizá-lo pelo embate entre a natureza e o artifício, sugerindo, então, a riqueza de um registro literário que o século XIX laboraria magnificamente, transportando-o entretanto para o país da ciência, cuja objetividade muitas vezes se sujeitaria à perícia com que se manejam os instrumentos da ficção, apontando o paradoxo disto a que poderíamos chamar, porventura, uma *poética científica*.

A lembrança não será absurda, desde que nos referimos a textos (o de Gibbon especialmente, mas também, a seu modo, o de Cairu) revestidos de um espírito científico que se proclama infenso à imaginação delirante, salvaguardando uma "razão" purgada de todo caráter poético. Mas é verdade que, antes ainda do evolucionismo sobre o qual se fundaria uma ciência do social, a compreensão do processo civilizatório buscava, nos costumes e nos sentimentos coletivos, os sinais da ascensão e da decadência dos povos. Para desempenhar sua nova tarefa de descrever o mundo, estes "cientistas" – moralistas, em todo caso – oscilavam, precisamente, entre o zelo objetivista e o tom de maravilha emprestado às descrições naturais. Assim, a imaginação de Buffon, no século XVIII, revelara ao mundo a origem dramática das nações, constituindo-se *contra* a natureza[5].

Mórbida é a descrição da decadência, por conter, num único movimento, o fascínio diante do artifício e a correlata sedução causada pelo declínio lento e imperioso das construções do engenho humano, flagradas, com detalhe e riqueza, em seu ocaso, isto é, na fatalidade de seu perecimento, o qual, no fundo, é a entrega definitiva à natureza daquilo que um dia ousou separar-se dela. É sugestivo que o discurso da decadência adquira, amiúde, o tom grave dos epitáfios, recordando-nos a fugacidade do humano diante da força incoercível do mundo natural; força oriunda, porém, da ligeireza e constância de seus elementos[6].

· 191 ·

UM MORALISTA NOS TRÓPICOS

A prosa didática de Cairu não nos autoriza imaginá-la pertencente a este registro discursivo ainda indefinido, que se desenvolve entre os planos literário e científico. Trata-se de um estudo moral e, ao mesmo tempo, de um catecismo com intenções práticas. Vale ressaltar, porém, a significação desta presença do extrato de Gibbon logo no início da obra brasileira, pois é preciso e inteligente o recorte da leitura: enquanto o escritor inglês buscava as razões a explicar o sucesso do cristianismo, ao corroer os alicerces já putrefeitos do edifício civilizacional romano, Cairu se limita à imagem majestosa da Cruz, erguendo-se por sobre as ruínas do Capitólio.

Com sua leitura seletiva, José da Silva Lisboa abandona o enlevo das ruínas, batendo os vestígios da corrupção de uma civilização pagã, contentando-se em mirar a bandeira cristã que os europeus trouxeram até os trópicos. Desde o início, vai-se revelando, em sua obra, o caráter novíssimo de um mundo que nascia, repleto de promessas e desafios.

No cruzamento do natural e do humano, vinha à luz uma obra cujo sentido somente se compreende se voltada nossa atenção para o nascimento do Império, este organismo então jovem e influenciável, que caberia aos homens de ciência dirigir e proteger, mantendo-o, prudentemente, distante de todo elemento corruptor. Gibbon, presença brilhante no intróito da *Constituição moral*, é logo abandonado, talvez exatamente porque o fascinassem a decadência e a corrupção, que Cairu sonhava em banir deste canto do mundo, votando-o, se não à eternidade, ao menos ao futuro glorioso e reto de uma nova nação[7].

• • •

Na *Constituição moral*, o embate se dá menos entre a natureza e o homem, que no seio mesmo da natureza humana. Vimos que, em momento algum, Cairu parece deixar-se encantar pelo mundo à sua volta, empenhando-se no controle das paixões humanas e, como veremos, na busca do justo equilíbrio do corpo social, a partir do equilíbrio de cada cidadão.

O poder absoluto da natureza, que a tudo consome e transforma, denota a fraqueza relativa do humano, humilhando as pretensões da civilização, minando suas bases, para, como na passagem de Poggio traduzida por Gibbon, prostrar definitivamente o gigante, descortinando o espetáculo de sua corrupção.

Cairu opõe-se, sem concessões, ao enlevo das ruínas, capaz de tocar a sensibilidade mais afectada[8]. O quadro social, segundo o autor brasileiro,

• 192 •

SOBRE AS RUÍNAS DO CAPITÓLIO

vinha sendo tomado pela afecção de um monstruoso sistema de idéias, nascido no século anterior, e que resultava em desorganização e convulsões, em escala global. Assim, à passagem recortada de Gibbon, em que se notava a força insinuante do cristianismo, Cairu justapõe suas próprias observações:

> Não obstante esta excellencia [da bandeira cristã], depois que no seculo passado se começou a attacar, não só a Religião Revelada, mas tambem a Religião Natural, e a Moral reconhecida em as Nações mais cultas da Europa, por Literátos presumidos, que jactanciosamente se intitularão *filhos da luz, livres pensadores, e espiritos fortes*, superiores aos prejuizos do vulgo; surgirão infieis e athêos, que com escriptos libertinos e impios apregoarão hum monstruoso *Systema da Natureza*, e *Constituição da Humanidade*, que tem sido huma das causas mais poderosas da Corrupção da Moral Publica; o que he lamentado por sabios orthodoxos, e pelos Governos regulares, que tem visto os seus fataes e extensos effeitos na começada desorganisação da sociedade, e ruina do edificio de civilisação; o que ainda ora influe no estado convulso em que se acha hum e outro Hemisphério.[9]

A "começada" desorganização da sociedade sugere o início do fim, a putrefação, lenta e inexorável, de um organismo convulso, agonizante. Compreenda-se o duplo registro dessas palavras, alinhadas, a um só tempo, num plano metafórico e num plano em que pretendem ser apenas a constatação, sem contaminação poética, de uma moléstia a afetar o corpo social. Se o registro é duplo, torna-se logo perceptível o procedimento analógico (fazendo, dos dois planos, um só), trazendo a imaginação do leitor para diante de um universo em que a organização social é a vitalidade do organismo, enquanto a desorganização é o esgotamento e a corrupção corporal.

A morbidez persegue o imaginário de Cairu, como nessa descrição, discretamente informada pelo léxico orgânico. Não se trata mais apenas do Corpo Político, não de todo distante do Corpo Místico com o qual se compreendia e expressava a transcendência da Igreja, seus liames espirituais, sua abrangência diante do mundo e do homem. Trata-se já, em parte, neste início do século XIX, de um organismo, um complexo vivo e autônomo.

Importa perceber este deslocamento, evolução possível do pensamento que se desvencilha da mentalidade clássica, abandonando a no-

· 193 ·

UM MORALISTA NOS TRÓPICOS

ção de uma República ideal, para ater-se a uma idéia mais concreta, mais palpável e, por conseguinte, mais insubmissa aos homens: um organismo imenso e assustador, que lhes é exterior, constituindo-se progressivamente num outro, no objeto-coisa que obsidiaria os cientistas do século XIX, até que criassem, finalmente, uma ciência positiva do social[10].

Em todo o caso, Cairu andará a meio caminho desta noção positiva da sociedade. A idéia que carrega ainda é, freqüentemente, a de um Corpo Político cuja transcendência revela-se no todo, superior às partes, embora claramente comandado por uma cabeça magna, como no Antigo Regime, ou nos "Governos regulares". A expressão e a compreensão do conjunto da sociedade podem ainda apoiar-se na mística do Corpo, a manter-se coeso, precisamente como defendera Silva Lisboa, ao pregar a unidade colonial:

> [...] não posso crer, que entre jamais no espírito de Português, o estulto, não menos que infernal, projeto, seja de desunião do Estado-Pai, seja de desmembração ainda só de um palmo deste Corpo Imperial. Se existe algum entusiasta, ou perverso, que aspire à tal horribilidade digo que está desamparado do Eterno, e lhe aplico a antiga sentença – "A quem Deus quer perder primeiro tira-lhe o Entendimento".[11]

Estas palavras publicaram-se no *Conciliador do Reino Unido*, em março de 1821, quando Cairu se opunha à separação política de Brasil e Portugal, causa que abraçaria apenas no ano seguinte, no momento em que as Cortes de Lisboa propuseram algo que, aos brasileiros, terá soado como um projeto de recolonização[12].

No *Conciliador*, Silva Lisboa exercitava o estilo loquaz e enérgico que forneceria sua marca à *Constituição moral, e deveres do cidadão*. Energia própria dos panfletos da época, em meio a isto a que se chamou, recentemente, a "guerra dos jornalistas na Independência"[13]. Meio oculto sob o pseudônimo "Fiel à Nação", o moralista se envolvera em acirradas polêmicas, pondo-se contra os liberais mais exaltados. É o caso das críticas ao espírito revolucionário do tempo, presentes na *Reclamação do Brasil*, tendo como alvo os redatores do *Revérbero Constitucional Fluminense*, Januário da Cunha Barbosa e Joaquim Gonçalves Ledo:

> O reverberista se mostra provecto no magistério da cadeira cabalística e um dos missionários da propaganda da incendiária galomania. Ele está iludindo o vulgo com falsos dogmas do paradoxista de Genebra [...] para

• 194 •

SOBRE AS RUÍNAS DO CAPITÓLIO

constituir o povo no mais feroz dos tiranos. Até o título do seu periódico é de péssimo agouro por excitar terríveis idéias associadas da Revolução Francesa e das hórridas práticas que descrevem os seus historiadores. [...] Protesto contra o catecismo jacobínico desse insurgido Père Duchesne, que tanto alucinou e perdeu o vulgo da França.[14]

Eis que ressurgem dois fantasmas da cabala francesa: o genebrino Rousseau, com seus dogmas libertários (ou *libertinos*, na acepção pejorativa que o moralista brasileiro emprestava ao termo), e Hébert, autor de um dos panfletos que mais afoguearam o facho revolucionário, vítimas, ambos, da ira deste "Reclamador", preocupado em encontrar "o justo meio entre os excessos", conforme ainda expressão sua, no *Memorial apologético das Reclamações do Brasil*, publicado em julho de 1822[15].

No primeiro capítulo deste trabalho, sugeri um traço "maçônico" na concepção de José da Silva Lisboa sobre a constituição da natureza, obra, afinal, de um supremo Arquiteto, capaz de fornecer aos moralistas pios e benignos um modelo para a constituição da sociedade, tarefa de todo aquele que procura os liames da coletividade e o bem assentado do edifício político.

Cairu, católico ortodoxo, repudia a franco-maçonaria, mas mobiliza, em sua escrita, todo um conjunto de elementos provindos da arte das construções. No capítulo XI do "Appendice" à *Constituição moral*, intitulado "Dos Pretextos dos Infieis para a incredulidade na Religião Revelada", o moralista parece ter em vista os pedreiros-livres. Ao menos, pode-se-lhes atribuir, plausivelmente, o papel de membros desta

> [...] *Sociedade Secreta*, e extensa, que se inaugura por *Sociedade Philosophica* de *filhos da Luz*, ramificada em hum e outro Hemisferio, já tendo *Congregações* no Brasil; e sendo ella mui suspeita de ser Anti-christãa, quando mais não fosse, porque, affectando ter só em vista o Bem da Humanidade, sustenta, como fundamental lei, o obrigar com juramento aos seus membros, a nunca revelarem o segredo do seu real objecto [...].[16]

O capítulo seguinte compõe-se de respostas às invectivas dos "implacaveis inimigos do altar e Throno", empenhados em manchar a imagem da Igreja católica. Quanto às críticas à tiara pontifícia, Cairu lembra o quão razoáveis eram as opiniões de um católico irlandês, que se opunha aos protestantes da Inglaterra, afirmando que

· 195 ·

UM MORALISTA NOS TRÓPICOS

...arguir do abuso do poder para negar o mesmo poder, he copiar o exemplo dos Revolucionários da França. Elles prepararão a destroição de sua Monarchia pela multidão de escriptos em que se fazião catalogos dos crimes dos Reis, sem reflectirem (o que alias era evidente á todo o espirito pensador) que, ainda quando taes crimes fossem mais numerosos e atrozes, do que são figurados, com tudo sempre erão infinitamente contrabalançados pela simples vantagem de servirem esses Soberanos de *Pedras Angulares* de todo o Edificio dos Estados de que erão Cabeças; prevenindo-se assim os indiziveis males de interminaveis divisões e mudanças. O beneficio da Supremazia Pontificia neste ponto de vista, isto he, para prevenir schismas, servir de *Centro de União*, e de *Faról da Orthodoxia*, tem sido reconhecido, não só pelos Padres da Igreja, mas tambem pelos modernos Protestantes [...].[17]

Como esta, encontram-se várias passagens, na *Constituição moral*, nas quais o leitor é brindado com imagens arquiteturais. Provenham elas da lavra do próprio autor, ou sejam apenas traduções, vêm todas sugerir o interesse de uma análise como a que se empreende aqui, pondo acento na importância desta idéia de uma *fundação*, num duplo aspecto: fundação do país, em sua plena novidade de pátria infante, e fundação de suas bases morais, de modo que os contornos de sua constituição política pudessem destacar-se nem tanto como ossatura jurídica, surgindo, antes, como as traves de um edifício moral, a erguer-se contra o tempo tormentoso das revoluções e contra a natureza impulsiva e bárbara que a religião católica aplaca, opondo-lhe a mensagem cristã de concórdia universal, para enfim descobrir, no homem, a pureza de sua bondade, corrompida originalmente pelo pecado.

Sobressai, no discurso de Cairu, a busca de uma Ordem anti-revolucionária, ameaçada, no Brasil como na Europa, pelos ideais racionalistas herdados do século XVIII e proclamados pelas correntes maçônicas, dos dois lados do oceano. Compreendam-se os "filhos da luz" como estes "infiéis" que enfrentavam o poder temporal da religião, apoiado, este, na Revelação contida na figura do Cristo; Revelação cuja justa heurística proviria apenas da ortodoxia católica, mediante a obediência ao governo espiritual da Santa Sé.

O tema não nos desvia da *Constituição moral, e deveres do cidadão*. Pelo contrário, a recepção e a utilização das doutrinas dos moralistas do sécu-

· 196 ·

SOBRE AS RUÍNAS DO CAPITÓLIO

lo XVIII, em especial escoceses, regem-se, na obra de Cairu, pela criterio-
sa seleção de seu conteúdo, restando a crítica que ressalva o deísmo de
autores como David Hume ou o próprio Adam Smith, sempre aquém da
Revelação[18]. À primeira vista pertencente apenas ao plano teológico, a
questão de fato adquire força e se desenrola no plano político, pois nos
vemos diante dos primórdios de uma batalha secular da Igreja contra o ra-
cionalismo burguês, maçônico e logo mais positivista, anunciando não apenas a oposição do ultramontanismo europeu, mas, também, a posição católica brasileira cada vez mais atritada com o poder monárquico, e cuja
máxima expressão seria, já na segunda metade do século XIX, D. Vital[19].

Esboçam-se, numa obra prática como a *Constituição moral*, as linhas
de força da reação católica ao mundo manchado pela Revolução, o que
podia representar um extraordinário alento para os partidários da Ordem,
por conter as lições de um pensamento conservador capaz de aglutinar
tendências várias, sempre que a desordem iminente – compreendida
como a ameaça da turba – se coloque à vista da pátria congregada, pondo em perigo posições estabelecidas e hierarquias mais ou menos rígidas.
Enfim, sempre que a arquitetura da sociedade seja contrastada, amea-
çando arruinar-se o edifício civilizacional[20].

A possibilidade de que aqui se repetissem fenômenos de desorganização social, com a desagregação da *pólis*, seria uma ameaça constante no
horizonte de nossas elites, e Cairu não escapa ao terror infundido pelo
fantasma revolucionário, francês ou antilhano. Sua reação vigorosa à
Confederação do Equador e a vividez das páginas nas quais critica a importação da mão-de-obra negra reforçam a imagem do velho conservador, desafeto de tantos liberais, o "degenerado baiano", como virulenta-
mente o alcunhara frei Caneca[21].

"O Trafico tem sido a principal Causa da falta de braços livres; porque tem impedido formar-se *Corpo de Nação*, composto de classes de trabalhadores voluntarios [...]"[22]. O tópico liberal, aqui, casa-se à idéia de
um Corpo nacional, não como um organismo regido pela biologia (ou
pela sociologia), mas como *corpus* político, isto é, como organização que
transcende os indivíduos, sujeitando-os à lei da Cidade, ou, no raciocínio
de Cairu, aos preceitos evangélicos da grei cristã, sancionados pela ortodoxia católica.

Entretanto, a leitura do catecismo prende-nos, como sugeri, a um duplo registro. O Corpo Político ia ganhando foros de organismo vivo, en-

• 197 •

UM MORALISTA NOS TRÓPICOS

volvido pelas metáforas orgânicas e médicas que os moralistas derrama-
vam sobre ele, transformando-o num simples corpo, desmistificando-o
mediante a descrição detalhada das afecções que podiam tomá-lo, para
buscar, ao fim, o justo equilíbrio capaz de mantê-lo são e salvo.

Cairu vale-se seguidamente de Hugh Blair, como no capítulo XXX da
segunda parte da Constituição moral, intitulado "Da Providencia de Deus",
no qual o autor dos *Sermões*, traduzido pelo moralista brasileiro, lembra
que mesmo as anomalias podiam servir a reforçar o tecido social:

> A Mão Divina he visivel nos grandes effeitos que apparecem na Socieda-
> de civil, quando commoções, e guerras abalão a Terra; quando Facções se
> enfurecem, e intestinas divisões embrulhão os reinos, que antes erão flo-
> rente [sic]; á primeira vista parece, que a Providencia tem abandonado
> os negocios das Nações ás desordens das paixões humanas. Comtudo, do
> meio desta confusão, muitas vezes resurge a Ordem, e dos males passa-
> geiros se derivão vantagens permanentes. Por taes convulsões, as Nações
> se excitão e levantão da perigosa lethargia, em que a superabundancia da
> riqueza, a longa paz, e a progressiva effeminação dos costumes, a havião
> abysmado. Então ellas parecem reviver para bem discernirem os seus in-
> teresses, e aprendem a tomar as convenientes medidas para segurança e
> defeza contra os seus inimigos. Em consequencia desse excitamento, cor-
> rigem-se os prejuizos inveterados; descobrem-se as occultas fontes de pe-
> rigo; desperta-se o Espirito Publico; e forma-se mais extenso e exacto
> conceito da Felicidade Nacional. As corrupções em que todo o Governo
> he sujeito a cahir muitas vezes, só se rectificão pela fermentação no Cor-
> po Politico; bem como os humores nocivos do corpo humano são expel-
> lidos pelo choque da febre. As tentativas contra a sabia, e bem estabelecida,
> Constituição civil tendem, em fim de conta, a fortificalla; e as desordens
> da licenciosidade, e facção ensinão os homens a melhor apreciarem os
> bens da tranquillidade, e legal protecção.[23]

A Providência é ainda presente neste extrato de Blair, embora se des-
loque e perca sua proeminência. À primeira vista, o mundo terá sido abandonado às paixões humanas, mas, eis que "do meio desta confusão, muitas vezes resurge a Ordem". Daí em diante, mais nenhuma referência à
mão visível de Deus: tudo vai se comportando como num organismo,
despertado de seu letargo pelas convulsões, para então revigorar, excitado
pelo encorajamento que a própria moléstia costuma inspirar aos pacien-

SOBRE AS RUÍNAS DO CAPITÓLIO

tes, fazendo-os reencontrar a ordem perdida, isto é, o equilíbrio orgânico ameaçado.

Reforço a interpretação, por acreditar que o deslocamento de sentidos, de um mundo Providencial rumo às constatações científicas (moralistas), seja fundamental para compreender o corte "sociológico" da empresa de Cairu, interessado em reagir ao desastre revolucionário, crente ainda nas armas divinas, mas absolutamente ciente de que elas, sozinhas, tornavam-se insuficientes.

O primado e a exclusividade da "razão" eram detectados como afronta ao ordenamento civil, não porque o moralista brasileiro simplesmente a julgasse obra demoníaca. O Pacto maldito surgia apenas quando aquela estrutura social que Cairu aprendeu a valorizar e proteger era ameaçada, em nome de uma universalização de direitos inconcebível para um homem, como ele, crente na virtude do velho edifício político, com seus altos postos e sua cabeça intangível, e na natureza superior dos espíritos capazes de ocupá-los.

As crenças liberais, nesta obra de José da Silva Lisboa, casam-se a uma ordem social inabalável, sugerindo um desconcerto que, convenhamos, não é exclusivo dos séculos passados, e talvez nem seja uma característica avantajada entre nós, e bem compassada nas nações européias. A bem dizer, as idéias não têm "lugar", nem lá nem cá, servindo, no mais das vezes, a encobrir tudo aquilo que envergonharia a razão, uma vez desnudada a injustiça do edifício político.

Na passagem de Blair, após o abismo vem o alevante das nações, e a própria desordem intestina terá servido à causa da ordem, já oscilante entre a Ordem cosmogônica e a ordem corporal: ordem, *tout court*. As corrupções se retificam pela fermentação, num processo febril doloroso, mas benigno.

Embora o léxico convide o leitor a um passeio por aqueles *humores* que, no século XVII, marcavam ainda a conformação corporal e anímica, o registro está, também aqui, alterando-se. Mais que a simples purgação de humores, o processo todo é de retesamento dos liames do organismo social, isto é, toda ação desviante termina por reforçar os laços orgânicos, a transgressão de uns garantindo a harmonia de todos.

Neste sermão do reverendo Blair, citado por Cairu, o tom é moralizador, embora se anuncie uma das mais importantes peças da sociologia que nasceria no século XIX: o desvio como componente fundamental na

· 199 ·

UM MORALISTA NOS TRÓPICOS

conformação do corpo social. Crimes e suicídios – atravessamos o campo da transgressão, e da tradicional proscrição – seriam guindados ao primeiro plano do pensamento, oferecendo-se não mais como sinais da decadência, mas como signo de normalidade[24]. A nomologia migrava do campo moral para o científico, habitado este, contudo, pelas metáforas obsessivas do orgânico, fazendo crer numa solidariedade que emanaria não mais da simples consciência individual, mas da coletividade que a transcende e desafia.

Marquemos o passo: não se trata de buscar, anacronicamente, traços "pré-sociológicos" na *Constituição moral*, ou na miscelânea moralista ali contida: o prefixo (*pré*) bastaria para apontar o engano da teleologia. Trata-se, isto sim, de destacar a potência reguladora que estará na base de uma ciência ainda nomológica, mesmo quando voltada para a sociedade, ou mesmo quando se abstém dos julgamentos de valor, encantando-se, entretanto, com a possibilidade de (re)encontrar a lógica do social, baseada sobre os valores assumidos pelos indivíduos[25].

Esse momento inicial da *sociologia*, notadamente da sociologia clássica francesa, pode revelar seu compromisso íntimo, radical, com a reconstrução do edifício político (no plano lógico), como se a ciência social no fundo buscasse, mediante a análise do organismo coletivo, os segredos de uma arquitetura perenemente ameaçada[26].

A vontade de regulação, ou a necessidade de regulação, expressa-se, no discurso de Cairu, como reencontro do justo termo, do equilíbrio individual e da ordem coletiva. Não é uma análise que se reclame objetiva, embora possa objetivar a Ordem pretendida, sublimada muitas vezes numa análise puramente sociológica, ou classicamente sociológica. Cairu se lança ao discurso da ordenação, porque o apavora o esgarçamento do tecido social e, neste particular, não será absurdo aproximá-lo da sociologia nascente, pois de fato sua pretensão é compreender o mundo nascido da Revolução, ou o universo de uma nova cultura política, surgida com o século XVIII. Seu tom, contudo, será abertamente reativo, embora não completamente reacionário. Mas é sob o signo da Ordem que pretende fundar as bases de um novo edifício político, a construir-se, como se vê uma vez mais, sobre as ruínas do antigo.

• • •

SOBRE AS RUÍNAS DO CAPITÓLIO

As metáforas orgânicas não datam exclusivamente da era das Luzes. Um certo desregramento do corpo é matéria que há muito se investiga. Montaigne, discorrendo sobre "a força da imaginação", lembrava que nossa vontade é freqüentemente rebelde e sediciosa: *"veut-elle toujours ce que nous voudrions qu'elle voulût?"* O membro viril retinha então sua atenção, justamente por ser objeto de uma suspeita: a de que seria insubmisso à vontade dos homens. Numa passagem divertida, o ensaísta intercede em seu favor, fazendo notar que outras partes do corpo tinham igualmente suas próprias e incontroláveis razões:

On a raison de remarquer l'indocile liberté de ce membre, s'ingérant si importunément lors que nous en avons le plus affaire, et contestant de l'autorité si impérieusement avec notre volonté, refusant avec tant de fierté et d'obstination nos sollicitations et mentales et manuelles. Si toutefois, en ce qu'on gourmande sa rébellion, et qu'on en tire preuve de sa condamnation, il m'avait payé pour plaider sa cause, à l'aventure mettrais-je en soupçon nos autres membres ses compagnons de lui être allés dresser par belle envie de l'importance et douceur de son usage, cette querelle apostée, et avoir, par complot, armé le monde à l'encontre de lui, le chargeant malignement, seul, de leur faute commune. Car je vous donne à penser s'il y a une seule des parties de notre corps qui ne refuse à notre volonté souvent son opération, et qui souvent ne l'exerce contre notre volonté. Elles ont chacune des passions propres, qui les éveillent et endorment sans notre congé. A quant de fois témoignent les mouvements forcés de notre visage les pensées que nous tenions secrètes, et nous trahissent aux assistants. Cette même cause qui anime ce membre, anime aussi, sans notre su, le cœur, le poumon et les pouls; la vue d'un objet agréable répandant imperceptiblement en nous la flamme d'une émotion fiévreuse. N'y a-t-il pas ces muscles et ces veines qui s'élèvent et se couchent sans l'aveu non seulement de notre volonté, mais aussi de notre pensée? Nous ne commandons pas à nos cheveux de se hérisser, et à notre peau de frémir de désir ou de crainte. La main se porte souvent où nous ne l'envoyons pas. La langue se transit, et la voix se fige à son heure. Lors même que, n'ayant de quoi frire, nous le lui défendrions volontiers, l'appétit de manger et de boire ne laisse pas d'émouvoir les parties qui lui sont sujettes, ni plus ni moins que cet autre appétit, et nous abandonne de même hors de propos, quand bon lui semble. Les outils qui servent à décharger le ventre ont leurs propres dilatations et compressions, outre et contre notre avis, comme ceux-ci destinés à décharger nos rognons. Et ce que, pour autoriser la toute-puissance de notre volonté, saint Augustin allègue avoir vu quelqu'un qui commandait à son derrière autant de pets qu'il en voulait, et que Vivez son glossateur enchérit d'un autre exemple de son temps, de pets organisés, suivant le ton des vers qu'on leur prononçait, ne suppose non plus pure l'obéissance de ce membre; car en est-il ordinairement de plus indiscret et tumultuaire? Joint que j'en sais un si turbulent et revêche, qu'il y a quarante ans qu'il tient son maître à péter d'une haleine et d'une obligation constante et irrémittente, et le mène ainsi à la mort. Et plût à Dieu que je ne le susse que par les histoires, combien de fois notre ventre, par le refus d'un seul pet, nous mène jusques aux portes d'une mort très angoisseuse; et que l'empereur qui nous donna liberté de péter partout, nous en eût donné le pouvoir[ii].[27]

[ii] Com razão observam quanto esse órgão é independente, excitando-se muitas vezes inoportunamente e falhando de outras feitas; colocando-se em oposição direta à nossa vontade, recusando-se peremptoriamente a atender às nossas solicitações mentais ou físicas. Se entretanto tomassem como pretexto essa independência para condená-lo e me cumprisse defendê-lo, eu insinuaria caber parte da responsabilidade aos outros órgãos seus companheiros, os quais invejando sua importância e sua agradável destinação devem ter conspirado, sublevando todo mundo contra ele, imputando-lhe maldosamente uma culpa de que tampouco não estão isentos. Pois, pergunto, haverá uma só parte de nosso corpo que não se recuse às vezes a fazer o que deve ou não aja contra a nossa vontade? Cada uma dessas partes obedece a impulsos próprios, que as acordam ou adormecem sem intervenção nossa. Quantas vezes os movimentos involuntários do nosso rosto revelam pensamentos que desejaríamos conservar secretos! A causa da independência desse órgão pode de igual modo atuar sobre o coração, os pulmões, o pulso. A vista de um objeto agradável acende imperceptivelmente em nós a chama de uma emoção febril. Mas serão somente esses músculos e essas veias que se retesam e se distendem independentemente de nossa vontade e até de nosso pensamento? Não mandamos nossos cabelos se eriçarem, nossa pele arrepiar de desejo ou medo. Nossas mãos têm às vezes movimentos inconscientes; a língua paralisa-se e a voz se extingue em certos momentos. Quando não temos nada para comer e a isso não gostaríamos de ser incitados, o apetite exige que comamos e bebamos, tal qual o outro apetite, e se acalma ou se irrita quando bem entende. E não têm, os órgãos pelos quais se alivia o ventre, movimentos de retração e dilatação como os que concorrem para o funcionamento das partes genitais? Para demonstrar o poder de nossa vontade, alude Santo Agostinho a alguém que produzia, a seu bel-prazer, evacuações sonoras de gases intestinais. João Luís Vives, comentador de San-

SOBRE AS RUÍNAS DO CAPITÓLIO

Desenha-se aqui algo que apavoraria, e apavorará de fato, o visconde de Cairu: partes do organismo que se tornam autônomas, atuando contra a vontade reguladora do pensamento, ou da razão, tomando as rédeas do movimento. São vontades que se contrapõem à "vontade", a autonomia dos órgãos significando a heteronomia do corpo.

O eixo é ainda a regulação, e não por acaso Montaigne parece deliciar-se com a desregulagem, seguindo o caminho da defesa de seu "cliente", um órgão todavia especial, dotado pela natureza de um poder notável, autor que é da "única obra imortal dos mortais".

Proliferam acordes nesta sinfonia caótica do corpo, visto em sua heterogeneidade. O registro aparentemente baixo serve a dar graça ao extrato, e a referência à vontade todo-poderosa, defendida por santo Agostinho, matiza-se com uma ironia mal oculta sob o tom sério da narrativa. Os flatos são ali sinal do poder dos homens sobre o corpo, troféus aéreos erguidos em honra de sua vontade vitoriosa. Melhor seria traduzi-los por peidos, em todo o caso[28].

A autonomia dos órgãos, em especial do órgão viril, incomodara sobremaneira a santo Agostinho. Confessando-se, o bispo de Hipona lembra o episódio em que o pai lhe flagra, nos banhos, a adolescência inquieta. Na puberdade, despontava a embriaguez dos sentidos, das sensações corpóreas, dos prazeres infernais, da lodosa concupiscência que o apavora e atrai[29].

Trata-se de uma guerra interior, entre o pecado do mundo e a regeneração em Deus, atendo-nos ao imaginário agostiniano. Avançando no tempo, voltando à época de Montaigne para buscar novas imagens, tratar-se-ia de uma guerra pulverizada em mil pequenas batalhas, como se

---

to Agostinho, acrescenta o exemplo de um indivíduo de seu tempo que a tal possibilidade juntava a de dar a esses ruídos o tom que pediam. Estes exemplos, entretanto, não constituem prova irrefutável de obediência absoluta dessa parte do corpo em geral assaz indiscreta e indisciplinada. Conheço uma pessoa em quem essa parte do corpo é tão turbulenta e pouco tratável que há quarenta anos vem ela sendo atormentada por não poder conter-se. Sua evacuação é por assim dizer contínua, sem acalmias, e assim parece dever continuar até a morte. E praza a Deus que somente em histórias tenha conhecimento dessa recusa do ventre em se aliviar, capaz de levar-nos a uma morte dolorosa. E oxalá nos tivesse Ele permitido, como fez o imperador que autorizou seus convivas a darem livre expansão à natureza. Cf. *Montaigne* (trad. Sérgio Milliet; São Paulo, Abril, 1972), p. 58.

• 203 •

bandos de sediciosos brandissem armas, ininterruptamente, contra o poder central que é a razão:

> Nous appelons PASSIONS un mouvement violent de l'âme en sa partie sensitive, qu'elle fait pour suivre ce qui lui semble bon ou fuir ce qui lui semble mauvais. Car, bien qu'il n'y ait qu'une âme en nous, cause de notre vie et de toutes nos actions, laquelle est toute en tout et toute en chaque partie, si a-elle des puissances merveilleusement différentes, voire contraires les unes aux autres, selon la diversité des vaisseaux et instruments où elle est retenue et des objets qui lui sont proposés. En un endroit, elle fait croître; en l'autre, elle remue; en l'autre, elle sent; en autre, elle désire; en l'autre, elle imagine; en autre, elle se souvient; en autre, elle discourt; ne plus ne moins que le soleil qui, tout un en son essence, départant ses rayons en divers endroits, échauffe en un lieu et éclaire en l'autre, fond la cire, sèche la terre, dissipe les nues, tarit les étangs. Quand les parties où elle est enclose ne la retiennent et occupent qu'à proportion de leur capacité et selon qu'il est nécessaire pour leur droit usage, ses effets sont doux, bénins et bien réglés. Mais, quand au contraire ses parties prennent plus de mouvement et de chaleur qu'il ne leur en faut, elles s'altèrent et deviennent dommageables: comme les rayons du soleil, qui, vaguant à leur naturelle liberté, échauffent doucement et tièdement, s'ils sont recueillis et réunis au creux d'un miroir ardent, brûlent et consument ce qu'ils avaient accoutumé de nourrir et vivifier. Or la nature a donné [aux] sens cette force et cette puissance, tirée de l'âme, de s'appliquer aux choses, en tirer les formes et les embrasser ou rejeter selon qu'elles leur semblent agréables ou fâcheuses et qu'elles consentent ou s'accordent à leur nature. Et ce, pour deux raisons: l'une, afin qu'ils fussent comme les sentinelles du corps et qu'ils veillassent pour sa conservation; l'autre, et la principale, afin qu'ils fussent comme les messagers et courriers de l'entendement et partie souveraine de l'âme, et pour servir de ministres et d'instruments au discours et à la raison. Mais, leur donnant cette puissance, elle leur a aussi prescrit sa loi et son commandement, qui est de se contenter de reconnaître et donner avis de ce qui se passe, sans vouloir entreprendre de remuer les plus hautes et plus fortes puissances et mettre tout en alarme et confusion. Car, en une armée, souvent les sentinelles, pour ne savoir pas le dessein du chef qui leur commande, peuvent être trompées et prendre pour secours les ennemis

• 204 •

SOBRE AS RUÍNAS DO CAPITÓLIO

déguisés qui viennent à eux ou pour ennemis ceux qui viennent à leur secours; aussi les sens, pour ne pas comprendre tout ce qui est de la raison, sont souvent trompés par l'apparence et jugent pour ami ce qui nous est ennemi. Quand, sur ce jugement et sans attendre le commandement de la raison, ils viennent à remuer la puissance concupiscible et l'irascible, ils font une sédition et un tumulte en notre âme, pendant lequel la raison n'y est non plus ouïe ni l'entendement obéi que la loi ou le magistrat en un État troublé de dissension civile[iii].[30]

[iii] Nós chamamos PAIXÕES a um movimento violento da alma em sua parte sensitiva, que ela faz para seguir o que lhe parece bom ou para fugir ao que lhe parece mau. Porque, conquanto não haja senão uma alma em nós, causa de nossa vida e de todas as nossas ações, a qual é toda em tudo e toda em cada parte, ela tem potências maravilhosamente diferentes, quando não contrárias umas às outras, segundo a diversidade dos canais e instrumentos onde ela é contida e dos objetos que lhe são propostos. Em um canto, ela faz crescer; no outro, ela comove; no outro, ela sente; em outro, ela deseja; em outro, ela imagina; em outro, ela se recorda; em outro, ela discorre; nem mais nem menos que o sol que, todo um em sua essência, lançando seus raios em diversos locais, aquece em um lugar e esclarece em outro, funde a cera, seca a terra, dissipa as nuvens, esgota as lagoas. Quando as partes onde ela é contida não a retêm e ocupam senão na proporção de sua capacidade e segundo seja necessário para o uso correto delas, seus efeitos são suaves, benignos e bem regrados. Mas, quando ao contrário suas partes tomam mais movimento e calor que lhes é necessário, elas se alteram e se tornam degradantes: como os raios do sol, que, vagando à sua natural liberdade, aquecem suave e tepidamente, se são recolhidos e reunidos no foco de um espelho ardem, queimam e consomem o que eles acostumaram a alimentar e vivificar. Ora, a natureza deu aos sentidos esta força e esta potência, provinda da alma, de se aplicar às coisas, atrair-lhes as formas e as abraçar ou rejeitar segundo elas lhes pareçam agradáveis ou inconvenientes e que elas consintam ou se acordem a sua natureza. E isto, por duas razões: uma, a fim de que eles fossem como as sentinelas do corpo e que eles velassem por sua conservação; a outra, e a principal, a fim de que eles fossem como os mensageiros e correios do entendimento e parte soberana da alma, e para servir de ministros e de instrumentos ao discurso e à razão. Mas, dando-lhes tal potência, ela lhes prescreveu também sua lei e seu mandamento, que é de se contentar em reconhecer e avisar o que se passa, sem pretender importunar as mais altas e mais fortes potências e pôr tudo em alarme e confusão. Porque, em um exército, freqüentemente as sentinelas, por desconhecer o desejo do chefe que os comanda, podem enganar-se e tomar por socorro os inimigos disfarçados que vêm a eles ou por inimigos aqueles que vêm em seu socorro; assim os sentidos, por não compreenderem tudo o que é da razão, são amiúde enganados pela aparência e julgam amigo o que nos é inimigo. Quando, a partir deste julgamento e sem esperar o comando da razão, eles vêm a importunar a potência concupiscível e a irascível, eles promovem uma sedição e um tumulto em nossa alma,

UM MORALISTA NOS TRÓPICOS

Estamos diante do estoicismo redivivo do fim da Renascença na França, provindo da pena de Guillaume du Vair. É muito provável que José da Silva Lisboa nunca o tenha lido, mas é impressionante como o império destas paixões indomadas pode resultar no engano fatal dos sentidos, tornando-os soldados confusos e inconfidentes, na guerra do espírito e da carne. A felonia tem sentido especial para nós, desde que é da supremacia do corpo, ou das paixões agindo no corpo, que se fala.

Vimos que Cairu nutria alguma admiração pelos estóicos, embora desconfiasse de suas crenças exclusivas nas virtudes do homem. Importa reconhecer essa reação à desordem do universo, criando uma Pátria sobre o solo da virtude. Este não é apenas o ambiente em que floresceram algumas das mais significativas obras morais, gregas e latinas, mas é também o ambiente em que Du Vair, adversário da Liga, propugnava pela autoridade real, imaginando a filosofia do Pórtico como uma preparação para a doutrina do Calvário[31].

A dissolução do corpo social desencadeia reações de ordenamento (como vimos na sugestão de Hugh Blair), e a contenção das paixões deixa-se compreender (como vemos agora, ouvindo o discurso de Du Vair) ora como a manutenção do equilíbrio, no corpo do indivíduo, ora como a sustentação da paz, no corpo político. Segue a interessar este controle das paixões, plenamente realizado apenas com a apatia estóica, mas ardentemente desejado por Cairu, no século XIX, no plano do controle do corpo civil.

Resulta daí certa intolerância para com toda sorte de desvio. Num capítulo do "Supplemento", quarto volume da *Constituição moral, e deveres do cidadão*, a "Tolerancia" é porém considerada "huma das virtudes da maior efficacia para a paz da sociedade". A crítica recai, então, sobre o "seculo de luzes", tempo em que o "Braço secular das Potestades" se arrogara a "Causa de Deus". Não apenas podemos reconhecer a reação católica ao mundo anunciado pela Revolução, como toda a energia denunciatória é dirigida contra a intolerância identificada no *outro*, o opositor que se revelou indigno da condição humana. Assim, no capítulo em tela, reaparece Nero, mandando "queimar os Christãos nos seus jardins, por milha-

---

durante o qual a razão não é mais ouvida, nem mais obedecido o entendimento, que a lei ou o magistrado num Estado atormentado de dissensão civil.

• 206 •

SOBRE AS RUÍNAS DO CAPITÓLIO

res, para os illuminar com taes archotes", revelando, ele sim, o "odio ao Genero Humano"[32].

A tolerância religiosa, se é permitida por imperiosas razões de Estado, não se identifica à tolerância política, ou à indiferença:

> O espirito da *Tolerancia* não deve ser confundido com o orgulho da *Indiferença*, com que os renegados de todas as Religiões affectão soberano desdem por todos os Credos Symbolos, e Cultos; e muito menos he compativel com a arrogancia dos que, requerendo tolerancia absoluta para si, seguem as maximas dos que na Revolução da França, vangloriando-se de philosophia incredula, se mostrarão *intolerantissimos* da Religião Catholica, e commeterão sacrilegios e horrores contra os Templos, Altares, e Ecclesiasticos.[33]

Credos, símbolos e cultos sobre os quais se funda a unidade simbólica do grêmio nacional. A "indiferença", neste contexto, significa uma transgressão inaceitável, aproximando-se da intolerância jacobina, sacrílega e horrorosa.

A resposta viria em seguida, com as reflexões de Edmund Burke, o "Antagonista dos Revolucionarios de todos os paizes", que José da Silva Lisboa traduzira para o português, anos antes[34]. Dentre elas, destaco a consideração de que a

> "... Base da verdadeira religião consiste, em estar o corpo do povo sempre seguro na idéa e prática da obediencia á Vontade do Eterno Soberano do Mundo, ter confiança nas suas revelações, e aspirar á imitação de suas perfeições. Os homens sabios não são violentos em condemnar a fraqueza do entender humano. *A sabedoria não he o mais severo censor da ignorancia. As loucuras rivaes são as que se fazem mutuamente implacavel guerra*; e a que chega a predominar, logo se prevalece de suas vantagens para pôr no partido de suas querélas os espiritos vulgares. Ao contrario, a prudencia he um mediador neutro".[35]

Parece que estamos diante de uma guerra intestina, transportada aqui definitivamente para a *pólis*, ameaçada pela anarquia revolucionária. O desregramento louco das paixões, diametralmente oposto ao seu controle e à conseqüente apatia, reclama a intervenção desta virtude essencialmente política: a prudência. Contudo, é flagrante o descompasso entre a tradução e o texto original de Burke, esvaziado de suas considerações

• 207 •

UM MORALISTA NOS TRÓPICOS

sobre a necessidade da superstição, sempre que se tratar de um mundo no qual existam umas "mentes fracas", e outras "mais fortes"[36].

O autor da carta, célebre pelas reflexões sobre a Revolução Francesa, discorria sobre a tarefa dos homens sábios, para além da confidência e obediência ao Senhor do universo, isto é, a necessidade de escolherem, entre as superstições populares, as que concorressem para a edificação do corpo político, condenando as paixões mais destrutivas. Mover-se-iam os homens de ciência neste mundo inescapável de loucuras, ou, mais propriamente, de *tolices* rivais, onde a prudência *seria* neutra, não fora a necessidade de optar sempre pelos menos deletérios dos erros e excessos do entusiasmo do povo.

Valendo-se de Burke, Cairu o lê seletivamente, embora desrespeite o texto original. O moralismo cristalino do catecismo não parece sequer admitir a precariedade de uma prudência a servir-se da toleima popular. Bem mais claras e secantes são as observações do brasileiro.

A excessiva tolerância, como descontrole do corpo civil, poderia acarretar uma patologia, em sentido lato:

> Finalmente cumpre advertir, que não admittem tolerancia as cousas absolutamente intoleraveis, isto he, *publica irreligião, publica apostazia, publica immoralidade*. Taes escandalos são de pessimos effeitos, transcendentes á toda communidade; e, pelo seu contagioso exemplo, tem a qualidade do fermento venenoso, que, ainda que pouco, *corrompe toda a massa*. Os que assim violão e desprezão a Moral Publica, são peiores que *Excomundados* [sic] *vitandos*.[37]

A metáfora, novamente, desenrola-se no plano nosológico: contágio, envenenamento, corrupção. Nesta espécie de cozinha da sociedade, vemos crescer uma "massa" virulenta que, por seu caráter indesejado e pela ambivalência do vocábulo, bem poderia anunciar a *foule* que os psicólogos procurariam, décadas depois, compreender e decifrar, a fim de a descobrir os mecanismos capazes de dominá-la[38].

Era um outro corpo que se ia revelando, reclamando sobre si a atenção dos sábios, preocupados em compreender e controlar seu movimento. O avanço do organismo corrupto ameaçava a paz e a ordem tradicional do mundo, ensejando reações cuja expressão se dá, freqüentemente, no terreno dos costumes, com a tentativa de resgate de velhos valores, a restituir a fortaleza do edifício moral. Mas o desafio se revelava

• 208 •

SOBRE AS RUÍNAS DO CAPITÓLIO

igualmente no plano físico, pois a "imprudencia dos Enthusiastas" do século anterior criara aquele monstro quase incontrolável, que caberia agora submeter, observando, é claro, as leis da física. Isto é, da física social.

* * *

Vimos já que a Economia Política fora compreendida, nos *Estudos do Bem-Commum e Economia Politica, ou Sciencia das Leis Naturaes e Civis de Animar e Dirigir a Geral industria, e Promover a Riqueza Nacional, e Prosperidade do Estado*, de 1819, como *"Physica Social"* e *"Dynamica Civil"*. Discutimos também a indiferenciação original entre a Moral e a Economia Política, zona de sombra em que se move a pena de Cairu. Importa, agora, perceber a *Constituição moral, e deveres do cidadão* como uma arma forjada contra as manifestações deste organismo desviante, atuante no seio do organismo maior, qual seja o cancro revolucionário a ameaçar o corpo político.

José da Silva Lisboa se vale da física moderna para justificar a estabilidade do corpo civil. Na "viagem do Oceano de difficuldades moraes", um escolho chama a sua atenção:

a *imprudencia dos Enthusiastas*, que, ainda com recta intenção, se destinão á perigosas tentativas, e odiosos expedientes, de correcção prematura, e de abolição repentina de pessimos Usos e Estatutos, sem circunspecto calculo de circunstancias, e gradual preparação dos homens para nova ordem de cousas, querendo fazer bens instantaneos, e á força, com repugnancia da Natureza, que nada faz de salto, nem contra a *Lei da Inercia*, que sempre faz resistir a materia á *força motriz* para qualquer mudança de estado, e direcção de movimento, em qualquer corpo physico, cuja Lei não opéra menos effectivamente nos Corpos Moraes.[39]

A física de Cairu opera sem saltos: é a física experimental do movimento, não a física irresistível dos elementos em cólera. Mas, também aqui, o olhar seletivo do moralista colhe apenas o que lhe interessa: o primeiro axioma de Newton, que reza o comportamento dos corpos em estado de repouso ou movimento uniforme. A segunda lei, respeitando à mudança do movimento e sua proporcionalidade em relação à força motriz impressa no corpo, é simplesmente desconsiderada, restando daí um mundo inerte, resistente a todo desvio, ou seja, a toda reorientação[40].

As ações intempestivas alteram o rumo da natureza (não apenas a na-

• 209 •

UM MORALISTA NOS TRÓPICOS

tureza social, mas a cósmica, neste raciocínio analógico), e sua reorientação significa, contra o sentido estático ou uniforme do mundo imaginado por Cairu, uma espécie de perda original da razão. Como se o primeiro toque no vetor que indica o bom andamento da sociedade fosse um erro de proporções incalculáveis, introjetando no corpo social uma força maligna, desviante e corruptora.

Na terceira parte do catecismo, antes ainda do "testamento filantrópico" há pouco referido em nota, Cairu demonstra desassossego diante da questão servil, sugerindo um erro original na atitude de Las Casas, que primeiro defendera a importação de mão-de-obra negra à América, em substituição à indígena:

> O Trafico de Negros d'Africa, e o systema de cativeiro n'America, se originarão da indiscreta humanidade, e erronea consciencia, do celebrado e piedoso Bispo Espanhol Las-Casas; o qual, para alliviar os Indios Americanos do cruel jugo de seus conquistadores, aconselhou ao Governo o fazer importar cafraria para America, a fim da agricultura e mineração. O pessimo Exemplo foi seguido pelo Governo de Portugal, que pretextou o *direito de resgate*, para os Ethiopes terem o beneficio da Christandade. Assim se introduzio e arraigou, de Norte á Sul do Novo Hemispherio, o cancro da Escravidão, que se entranhou nas partes vitaes do Paiz; não podendo porisso ora ser de subito arrancado, e necessitando-se de lenta e prudente *Medicina Expectante*, para cura radical do mal mortifero, sobre tudo precedendo *educação da Escravatura*, para adquirir Capacidade do destinado beneficio de Geral Emancipação.[41]

A "indiscreta humanidade" do dominicano aparece como a força motriz num desvio original[42]. Repentinamente, infiltrava-se o cancro da escravidão nas partes vitais do país, enquanto a medicina orienta a extirpação vagarosa do mal, pela via pedagógica. A questão servil, como seria conhecida anos depois, ganhava traços de um problema social, mantendo porém a ambivalência característica dos projetos "ilustrados" do século: o ingresso de negros no universo dos emancipados se daria mediante uma espécie de purgação do mal que carregam, a educação fazendo as vezes de um salvo-conduto para atingirem a condição autônoma (mas ainda submissa) do indivíduo trabalhador, que lhes é originalmente negada[43].

Lógica perversa, desde que *inclusão* e *exclusão* tornam-se gemelares.

• 210 •

SOBRE AS RUÍNAS DO CAPITÓLIO

Compreenda-se o que anda por trás deste raciocínio: a inclusão no grêmio da humanidade obriga à correção moral, que é a superação de uma condição primeira, apreendida como bárbara, isto é, desviante em relação à linha da civilização. Como se aos negros se devesse oferecer a possibilidade de um reencontro do caminho perdido, no rumo da humanidade. Civilização e humanidade se igualaram, no plano das idéias, e tudo o que *esta* civilização recuse será tido por inumano.

Não se trata, aqui, de uma expectativa indevida, como se reclamássemos, no pensamento de Cairu, a ausência do relativismo com que se bate a moderna antropologia cultural. Trata-se, isto sim, de reconhecer o traço excludente oculto sob a alternativa remissora (portanto includente) da via civilizacional. Deixemos falar nosso moralista, no capítulo XXII da segunda parte de sua obra:

> Depois de ter estabelecido directas provas das doutrinas da Moral Publica, fundadas em *factos*, de que cada individuo tem a evidencia em si mesmo, ou em diaria experiencia, e monumentos certos da Historia, parece superfluo propor e refutar objecções vulgares. Mas, por seguir o methodo didactico dos Escriptores que tratão de materias que tem sido controvertidas, indicarei e discutirei as que se tem inculcado, em ar de triumpho, pelos pseudo-philosophos do seculo. Se a *Consciencia* fosse a *Voz da Natureza*, executora da Ordem Moral de seu Author (objectão os duvidosos) ella seria a infallivel guia para a certeza da rectidão ou malicia das acções, e a Regra Universal e constante em todos os seculos e povos. Mas isso he contrario á todo o corpo da Historia da Sociedade Civil, e das viagens á paizes salvagens, barbaros, e incultos. Os salvagens são em toda a parte sentimentaes em malfazer, sem a menor compaixão nas torturas com que tirão a vida á seus inimigos, sem horror aos cadaveres que matão [sic] e comem. Elles até matão aos pais velhos; não tem pêjo das acções mais torpes; não respeitão as proprias mulheres; não se abstém dos fructos dos trabalhos alheios; estão em continua guerra de exterminio das tribus circumvizinhas. A exposição das crianças, e o infanticídio se tem praticado, e ainda se pratíca, sem commiseração, nem remorso, em varios paizes antigos, e modernos. Na China até he de particular officio de mulheres, que vivem de garrotear e afogar meninos expostos nas ruas e margens dos rios. A Republica dos Lacedemonios, que tanto prezava as virtudes civis, até premiava aos que fazião furtos de industria, e permittião a lutta, braço á braço, de pessoas núas de ambos os sexos. Desde tempo

UM MORALISTA NOS TRÓPICOS

immemorial, se tem reduzido á escravidão os prizioneiros de guerra, e authorizado o trafico de escravatura, dando as Leis o direito de vida e morte aos senhores contra os escravos, que eram, e são, cruelmente tratados, ainda nos mais cultos Estados. Ainda hoje existe em grande parte d'America a Lei do captiveiro dos Africanos, e de seus oriundos; e, apezar de se advogar a Causa da Humanidade no Parlamento de Inglaterra, e o Governo inglez se empenhar na Abolição do Trafico de Escravatura nos Gabinetes dos Grandes Monarchas da Europa, não a tem obtido senão parcial e illusoriamente. A poligamia he commum na Asia e Africa. Nos Estados mais civilisados he que se tem mais inventado instrumentos de tortura, e destroição da Humanidade, e até se tem feito a *Arte da guerra* huma sciencia sublime, que exige o conhecimento profundo de muitos ramos scientificos, e cujo principal empenho he resolver o PROBLEMA – *destroir o maior numero de homens dado, no menor tempo possivel*. O fanatismo e a superstição tem occasionado perseguições, guerras, cruezas, por opiniões religiosas e politicas. Em Hespanha e Portugal, o Rei e o povo costumavão assistir aos chamados Actos da Fé, a verem por gosto, e sem remorso, aos Judêos e Hereges condemnados á fogueira. Tem-se feito longos Catalogos de usos barbaros e supersticiosos de differentes povos; causando admiração aos que vivem no gremio da Christandade, que povos e governos hajão adoptado, e ainda observão, taes usos, sem que as suas consciencias em nada os accusem, antes directamente arguão aos que tem diversas crenças e praticas: desorte que parece ser toda a *Moral* de *convenção arbitraria*, variando conforme aos gráos do Equador. Em todos os paizes, ainda da Christandade, se tem forjado pelos Casuistas huma moral *rigorosa, arbitraria, e cerebrina*, com falsos *casos de consciencia*, que tem dado frivolos, e crueis *escrupulos* ás pessoas que se dizem de *consciencia timorata*, por acções innocentes, e até fazendo do essencial, indifferente, e do indifferente, essencial á causa da Virtude. Elles dão tantas regras sobre a consciencia verdadeira e duvidosa, que tirão todo o credito á mesma consciencia (* Na Encyclopedia da França se dão no Artigo Consciencia, doze regras.). Onde pois (dizem os libertinos) está o *Testemunho* e *Poder da Consciencia*? Logo esta só se funda em prejuizos da Educação. Todos estes argumentos se convencem de sophismas, em quanto se não convencerem de falsos os incontestaveis factos expostos nos capitulos antecedentes. Darei com tudo algumas respostas ás objecções.[44]

SOBRE AS RUÍNAS DO CAPITÓLIO

A longa lista de motivos elencados pelos "duvidosos" da "Consciencia" serve a explicitar um desvio que Cairu não nega. Entretanto, a indiferenciação ética a que chegam aqueles céticos "libertinos", imaginando toda a "Moral [como sendo] de convenção arbitraria, variando conforme aos gráos do Equador", é vigorosamente refutada pelo moralista brasileiro, constituindo, a bem dizer, um dos alvos de sua empresa moralizante[45].

As barbaridades se encontram mesmo entre as nações mais cultas, mas é nas viagens a países selvagens que se flagra o horror de uma condição diversa, freqüentemente oposta aos ideais de uma humanidade *naturaliter christiana*. Do primeiro estranhamento diante do *outro*, Cairu parece recolher apenas –.ou principalmente – o temor e a repulsa, que se tornarão, ao menos em parte, o combustível de sua campanha civilizadora.

Uma "Consciencia" que se faça "Voz da Natureza", executando a "Ordem Moral", seria o guia infalível da ação. Estamos no âmago da questão ética, diante do desvio do que seja a *natureza*. Com muita propriedade, Aristóteles é, neste momento, chamado à cena do catecismo:

> Os *monstros physicos* não são os padrões da creação, nem se devem allegar por *modelos da natureza*. Bem disse *Aristoteles* = o que he natural, deve-se considerar nas cousas que operão conforme o seu perfeito estado, e não nas que se achão corruptas =. Os salvagens são os monstros da Especie humana, que até deformão a sua physiognomia.[46]

O desvio significa a inobservância da natureza, contrariando a maior lição da ética aristotélica. Embora pareça plausível imaginar Cairu numa empresa que busca resgatar ou retraçar a ética, ameaçada num mundo desviante, não é apenas no Estagirita que encontraremos as explicações para o esforço regulador a presidir a *Constituição moral*. Sua referência é especificamente cristã, com um apoio inequívoco na mensagem paulina, como veremos adiante. Mas será então preciso compreender que o universalismo das Epístolas encontra em José da Silva Lisboa um leitor – uma vez mais, e sempre – seletivo, e resistente, incapaz de abandonar o rígido padrão ético no qual se formou, terminando por semear uma mensagem também voltada para a Cidade, mas contra uma parte considerável dos citadinos, nem todos merecedores da plena condição cidadã.

A intromissão do imaginário bíblico remete este universo da ética, que busca o justo termo entre os excessos e procura ater-se à natureza, ao primeiro e mais trágico dos desvios, fazendo crer, entretanto, num

• 213 •

UM MORALISTA NOS TRÓPICOS

resto de bondade a guardar-se até na mais torpe das criaturas humanas. Se os selvagens são os monstros da espécie, ainda assim

> [...] os communs instinctos e sentimentos da Humanidade não são nelles de todo extinctos. Muitas das suas communidades tem crescido em população; isso prova, que taes instinctos e sentimentos sempre operão, com acção mais ou menos extensa e viva. He facto certo, que o Estabelecimento dos Europeos no Brasil foi originariamente devido á hospitalidade dos salvagens á alguns naufragantes, ainda que praticassem crueldade com outros, seja porque os reputassem inimigos, seja porque soffressem alguma violencia. Em fim o Estado salvagem he o mais demonstrativo argumento do *peccado original*, que reduzio os homens á condição de *semibrutos*.[47]

A eventual gentileza dos aborígines despe-se aqui do maravilhamento dos primeiros contatos, ainda informados pelas expectativas edênicas. O selvagem, nem tão bom, nem tão cordial, carrega em si a marca do primeiro pecado, e não é a criatura intocada, nem o "papel branco" que se oferecera à milícia jesuítica, pronto a acolher sua mensagem divina[48].

São já homens, insertos na história da humanidade, descendentes de Adão e Eva e, portanto, expulsos do paraíso como eles. Dupla mácula carregam: de um lado, o pecado original, de outro, o insucesso na marcha da civilização, que nunca acompanharam, permanecendo num mundo indistinto, homens já, brutos ainda. "Semibrutos".

Vimos que Cairu foge ao fascínio pelo selvagem, o qual encantaria os românticos e encantara o poeta d'*O Uraguay*, seduzidos, todos, pela pureza e gentileza de uma gente resguardada da corrupção, dotada, segundo a idealização literária, de uma nobreza de caráter que o mundo civilizado perdera havia muito.

Os selvagens da *Constituição moral* são, também e principalmente, os negros africanos. Uma vez cometido o primeiro erro de trazê-los à América, era preciso agora integrá-los, recusando entretanto a lei do cativeiro, para fazê-los ingressar no mundo do trabalho:

> A Lei do captiveiro foi na origem o effeito da preguiça, violencia, e desconfiança dos povos rudes. Os que não se quizerão sujeitar á Lei do Creador = *comerás de trabalhos*, = e preferirão viver á custa do suor alheio, occasionarão resistencia, e guerra. Então o vencedor, pensando ter direito de tirar a vida ao inimigo, com falsa razão crêo, que lhe faria graça em redu-

• 214 •

SOBRE AS RUÍNAS DO CAPITÓLIO

zillo á escravidão, para o obrigar ao trabalho, como em premio da victoria. Ainda hoje o trafico da escravatura d'Africa se continúa por titulo de *resgate*, para libertar os negros do despotismo de seus tyrannos, e conferir-lhes o beneficio do Gremio do Christianismo. Razões egoisticas tem suffocado, mas não extincto, a *Voz da Consciencia*. O espirito da Lei Evangellica muito influio na Lei das Nações modernas, para não fazerem escravos aos prizioneiros de guerra. Em todos os paizes da Europa quasi geralmente se tem condemnado o captiveiro, e o Commercio de sangue humano. A Causa da Justiça e Humanidade he já advogada pelos mais pios e doutos homens da Christandade. [...][49]

A "Voz da Consciencia" parece falar em prol de um mundo de trabalhadores, não mais escravos. É preciso entender, contudo, a condenação deste "resgate" hipócrita. O autor da *Constituição moral, e deveres do cidadão* preocupa-se em trasladar o vocabulário teológico para o campo no qual era experto: o Direito comercial[50]. Assim, o "resgate" mantinha seu caráter remissor, embora não fosse mais o salvamento de uma alma perdida, mas apenas o ingresso do cidadão na arena do comércio, ou nisto a que chamaríamos, modernamente, o "mercado de trabalho"[51].

No último volume da obra, ainda no "Testamento Philanthropico", que vimos parcialmente, a *"Ressurreição Civil* dos naturaes d'Africa" desponta como a preparação necessária para o melhoramento moral dos negros e seus descendentes. Em nota de rodapé, Cairu explicita a origem do termo:

Em Lingua Commercial se chama *Ressurreição Civil a Vida Mercantil* do Negociante Fallido, que ou por Concordata de Credores, ou por Sentença Judicial, foi restaurado em credito da Praça.

Restaurar seu lugar como *cives* significa facultar-lhes a entrada no mundo do trabalho livre, dado em penhor ao proprietário de terras, não mais ao senhor de escravos. Penso que assim se possa compreender o sentido da crítica final de Cairu à idéia de um "resgate":

A *Iniquidade mentio á si mesma*: mas a Consciencia dicta que se desempenhe a verdade do *Titulo imprescriptivel* do Resgate; e que, em consequencia, se considere a authoridade senhoreal, não pelo rigor do *direito do dominio*, mas sim pela regra do *direito do penhor*.

• 215 •

UM MORALISTA NOS TRÓPICOS

A mentira advém do "resgate" como remissão, pela escravização. Conquanto muitos africanos tivessem de fato recebido, segundo Cairu, "o beneficio da Religião, e da Liberdade [sic]", por meio das expedições que os tiraram da África, pergunta-se o moralista:

> occasionando tanta malfeitoria, miseria, e mortandade, como póde ser compativel com o espirito da *Lei da Graça*, perpetuar males certos, para que venhão bens incertos?

Note-se a riqueza da expressão, estes "bens" operando na frase também como bens comerciais, como a mercadoria sobre cuja utilidade o moralista parecia alimentar dúvidas, divisando as incertezas no futuro de um país escravista, perguntando-se se, no fundo, tudo não acarretaria a perpetuação do mal.

O quiasmo, com seus quatro termos (*males certos, bens incertos*) em íntima conexão, dá a entender que a aposta na perpetuação da mão-de-obra escrava era errada, e que os próprios bens envolvidos eram incerta economia, como certo era o descalabro do país que se fiasse numa mercadoria tão refratária à própria regulação econômica, e jurídica. Mas as causas advogadas são, ainda e sempre, as da humanidade:

> Portanto a Causa da Justiça e da Humanidade reclama, que o servo fiel seja protegido efficazmente pela Magistratura, não só contra a sevicia do Senhor, adoptando-se, com melhoramento, as Leis imperiais de Antonino Pio, e de outros mais distinctos Imperadores Romanos; mas tambem, que em todo o caso, que qualquer servo offerte ao *Juiz de paz* indemnisação equitativa, a Lei lhe assista para compellir o Senhor a dar-lhe a alforria, quer a offerecida indemnisação proceda de *peculio* da licita industria propria, quer de donativo alheio.[52]

Tomava fôlego o debate jurídico em torno da alforria. Interessam-nos aqui, contudo, menos os detalhes que o sentido desta redução do trabalhador negro à esfera do Direito (pressupondo homens livres), que é também uma forma de inclusão social carregada de ambigüidades, desde que a liberdade se conquistaria, neste caso, com o pecúlio provindo da própria indústria, e a sua redução, sobretudo, ao círculo do trabalho. As justificativas abandonam o largo campo da teologia, e das querelas sobre a pessoa, seus direitos terrenos e obrigações eternas, para ga-

SOBRE AS RUÍNAS DO CAPITÓLIO

nhar a cena do mercado, da lei que os próprios homens fizeram e que, portanto, são capazes de reproduzir, numerar e organizar.

É preciso compreender que o catecismo moral de Cairu vê os homens sob este prisma, carentes de leis e ordenações renovadas, buscadas à tradição romana. Mas é preciso compreender, sobretudo, que do direito das gentes caminhamos já, resolutamente, para o direito dos trabalhadores manuais[53].

• • •

Não creio ser possível entender a busca de uma Ordem, no pensamento de Cairu, sem que se acompanhem os movimentos de suas idéias, nem sempre simples como podem parecer a um observador descuidoso.

A presença incômoda dos negros reclamava sua inclusão, no plano econômico-jurídico, e é interessante notar como a motivação provém, declaradamente, da causa humanitária e filantrópica que Cairu pretende abraçar. Para além dela, seu interesse traz a marca da vontade civilizadora que deve presidir a edificação de uma nova nação, sendo um corpo uno e incorruptível seu mais fundo desejo.

Seguindo a melhor tradição liberal, vemos José da Silva Lisboa próximo ao estabelecimento de universais (*indivíduo*, *Estado*, e o próprio *Direito*), mas, como em todo pensamento liberal, os universais provêm de certos desejos e são construídos sobre os pilares de uma dada sociedade, donde, malgrado seu, a crítica sempre renovada que recai sobre a pretensa "neutralidade" de seus princípios.

No caso de Cairu, é preciso notar que seu antiescravismo não se arvora exatamente sobre uma universalização de direitos, ou antes, que a própria universalização, contida na idéia da emancipação dos negros e sua inclusão no mundo do trabalho livre, somente se compreende com as cláusulas devidas, rezando o *lugar* de cada cidadão nesta sociedade nascente.

Se num arrazoado liberal, quando o filósofo é o campeão da liberdade humana, é muitas vezes difícil perceber que o porta-voz da causa universal fala de um determinado local e a *partir* de certa arquitetura social, num pensamento híbrido como o de Cairu torna-se mais fácil flagrar os motivos e a origem de suas legítimas preocupações com os negros. A bem dizer, examinando transversalmente suas razões, é difícil crer simplesmente em motivos filantrópicos, ou na causa "da humanidade".

UM MORALISTA NOS TRÓPICOS

Uma vez mais, é o monstro – resultado de um desvio da natureza – que o apavora, sendo ele a fonte principal de suas motivações e preocupações. Este monstro – mal formidável – tinha nome e lugar de origem, no início do século XIX:

> A catastrophe da Raynha das Antilhas, e, por assim dizer, a Metamorphose das Ilhas de Sotavento em Nova Nigricia, contra o Systema Cosmologico, e Demarcação dos habitantes da Terra, conforme declara o Apostolo das Gentes nos Actos dos Apostolos, são *Males*, que vão além de todo o calculo, e que resultarão da furia dos Enthusiastas da Revolução da França, os quaes ordenarão, em momento de vertigem, na Assembleia Nacional o Decreto da immediata liberdade dos escravos, bradando os *Architectos de Ruinas = Pereção as Colonias, antes que pereção os nossos Principios*.= [54]

Creio estarmos diante de um destes pontos altos no tecido da prosa de Cairu, quando seu conservadorismo mostra-se menos temperado, quando, enfim, o autor se entrega – circunspecto moralista, ainda assim – ao *páthos* que o move e anima.

Não será exagerado, tampouco injusto, distinguir, no conjunto desta prosa, um peso excessivo, a torná-la arrastada e desgraciosa, com freqüência. O tom categórico é característico do autor, mas não seria razoável, do ponto de vista crítico, deixar de compreender a riqueza deste registro. Vale, para o leitor, acompanhar o movimento de um texto vigoroso, imagético, que se torna saboroso precisamente quando o autor perde um pouco o prumo, abandonando-se ao furor denunciatório. Trata-se porventura de um recurso retórico, sempre respeitável, sendo então conveniente acompanharmos, *enquanto* leitores, a paixão deste reclamador da Ordem, cujo talento literário – se assim quisermos chamar-lhe o vigor da prosa – aflora nestes instantes em que a ira e um certo descontrole infundem no texto um sal especial.

Será inútil calcular o quão *controlado* é este *descontrole*, mas será útil, por outro lado, perceber que o denunciador das paixões excele justamente quando se deixa tomar por elas, estremando-se, destarte, de uma prosa regulada e apática.

O excurso será válido, desde que está em pauta certa *medida* no desvio: a pena veemente de Cairu, quando desliza freneticamente, nestes momentos de arroubo anti-revolucionário, faz justo efeito se lhe for con-

· 218 ·

traposto o tom regular e comedido de toda a obra. Já as paixões referidas no extrato estão fora de controle, "além de todo o calculo", porque a fúria se introjetara nos indivíduos, no plano mesmo de sua representação política.

A ordenação dos membros da Assembléia rompera o decoro ("...bradando...") e se dera em meio ao turbilhão revolucionário, "num momento de vertigem". Note-se o duplo sentido desta vertigem, como loucura e voragem subversivas. O plano ainda é simultaneamente político e físico, e a ética (o dever ser) segue a desenhar-se em função da natureza da qual os homens, tomados de paixão, desviaram-se ("...contra o Systema Cosmologico...").

Estaremos ainda no âmago da discussão aristotélica, e talvez a relação entre as paixões do orador (o moralista) e dos indivíduos desviantes (os cidadãos franceses) possa iluminar-se, uma vez mais, com a atenção à delicada questão da *medida*, pois não se trata tão-somente de bani-las, mas apenas controlá-las. Na *Retórica*, o orador deveria, precisamente, saber despertar no auditório as paixões adequadas, em doses corretas, nos momentos próprios[55]. Num registro estóico, a apatia se completa, real e virtuosamente, na morte aguardada e recebida com naturalidade[56]. No catecismo de Cairu, conquanto circulemos ainda no universo das paixões ("...a furia dos Enthusiastas..."), trata-se de domá-las e represá-las, para então utilizá-las conscienciosamente, ministrando com cuidado a dose do veneno.

Na *Constituição moral*, porém, a droga se compõe no plano discursivo do moralista apenas, enquanto o plano político permanece, idealmente, esvaziado de paixões, ou antes, purgado das paixões más, equívocas e desordenadoras[57]. Entretanto, na seqüência do que vimos discutindo, torna-se curioso perceber que o mundo das paixões, neste texto do século XIX, desvencilha-se do caráter que podia ter no século XVII.

Talvez não seja razoável atribuir àquelas "paixões", como as compreenderia um homem do Seiscentos, a essencialidade que tinham os humores agindo nos corpos (máxima 297 de La Rochefoucauld: "*les humeurs du corps ont un cours ordinaire et réglé, qui meut et qui tourne imperceptiblement notre volonté; elles roulent ensemble et exercent successivement un empire secret en nous: de sorte qu'elles ont une part considérable à toutes nos actions, sans que nous le puissions connaître*" [os humores do corpo têm curso ordinário e regrado, que imperceptivelmente nos move e torce a vontade;

UM MORALISTA NOS TRÓPICOS

caminham juntos e sucessivamente exercem sobre nós secreto império, de modo que, sem que saibamos, têm parte considerável em todas as nossas ações][58]). Mas seria um equívoco atribuir-lhes o mesmo caráter metafórico que os textos do século XIX lhes emprestariam. "Paixões", na prosa de José da Silva Lisboa, não são mais os elementos quase concretos e personalizados que pressentimos ainda em La Rochefoucauld, no retrato do amor-próprio, por exemplo. São antes – ou já – os signos do descontrole, funcionando como metáforas capazes de conduzir o leitor para diante da desordem que se dá no plano do organismo político. São pouco mais abstratas, em todo caso, as "paixões" de Cairu[59].

Sugiro que elas têm caráter menos essencial porque de fato, a exemplo do que ocorreria nas modernas marcações da patologia social, tudo se vai explicando pelo caráter orgânico, pelas afecções que tomam os corpos e as mentes dos indivíduos, submetendo-os a uma fúria que não é mais a personagem mitológica que nos toma de assalto, sendo, antes, o descontrole coletivo, social, moral.

Note-se que o vocábulo – moral – adquiriu novos significados, tornando-se mais claramente normativo que antes. Entre os séculos XVII e XIX estão os pensadores que imaginaram a autonomia da razão individual, alçando a consciência de cada um ao primeiro plano das preocupações de ordem moral. Cairu é um homem deste tempo, ou formado neste tempo, embora sua obra possa anunciar, a nós, leitores "modernos", elementos de certas ciências do social, as quais procurariam definitivamente abolir as explicações de ordem mitológica, conquanto, malgrado seu, pudessem também fundar novas mitologias.

Para nos atermos ao texto de Cairu, vale lembrar que a catástrofe do Haiti se dera como resultado de uma "Metamorphose" monstruosa, que transferia o cancro da "Nigricia" para este lado do Atlântico, contra toda a ordem natural e cosmológica. Mais uma vez, aparece o argumento do oceano como sinal inteligível deixado pela Providência, para que os homens compreendessem a separação entre os povos, e a necessidade de mantê-la, segundo a vontade divina. Apóia-se Cairu nos Atos dos Apóstolos, e aqui, parece-me, será possível fixar um viés importante de sua leitura do Novo Testamento.

Em nota de rodapé, José da Silva Lisboa lembra o versículo 26 do capítulo XVII dos Atos:

• 220 •

SOBRE AS RUÍNAS DO CAPITÓLIO

Deos de hum só homem fez todo o Genero humano, para que habitasse sobre toda a face da terra, assignando a ordem dos tempos, e os limites da sua habitação.[60]

Não é preciso penetrar minúcias hermenêuticas para conhecer que Paulo falava como portador da mensagem do Cristo, levando-a a todos os povos, a todo o gênero humano – *omne genus hominum*, como diz a Vulgata.

A passagem lembrada por Cairu é apenas parte do discurso paulino, proferido no Areópago. Diante dos varões atenienses, o Apóstolo das Gentes falara de um Deus infenso à idolatria gentílica, porque lhe interessava, no espírito universal do cristianismo que se propagava (sobre as ruínas do mundo antigo, nunca é demais repisar), anunciar que o deus desconhecido seria substituído por outro, verdadeiro e conhecido, o Qual não se toca ou encontra em nenhum lugar, estando porém perto de todos nós, porque nós somos a Sua própria linhagem (Atos, 17, 16-34).

Podemos perceber que não apenas o patriotismo de Cairu pode obscurecer-lhe as vistas, na compreensão do universalismo da mensagem paulina (ou da mensagem de Paulo e Lucas, para ser exato), mas, sobretudo, notamos seu temor diante da universalização e internacionalização dos direitos, a tal ponto que foi preciso buscar, na história dos primeiros pregadores cristãos, traços como este, rezando a ordem dos tempos e os limites da habitação humana. Mas, seguindo o espírito e a letra do texto bíblico, que habitação será essa, senão a terra toda (...*super universam faciem terrae*...) em que nos encontramos, filhos do mesmo Deus?

Não se trata da indevida intromissão do crítico. Trata-se de assinalar, isto sim, que a radicalidade dos princípios universais pregados se torna, na imaginação de José da Silva Lisboa, insuportável, sendo preciso, contra toda a intenção ecumênica ou universalizante, reagir com as forças da Ordem, afirmando o lugar das coisas e dos homens, na economia do mundo e da Pátria. Afinal, os loucos clamavam, de Paris: *"pereção as Colonias, antes que pereção os nossos Principios"*.

Para um homem às voltas com o legado colonial recentíssimo, é sumamente absurda a pretensão de sobrepor princípios igualitários à existência mesma da nação, ameaçada pela "Nigricia" próxima, e interna. A ameaça, como não poderia deixar de ser, dera-se num "momento de vertigem", e o resultado da loucura coletiva é o oposto do edifício polí-

UM MORALISTA NOS TRÓPICOS

tico: os revolucionários franceses são, na ótica de Cairu, *"Architectos de Ruinas"*.

Pródigo em epitetar os adversários, José da Silva Lisboa pensava também nos maçons brasileiros, considerando-os projetistas desgraçados, capazes de planear em meio às ruínas. Outra não seria a prancha sobre a qual se desenhara a fúria revolucionária, na França, e o tema da escravidão ganhava dimensão especial, uma vez que a proposta dos loucos de Paris era a abolição imediata, sem a prudente e segura gradação, isto é, sem que se freasse e controlasse o movimento impetuoso a tomar conta do corpo social.

Franklin, o "Deista" "que ensinou tirar os raios das nuvens", previra as dificuldades da imediata liberdade dos escravos, e só

> aconselhou a gradual abolição do *Mal*: não só por estimulos de humanidade, mas tambem pelos fortissimos motivos de dous principaes interesses economicos e politicos: porque a continuação do desnatural Trafico e Systema tendia a impossibilitar o progresso da progenie puritana Europea na America, e não menos da riqueza dos Colonos; pois estes assim vinhão a pôr os seus Capitaes em *fundos perdidos*.[61]

Interessante composição de motivos econômicos (a riqueza dos colonos norte-americanos) e "politicos" (a conservação da progênie puritana), associados, neste extrato, aos estímulos humanitários. O tópico do fim da escravidão se impunha, pois era a sobrevivência da sociedade que se discutia:

> O tempo insta de se cuidar seriamente sobre este assumpto no Imperio do Brasil. Quantas mais Cabeças de genuinos patriotas se desvelarem em meditar, com força de entendimento, e pureza de coração, em tão melindroso objecto, tanto he verossimil, que se descubrão os expedientes mais razoados, que conciliem a necessidade de não afrouxar o presente systema do Trabalho Geral, com os deveres da Humanidade, e da Saã Politica, que dicta prevenir em tempo os naturaes effeitos do *mal formidavel*, que ainda tanto infesta o *Sul d'America*.[62]

Não se diga, lendo o extrato, que os motivos humanitários sejam mera peça oratória, desprovida de sentido, no corpo do texto. Uma angústia subjaz, porventura, nesta tentativa de somar as necessidades de ordem econômica e política aos "deveres da Humanidade", nem sempre com-

SOBRE AS RUÍNAS DO CAPITÓLIO

bináveis. Importa, entretanto, perceber que o imaginário orgânico segue brotando, e a composição de princípios por vezes adversos se resolve mediante a manutenção do equilíbrio do conjunto, sempre são, quando se previnam os efeitos naturais do mal.

Não afrouxar o sistema de trabalho seria conservar a tesura dos laços da organização coletiva, mantendo a conformação "natural" da economia, isto é, a correta regulação desta gigantesca casa que é a sociedade. Em momento anterior, no primeiro volume da *Constituição moral, e deveres do cidadão*, em nota a um capítulo no qual se discutem as leis naturais e o homem, lembrara Cairu que o preceito do Criador – crescei e multiplicai-vos – admitiria modificações, em países "onde a população chegou ao seu natural complemento"; onde, enfim,

> só a virtude da castidade absoluta em grande numero de pessoas, he a que póde salvar a Nação de miseria, fome, peste, e guerra, como demonstrou *Malthus* celebrado Economista Inglez no seu *Ensaio sobre o Principio da População*.[63]

O princípio malthusiano, conquanto não se aplicasse exatamente ao Brasil, deixa perceber que a "economia" de Cairu não é ainda exatamente a economia dos sonhos de muito liberal, o tradicional *laissez faire* cedendo espaço a um controle estrito e cuidadoso, sempre que a ameaça da dissolução apontasse no horizonte nacional. A "mão invisível" de Cairu, lembremo-nos, é ainda, com alguma clareza, a mão providencial de Deus, embora ele percebesse a necessidade progressiva de substituí-la pelas mãos prudentes do governo humano.

Que a cada homem se garantam as melhores das condições para que exerça sua honesta indústria é idéia que une José da Silva Lisboa, umbilicalmente, aos mais caros dos preceitos liberais. Mas – e aqui me pergunto se andaria Cairu realmente a distanciar-se da "prática" liberal –, tão logo a ameaça da ordem se faça ouvir, ou sentir, é preciso que se torne férrea a mão do administrador, para que tudo retorne ao curso "natural" da história, obstruído por homens desmunidos de razão.

A *razão*, compreenda-se, é o que mantém a coesão social, o *logos* de uma sociedade a eternizar-se em princípios estabelecidos num passado tão remoto, que se situa no tempo da natureza, não ainda no tempo dos homens. Cairu recusa o deísmo dos autores de língua inglesa, é verdade, mas sua crença na Revelação é irmã de sua admiração e de seu fascí-

· 223 ·

UM MORALISTA NOS TRÓPICOS

nio pelas razões naturais. Foi na natureza, aliás, que Deus escreveu sua mensagem[64].

Seguir a natureza, portanto, tem o sentido ético, próprio de uma reflexão de cunho clássico, embora possa perturbar-nos, no discurso de Cairu, o fato de que toda a delicadeza com que eventualmente se discute a natureza humana dá lugar a uma cadeia de certezas, a qual termina, paradoxalmente, por abafar a discussão ética, tornando possível que apareça um catecismo, no lugar de um ensaio sobre o humano e as contingências de sua ação. Uma forma acabada e conclusiva, onde um leitor exigente esperaria ver, talvez, as finuras da discussão filosófica.

Se classicamente a ética se desenha sob um céu de valores indiscutíveis e intangíveis, não serão menos clássicos a riqueza e a preciosidade das discussões sobre a *adequação* da conduta humana, em face deste céu que não cabe a nós, com nossa precariedade e a fugacidade de nosso ser, discutir. Caberá, isto sim, discutir os meios para ascender a uma postura excelente e virtuosa.

Cairu, em sua *Constituição moral*, parece sentir, diante da dissolução do quadro social, a necessidade de (re)acender aquele lume celeste, iluminando o caminho de seus jovens leitores. Mas parece, também, que a luz do patriotismo pode cegar e enganar os homens, fazendo-os crer no único e bom caminho de uma Ordem cuja transcendência se lhes afigura inquestionável, porque é a ordem da Cidade que se mantém, contra todos os arroubos loucos das paixões, contra todo desvio, contra o caos que se esconde no olho do furacão revolucionário, sempre mais perto do que possam crer os ignorantes.

• • •

No capítulo sexto do "Supplemento" à *Constituição moral, e deveres do cidadão*, José da Silva Lisboa se refere às paixões, lembrando havê-las *ordenadas* e *desordenadas*[65].

Preocupam-no especialmente as últimas, por exorbitarem "da boa Ordem Moral", tendo "a damno e maleficio". Violência, desordem e desrazão formam um amálgama deletério:

> Toda a paixão desordenada he violenta, ainda que artificiosamente se concentre, occulte, e dissimule a inquietação do espirito, e turbação do corpo. Ella rompe em excessos de actos externos impetuosos e mortiferos, ora instantaneamente, ora por intervallos. Ella pressuppõe ardencia de

• 224 •

SOBRE AS RUÍNAS DO CAPITÓLIO

imaginação, e ignorancia, ou cegueira de entendimento, que impede ver a verdade, deliberar com circunspecção; e porisso se diz, que não se póde obrar bem na força e *fogo das paixões*, e que o *apaixonado está fóra de si*, e se desatina á actos de demencia como louco rematado e phrenetico.[66]

Uma passagem assim pretende pôr o leitor diante de um quadro tumultuário, permitindo-lhe que lobrigue, na prosa brilhante, o fogo patético das revoluções, resultado do frenesi dos dementes. Uma vez mais, o tom se revela nosológico, porquanto as imagens sejam mantidas em torno desta "ardencia de imaginação", tão nociva para o corpo social.

O discurso é o de um censor, e não será casual se, precisamente neste capítulo, Cairu lamente que os

governos modernos bem á sua custa tem experimentado os pessimos effeitos da liberdade de falla e escripta, com que Novadores, e Demagogos excitarão as paixões do vulgo contra reis, padres, nobres, e ricos, e ainda sabios e artistas eminentes, affectando commiseração do indigente corpo dos trabalhadores mechanicos, attribuindo a sua miseria, e desigualdade de condição, á Administração, promettendo-lhes imaginaria felicidade de *Optimismo Politico*.[67]

A liberdade de fala e escrita abre caminho a demagogos e incendiários da imaginação popular, e ainda o "fogo das paixões" assusta o catequista. No extrato sobre as paixões desordenadas, ao referir-se à loucura do apaixonado, José da Silva Lisboa lembrara, em nota, a Epístola aos Romanos, quando Paulo assevera que, mergulhados no mundo danado da carne, "*as paixões do peccado* obravão em nossos membros, para darem fructos á morte" (Rom, 7, 5).

A "morte", lembre-se, é ali a entrega ao mundo, e a uma lei estranha à mensagem do Cristo, tanto a lei romana, porventura, quanto a mosaica. É a novidade do Espírito que se punha, finalmente, contra a velhice da lei (...*serviamus in novitate spiritus et non in vetustate litterae*, na Vulgata). Lei, precisamente, que engendra o pecado (...*cum venisset mandatum, peccatum revixit*).

A libertação proposta pelo missivista é a de Cristo, e significa, entretanto, a morte para o mundo da carne, em que o pecado é nosso hóspede (...*habitat in me peccatum*). Lembre-se, aqui, a morte torturada de madre Maria Angélica, consumação de uma morte lenta para o mundo, a

• 225 •

UM MORALISTA NOS TRÓPICOS

"morte em vida" de Bérulle, que a religiosa abraçou desde que se desvencilhou de sua casa, infância e parentes. Desde que se desvencilhou do desejo pelo mundo, ou do desejo apenas.

O encontro em Cristo, o casamento místico, fazia-se entrementes, necessariamente, *contra* o mundo, e apartado dele. Este é o ponto a separar o jansenismo e a empresa cristalina de Cairu: o antijesuitismo de José da Silva Lisboa não esconde a vontade missionária que preside sua pregação, crente na Lei cristã, mas igualmente interessado nas leis dos homens, o catecismo escrevendo-se, afinal, "conforme o Espirito da Constituição do Imperio".

Se as "paixões do pecado" obram em nossos membros (e vimos já o alcance metafórico destes membros que carregam o desejo incontrolável), há que estacá-las, *ainda neste mundo*. A empresa jansenista, mas sobretudo sua leitura radical da mensagem paulina, tornar-se-ia incompreensível para um homem compromissado com o mundo do século, com as leis de um Império nascente e promissor, ameaçado, entretanto, pelo furor pático dos revolucionários.

A Revolução habitava o horizonte do escritor baiano, expondo seus tentáculos, capazes de abalar as estruturas de uma sociedade estabelecida, isto é, de uma economia bem-assentada, com o dever do trabalho a manter atados os nós de uma gigantesca malha, que a desordem e o caos ameaçavam descoser:

> Hum dos maiores maleficios das Revoluções he o soltar dos laços da subordinação, e do dever do trabalho, regular e paciente, as classes industriosas, dando aos individuos ousadias insolentes para exorbitarem da propria esphera (*Mirabeau*, hum dos mais atrabiliarios Coryphêos da Cabala Revolucionaria da França, apregoou, que se devião castigar nos ricos os crimes dos pobres, como causas delles), e de, em lugar de cada obreiro ter a justa emulação de rivalisar em baratesa e perfeição d'obra na sua arte entre os seus iguaes em mestér, e (por assim dizer) conseguir excellencia a alteza da mestrança e principado na respectiva classe, pela preeminencia de sua habilidade e destreza; se arrojão temerarios ao vacuo cahotico de ambição desordenada de soberania politica, mais desenvoltos e desorientados que os atomos de Epicureo na immensidade do espaço, ou das muleculas d'agoa do salitre reduzidas á vapôr pela explosão da polvora.[68]

· 226 ·

SOBRE AS RUÍNAS DO CAPITÓLIO

Vejamos o que vai dentro desta polvorada epicuriana, com vistas a melhor compreender o lugar da Revolução e da Ordem, na imaginação de José da Silva Lisboa.

• • •

Na senda de uma secular condenação, Cairu recusa o legado do filósofo de origem ateniense, associando suas idéias atômicas a uma desenvoltura e uma desorientação explosivas. Embora o plano seja o da desordem política, vale sondar o significado deste temor diante do "vacuo cahotico", que é também atenção aos princípios da teoria epicuriana.

Provém de Diógenes Laércio a relação de apotegmas contidos numa carta de Epicuro, endereçada a Heródoto. Ali, a infinitude e o movimento desvelam uma física inaceitável para Cairu, como inaceitável, para um seguidor de Aristóteles, seria a existência mesma do vazio, e o infinito nele contido:

> [...] o universo é infinito pela multidão dos corpos e pela extensão do vazio. Se o vazio fosse infinito e os corpos limitados, estes não permaneceriam em nenhum lugar, mas seriam levados a dispersar-se no vazio infinito, visto que não teriam nenhum apoio nem seriam contidos por choques. E, se o vazio fosse limitado, os corpos infinitos não teriam lugar onde estar.[69]

Infinitos corpos, num infinito espaço vazio. Resta entender o movimento possível que se abriga nesta imensidão:

> Os átomos encontram-se eternamente em movimento contínuo, e uns se afastam entre si uma grande distância, outros detêm o seu impulso quando ao se desviarem se entrelaçam com outros ou se encontram envolvidos por átomos enlaçados ao seu redor. Isto o produz a natureza do vazio, que separa cada um deles dos outros, por não ter capacidade de oferecer resistência. Então a solidez própria dos átomos, por causa do choque, lança-os para trás, até que o entrelaçamento não anule os efeitos do choque. E este processo não tem princípio, pois são eternos os átomos e os vazios.[70]

Não há sustentação fixa neste universo, nem cabe imaginar, nele, a física de um mundo sublunar, oposta à metafísica do supralunar. Tudo movimento ou vibração nesta imensidão vazia, apontando, ademais, a idéia – apavorante para Cairu – de uma multiplicidade de mundos, pos-

UM MORALISTA NOS TRÓPICOS

sível e concebível graças à aceitação do ilimitado dos átomos, no infinito do espaço[71].

Trata-se de um mundo em movimento, não há dúvida, tornando-o inquietante a sua inconstância e pluralidade. Epicuro falava de um mundo também desfeito, de uma civilização que abandonara o período helênico, sofrendo a dominação macedônia[72]. Sua solução ética aponta o Jardim, a ataraxia que mantém em mente os elementos gerais e capitais, e a entrega às afecções presentes e às sensações, consignando uma *philia* infensa ao terror do mundo, distante da turba e de toda sorte de tirania.

Entretanto, a imaginação de José da Silva Lisboa parece reter o tradicional desconforto causado pela radicalidade de uma filosofia que aposta no prazer, e num certo isolamento. Talvez a presença de Epicuro, na *Constituição moral, e deveres do cidadão*, não se explique senão pela utilização pontual daquela imagem dos átomos a vagabundear, desorientados e velozes, na imensidão do espaço[73]. Se assim for, porém, apenas esta imagem seria suficiente para perceber onde andará o terror de Cairu: "se arrojão temerarios ao vacuo" os indivíduos (os *átomos*, se mantida a forma grega[74]), fugindo a seus lugares fixos, onde a justa emulação os mantém, ou deveria mantê-los. Insolência e ousadia caracterizam estes elementos que exorbitam "da propria esphera". A física pode ensinar e marcar o devido lugar dos homens, num mundo de que são banidos os entrechoques.

Mas o que exatamente apavora o autor da *Constituição moral, e deveres do cidadão*? Creio que a chave epicuriana nos ajude a entender seu temor diante da dissolução; nem tanto, talvez, a dissolução em si do tecido social, ou a falência do organismo coletivo, como a vertigem mesma que se guarda no momento crítico e breve da soltura, do soltar-se dos laços, quando o desenho preciso imaginado se desfaz para aparecer – o quê?

Conquanto admirasse a poesia edificante, é ainda o princípio poético que incomoda o catequista – princípio de uma poesia dos fragmentos, poderíamos talvez dizer[75]. Lucrécio, latinizando Epicuro, pode nos auxiliar a compreender o moralista brasileiro, ali onde se expressa o desvio ligeiro dos átomos, movimento sutil a prenunciar, no seio da natureza, a dimensão da liberdade. Primeiramente, o poeta da natureza das coisas arde por ensinar o desvio:

> Há neste assunto um ponto que desejamos [*auemus*, no original] conheças: quando os corpos são levados em linha reta através do vazio e de cima

· 228 ·

SOBRE AS RUÍNAS DO CAPITÓLIO

para baixo pelo seu próprio peso, afastam-se um pouco da sua trajetória, em altura incerta e em incerto lugar, e tão-somente o necessário para que se possa dizer que se mudou o movimento. Se não pudessem desviar-se, todos eles, como gotas de chuva, cairiam pelo profundo espaço sempre de cima para baixo e não haveria para os elementos nenhuma possibilidade de colisão ou de choque; se assim fosse, jamais a natureza teria criado coisa alguma. Mas, pelo contrário, em tempo algum e em lugar algum poderia o vazio estar por baixo de qualquer coisa sem que, segundo lhe pede a sua natureza, continue a ceder-lhe; por isso, todos eles devem ser levados pelo inerte vácuo com igual velocidade, embora sejam desiguais os pesos. Não poderão, portanto, os mais pesados cair jamais sobre os mais leves, nem por si próprios originar os choques pelos quais a natureza gera as coisas. É, por conseguinte, absolutamente necessário que os elementos se inclinem um pouco, para que se não pareça conceber movimentos oblíquos e o refute a realidade. De fato, pelo que observamos, é evidente e manifesto que os graves, por si próprios, não podem tomar caminhos oblíquos, pelo menos visíveis para nós, quando se precipitam de cima para baixo. Mas quem há que possa verificar que em nada se desviam do caminho direito?[76]

Sutil desvio, tão mais inquietante quanto não se possa acompanhá-lo (*"quis est qui possit cernere sese?"*, no original). Não apenas o movimento se guarda neste universo feito de vazio e partículas entrechocando-se, mas também o desvio ou a declinação ali está, isto é, a possibilidade mesma da surpresa, poderosa desde que são ligeiros e múltiplos os movimentos, como no mundo das máximas, aliás, no qual se conduz o leitor com delicadeza, *desviando-o*, ligeira e graciosamente, do sentido esperado ou comum[77].

Trata-se da importância da *ordem* e do desvio dela, no interior da escrita, tema que nos coloca diante de dois autores tão diversos, como La Rochefoucauld e o visconde de Cairu[78]. Vale ouvir a poesia latina, pois se trata, para todos, de enfrentar o vazio em que tudo é possibilidade, em que se guardam mundos insuspeitados, como nos pôde ajudar a perceber Cyrano de Bergerac, que deixamos, há alguns instantes, em sua máquina movida a vazio, abandonando velozmente Toulouse.

É enfim a natureza do vazio, do *inane* (nesta feliz confluência de sentidos entre o latim e o português), que apavora ou atrai, conforme nos reportemos a um ou outro autor. "Temerario", "desorientado", "desenvolto"

• 229 •

UM MORALISTA NOS TRÓPICOS

e "cahotico" é o explosivo mundo epicuriano, para Cairu. Para Lucrécio, a própria liberdade se revela neste desvio possível, necessariamente sutil. A beleza da passagem autoriza mais uma referência:

> Finalmente, se todo movimento é solidário de outro e sempre um novo sai de um antigo, segundo uma ordem determinada, se os elementos não fazem, pela sua declinação, qualquer princípio de movimento que quebre as leis do destino, de modo a que as causas não se sigam perpetuamente às causas, donde vem esta liberdade que têm os seres vivos, donde vem este poder solto dos fados, por intermédio do qual vamos aonde a vontade nos leva e mudamos o nosso movimento, não em tempo determinado e em determinada região, mas quando o espírito o deseja? É sem dúvida na vontade que reside o princípio de todos estes atos; daqui o movimento se dirige a todos os membros. E não é verdade que os cavalos, com toda a sua força impaciente, não podem irromper no próprio momento em que lhes abrem as cavalariças e tão rapidamente como lhes desejaria a vontade? Tem de se animar a matéria, o corpo, e só quando se anima pelos membros pode seguir o impulso do espírito; por aqui se vê que tudo vem primeiro do espírito e da vontade e se dirige depois pelo corpo e pelos membros. Nada há de semelhante quando somos impelidos pelo violento choque de outrem, por uma forte pressão. Nesse caso, é evidente que toda a matéria de todo o corpo vai, sem nós o querermos, como que arrastada até que a vontade a refreie nos membros. Vês então que, embora uma força exterior muitas vezes nos empurre e nos obrigue contra a nossa vontade a avançar e nos arraste, precipite, há todavia no nosso íntimo alguma coisa que se pode opor e resistir? É por essa vontade que a matéria é obrigada a dirigir-se pelos membros, pelo corpo, é por ela que se refreia, depois de lançada, e volta para trás. Ora, é necessário que haja o mesmo nos germes das coisas, que haja para os movimentos uma causa distinta do choque e do peso: dela nos viria este inato poder, visto que, já o sabemos, nada pode vir do nada. De fato, o peso impede que tudo se faça por meio de choques, como por uma força externa. Mas, se a própria mente não tem, em tudo o que faz, uma fatalidade interna, e não é obrigada, como contra a vontade, à passividade completa, é porque existe uma pequena declinação dos elementos, sem ser em tempo fixo, nem em fixo lugar.[79]

SOBRE AS RUÍNAS DO CAPITÓLIO

Talvez nesta evolução em ordem fixa (*ordine certo*, no original) possa resumir-se, no plano formal, a divergência entre o mundo de Cairu e o mundo dos fragmentos, iluminado, este, pela física epicuriana. Afinal, aquela vontade, municiada do sutil movimento dos átomos, rompe, justamente, a ordem fixa. *Voluptuosa* vontade, para nos valermos da confusão deixada pelo tempo, e da zelosa desconfiança dos filólogos diante dos manuscritos em que se inscrevia o texto de Lucrécio[80].

Poderosa a imagem destes cavalos aos quais se abrem as estalas, tomando-os um frêmito que provém do coração, e se espalha por seus membros, inebriados pela vontade imperiosa e instantânea. No peito (*in pectore nostro*), pugna a vontade, contra a ordem do mundo, força estrangeira, possante e contrária (*...ictu viribus alterius magnis magnoque coactu*). É interessante – inquietante – que a origem desta força da vontade se encerre no mundo físico: possuímos o inato poder do desvio, porque os elementos o trazem em si. Triunfamos sobre a ordem fixa, porque esses mesmos elementos (*principia*) se movem contra toda previsão possível, neste ligeiro desvio (*exiguum clinamen*) que, de tão ligeiro, não deixa fixar seu lugar nem seu tempo (*nec regione loci certa nec tempore certo*).

Referi, no capítulo anterior, a importância da questão da ordem dos aforismos, e creio ter sugerido não apenas a importância da ordem *entre* as máximas, mas também a complexidade de sua ordem intestina, cada sentença sendo construída com absoluta delicadeza, possuindo, em si mesma, o vazio próprio dos fragmentos, contido (se é possível que ao vazio se contenha) na forma breve.

Cairu, na trilha de certos editores do século anterior ao seu, agrupa as máximas, seleciona, colhe o que lhe interessa e as reagrupa segundo tópicos esclarecedores, limpando os excessos, a confusão, para vencer a aparente desordem do conjunto. Mas o apavorará, igualmente, o movimento interno dos aforismos, como pretendo sugerir.

Trata-se, neste momento, de buscar compreender que o vazio – o "vacuo cahotico" – é o colchão imaterial que envolve os átomos, ou indivíduos, sempre prestes a realizarem o exíguo mas poderoso desvio. Falamos da ordem das coisas, sempre, mas é à ordem política que se volta José da Silva Lisboa, embora a (des)ordem do texto seja, também ela, inquietante, porque anunciadora do desvio dos sentidos.

Ordem, *tout court*. O autor da *Constituição moral, e deveres do cidadão* recua diante do vazio, preenche as lacunas, e é a um mundo finito que se

· 231 ·

UM MORALISTA NOS TRÓPICOS

dirige e refere. O invisível, os universos paralelos, o desconhecido, tudo se varre para os lados de uma Providência que ao mundo arranja, sem que possamos esclarecer exatamente a origem ou a lógica de seus passos. Mas há um esteio, que a tudo abriga e onde nos reconhecemos, como seres criados que fomos, feitos, aliás, à semelhança do Criador. Sufocante cadeia esta, que a física epicuriana ameaça romper, e – pior – o fará com absoluta delicadeza, sem força excessiva, apenas com o movimento sutil dos princípios, daquilo que desvia, ligeiro, e vibra no mundo físico, ou, se quisermos compreender um texto naturalmente fragmentário, aquilo que vibra, como sentido desviante da palavra[81].

Não estamos, porventura, rondando a questão central de uma poética dos fragmentos, qual seja o fascínio do vazio significante, que a tudo envolve? Pois não é ali, diante do vazio, ou no próprio e ilimitado vazio, que os sentidos dormitam, até que o bom leitor os desperte? Ou antes, não é precisamente ali que o leitor vai aninhá-los – aos sentidos – para descobri-los na sua vibração, que apenas a leitura terá despertado? Falamos, em todo o caso e a exemplo do mundo epicuriano, de pequenos desvios por meio dos quais se expressa o espírito, a vontade, ou o que quer que seja a potência criativa dos homens, lendo, escrevendo e lendo novamente. O vazio enseja o desvio, e o sutil movimento dos sentidos então se inicia, como se uma força, provinda do nada, repentinamente levantasse a aldrava que vedava o mundo da poesia, descerrando-o às vistas do leitor[82].

O maravilhamento é o resultado presumível deste mundo que nasce, ou deste mundo impreciso que nasce, fenece e renasce a cada instante, desfaz-se para refazer-se, em átimos. Movimento de resto familiar a um leitor de La Rochefoucauld: uma imagem se forma, clara e precisa, e se desfaz em seguida, para logo após ressurgir, brilhante em seus contornos, ganhando tons, espessura e profundidade novos; ganhando, às vezes, ritmos e voz renovados, surpreendendo sempre, máquina delicada e precisa, leve e profunda, como vimos.

Paradoxal precisão, pois se faz da inconstância e da força imagéticas, e da vibração dos princípios, num jogo em que tudo fica suspenso no ar, diante do vazio. Vazio, uma vez mais, que alimenta e condiciona o movimento, dando partida à poesia, aos átomos ou aos indivíduos que são os elementos a ocupar a arte todavia precisa do moralista[83].

Não menos precisa será a máquina do mundo, imaginada e sonhada

• 232 •

SOBRE AS RUÍNAS DO CAPITÓLIO

pelo visconde de Cairu. Mas o tom é outro, outro o seu universo. Num capítulo da segunda parte da *Constituição moral, e deveres do cidadão*, intitulado "Observações sobre a origem da crença em Deos", o movimento também é contemplado, embora se encerre em admirável ordem e disciplina:

> [...] se só vissemos a materia inerte, sem movimento, nem concerto de partes nas suas multiplicadas relações, seria talvez impossivel ter o espirito a convicção da existencia de Deos, e de hum só Deos. Porém, vendo moção, porporção [*leia-se proporção*], e ordem, de tantos objectos nos Ceos, e Terra, nos he não menos impossivel deixar de convencermo-nos, que existe hum MOTOR e Ordenador de summa potencia, intelligencia. Que ha *designio* no Universo, isto, ha *signal de Intelligencia*, que proporcionou meios á fins, he patente á todos os olhos em grande multidão de cousas. De muitas não conhecemos as chamadas *causas finaes*; porém, com o progresso das Sciencias Naturaes, estamos descubrindo a razão de cousas, que antes ignoravamos.[84]

Ei-nos exatamente entre dois mundos, embevecidos com as promessas das ciências naturais, mas crentes nas "causas finaes", que resistem tão fortemente, no pensamento de Cairu, a tornar-se laicas. A ordem divina se inscrevia e nomeava, ainda, na ordem natural, e precisaríamos de cientistas mais "modernos", para alcançar o apagamento – ou esquecimento – dos traços divinos da Ordem, convertendo-a, finalmente, em simples ordem econômica.

Vimos já, no capítulo anterior a este, como a laicização marca a gênese de uma ciência nomológica como a Economia, que vai abandonando – e apagando – sua ascendência moral. Um homem inteligente como Cairu, postado entre dois mundos, pode nos ajudar a recuperar o que se apagou, para perceber que a Ordem permanece, marcando a harmonia e a disciplina modernas, anunciando a mais eficaz das imagens do controle do mundo: o relógio...

> Se vissemos pela primeira vez a hum Relogio apontando, e dando horas, de modo sempre regular, e constante, quem não seria convencido, que fóra de tal Relogio existe alguma pessoa intelligente, que lhe deo o movimento, e ajustamento tão harmonico das partes? Que diriamos, se ainda mais vissemos (o que ainda não se verificou) que tal Relogio continha em si outro igual relogio mais pequeno, porém em tudo igual ao maior, e esse pequeno a outros menores semelhantes, e sem numero? Teriamos

• 233 •

UM MORALISTA NOS TRÓPICOS

espanto, e, sem hesitação, instantaneamente exclamariamos: Quanto he poderoso, e engenhoso o author desta machina![85]

Engenhosa e poderosa imagem. O que a nós pode espantar, entretanto, é que o infinito esteja também contido no universo de Cairu, embora submetido a uma interminável sucessão de iguais. Seu mundo, afinal, encerra-se entre causas primeiras e finais e, se tem um Motor por partida, não é crível que a Inteligência que o opera se compraza com o desvio, ou se deixe vencer pela desordem, a qual, no fundo, é afronta à Ordem criada. Eis aí, presumo, o sentido e o peso do adjetivo "cahotico", aposto ao "vacuo" epicúreo, no discurso anti-revolucionário de Cairu.

Se a diversidade compõe o mundo, é preciso que algo a limite, ou que um imenso relógio a tudo compasse:

> [...] isto he o que cada homem vê em innumeraveis obras que palpamos da Natureza, como na flôr, na semente, no ovo, no ovario de tantos vegetaes e animaes terrestre[s], e marinhos, de que temos conhecimento, e que contém em si, em miniatura invisivel, todas as plantas e animaes da especie respectiva. Affectaremos, á vista de taes maravilhas, não nos convencer, que existe, por assim dizer, um Relogoeiro Divino, que fez taes machinas com sua infinita potencia e intelligencia? Quando vemos Livros, Quadros, Machinismos, Edificios, Cidades, nenhuma pessoa, que não tenha *perdido a razão*, póde dizer, que forão feitos por *acaso*, e do *nada*, mas sim por homens que tinhão poder e saber para formar e pôr em ordem tantos artefactos. Quem, entrando á primeira vez em Theatro, ao levantar-se a cortina do mesmo, sendo logo todos os sentidos assaltados com tanta variedade de luzes, e cousas, que apparecem no Scenario, não se extasiaria, dizendo = Grande e mui engenhoso he o Architecto desta Obra![86]

Surgem o tópico do teatro do mundo e a imagem arquitetural, convidando, ambos, a pensar num plano ou num texto, que tudo prevê e contém. O mundo natural de Cairu se faz de cópias, ou seja, de perfeitas e regradas repetições, num infinito que é sempre o mesmo. Estamos entre os antípodas de Lucrécio, imaginando, na senda de Epicuro que, se de fato nada provém do nada, o vazio é porém o meio em que vagamos, indivisos, para sempre errando, compondo, descompondo e recompondo o mundo, ou melhor, os mundos.

Não se trata de imaginar La Rochefoucauld – cuja presença no cate-

• 234 •

SOBRE AS RUÍNAS DO CAPITÓLIO

cismo brasileiro segue intrigando – um epicuriano. Houve, mesmo em sua época, quem tenha pretendido vê-lo assim. Não é esta minha intenção, e nem parece certeira a filiação, embora os pontos de toque existam, como nota a crítica[87].

Importa, se buscamos o contraste entre dois universos, e dois autores, perceber que a *soltura* se abriga e expõe nas máximas de La Rochefoucauld, e ali mesmo Cairu a rejeita. O aspecto fragmentário da escrita não é casual, neste movimento de escuta e recusa, não porque seja tão-somente mais fluido o mundo das máximas, em tudo oposto à solidez escolástica do tratado moral. Mais importante é perceber que a agudeza – o caráter *pointu* do discurso – depende desta forma fragmentária, sugerindo, ademais, o paradoxo de uma "soltura" que se compreende num discurso precisamente (classicamente) amarrado.

Emmanuel Bury alerta contra o raciocínio fácil que relaciona, mecanicamente, a efervescência das "formas breves", desde a "era barroca", a uma simples crise do discurso monológico. Tão mais importante o alerta, quanto nos aproximemos de uma explicação deste tipo, no que toca a Cairu e La Rochefoucauld: a imaginação "monológica", escolástica do visconde seria infensa à soltura das máximas.

Muito simples e insuficiente a explicação. Se a "soltura" é de fato presente nos aforismos, vale compreender o sentido desta forma aguda, fragmentária, que provém de uma milenar tradição epigramática, reatualizada na era barroca:

> [...] ligada às formas novas da vida social, vida de corte, mas também vida mundana em que se misturam escritores, prelados, diplomatas e homens de guerra, a palavra barroca – antes de tornar-se "clássica" – vai tornar-se a máscara e o revelador de uma civilização inédita, a um só tempo assombrada pelos sonhos do humanismo e ameaçada pelas novas realidades políticas, entre a euforia neoplatônica de um Castiglione e as sombrias perspectivas taciteanas de um Gracián.[88]

La Rochefoucauld, nota ainda o crítico francês, valer-se-á da *pointe* senequiana para melhor desmascarar o estoicismo. Não será tanto a forma que importa, mas sim aquilo que ela é capaz de desmanchar.

Crise de sociedade, sem dúvida, expressa na vontade de desmascarar as virtudes ostentadas publicamente, sobre as quais se edificava o Império dos homens, algo ruinoso, no mundo emerso das guerras de religião.

• 235 •

UM MORALISTA NOS TRÓPICOS

Epicuro, recuperado por Diógenes Laércio, e Lucrécio ajudaram-nos a compreender a reação do moralista brasileiro, atemorizado, também, pelo possível arruinamento da sociedade, hipostasiado no fantasma revolucionário que o apavora, justamente porque o coloca diante da iminência da soltura, que é a sensação mesma que se tem, diante do vazio de um abismo.

Vamos compreendendo, então, que as máximas do século XVII não andarão perfiladas na *Constituição moral, e deveres do cidadão* por acaso. Há nelas questões que incomodam, e constatações amargas, cujos ecos, no catecismo brasileiro, resta ainda sondar. Mas, igualmente, haverá nelas uma soltura que fascina e repulsa, embora não seja, tão-somente, a soltura do abismo. Ou, visto de outra maneira, será de fato a soltura diante de uma espécie de abismo, desde que por abismal tenhamos o mundo em que erra o homem, perdido e cego. Afinal, vagando eternamente, não há mesmo sentido que se preencha ou feche, porque o mundo será sempre o resultado de uma perda, isto é, será a angústia do vazio que nos cerca e acompanha, quando deixamos o porto.

• • •

Não é sensato lembrar a poética dos fragmentos fora de um esquadro. Faz-se mister perceber e acompanhar o que vai dentro do texto, o movimento que a poesia anima, o que é sempre, no caso deste nosso cruzamento, o amor-próprio dando partida ao mundo dos homens. Pois este é, precisamente, o alvo de Cairu, o que o incomoda e instiga, em sua empresa moralizadora.

Vimos, ainda no capítulo anterior, que o "systema sympathico", buscado sobretudo a Adam Smith, vai contrapor-se, na *Constituição moral, e deveres do cidadão*, ao "systema egoistico". É fundamental, na perspectiva do moralista brasileiro, que os instintos e os impulsos naturais do homem se baseiem numa inquestionável benevolência, anterior a toda maquinação possível do indivíduo. No primeiro volume do catecismo, nota Cairu que o

> Author da Natureza, constituindo o homem hum ente sensivel, deolhe duas especies de sensibilidade; huma, pela qual sente o seu proprio prazer, ou dor, e atribulação de corpo e espirito; esta he a *sensibilidade physica*; e outra, pela qual tambem sente, em gráo consideravel, o prazer,

SOBRE AS RUÍNAS DO CAPITÓLIO

dor, e desastre alheio, ainda dos que lhes [sic] são mais estranhos, comprazendo-se em sua alegria, e condoendo-se em sua desgraça. Esta he a *sensibilidade moral*. O Creador, pela primeira, aviva a cada pessoa para procurar o seu bem, e prevenir o seu mal; e pela segunda, a estimula a salvar e felicitar a Especie humana, para que ninguem seja indifferente á Humanidade, mas participe da sua prosperidade, ou se condôa de sua miseria, a fim, de quanto em si estiver, contribuir á boa ordem, e precavêr a desordem do estado social. A esta sensibilidade reciproca se tem dado o nome grego de *Sympathia*.[89]

Estas sensibilidades distintas – física e moral – poderiam lembrar dois módulos da natureza humana cindida, como são o *amor sui* e o *amor Dei* agostinianos, já referidos neste trabalho, num dos momentos em que Pascal ocupou nossa atenção. Entretanto, o amor de Deus pouco se parece a esta *Sympathia*, pois a própria transcendência se alterou bruscamente, a esfera divina deixando-se substituir pela esfera propriamente social, identificada à "Especie humana", ou ainda, na linha do que vimos discutindo, à "boa ordem" do "estado social".

Importa perceber que o Criador não se ausenta do discurso simpático, mas como que se retira – depois de composta a criatura –, para enxergar o mundo criado, como se observasse, das alturas, uma máquina magnífica, por Ele construída. É fato que o maquinário se move ainda com base na Providência, mas, como se viu, a mão divina se laicizou, tornando-se paradoxalmente invisível e observável, desde que, para bem notar e repertoriar seus movimentos, sigam-se os passos da criação, isto é, desde que acompanhemos o *logos* social, ou a lógica econômica.

Adam Smith, "engenhoso e pio Escriptor", funda sua filosofia nessa teoria simpática que desperta o interesse de Cairu. Na *Teoria dos sentimentos morais*, revelamo-nos capazes de nos sensibilizar com a dor do próximo, não porque a sintamos efetivamente, mas porque podemos imaginá-la. As regras gerais da conduta se formam, justamente, na observação continuada da conduta de outrem, mediante a assimilação de uma experiência coletiva, portanto. Forma-se um tecido de regras, e nele os homens desenvolvem sua sociabilidade[90].

Interessa-nos mais de perto a ação deste tecido, a instantaneidade com que assumimos a aprovação ou a repulsa diante de certas atitudes:

• 237 •

UM MORALISTA NOS TRÓPICOS

Nós originariamente não approvamos, ou condemnamos particulares acções, porque, examinando-as, se mostrão ser concordes ou discordes á certa regra geral. Muito pelo contrario, a regra geral he formada, porque pela experiencia achamos, que *todas as acções de certo genero, ou circunstanciadas em certa maneira*, são approvadas, e desapprovadas. Qualquer homem que primeiro vio hum deshumano homicidio, commetido por avareza, inveja, e injusto resentimento, e maiormente sendo contra pessoa que amava, e se confiava do matador; – que vio as agonias da pessoa expirante; – que ouvio-o nos seus ultimos suspiros lamentar-se mais da perfidia e ingratidão do seu falso amigo, do que da violencia que lhe fizera; – não necessita, para conceber o horror de tal acção, que *reflicta*, que huma das mais sagradas regras de nossa conducta era o prohibir tirar a vida á huma pessoa innocente, e que o homicidio fôra clara violação de tal regra, e *consequentemente*, que a *acção era condemnavel*. He evidente que a detestação deste crime se excita instantaneamente, e antes de ter quem o vio para si formado tal geral regra. Ao contrario, essa regra geral, que elle poderia depois formar, estava já fundada sobre tal detestação que sentio, e que se excitou no seu proprio peito, só pelo pensamento desta e de qualquer outra particular acção do mesmo genero.[91]

Complexo mecanismo, pois o que é sentimento inato se reforça com essas "regras gerais", as quais, como se viu, são o resultado de uma história de condenações e aprovações, de que não se exclui a experiência individual da dor e da satisfação, (re)experimentadas na imaginação, no plano em que se tece a sociabilidade humana.

Cairu andará, de fato, a meio caminho entre dois mundos, como talvez seu mestre Smith, lente de Filosofia Moral em Glasgow, quando compôs sua obra. De um lado, temos sentimentos morais a formar-se a partir das sensações, do jogo corpóreo, decantados pela experiência acumulada de gerações e gerações; de outro, precisamos, ainda, crer numa benevolência natural e universal, patrocinada por um Ente onisciente e benévolo:

"Esta universal benevolencia todavia, bem que em si nobre e generosa, não póde ser a fonte de solida felicidade á pessoa alguma, se não for absolutamente convencida, que todos os habitantes do Universo, tanto o infimo como o maximo, estão sob o immediato cuidado, e patrocinio do grande, benevolo Ente, que dirige todos os movimentos da Natureza; e que

· 238 ·

SOBRE AS RUÍNAS DO CAPITÓLIO

he determinado, pelas suas proprias inalteraveis perfeições, a manter nelle, em todos os tempos, a maior possivel quantidade de felicidade."[92]

Eis o esteio de que falava. A própria "Sympathia" revela-se um "dote", e o "interno impulso de amor á Humanidade" nos torna mais próximos – simpaticamente – dos demais homens, "sem algumas vistas de interesse". Impulso benéfico, louvado e reforçado pelos "mais acreditados Poetas"[93].

A "Sympathia", entretanto, divide-se irregularmente entre os homens, e é certo, para Cairu, que os pobres executem as leis deste dote divino mais que os ricos, donde aliás o sagrado a envolver a miséria. Mas não será razoável supor que o autor do catecismo daí conclua pela simples condenação dos ricos, menos propensos ao poder simpático. O melindre é logo contornado por Silva Lisboa, num momento em que fala o mais claro e desabrido utilitarismo, com seus devidos matizes liberais:

[...] a Divina Providencia tem prevenido os máos effeitos da dureza dos ricos em sua arguida pouca sympathia aos pobres, até pelo expediente do proprio egoismo, e interesse particular; pois, onde ha governo regular, e liberal, que dá plena segurança ás pessoas e propriedades, e franca circulação aos productos do Geral Trabalho, a opulencia tem, como a luz do Sol, huma (por assim dizer) força excentrica e diffusiva, para se desparzir na maior possivel esphéra; e, em consequencia, os ricos tem o maior estimulo de empregar os fundos, e fazer girar os seus capitaes nas direcções mais importantes á si, e ao Estado; do que necessariamente resulta o darem obra e mantença aos pobres industriosos, que são os mais dignos de socorro; e nisso lhes dão o premio de seu trabalho, e auxilio mais honorifico, porisso mesmo que não gratuito.

A máquina da economia se azeita com a dose correta do veneno, o "egoismo" e o "interesse particular" agindo em prol da felicidade geral. Porém, a concessão ao princípio utilitário não é, neste catecismo moral, assunção das teorias do "sophistico" autor da fábula das abelhas, pois justamente a "Natureza" se esvazia de seu caráter violento, para ganhar os tons leves de uma espécie de idílio social:

Os effeitos da geral sympathia, e mutua complacencia na prosperidade, se manifestão em hum *bom dia*, quando o Sol illumina montes e valles, e parece que o Eterno dá Festa celeste ás suas creaturas sensiveis, e toda a

• 239 •

UM MORALISTA NOS TRÓPICOS

Natureza visivel se mostra rindo-se aos homens. Então a alegria assoma em todas as faces. O mesmo se vê em Divertimentos e Passeios Publicos, parecendo os individuos de todas as classes transbordando em prazer, e communicando-se contentamento reciproco. Essa mutua complacencia se nota nos Campos dos Lavradores, Fabricas de Artistas, Aquartelamentos de Soldados, Viagens de Marujos, em tempos de paz e activa industria. Eis huma das Solidarias Garantias da Ordem Moral![94]

Por um lado, o quadro sugere, modernamente, a transformação e a multiplicação dos espaços, sobretudo urbanos, mas, por outro, dissol-vem-se as tensões sociais na luminosidade de um dia esplendoroso, co-mo quisera Cairu fossem os dias do Império que nascia. Quadro tão mais rico e significativo, quanto nos apercebamos que as armas empunhadas na guerra de todos contra todos baixaram-se, respeitando-se um armis-tício cósmico, decretado pela própria Natureza risonha e benévola.

Bem outro, sabemos, é o registro de Mandeville (como outro será o de La Rochefoucauld, por suposto). Embora o resultado do egoísmo ge-neralizado, no caso do autor holandês, possa ser, contra todas as expec-tativas, o bem geral, não é menos verdade que o fundo belicoso de nossa natureza se mantém, apenas oculto sob o paradoxo dos vícios privados associados ao benefício público.

Em seu inquérito sobre a origem da virtude moral, o fabulista lembra que os moralistas nunca deixaram de notar o incômodo que aos homens causa o afastar-se de seus pendores naturais, seus instintos de autocon-servação e a busca da própria felicidade. Os filósofos trataram de inven-tar, contudo, uma engenhosa bajulação, fazendo-nos crer, artificiosamen-te, que de alguma forma nosso mundo se aparta da natureza:

Eles [aqueles que empreenderam civilizar a humanidade] examinaram detalhadamente todo o vigor e fragilidade da nossa natureza e, observan-do que ninguém era tão selvagem que não se sentisse cativado pelo elogio nem tão desprezível que suportasse com paciência o desprezo, concluíram justamente que a adulação era o argumento mais poderoso que podia ser usado para as criaturas humanas. Fazendo uso desse fascinante instru-mento, eles exaltaram a excelência da nossa natureza sobre a dos outros animais e, expondo com rasgados louvores as maravilhas da nossa saga-cidade e a vastididão do nosso entendimento, dedicaram milhares de en-cômios à racionalidade de nossas almas, com a ajuda da qual somos ca-

· 240 ·

SOBRE AS RUÍNAS DO CAPITÓLIO

pazes de realizar os mais nobres feitos. Tendo-se insinuado, graças a esse astuto método de lisonja, nos corações dos homens, esses mesmos legisladores e eruditos começaram a instruí-los nas noções de honra e vergonha, representando uma como o pior de todos os males e a outra como o bem supremo a que os mortais podem aspirar. Feito isso, expuseram-lhes como era indecorosa a dignidade daquelas criaturas sublimes que se mostravam solícitas na satisfação daqueles apetites que tinham em comum com os irracionais e, ao mesmo tempo, estavam desatentas para aquelas qualidades superiores que lhes davam primazia sobre todos os seres visíveis. Admitiram, de fato, que esses impulsos da natureza eram muito presentes, que era embaraçoso resistir-lhes e muito difícil subjugá-los totalmente. Mas usaram isso apenas como um argumento para demonstrar até que ponto era gloriosa a vitória sobre esses impulsos, por um lado, e escandalosa a tentativa de não o tentar, por outro.[95]

Não distamos completamente, de toda maneira, do Adam Smith da *Teoria dos sentimentos morais*, pois, como se viu, a própria moral simpática formou-se sobre um plano imaginário, de que não estão ausentes, naquele caso, as sensações de dor e prazer. Assombrosa e inquietante é a possibilidade de que tudo não passe mesmo de imaginação, pois o horizonte destes moralistas pode ser, em graus variados, o desbaratamento disto a que chamamos virtude, para no limite compreendê-la como quimera, quando nós preferiríamos compreendê-la como a fonte real – *natural* – das nossas melhores ações.

Conquanto autores deste porte merecessem um estudo competente e detalhado, podemos notar, pelo que até aqui se viu, que Smith acredita ainda (ou quer fazer acreditar) na nossa própria benevolência, como dádiva generosa do Criador. Mandeville, diferentemente, parece crer apenas na misteriosa Providência, mantendo nossa atenção voltada para a origem enganosa (no original: *flattery, bewitching engine*...) dos sentimentos morais, terminando por louvar uma sociedade que florescia sobre a guerra, transportada para o plano da economia.

La Rochefoucauld, que Smith originalmente associa a Mandeville, vem de outro tempo, embora fascine a todos. Seu caso é especial, porque quase não deixa ver as réstias da luz divina, que mesmo o mais convicto jansenista saberia procurar, neste nosso mundo de sombras. Como se nos encerrássemos, uma vez mais, no mundo da concupiscência, na lógica inescapável das paixões humanas, num estado eterno de disputa e

UM MORALISTA NOS TRÓPICOS

dissimulação, quando o bem-fazer pode não ser mais que a armadilha engenhosa do amor-próprio.

Há quem busque em La Rochefoucauld, como vimos, um discurso da civilização, acreditando, talvez demasiado, nas promessas da *honnêteté* e no papel positivo da própria dissimulação, numa *politesse* que é, enfim, a arte de bem portar-se na Cidade, como sugerem as *Réflexions*, mais que as máximas. Talvez não caiba refutar conclusivamente tal tese, mas será certo que José da Silva Lisboa viu, nas máximas, o negativo da civilização por ele desejada, isto é, a "moral mundana", irremediavelmente oposta à "moral cristã". Simples insensibilidade crítica, ou sensibilidade de um leitor judicioso, preocupado tão de perto com as questões da ordem?

A máxima 218 (*"l'hypocrisie est un hommage que le vice rend à la vertu"* [a hipocrisia é homenagem que o vício presta à virtude][96]) pode, neste sentido, despertar reações diversas, ora apontando uma espécie de capitulação do vício, por meio da hipocrisia, diante do poder da virtude, ora sugerindo o fundo hipócrita de todas as nossas ações virtuosas, pois esta "homenagem" não esconderia o valor da virtude apenas como sanção da sociedade sobre o agir humano, sem que os virtuosos possam gabar-se de possuir, de fato, a virtude que proclamam. Como se apenas excelessem no manejo de uma máquina delicada, essencialmente hipócrita, como é a da sociedade civilizada. Por baixo da capa da polidez, entretanto, grassa a guerra[97].

Ainda que refratárias às explicações secantes, as máximas, lidas em conjunto, podem tornar evidente aquilo que Mandeville não dissimula – o governo turbulento das paixões:

> [...] sem qualquer intuito de adulação do amável leitor, ou de mim mesmo, acredito que o homem (além da pele, carne, ossos etc., que são óbvios ao olhar) é um conjunto de várias paixões, as quais o governam alternadamente, à medida que são provocadas e vêm à tona [as *they are provoked and come uppermost, govern him by turns, whether he will or no*, no original].[98]

Interessa ao moralista a natureza humana, para além do visível, e é inevitável que os mais desencantados vejam o homem, na esteira de Hobbes, numa guerra que parece não querer cessar. Se é certo o traço hobbesiano de La Rochefoucauld, detectado pela crítica ao menos desde Sainte-Beuve, então o que tornará especialmente apavorante o mundo

SOBRE AS RUÍNAS DO CAPITÓLIO

franqueado pelas máximas é o vermo-nos, sabermo-nos e sentirmo-nos carentes de um norte preciso, ou de um porto onde encontremos a calma e a segurança que uma viagem tormentosa nos terá subtraído. Afinal, crendo no moralista do século XVII, os mais virtuosos dos homens – os estóicos – foram farsantes, as virtudes não são mais que a roupagem dos vícios prevalecentes, e os passos que ensaiamos são regidos por um amor-próprio tirânico e invencível. Pouco ou nenhum espaço resta à ação autônoma e, menos ainda, será possível imaginar que resulte daí qualquer benefício à constituição moral do homem.

Mandeville teria ao menos o célebre paradoxo, expresso no quiasmo (vícios privados, benefícios públicos), por peça de defesa, caso lhe quiséssemos censurar os princípios destrutivos de uma teoria social[99]. La Rochefoucauld, diferentemente, não possui nada, ou quase nada, a inocentá-lo. O horizonte de seu pensamento não comporta o benefício público, e nem poderia fazê-lo, pois é de um mundo arruinado que falam as máximas.

Se não há teoria social em La Rochefoucauld, tampouco o discurso da civilização, não parece razoável, então, submetê-lo a julgamento. Sabemos, porém, que o processo se instaurou há muito, congregando, como vem notando a crítica, acusadores de todos os naipes, incomodados, quase sempre, com aquilo que as máximas dissimulam e revelam, num único tempo: a natureza estragada do homem.

• • •

O amor-próprio como móbil das ações humanas é talvez o eixo do "discurso" de La Rochefoucauld, se é razoável pensar num único eixo e num discurso singular. Mas, de fato, é ele uma força fundamental, "consubstancial" ao ser humano. A máxima inicial da primeira edição autorizada das *Réflexions ou sentences et maximes morales*, suprimida a partir de 1666, traz o seguinte "retrato":

L'amour-propre est l'amour de soi-même, et de toutes choses pour soi; il rend les hommes idolâtres d'eux-mêmes, et les rendrait les tyrans des autres si la fortune leur en donnait les moyens; il ne se repose jamais hors de soi, et ne s'arrête dans les sujets étrangers que comme les abeilles sur les fleurs, pour en tirer ce qui lui est propre. Rien n'est si impétueux que ses désirs, rien de si caché que ses desseins, rien de si habile que ses conduites; ses souplesses ne se peuvent représenter, ses transformations passent celles des métamorphoses, et ses raffinements ceux de la chimie. On

• 243 •

UM MORALISTA NOS TRÓPICOS

ne peut sonder la profondeur, ni percer les ténèbres de ses abîmes. Là il est à couvert des yeux les plus pénétrants; il y fait mille insensibles tours et retours. Là il est souvent invisible à lui-même, il y conçoit, il y nourrit, et il y élève, sans le savoir, un grand nombre d'affections et de haines; il en forme de si monstrueuses que, lorsqu'il les a mises au jour, il les méconnaît, ou il ne peut se résoudre à les avouer. De cette nuit qui le couvre naissent les ridicules persuasions qu'il a de lui-même; de là viennent ses erreurs, ses ignorances, ses grossièretés et ses niaiseries sur son sujet; de là vient qu'il croit que ses sentiments sont morts lorsqu'ils ne sont qu'endormis, qu'il s'imagine n'avoir plus envie de courir dès qu'il se repose, et qu'il pense avoir perdu tous les goûts qu'il a rassasiés. Mais cette obscurité épaisse, qui le cache à lui-même, n'empêche pas qu'il ne voie parfaitement ce qui est hors de lui, en quoi il est semblable à nos yeux, qui découvrent tout, et sont aveugles seulement pour eux-mêmes. En effet dans ses plus grands intérêts, et dans ses plus importantes affaires, où la violence de ses souhaits appelle toute son attention, il voit, il sent, il entend, il imagine, il soupçonne, il pénètre, il devine tout; de sorte qu'on est tenté de croire que chacune de ses passions a une espèce de magie qui lui est propre. Rien n'est si intime et si fort que ses attachements, qu'il essaye de rompre inutilement à la vue des malheurs extrêmes qui le menacent. Cependant il fait quelquefois en peu de temps, et sans aucun effort, ce qu'il n'a pu faire avec tous ceux dont il est capable dans le cours de plusieurs années; d'où l'on pourrait conclure assez vraisemblablement que c'est par lui-même que ses désirs sont allumés, plutôt que par la beauté et par le mérite de ses objets; que son goût est le prix qui les relève, et le fard qui les embellit; que c'est après lui-même qu'il court, et qu'il suit son gré, lorsqu'il suit les choses qui sont à son gré. Il est tous les contraires: il est impérieux et obéissant, sincère et dissimulé, miséricordieux et cruel, timide et audacieux. Il a de différentes inclinations selon la diversité des tempéraments qui le tournent, et le dévouent tantôt à la gloire, tantôt aux richesses, et tantôt aux plaisirs; il en change selon le changement de nos âges, de nos fortunes et de nos expériences, mais il lui est indifférent d'en avoir plusieurs ou de n'en avoir qu'une, parce qu'il se partage en plusieurs et se ramasse en une quand il le faut, et comme il lui plaît. Il est inconstant, et outre les changements qui viennent des causes étrangères, il y en a une infinité qui naissent de lui, et de son propre fonds; il est inconstant d'inconstance, de légèreté,

• 244 •

SOBRE AS RUÍNAS DO CAPITÓLIO

d'amour, de nouveauté, de lassitude et de dégoût; il est capricieux, et on le voit quelquefois travailler avec le dernier empressement, et avec des travaux incroyables, à obtenir des choses qui ne lui sont point avantageuses, et qui même lui sont nuisibles, mais qu'il poursuit parce qu'il les veut. Il est bizarre, et met souvent toute son application dans les emplois les plus frivoles; il trouve tout son plaisir dans les plus fades, et conserve toute sa fierté dans les plus méprisables. Il est dans tous les états de la vie, et dans toutes les conditions; il vit partout, et il vit de tout, il vit de rien; il s'accommode des choses, et de leur privation; il passe même dans le parti des gens qui lui font la guerre, il entre dans leurs desseins; et ce qui est admirable, il se hait lui-même avec eux, il conjure sa perte, il travaille même à sa ruine. Enfin il ne se soucie que d'être, et pourvu qu'il soit, il veut bien être son ennemi. Il ne faut donc pas s'étonner s'il se joint quelquefois à la plus rude austérité, et s'il entre si hardiment en société avec elle pour se détruire, parce que, dans le même temps qu'il se ruine en un endroit, il se rétablit en un autre; quand on pense qu'il quitte son plaisir, il ne fait que le suspendre, ou le changer, et lors même qu'il est vaincu et qu'on croit en être défait, on le retrouve qui triomphe dans sa propre défaite. Voilà la peinture de l'amour-propre, dont toute la vie n'est qu'une grande et longue agitation; la mer en est une image sensible, et l'amour-propre trouve dans le flux et le reflux de ses vagues continuelles une fidèle expression de la succession turbulente de ses pensées, et de ses éternels mouvements[iv].

[iv] O amor-próprio é o amor de si mesmo, e de todas as coisas por si; ele torna os homens idólatras deles mesmos, e os tornaria tiranos dos outros se a fortuna lhes fornecesse os meios; ele não repousa jamais fora de si, e não se detém sobre motivos estranhos senão como as abelhas sobre as flores, para tirar-lhes o que lhes é próprio. Nada é tão impetuoso quanto seus desejos, nada tão oculto quanto suas intenções, nada tão hábil quanto suas condutas; sua flexibilidade não se pode representar, suas transformações ultrapassam as das metamorfoses, e seus refinamentos, os da química. Não se pode sondar a profundidade, nem atravessar as trevas de seus abismos. Lá ele está protegido dos olhos mais penetrantes; ele ali faz mil insensíveis voltas e revoltas. Lá ele é freqüentemente invisível a si mesmo, lá ele concebe, alimenta-se, e faz crescer, sem sabê-lo, um grande número de afecções e de ódios; ele os forma tão monstruosos que, logo que os dá à luz, ele os desconhece, ou não pode confessá-los. Desta noite que o cobre nascem as ridículas convicções que ele tem de si mesmo; de lá provêm seus erros, suas ignorâncias, suas grosserias e tolices a seu respeito; de lá vem que ele crê que seus sentimen-

UM MORALISTA NOS TRÓPICOS

tos estão mortos, quando não estão senão adormecidos, que ele imagina não precisar mais da vontade de correr quando repousa, e que pensa haver perdido todos os gostos que satisfez. Mas essa obscuridade espessa, que o oculta a si próprio, não impede que ele veja perfeitamente o que está à sua volta, no que ele é semelhante a nossos olhos, que descobrem tudo, e são cegos somente para si mesmos. De fato, nos seus maiores interesses, e nos seus mais importantes negócios, quando a violência de seus desejos chama toda a sua atenção, ele vê, ele sente, ele escuta, ele imagina, ele desconfia, ele penetra, ele adivinha tudo; de forma que somos tentados a acreditar que cada uma de suas paixões tem uma espécie de magia que lhe é própria. Nada é tão íntimo nem tão forte quanto seus compromissos, que ele tenta inutilmente romper à vista das desgraças extremas que o ameaçam. Entretanto ele algumas vezes faz em pouco tempo, e sem nenhum esforço, o que ele não pôde fazer com todos aqueles do que é capaz no curso de vários anos; de onde se pode concluir bastante verossimilmente que é por ele mesmo que seus desejos são acesos, mais que pela beleza e pelo mérito de seus objetos; que seu gosto é o preço que os encarece, e o arrebique que os embeleza; que é atrás de si próprio que ele corre, e que ele segue sua vontade, quando segue as coisas que se apresentam à sua vontade. Ele é todos os contrários: ele é imperioso e obediente, sincero e dissimulado, misericordioso e cruel, tímido e audacioso. Ele tem diferentes inclinações segundo a diversidade dos temperamentos que o entornam, e o devotam tanto à glória, quanto às riquezas, e quanto aos prazeres; ele as altera de acordo com a mudança de nossa idade, de nossos infortúnios e de nossas experiências, mas lhe é indiferente tê-las várias ou não ter mais que uma, porque ele se divide em várias e se reduz a uma quando o quer, e conforme lhe aprouver. Ele é inconstante, e, além das mudanças que provêm de causas estranhas, ele tem uma infinidade delas que nascem dele, e de seu próprio fundo; ele é inconstante de inconstância, de volubilidade, de amor, de novidade, de lassidão e de repugnância; ele é especioso, e nós o vemos de vez em quando trabalhar com a máxima pressa, e com incrível labor, por obter coisas que não lhe são minimamente vantajosas, e mesmo que lhe são prejudiciais, mas que ele persegue porque ele as quer. Ele é bizarro, e aplica-se freqüentemente às tarefas mais frívolas; ele encontra todo o seu prazer nas mais insulsas, e conserva toda a sua dignidade nas mais desprezíveis. Ele está em todos os estágios da vida, e em todas as condições; ele vive em toda parte, ele vive de tudo, ele vive de nada; ele se acomoda a todas as coisas, e à privação delas; ele até passa pelo tipo das pessoas que lhe fazem guerra, ele entra em suas intenções; e, o que é admirável, ele se odeia a si mesmo com elas, ele conjura sua própria queda, ele trabalha até por sua ruína. Enfim, ele não se preocupa senão em ser, e, conquanto seja, ele bem quer ser seu inimigo. Não é de admirar então se ele se compõe algumas vezes com a mais rude austeridade, e se ele se associa tão fortemente a ela para se destruir, porque, ao mesmo tempo em que ele se arruína em um lugar, ele se restabelece em outro; quando pensamos que ele abandona seu prazer, ele não faz mais que suspendê-lo, ou mudá-lo, e no momento mesmo em que ele é vencido e em que cremos havê-lo derrotado, encontramo-lo triunfante em sua própria derrota. Eis a pintura do amor-próprio, cuja vida inteira não é senão uma grande e longa agitação; o mar lhe é uma imagem sensível, e o amor-próprio encontra no fluxo e refluxo de suas vagas contínuas uma fiel expressão da sucessão turbulenta de seus pensamentos, e de seus eternos movimentos.

• 246 •

SOBRE AS RUÍNAS DO CAPITÓLIO

A longa reflexão, talvez por quebrar o registro discursivo marcado pela brevidade, seria suprimida a partir da segunda edição. Mas o retrato do amor-próprio nos esclarece o poder e a atuação da força proteiforme. Suas metamorfoses constantes, como sugere a crítica, podem tornar escusada a procura de uma estrita "coerência" lógica, ou "constância" conceitual, quando se trata de analisar as máximas. Se o amor-próprio, como principal personagem deste universo, é ele mesmo múltiplo, por que esforçar-se por reduzi-lo a uma única feição? Por que encontrar os liames lógicos de um discurso que, afinal, incide sobre objeto tão pouco lógico? Por que tentar ordenar, com o pensamento, uma realidade naturalmente desordenada?

Não se trata tão-somente de um objeto irracional, refratário a qualquer explicação, mas sim, e pelo contrário, um objeto dotado de uma lógica própria, irredutível e caprichosa em suas expressões. Um objeto tão obscuro que ele próprio se fecha a si mesmo: eis o abismo interiorizado.

Esta recusa (ou renúncia) à claridade pode sugerir um retorno aos arquétipos e o mergulho num universo primitivo. Referindo-se ao retrato do amor-próprio, Jean Lafond alude a uma alegoria mítica, reputando-a capaz de responder às intuições humanas sobre as profundezas insondáveis do ser:

> a página memorável consagrada desde 1660 por La Rochefoucauld ao estudo do amor-próprio visa mais a seduzir pela magia do verbo que a convencer pelo rigor da análise. Uma intuição muito pouco comum dos movimentos do inconsciente encontra-se ali com um senso extremamente agudo da vida interior, e não há texto que, àquela época, tenha jamais aberto perspectivas tão novas e ricas de desdobramentos sobre aquilo que é presentemente a psicologia das profundezas. Mas um certo encadeamento verbal, junto à amplificação necessária a uma asserção original, fazem desta psicologia uma mitologia. Esta força demoníaca, este Proteu que nos habita, é uma bela imagem das manifestações do amor-próprio. Mas todo mito é por natureza simplificante: podemos nós exigir de uma alegoria que ela seja em todos os seus pontos conforme à realidade que ela tem por função exprimir?[100]

Diante do abismo, fala o mito. A aproximação do texto de La Rochefoucauld desta "psicologia das profundezas" nos faz lembrar, entretanto,

· 247 ·

UM MORALISTA NOS TRÓPICOS

que mesmo ela não prescindiria das narrativas primitivas. Pelo contrário, algumas de suas mais belas descobertas escavam o terreno mitológico, para aí estruturar um conhecimento que, contudo, pretende-se objetivo[101].

A julgar pelas sugestões do crítico, estaremos diante da exposição literária de um objeto delicado, não se tratando, de forma alguma, de uma exposição de ordem teológica, conquanto o "amor-próprio" tenha ocupado as mentes de tantos teólogos, desde o tempo de santo Agostinho, pelo menos.

O tema é teológico, mas o desenvolvimento é literário e laico: assim nos mantemos no plano da análise de Jean Lafond. Importa fixar, entretanto, o que de apavorante pode haver, para uma mente ortodoxa, na sugestão deste mar interior, tormentoso e indecifrável, onde derivamos, sem terra alguma à vista. Aqui, o *vaisseau* pascalino, que epigrafa este livro, deixa-se flagrar, muito modernamente, numa *ivresse* cujas raízes, sabemos, apontam para a perda da inocência – nosso porto original –, quando as amarras se soltam definitivamente, tornando-nos vítimas do fluxo impetuoso das ondas[102].

Pouco importa que Silva Lisboa tenha ou não lido o retrato do amorpróprio, suprimido em edições mais recentes. Importa que o sentido trágico da separação radical entre o mundo da Graça e o mundo da natureza posta-se no horizonte das máximas, e ali foi detectado. A imagem da Queda pode obsedar o leitor criterioso de La Rochefoucauld, e o pessimismo jansenista, de origem agostiniana, pode apavorar um homem confiante na natureza humana, como o autor da *Constituição moral, e deveres do cidadão*.

Como vimos, a "natureza" do homem, para La Rochefoucauld, pode ser essencialmente estragada, porque fruto de um pecado primitivo irrevogável. Nem a inflexão do século XVIII foi capaz de despertar em Cairu alguma simpatia pelas máximas. No primeiro capítulo do "Appendice" à *Constituição moral*, o velho *frondeur* aparece associado ao nome suspeito de Voltaire, embora justificado por Suard, o apresentador de edições que se sucedem desde 1778 até o ano de 1825, quando Cairu publicava os últimos volumes de seu catecismo:

> O Credito que na Republica das letras adquirio o Duque de La *Rochefoucauld* pelo seu livro das *Reflexões Moraes*, em serie de 528 *Maximas* (algumas das quaes ja citei nesta obra); e o apreço, que se lhe deo na Europa, onde foi traduzido em varias linguas, principalmente depois que *Voltaire*

· 248 ·

SOBRE AS RUÍNAS DO CAPITÓLIO

lhe fez elogios na *Noticia* que deo dos Escriptores do seculo do Monarcha Francez Luiz xiv, dizendo ter sido hum dos que mais contribuio a formar o gosto da Nação, e dar lhe espirito de justeza e concisão; obrigão-me a advertir a Mocidade, que ella só contem *Moral Mundana*; pois faz o quadro dos homens, como são no estado corrupto, e não como devião, e podião ser, se adoptassem a *Moral Christãa*. Aquelle seu panegyrista, inimigo do Christianismo, approva o erroneo principio fundamental desta obra, affirmando ser *verdade*, que o *amor-proprio he o movel de tudo*, dizendo porém, que he a unica verdade nella conteuda, bem que o mesmo pensamento se apresente em aspectos variados. O Author das *Maximas* foi com razão accusado de *calumniar a natureza humana*, e Mr. *Suard*, que deo nova edição dellas no corrente anno de 1825, só o excusa por haver elle escripto em tempo de facções, e intrigas politicas, – em que a hypocrisia predomina, faz-se continuo jogo das paixões violentas, e o *interesse pessoal* se intromette em tudo, governa tudo, e corrompe tudo. O mesmo Author todavia reconheceo a supremazia de virtude, e a sua influencia na Humanidade, enunciando as seguintes Maximas (187 – 223 – 513.) "He preciso estar de accordo, em *honra da virtude*, que as maiores infelicidades dos homens são as em que elles cahem pelos seus crimes". "A hypocrisia he huma homenagem que o vicio rende á virtude". "Por máos que sejão os homens, não ousarião parecer inimigos da virtude; e quando a querem perseguir, fingem crer que ella he falsa, ou lhe imputão crimes".[103]

Revela-se aqui, com clareza, a ambigüidade da apreciação de La Rochefoucauld pelo visconde de Cairu. De um lado, o moralista brasileiro engrossa as fileiras dos detratores, lembrando que a ambivalente explicação de Voltaire termina por reforçar a idéia de um império do amor-próprio; de outro, Suard aparece para notar que as máximas nasceram num tempo de facções em guerra.

Curioso que a guerra seja, na perspectiva de Suard, o plano privilegiado de La Rochefoucauld. Como se, com ele, nos reaproximássemos de um primitivo estado belicoso, quando as paixões violentas se desnudam e o interesse a tudo comanda. Curioso também que La Rochefoucauld seja visto como um mero observador do homem, tendo-o pintado tal qual se lhe apresentava naquele instante. Um observador negativo, se é possível dizê-lo.

Creio que seríamos capazes de ouvir, em uníssono, leitores os mais diversos, a afirmar esta negatividade. Interessante, contudo, que Cairu bis-

• 249 •

UM MORALISTA NOS TRÓPICOS

pe, no terreno lodoso das máximas, a flor da virtude. Claro, o seu é o discurso da civilização, construída sobre a virtude pública, e seria então preciso notar que mesmo o seu detrator, embora caluniador, não pôde negar sua supremacia.

A velha justificativa de tomar o particular pelo geral, recorrente entre críticos de La Rochefoucauld, reaparece no discurso de Suard, lido por Cairu:

En regardant l'amour-propre comme le mobile de toutes les actions, M. de la Rochefoucauld ne prétendait pas énoncer un axiome rigoureux de métaphysique. Il n'exprimait qu'une vérité d'observation, assez générale pour être présentée sous cette forme absolue et tranchante qui convient à des pensées détachées, et qu'on emploi tous les jours dans la conversation et dans les livres, en généralisant les observations particulières[v].[104]

Segue intrigando a presença das máximas no catecismo brasileiro. Ainda que as tenhamos por um espelho invertido da ética, por que estão lá? Afinal, mesmo reorganizadas em tópicos, podemos vê-las sinalizando a falsidade das virtudes e o império das paixões. Por que expor a "Mocidade Brasileira" a tão perigoso veneno? Terá Cairu cometido o pecado da imprudência, logo ele, o velho censor do Império?

Perguntas cujas respostas o próprio Suard nos ajuda a encontrar, ou imaginar: antes de constituir-se em axioma, o amor-próprio como móbil de nossas ações é a simples e aguda observação do estado belicoso dos homens; constatação provisória, desde que acreditemos no fim próximo da guerra.

Que é a civilização, senão o controle da guerra potencial entre os homens? É inevitável vivermos neste delicado limite, na iminência da soltura, sempre prestes a derivar, como se pudéssemos, numa simples falha, ou suspensão do estado civilizado, refluir para a desordem e a violência de nossos instintos e desejos. Seguramente, a sociedade de La Rochefou-

---

[v] Encarando o amor-próprio como o móbil de todas as ações, o senhor de la Rochefoucauld não pretendia enunciar um axioma rigoroso de metafísica. Ele não exprimia senão uma verdade de observação, bastante geral para ser apresentada sob esta forma absoluta e cortante que convém aos pensamentos esparsos, e que empregamos todos os dias na conversação e nos livros, generalizando as observações particulares.

• 250 •

SOBRE AS RUÍNAS DO CAPITÓLIO

cauld não é ainda o resultado de um contrato. Se Hobbes espreita as máximas, solução alguma se desenha no horizonte, a menos que vejamos, no *honnête homme*, uma promessa.

O caso é que raramente as promessas se fazem sobre aquilo que se apaga ou se perde no horizonte. Promete-se o que aparecerá, no futuro. O embalo das máximas é sobretudo melancólico, agre, recusando serenamente as armas da civilização, sem nada contrapor-lhes. Nós, leitores brasileiros do século XXI, podemos sentir, na delícia mórbida da leitura de La Rochefoucauld, algo que o encontro de certos textos de Machado de Assis pode provocar: umas saudades de algo que não se exprime completamente, uma solidão irreparável, e a certeza de que nenhum consolo será justo. "Me consolo no desconsolo do *Ecclesiastes*", dizia Machado a Nabuco[105]...

Os homens se desnudam, no mundo das máximas. Que se compreenda, então, a chave capaz de contrapor os dois universos, de dois autores que marcaram seu encontro nos trópicos: não se diga, de La Rochefoucauld, que era tão mau quanto o é a selvageria latente do que retratou, mas o fato é que Cairu, leitor sensível e interessado de suas máximas, soube nele identificar seu oposto, recusando o recuo diante da civilização.

Port-Royal não será apenas um refúgio imaginário, e o fato de que La Rochefoucauld não fosse um Solitário não significa que se tenha entregue completamente ao mundo, não ao menos ao mundo que nascia, ou nasceu das cinzas da Fronda. Venho observando, porém, sua ausculta, lembrando o perscrutamento das mínimas engrenagens da máquina das paixões humanas, e mantenho a crença no acerto da classificação de Cairu: estamos diante de uma "moral mundana".

Que entrega é essa, feita de recuo e recusa? Ei-nos no âmago da questão moralista. Eis por que escritores tão diversos como Gibbon ou Huysmans encontram-se nestas páginas. A civilização se revela no seu contrário, na decadência e na putrefação, porque ela mesma é domínio sobre a desintegração, resistência à soltura, controle sobre o mundo desviante. O moralista, na medida em que o termo ajuda a compreender autores como La Rochefoucauld ou Machado de Assis, abstém-se, com afetada delicadeza ou diplomacia, do compromisso civilizacional, e é exatamente o descompromisso que o torna algo irresponsável, apenas o suficiente para penetrar desvãos proibidos, dizendo o interdito. Trazer à tona pulsões,

UM MORALISTA NOS TRÓPICOS

diríamos modernamente. Descrever a ação e o império das paixões, diríamos, pensando em La Rochefoucauld.

A civilização reclama o seu contrário, não apenas porque as virtudes naturalmente se contrapõem aos vícios. Com Paulo, vimos a lei engendrando o pecado, e vamos percebendo que La Rochefoucauld não é presente, na *Constituição moral, e deveres do cidadão*, apenas como espelho, ou como plácida imagem invertida. O disforme é o que incomoda, exatamente aquilo que, nas máximas, compromete e destrói a civilização desenhada ou desejada por Cairu, minando as bases de seu edifício moral com a simples descrição do homem. Nada de metafísica, notou Suard; apenas descrição de um estado passageiro.

O moralista mudou, e vai mudando. Talvez fosse mais adequado, referindo-nos a Cairu, chamá-lo "moralizador". É um moralista também, quando descreve os costumes, embora os descreva idealmente, ou mais propriamente os prescreva. Não será casual se o discurso civilizacional se aproxima, amiúde, do discurso médico: a manutenção da saúde é o controle do desvio, a resistência – vã, sabem os moralistas como La Rochefoucauld – ao perecimento, isto é, à falência corporal e à imediata corrupção da carne.

Não se trata, claro fique, de uma relação simples, bipolar, tampouco de uma dialética: Cairu *versus* La Rochefoucauld, virtudes contra vícios, civilização e ruína. Não é este o módulo capaz de explicar a presença das máximas na *Constituição moral, e deveres do cidadão*. Mais adequado seria perceber tal presença como sinal do inevitável: José da Silva Lisboa, como todos os moralistas, sabe encarar a corporeidade das paixões, sabe que o mundo se faz de desejos e que o desvio pode ser nosso fim. Mas, como todos os moralizadores, teme que nada, ou ninguém, busque frear e controlar os desvios, disciplinando os órgãos e acalmando a fúria, para finalmente reencontrar nosso rumo. O norte, entretanto, parecerá prestes a perder-se ou consumir-se, sempre que os homens se ponham a apenas descrever o homem, despreocupando-se com seu destino, ou antes, desacreditando num futuro feliz e glorioso, crendo apenas num mundo onde a imperfeição é coisa precisa.

• • •

Translúcido é o universo moral de Cairu, embora o horizonte das máximas permaneça, ao longe, ameaçador. A justificação de sua presen-

SOBRE AS RUÍNAS DO CAPITÓLIO

ça, no início do quinto volume da *Constituição moral*, resume-se a uma "Apologia", escrita logo após o texto de La Rochefoucauld:

> Transcrevi esta porção das Maximas da *Moral Mundana*, para que os que acolherem no coração a seguinte synopse da *Moral Christãa*, saibão executar a Monitoria do seu Divino Mestre – *sêde candidos como as pombas, e prudentes como as serpentes.*[106]

Logo em seguida, um quadro sinóptico lembra os preceitos cristãos de obediência aos "deveres da Sociedade e Religião", rezando a *"efficaz sancção* contra os vicios", a reprovação das "qualidades, que ordinariamente attrahem a estima e admiração do Genero Humano", a *"passiva coragem* dos soffrimentos", a "geral benevolencia", a primordial "pureza, harmonia, e perpetuidade, do estado conjugal", a prescrição e regulação dos pensamentos ("para se impedir o desenvolvimento da força das tentações pelas *más cogitações*"), a não imposição de "austeridades desnecessarias", a universalização da "doutrina da Benevolencia", anunciando, por fim, a "necessidade de arrependimento das culpas, e de perseverança nas virtudes"[107].

Candidez e prudência, na metáfora evangélica. Ironia dos textos, para quem, como nós, sonda os ecos hobbesianos escutados por Cairu nas máximas: convocados os apóstolos, Cristo pediu-lhes cautela, lembrando a serpente e a pomba, mas logo antes lembrara que os mandava ao mundo "como ovelhas no meio de lobos", *sicut oves in medio luporum* (Mt, 10, 16).

O mundo lupino é, precisamente, o estado de guerra estendido ao eterno, isto é, a natureza humana violenta e desprezível. Tanto pior se não há saída. O autor do *Leviatã*, ao menos, previra que o homem é um lobo ou um deus para o homem, revelando sua natureza cindida[108]. Pascal pensaria na besta e no anjo[109]. La Rochefoucauld, menos incisivo, mas ainda mais agudo, deixa pouco ou nenhum espaço para que se revele a grandeza humana. A laicização de seu jansenismo, se razoável a chave analítica, significa a entrega ao mundo perdido: mundo de lobos, quase tão-somente.

"O que se prende à sua vida, perdê-la-á", disse o Cristo, *qui invenit animam suam perdet illam* (Mt, 10, 39). O que se entrega ao mundo, termina por perdê-lo, diríamos, pensando ainda em La Rochefoucauld.

Entrega e reclusão, aproximação e afastamento: eis um balanço bem característico do moralista. A mensagem cristã, entretanto, não exclui a espada (Mt, 10, 34). É uma mensagem dirigida ao mundo. A empresa

· 253 ·

UM MORALISTA NOS TRÓPICOS

paulina, que Cairu admira, embora não compreenda em alguns de seus momentos de radical universalidade, faz-se da mensagem cristã dirigida aos citadinos. É a planta de uma nova civilização, a medrar, justamente, por entre as ruínas do mundo antigo[110].

Este é o aspecto da mensagem civilizacional cristã que interessa a Cairu. No "Appendice" da *Constituição moral*, pouco após a coleção das máximas de La Rochefoucauld, Cairu vale-se do "Ecclesiastico Escriptor Inglez, *William Paley*", para comprovar a excelência da moral evangélica, terminando por frisar, ele próprio, o fato de que

> se fosse universal a disposição dos homens em não perdoar as offensas, a sociedade civil seria uma scena de lutta e guerra continua. Em qualquer gráo que prevalecesse a observancia do preceito do perdão das offensas, na mesma proporção se mitigarião os resentimentos, multiplicarião as reconciliações, minorarião as querelas, vinganças, e hostilidades, que são os grandes perturbadores da felicidade humana, e as maiores fontes das miserias da sociedade. Sem a disposição dos homens á indulgencia e concordia, as inimizades, huma vez começadas, serião perpetuas, cada *retaliação* exigiria novo *rebate*, e não se poderião assignar limites á *reciprocação de affrontas e calamidades*.[111]

Interessante perceber, em palavras como estas, o sentido de uma concórdia que é a do mundo presente, isto é, o mundo da Cidade, de que se espera não apenas a harmonia coletiva, mas uma espécie de reforma interior dos homens, a qual, aliás, pouco ou nada deverá, na perspectiva de Cairu, atritar-se com a Ordem Política:

> Parece por todo o contexto dos Evangelhos, que o nosso Salvador, que veio trazer paz ao Mundo, não querendo turbar a Ordem Politica estabelecida, conforme a qual havia extrema desigualdade de fortunas e condições dos homens, com summa sabedoria pregou a reforma dos costumes, requerendo dos discipulos a virtude da *Caridade* ou *Beneficencia Universal*, como o meio de obstar aos excessos daquella desigualdade, e constituir ao Genero Humano hum corpo de Irmãos, e isto só com vista á Deos, e não dos homens, como era a ordinaria pratica, e fraca virtude do Gentilismo.

"Beneficencia Universal", compreendida como resultado de uma benevolência talvez próxima àquela imaginada por Adam Smith, fundamental, no caso do moralista escocês, para justificar o aspecto civilizado

· 254 ·

SOBRE AS RUÍNAS DO CAPITÓLIO

da nova constituição econômica que nascia no século XVIII, indubitavelmente marcada pela competição, baseada, posto que idealmente, no resultado pacífico da guerra cotidiana entre os homens.

Uma nova ordem civil, portanto, a reclamar instrumentos civilizatórios também novos, reeditando velhas discussões sobre a natureza humana, carente de norte, sempre que a Cidade pareça prestes a esboroar-se. Curioso que Cairu vá buscar neste primeiro cristianismo os elementos de uma nova civilização, porventura ciente de que o Velho Mundo desaparecia numa voragem que ele próprio não compreendia completamente, conquanto a rejeitasse e temesse, figurada na Revolução.

No capítulo VII do "Appendice", intitulado "Deveres Christãos", uma vez recusada a moral mundana, contrapõem-se-lhe as Epístolas de Pedro e Paulo:

> Tendo mostrado a experiencia, quão fraca e incerta seja a virtude humana, praticada só pela luz da razão, sem o auxilio da Graça Divina; para mais se assegurar a observancia dos Deveres de Cidadão, convem aos que professão sinceramente a Religião Catholica, que sempre se regulem pela *Doutrina Apostolica*, que se acha alli [nas Epístolas] exposta em conformidade á Lei Evangelica. Por isso aqui offereço hum Extracto das ditas Epistolas, especialmente das suas *Regras Moraes*, que constituem huma *Ethica Pratica* para a boa ordem civil.[112]

Seguem-se extratos das Epístolas, e é impressionante perceber como a mensagem cristã se revitaliza, de fato, como reforma moral, diante da dissolução da Cidade. Lendo o catecismo, na sua devida ordem, vemo-nos diante da força civilizatória do cristianismo, nem tanto como reconstrução da *pólis*, mas como refundação – moral – de suas bases, o novo Império se constituindo a partir da Lei. Ou, se quisermos compreender uma plausível analogia, o Império brasileiro se constituindo com base nas leis[113].

Insuficiente legislação, se se limitar ao plano jurídico. O "governo dos pensamentos", conforme a expressão que José da Silva Lisboa vai buscar a Paley, expressa a necessidade de bem ordená-los e controlá-los. Afinal,

> o Systema Moral, que só prohibe as acções, e deixa em liberdade os pensamentos, não he efficaz para segurar a virtude. O conhecimento da constituição do homem, e a experiencia do seu proceder, confirmão esta

• 255 •

UM MORALISTA NOS TRÓPICOS

verdade. O Grande Physiologista Boerhave, fallando da dita Doutrina [evangélica], diz, que até nella mostrou o nosso Salvador, que conhecia melhor que Socrates ao Genero Humano. – O insigne Medico *Haller*, commentando esta passagem de *Boerhave*, assim reflecte: "não escapou á perspicacia do nosso Salvador, que a repulsa de todo o máo pensamento he a melhor sentinella contra o vicio; porque, quando entrão no espirito idéas licenciosas, estas estimulão os desejos desordenados em tal gráo de violencia, que se não pode resistir – cada instante que se passa em meditar sobre algum peccado, augmenta o poder do objecto perigoso, que possue a nossa phantasia".[114]

A *"Ethica Pratica* para a boa ordem civil", proposta por Cairu, desvela-se, na prosa médica, como controle e contenção de algo que, indubitavelmente, vem da natureza. A repulsa do mau pensamento depende da ação de uma sentinela, imagem a sugerir a força sobre-humana de que se lança mão, toda vez que o mal se aproxima. Reste claro: o mal será a idéia livre, capaz de corromper a ordem.

A *licença* das idéias deixadas soltas estimula portanto os desejos, num plano de desordem e violência que é o oposto da civilização. Ei-nos aqui, mais uma vez, diante de uma atitude que requer o desvio, porque somente se faz e reconhece por civilizada quando é capaz de exercer o controle sobre uma natureza que é, ela mesma, desvio.

O discurso civilizador de Cairu inscreve-se, neste sentido, numa longa e vária reflexão sobre a natureza humana e a civilização, que deita raízes num passado remoto, é claro, mas tem seu berço, modernamente, nestas inquirições do século XVII (elas mesmas incompreensíveis sem o humanismo renascentista), de que La Rochefoucauld é um representante ilustre. Inquirições cujo alcance somos incapazes de compreender, entretanto, sem o legado dos pensadores do século das Luzes, isto é, sem a experiência da pergunta radical sobre a natureza humana e, sobretudo, sem a experiência – inquietante para o século XIX – da soltura completa das amarras da civilização, com a cabal desmontagem do que seja a virtude, tendo como limite a renúncia, pura e simples, à hipocrisia da civilização. Dolmancé, à pequena Eugénie:

Ah! Renonce aux vertus, Eugénie! Est-il un seul des sacrifices qu'on puisse faire à ces fausses divinités, qui vaille une minute des plaisirs que l'on

· 256 ·

SOBRE AS RUÍNAS DO CAPITÓLIO

goûte en les outrageant? Va, la vertu n'est qu'une chimère, dont le culte ne consiste qu'en des immolations perpétuelles, qu'en des révoltes sans nombre contre les inspirations du tempérament. De tels mouvements peuvent-ils être naturels? La nature conseille-t-elle ce qui l'outrage? Ne sois pas la dupe, Eugénie, de ces femmes que tu entends nommer vertueuses. Ce ne sont pas, si tu veux, les mêmes passions que nous qu'elles servent, mais elles en ont d'autres, et souvent bien plus méprisables[vi]...[115]

Literatura moralista, em todos os casos, notadamente na experiência transgressora e libertária, ou libertina, do Divino Marquês, terminando na mais elementar violência. Interessante, para melhor compreendermos Cairu, notar que a civilização segue a anunciar-se nem tanto pelo seu contrário, mas, mais precisamente, pelo ligeiro desvio das regras morais, aquelas mesmas que se criaram na imaginação dos homens, como resultado de uma bajulação (Mandeville) ou de um simples engano (La Rochefoucauld e Jacques Esprit); plano imaginário aquele no qual se fundam nada menos que os sentimentos morais do homem (Adam Smith).

Fundamental, para Cairu, refundar essa natureza humana, torná-la clara e irrecusável, reencontrando-a em sua benignidade. Daí a importância dos extratos das Epístolas, e sua força estratégica, no corpo do catecismo, atuando, logicamente, como contraveneno ao mundo desvelado pelas máximas.

Compreenda-se, porém, o que podem ser essas máximas, na *Constituição moral, e deveres do cidadão*. Vimos, desde o último capítulo, que elas podem significar, justamente, isto que o moralista brasileiro identificará como o discurso egoístico, ao qual contraporá a moral cristã. Ainda assim, não haverá aí apenas dualidade. Trata-se de uma afirmação, não somente con-

---

[vi] Ah! Renuncia às virtudes, Eugénie! Haverá um só dos sacrifícios que se possa fazer a essas falsas divindades, que valha um minuto dos prazeres que provamos ao ultrajá-las? Vai, a virtude não é mais que uma quimera, cujo culto não consiste senão em imolações perpétuas, em revoltas sem número contra as inspirações do temperamento. Tais movimentos, podem eles ser naturais? A natureza aconselharia aquilo que a ultraja? Não seja a zoina, Eugénie, destas mulheres que tu ouves dizer virtuosas. Não são, se quiseres, as mesmas paixões que nós que elas servem, mas elas as têm outras, e não raro bem mais desprezíveis...

• 257 •

UM MORALISTA NOS TRÓPICOS

tra um discurso oposto, mas contra a própria natureza corrompida, ou contra todo o desvio iminente, guardado no seio desta mesma natureza. Já pudemos perceber quão ambígua é a leitura de La Rochefoucauld, pelo visconde de Cairu. Importa notar a precisão de uma apreciação como a sua, certo de que se encontra, lendo e reproduzindo as máximas, diante de um quadro da natureza humana corrompida.

Os apóstolos pretenderam livrar os homens da escravidão, menos os incitando a revoltar-se contra o poder temporal, que procurando convencê-los a romper os grilhões de sua própria corrupção. Cairu reporta-se à segunda Epístola de Pedro, embora, num evidente engano, associe as palavras, atribuídas ao fundador da Igreja, a Paulo. No já referido capítulo dos "deveres Christãos", o missivista se volta contra os soberbos:

> Estes, como animaes sem razão, naturalmente feitos para preza, e para a perdição, blasphemando das cousas que ignorão, parecerão [sic] na sua corrupção; como fontes sem agua, e nevoas agitadas de turbilhões, está-lhes reservada a *obscuridade das trevas*. Porque, fallando palavras arrogantes de vaidade, attrahem aos desejos impuros da carne aos que pouco antes havião fugido dos que vivem em erro, *promettendo-lhes liberdade, quando elles mesmos são escravos da corrupção*.[116]

O autor da Epístola referia-se aos falsos doutores, e o remate não deixa dúvidas quanto ao mundo de perdição em que podem cair os homens, em meio àqueles turbilhões agrestes que movem a carne; realiza-se, neles, o provérbio: "voltou o cão ao seu vômito", *canis reversus ad suum vomitum* (2Pdr, 2, 22).

Philippe Sellier, nos já referidos comentários à Bíblia de Sacy, lembra que o texto, escrito sob a autoridade de Pedro, é plausivelmente oriundo do círculo do grande apóstolo, possivelmente de um seguidor de Marcos, fundador da comunidade cristã de Alexandria, lugar onde, segundo a expressão de Jean Daniélou, deu-se este "milagre da história humana": a elaboração de um helenismo cristão[117].

A história é fascinante e complexa, embora não nos interesse, aqui, mais que o sentido desta mensagem cristã que se prende à reforma dos costumes, mas, igualmente, volta-se para a Cidade, logo valendo-se da retórica e de toda a sabedoria clássicas, fundando uma nova era, como nos acostumamos a ver e pensar.

Importa, se atentamos para o texto de Cairu e a presença das Epísto-

• 258 •

SOBRE AS RUÍNAS DO CAPITÓLIO

las, no século XIX brasileiro, perceber o aspecto claramente *fundador* de sua mensagem moralizante. Será então razoável, a esta altura, notar as confluências e analogias possíveis entre esse idealizado cristianismo original e a intenção de José da Silva Lisboa, propondo uma reforma moral que fosse, ao mesmo tempo, a fundação de um novo Império, contra a corrupção que grassava entre os homens.

A fundação e a reforma moral, como faces complementares de um projeto grandioso e patriótico, far-se-iam contra os turbilhões do tempo, lidando com o perigo iminente do desvio, do retorno a um mundo desfeito e informe, perfeitamente figurado pelo cão que engole o próprio vômito, incapaz de abandonar o círculo danado da corrupção.

Talvez não nos caiba julgar se a libertação proposta significa ou não a entrada numa outra sorte de prisão. Mas, no que toca a Cairu, torna-se bastante clara a dose de contenção e renúncia, contida em sua mensagem civilizadora. Sobretudo, clareia-se a necessidade de uma crença no que este mundo nos guarda, como possibilidade remissora, como se devêssemos, escrupulosamente, evitar os desvios de nossa natureza corpórea, ou simplesmente de nossa natureza, a fim de corrigi-la e aperfeiçoá-la, sem descanso nem fraqueza.

• • •

Parece-me plausível a idéia de que a benignidade da natureza humana, tão clara na *Constituição moral, e deveres do cidadão*, expõe-se menos como constatação, que como vontade e aposta. A necessidade inescapável da contenção dos desejos e da correção das forças criativas do homem faz supor que um moralista como Cairu pressinta uma natureza que não será, tão claramente, o justo termo entre os excessos. Ao mesmo tempo, creio que sua empresa moralizadora pretenda, no fundo, (re)estabelecer uma ética à maneira clássica, crendo-a embaralhada pelo tempo insano das revoluções.

Afinal, José da Silva Lisboa propugna o controle capaz de manter-nos na delicada corda da virtude, embora a saiba suspensa sobre o vazio tentador dos vícios. Uma vez mais, trata-se do abismo do desvio, e da angustiante certeza de que um exíguo deslize será a perdição, com a qual, sabemos, virão o prazer e a culpa. Como se tudo o que nos cerca fosse o desvio. Como se, sobre a corda, ouvíssemos, de ambos os lados, a lancinante pergunta dos que caíram, uns aos outros inquirindo: por que pecaste[118]?

• 259 •

UM MORALISTA NOS TRÓPICOS

O plano ético é capaz, neste caso, de descortinar um mundo de extrema exigência, sobretudo quando a busca da excelência abandona o foro íntimo em que nos perguntamos sobre a correção de nossas ações, e atinge o espaço público, tornando-se o simples controle do agir e pensar, num plano que é já o do moralizador, ou do censor, pressuroso na demarcação dos limites, sobretudo quando estes tenham sido levianamente rompidos.

A demarcação dos limites e o desenho da correta natureza, como instância ética, sugerem, ainda e sempre, o temor do desvio como combustível da máquina correcional. É impossível ativá-la, porém, sem que se creia no valor positivo da natureza humana, ou nos valores que brilham, a despeito de todo erro ou imperfeição da criatura.

Até aqui, referindo-nos a um céu perfeito, creio que andemos na senda de um idealismo em que comungam também os jansenistas. As divergências podem aparecer, porém, quando o aperfeiçoamento desponta no horizonte do homem. Já tivemos a oportunidade de sondar a infinita distância deste céu, na imaginação de Port-Royal, mas é agora necessário frisar a miserabilidade da criatura caída, e seu encerramento no mundo imperfeito, a terra sendo, para os homens, o seu próprio e trágico desterro.

José da Silva Lisboa não aceita a escritura mundana de La Rochefoucauld, talvez exatamente porque tenha detectado, nas máximas, um discurso que não se engaja ao espírito civil. Trata-se, bem ao contrário, de um discurso de alguém que se retira e esconde, para melhor revelar o homem caído. Um discurso que descreve impiedosamente, em vez de prescrever; que corrói, em vez de edificar; e que, no lugar de fornecer as chaves para a redenção, é capaz de lembrar-nos que o homem perdeu o norte, neste mundo, já há muito tempo.

• • •

A antropologia da Queda, levada ao paroxismo, nos tornaria vítimas irrecuperáveis de um legado pecaminoso. Neste mundo faltoso, pode tornar-se um envolvente mistério a aparição da grandeza do homem, revelada, paradoxalmente, em sua insignificância e pequenez. Entretanto, não é este, de forma alguma, o registro de La Rochefoucauld.

Vimos como lhe falta aquela aposta pascalina, num *au-delà* que ele simplesmente veda aos olhos do leitor, parecendo divertir-se em encer-

SOBRE AS RUÍNAS DO CAPITÓLIO

rá-lo na mecânica das paixões humanas. Talvez seja um erro confundir tal mecânica à concupiscência lodosa em que chafurdam os humanos pecadores, como no módulo agostiniano. Mas é verdade que estas paixões, atuando numa sinfonia regida pelo amor-próprio, mantêm-nos completamente distante aquele céu perfeito que interessa aos moralistas mais pios e benignos.

O jansenismo de La Rochefoucauld é, sem dúvida, um tema delicado e ainda aberto. Pelo que até aqui se leu e comentou, parece razoável perceber o fundo agostiniano de uma imaginação como a sua, sem que possamos, ou devamos, reduzi-la a tal fundo. A ressalva é importante, porquanto se esqueça, freqüentemente, que os instrumentos analíticos (como o "jansenismo laicizado", com o qual eventualmente procura-se compreender o autor das máximas) são precários, e são apenas instrumentos.

Lendo as *pensées* e as máximas, para buscar similitudes e diferenças, resta a impressão de que há uma luz em Pascal que se apaga em La Rochefoucauld. Estranhamente, porém, não se pode dizer, deste último, que tenha composto um quadro sombrio. Ao contrário, trata-se de um exímio – e clássico – retratista, capaz de operar, com delicadeza e graça, os contrastes devidos, produzindo um ambiente aliás muito claro. Excessivamente claro, por vezes.

Mas essa luz – eis o problema – não provém do alto, nem do próprio homem retratado: é a luz coada pelo moralista mundano, aparentemente descrente em ambos os pólos, isto é, descrente nos homens e em tudo o que se poste além deles. Este é um momento de desesperança extrema, quando poderíamos, novamente, lembrar a prosa amarga de Machado de Assis, mas então nos desviaríamos do curso, que já vai longo e tortuoso.

Se é verdade que a chama maravilhosa de Pascal comporta a ambigüidade da grandeza e da miséria conjuntas da condição humana, não será menos verdade que a mundanidade de La Rochefoucauld não apenas tende a apagá-la, como é capaz de patentear uma imagem em que aquela grandeza torna-se rara, se não impossível[119].

Mas talvez, no fundo, não sejam de todo diferentes os universos dos dois autores. Para La Rochefoucauld, a imperfeição marca o ser humano, mesmo se o orgulho não nos permite vê-la ou senti-la. Conforme a máxima 36, presente já na primeira edição:

· 261 ·

UM MORALISTA NOS TRÓPICOS

il semble que la nature, qui a si sagement disposé les organes de notre corps pour nous rendre heureux, nous ait aussi donné l'orgueil pour nous épargner la douleur de connaître nos imperfections[vii].

Fruto da natureza, nossa disposição corporal abarca o orgulho que esconde nossas imperfeições. Não podemos escapar deste mundo no qual o amor-próprio é soberano, e onde as paixões se movem, empurrando as peças de uma máquina gigante.

Pascal não refuta o mundo sensitivo, embora despreze a "segunda natureza", ou a natureza social[120]. Entretanto, lembremo-nos da ambigüidade da *machine* pascalina: viver *en honnête homme* pode nos habituar ao universo cristão[121]. Nos dois casos, trate-se de Pascal ou de La Rochefoucauld, a natureza social é importante, porque inevitável. Haverá, é claro, movimentos vários e diferenças não negligenciáveis: se se lê Pascal, a sensação de ser estrangeiro neste mundo da matéria é completa; se se lê La Rochefoucauld, sente-se que não há saída alguma, e que de fato se trata, ao fim, de uma sorte de mecânica do social, de um mundo de que foram banidas as interrogações metafísicas, ainda que uma metafísica subjaza nas máximas. De toda forma, num caso ou no outro, somos sempre prisioneiros da matéria.

Por isto não se compreende o autor das máximas como aquele que se distancia absolutamente do mundo, desprezando-o. Ao contrário, seu olhar forçosamente acompanha o deslocamento e as ações dos homens no ambiente de corte, ou nos "salões", desconfiando sistematicamente de suas virtudes aparentes, a fim de compreender o fundo vão de suas aspirações.

Ei-nos diante de uma procura essencialmente mundana, ou propriamente mecânica, como vou supondo. Várias são as máximas capazes de sugeri-lo. Como a de número 44, também ela presente na primeira edição:

la force et la faiblesse de l'esprit sont mal nommées; elles ne sont, en effet, que la bonne ou la mauvaise disposition des organes du corps[viii].

[vii] A natureza, como que sábia na disposição dos órgãos de nosso corpo para nos tornar felizes, deu-nos também o orgulho para nos evitar a dor de conhecer nossas imperfeições. Cf. La Rochefoucauld, *Máximas e Reflexões* (trad. Leda Tenório da Motta), op. cit. p. 21.

[viii] "A força e a fraqueza do espírito acham-se mal denominadas; na verdade, na-

SOBRE AS RUÍNAS DO CAPITÓLIO

O movimento da percepção, ou do *esprit*, radica, aqui, na física. Segundo este conhecido registro, são as paixões a agir em nosso corpo, comandadas pelo amor-próprio. Como movimento irresistível e turbulento, os remoinhos das paixões reforçam a idéia da materialidade deste universo, reforçando também o aspecto mecânico de seu deslocamento violento no interior da "máquina do corpo", como a nomeou Descartes[122].

Quanto ao orgulho, na máxima 36, a miséria permanece e dura, ao fim da operação de dissimulação, como seu resultado: nós nos poupamos à dor do reconhecimento de nossa condição imperfeita, mas ela existe, e lá está, mesmo escondida.

Retornemos alguns anos, para restituir, uma vez mais, a máxima ao momento luminoso de sua criação. No dia 10 de dezembro de 1663, La Rochefoucauld escrevia à marquesa de Sablé uma carta contendo algumas *sentences*, como esta:

> la nature, qui a pourvu à la vie de l'homme par la disposition des organes du corps, lui a sans doute encore donné l'orgueil pour lui épargner la douleur de connaître ses imperfections et ses misères[ix].[123]

O fundo manchado do homem – herança maldita – permanece, pulsante, aquém de nossas sensações, de nossa vida corporal, apontando o paradoxo de um pulso que não é sensível. O corpo esconde a verdade de nossa condição miserável, evitando, por meio do orgulho, que ela se mostre à superfície. Trata-se de um véu muito espesso, composto por nossa fisiologia.

La Rochefoucauld excelia neste exercício de desvelamento: entre as trufas e as receitas culinárias trocadas com madame de Sablé, havia também sentenças... Vemo-nos diante de uma experiência a um só tempo mundana e distanciada do mundo, que podemos sentir na aconchegante imagem daqueles que moralizavam, *"au coin du feu"*, durante o inverno parisiense[124].

O momento que dá à luz a máxima pode também guardar a dúvida

---

da mais são que a boa ou má disposição dos órgãos do corpo." Cf. La Rochefoucauld, *Máximas e Reflexões* (trad. Leda Tenório da Motta), op. cit., p. 22.

[ix] A natureza, que estabeleceu a vida do homem pela disposição dos órgãos do corpo, lhe deu sem dúvida ainda o orgulho para poupar-lhe a dor de conhecer suas imperfeições e suas misérias.

· 263 ·

UM MORALISTA NOS TRÓPICOS

do escritor. Na já referida carta, enviada à marquesa de Sablé, La Roche-foucauld se queixava: *"en voici une qui est venue en fermant ma lettre, qui me déplaira peut-être dès que le courrier sera parti"* ("eis aqui uma delas que me veio quando fechava minha carta, que me desagradará talvez assim que o correio tenha partido"). De fato, a máxima seria posteriormente trans-formada, com a expressão *"il semble"* tomando lugar ao *"sans doute"*.

Talvez estejamos diante do esforço de relativização, por meio do qual as sentenças se tornam mais sutis, menos peremptórias, embora sempre cortantes. Talvez estejamos, entretanto, diante da imperfeição mesma da escritura, ou da insatisfação do escritor, quando grava as palavras sobre o papel e sente, angustiado, que não são mais suas, como se pudessem ser raptadas, roubadas ao seu domínio: *...me déplaira peut-être dès que le cour-rier sera parti.*

Antes do arrependimento do escritor, e da revisão do texto, uma pa-lavra permanece, capaz de produzir um efeito especial, que vai se per-der na máxima já polida, ou afiada. Olhemos de perto estas *misères* que desapareceram da máxima 36: palavra forte, a sinalizar o estatuto míse-ro do homem perdido.

José da Silva Lisboa, no corpo de seu catecismo, traduz cuidadosa-mente a sentença, embora a transliteração mereça alguns comentários:

parece que a natureza, que tão sabiamente dispoz todos os orgãos do nosso corpo para nos fazer felizes, tambem nos tem dado o orgulho para nos poupar a dor de conhecer as nossas imperfeições.[125]

Trata-se, sem dúvida, de um português elegante, e de uma tradução quase completamente fiel. Contudo, atenhamo-nos a certos detalhes: utilizando o particípio passado ("dado") com o verbo auxiliar no indica-tivo ("tem"), Cairu procura acompanhar a forma francesa que utiliza o auxiliar no subjuntivo e o verbo principal no particípio passado, isto é, o subjuntivo passado (*"ait donné"*). Em português, haveria uma forma semelhante ("tenha dado"), ainda que se trate de uma composição, vis-to não haver um subjuntivo passado. Porém, nesta língua tampouco exis-te a forma que os franceses chamam *"passé composé"*; forma presente na máxima "original". O *"passé composé"* equivale ao pretérito perfeito do por-tuguês. Impressiona, entretanto, a mudança que um tal emprego verbal pode acarretar, no enquadramento e no sentido das máximas[126].

Quando Cairu escreve "tem dado", depreende-se que a natureza dá

• 264 •

SOBRE AS RUÍNAS DO CAPITÓLIO

aos homens este orgulho que lhes poupa a dor, mas não há, então, quase nenhum afastamento temporal na frase, pois o tempo "tem dado" toca o *presente*; o que quer dizer que, no limite, a natureza nos fornece ainda, hoje em dia, o refrigério do orgulho.

Em La Rochefoucauld, diferentemente, a ação da natureza (dar o orgulho) pertence ao passado, o que aumenta a sensação de algo acabado, de uma composição irredutível do corpo humano, substancializando a "natureza humana" em torno disto que nos presenteou, no passado, uma natureza talvez madrasta: o orgulho que nos esconde a imperfeição.

Uma simples mudança de tempo permite a Cairu encontrar uma sorte de consolação nisto que, no texto do século XVII, podia ser horrível, se não trágico. Leia-se uma vez mais a máxima e sua versão em português, e ver-se-á que a natureza parece proteger os homens da dor, nos dois casos. Entretanto, traduzida para o português, a máxima sugere uma natureza paradoxalmente boa, que nos preserva, até hoje, do conhecimento doloroso de nossa imperfeição; no original, ao contrário, a sentença parece desnudar o funcionamento desta máquina infernal, que esconde, no fundo de nós mesmos, a matéria corrupta de que fomos feitos.

O tempo dos verbos pode revelar ou esconder. A ação da natureza é diferente, se a colocamos no passado ou no presente, porque o leitor será conduzido por caminhos diversos de significação. Postada no passado, a "natureza" dá a idéia daquilo que um dia inscreveu-se em nós, e que carregamos, ainda hoje, irremediavelmente, como *nossa* natureza; já a "natureza" que toca o presente é bem mais algo de exterior, que aparece para aliviar ou castigar, conforme suas próprias e misteriosas leis.

A natureza presente nas máximas pode também ser misteriosa, afinal nós não a conhecemos senão precariamente: haverá sempre terras a descobrir neste país, como para o amor-próprio. Mas ela não é exterior; não é a natureza que existe à volta dos homens. Bem ao contrário, é a natureza humana: *natureza*, neste caso, em seu sentido aristotélico. Tratar-se-ia, portanto, de uma dimensão propriamente física, de um movimento rumo à conformação, isto é, à realização de uma forma[127].

Não se pode compreender a ordem material e a ordem das formas como separadas, pois o movimento a que se refere o autor da máxima toca o momento da disposição original dos nossos órgãos, bem como o momento posterior, quando o orgulho nos poupa do conhecimento de nossas imperfeições. Mas é sempre um mesmo movimento, que o olhar do moralista deve acompanhar com delicadeza e atenção.

· 265 ·

UM MORALISTA NOS TRÓPICOS

Em outros termos, é o movimento por meio do qual se constitui o ser humano, exigindo do observador que dirija seu olhar a uma matéria que é, ela mesma, *movimento*. Este observador carrega consigo a ambigüidade dos moralistas: seu fim será fixar aquilo que jamais será fixo. Podemos agora, creio, compreender melhor a força de uma metáfora como a do olhar errático, isto é, destes olhos que seguem uma matéria sempre em mutação.

Porém, deixemos aqui Aristóteles, pois a busca moralista de uma "natureza humana" não pode ser concebida, no que toca a La Rochefoucauld, no seu sentido propriamente *ético*[128]. Menos ainda, poderíamos concebê-la, como no caso de Du Vair, como a sábia disposição da alma a seguir o bem, por meio da *droite raison*[129]. Estaremos já, porventura, algo próximos da experiência moderna da literatura, mistura palpitante de humanismo e anti-humanismo, como se viu, de crença e incerteza em face da matéria humana e de nossa capacidade de nos compreendermos, a nós mesmos. No caso da moral de La Rochefoucauld, vemo-nos diante de uma incerteza que bem pode explicar-se pelas doutrinas que a informam. De qualquer maneira, a desconfiança em relação às definições conclusivas pode dar à luz a apreensão de um real fluido, no limite intangível e incompreensível, onde haverá sempre algo oculto, dada a imperfeição de nossos instrumentos, isto é, dada a limitação dos sentidos e a precariedade do verbo, que deve, entretanto, partir ao encalço do que seja "natureza".

Se Cairu concebe a natureza como exterior e observável, tendo um funcionamento que pode ser exaustivamente explicado, tem-se porém a impressão, lendo a *Constituição moral, e deveres do cidadão*, de que a natureza humana, ela mesma, não é uma composição em movimento[130]. Ou antes, se há um movimento da alma, ele se perfaz em direção a um cidadão de uma sociedade ideal, o que dá a seu discurso certo sabor utópico, é verdade, embora jamais escatológico, uma vez que a sociedade estará sempre progredindo, sem que o fim da história seja esperado ou desejado.

Nas máximas de La Rochefoucauld, não encontramos uma única palavra sobre o futuro dos homens. O movimento, porém, lá está, como remoinho eterno das paixões, resultando no retrato de uma condição imperfeita, inconclusa, fragmentária. O movimento lá está, como a trama atormentada da criatura caída.

A máxima 36 é mais radical se a lemos em francês, especialmente em sua versão original. Não há, nela, esta sensação de compensação existente

· 266 ·

SOBRE AS RUÍNAS DO CAPITÓLIO

na versão brasileira, ou seja, a natureza que vem do exterior, para mitigar-nos a dor, como a pensar as feridas de nosso pecado. Se dermos ouvidos ao autor francês, o orgulho não é exatamente, ou apenas, o elemento consolador: ele é, antes disso, o véu espesso que cobre a realidade, isto é, a miséria humana que não se deixa acompanhar, neste caso, nem mesmo da grandeza do sofrimento.

• • •

Mas que felicidade será essa, referida pela máxima 36? A felicidade do corpo, apenas (...*la nature* [...] *a si sagement disposé les organes de notre corps pour nous rendre heureux*...). Benigna natureza esta, desde que nos deu também o orgulho como peça paradoxal, capaz de manter-nos felizes, porque ignorantes de nossa miséria.

A benignidade é aqui uma questão de interpretação, e de visão do mundo. Talvez seja exagerado atribuir à tradução de Cairu o poder de alterar radicalmente o sentido de uma máxima. Talvez eu exagere, atribuindo-lhe uma tão diversa visão da natureza. Mas a escolha das palavras é tarefa delicada, e significativa. Aquele "nos tem dado" indica uma ação que se encerra no presente. Mas o presente, pode ensinar a gramática, não existe na linha temporal; afinal, estamos sempre no presente, no ponto eterno do instante.

O "tem dado", sugerindo algo que toca o presente, estende-se a todo o tempo, e a própria ação da natureza pode reconhecer-se por benigna, porque originária de uma força que vem consolar o homem, atormentado pelo reconhecimento de sua miséria. Um penso eterno, graças a Deus.

A "natureza" que Cairu desenhou, a partir da máxima 36, nos dá, portanto, desde um tempo impreciso, o orgulho consolador. Ainda que o detalhe seja mínimo, creio que a escolha das palavras, mas sobretudo a escolha do *tempo* verbal, possa sugerir uma pequena reação da parte do visconde, como se lhe fora difícil compreender, ou aceitar, a idéia de que a natureza nos *tenha dado*, no passado, aquele orgulho ambivalente.

A máxima é repleta de sentidos. Creio que haverá, plausivelmente, uma ironia de fundo neste "*il semble que la nature* [...] *nous ait aussi donné l'orgueil*...". A natureza dispôs tudo para nos facultar a felicidade, mas, repentinamente, somos avisados de que ela tão bem nos dispôs, que nos dotou com uma paixão graciosa, capaz de esconder, de nós mesmos,

• 267 •

UM MORALISTA NOS TRÓPICOS

nossa miséria e imperfeição. Tudo felicidade, sobre um mundo desfeito, em ruínas.

Somente acreditando no aspecto civilizador desta felicidade precária é que veremos, em La Rochefoucauld, um otimista. Não me parece justo, porém, tal juízo crítico. Essa natureza risonha, consoladora, não será a chave adequada para adentrar o universo das máximas, onde ela não é mais que a composição das paixões, atuando no homem. Portanto, falamos de uma natureza já constituída, ainda que o movimento se contemple no jogo das paixões, e que a própria singularidade nada mais seja que a diversa composição dessas paixões, nos homens diversos. É o que pode sugerir a máxima 436: *"il est plus aisé de connaître l'homme en général que de connaître un homme en particulier"* ("mais fácil é conhecer o homem em geral que um homem em particular"[131]).

O aspecto providencial, tão importante na mentalidade de nosso moralista-economista, não está ausente das máximas, mas é preciso tentar esquecer, ao menos uma vez, a inflexão otimista do século XVIII, que a vê, à Providência, como esta força exterior capaz de bem ordenar a sociedade que marcha, progressivamente, para a civilização. Força, já se viu, que termina por laicizar-se completamente, tornando-se uma fabulosa e poderosa mão invisível[132].

Esta é a natureza que "tem dado" algo aos homens: a natureza providencial. Diversa é a natureza que nos "deu", ou parece que nos "tenha dado": uma natureza que nos abandona, e nos joga num mundo em que a Providência existe, é verdade, mas oculta-se completamente, sem que possamos decifrá-la ou identificá-la. O universo desta última Providência não é risonho, nem benigno; ou antes, não há nada que possamos fazer para alterar ou aproveitar o rumo providencial. Não há tarefa para os homens, no mundo de La Rochefoucauld.

Máxima 39 da primeira edição, logo suprimida:

> Quelque incertitude et quelque variété qui paraisse dans le monde, on y remarque néanmoins un certain enchaînement secret, et un ordre réglé de tout temps par la Providence, qui fait que chaque chose marche en son rang, et suit le cours de sa destinée[x].

---

[x] Qualquer incerteza e qualquer variedade que apareça no mundo, ali se percebe contudo um certo encadeamento secreto, e uma ordem regulada desde sempre

· 268 ·

SOBRE AS RUÍNAS DO CAPITÓLIO

Que fazer, portanto? Apenas deixar que o mundo tome seu rumo secreto? Cruzar os braços, entregar-se ao monstro da preguiça? Certamente não, porque a preguiça é odiosa, e o mundo nobre, que se desfazia com a Fronda, chancela a ação, embora apenas a heróica, jamais a ação "útil" à sociedade toda.

Não pretendo retomar toda a discussão crítica sobre essa moral heróica que se desfaz ou se retém, nas máximas de La Rochefocauld. Mas é preciso, por fim, notar que há ainda algo a fazer, desde que o fazer se encerre na ação intrépida do herói. Máxima 217:

> l'intrépidité est une force extraordinaire de l'âme qui l'élève au-dessus des troubles, des désordres et des émotions que la vue des grands périls pourrait exciter en elle; et c'est par cette force que les héros se maintiennent en un état paisible, et conservent l'usage libre de leur raison dans les accidents les plus surprenants et les plus terribles[xi].

Bastaria elencar outras máximas para, no balanço contrastante do conjunto, perceber que esta heroicidade, como a *honnêteté* no plano da vida civil, desfaz-se, como se desfaziam os ideais aristocráticos diante da figura odiada de Mazarino[133].

O discurso de La Rochefoucauld é mesmo, como nos fez supor a leitura do visconde de Cairu, um discurso das ruínas. E a natureza humana, incerta, é essa composição buliçosa de paixões, sem que seu aperfeiçoamento, por um momento sequer, pareça possível.

O mundo que daí resulta é feito, como se viu, da recusa das virtudes e de toda contenção das paixões, ideal estóico que La Rochefoucauld envenena e ridiculariza. Desmascaradas as virtudes, resta o amor-próprio como motor da vida em sociedade. No horizonte, desponta a guerra.

É contra o mundo belicoso que Cairu levanta sua pena, preocupado, já no primeiro volume da *Constituição moral*, em refutar a torpeza hobbesiana:

---

pela Providência, que faz com que cada coisa marche em sua fileira, e siga o curso de seu destino.

[xi] "A intrepidez é força extraordinária da alma, que eleva acima dos transtornos, desordens e emoções que a vista dos grandes perigos nela possa despertar. É essa força que mantém plácidos os heróis e lhes conserva o uso da razão, quando dos acidentes mais surpreendentes e temíveis." Cf. La Rochefoucauld, *Máximas e Reflexões* (trad. Leda Tenório da Motta), op. cit., p. 48.

UM MORALISTA NOS TRÓPICOS

He desnecessario refutar o Systema de Hobbes, que emprehendeo sustentar os falsos dogmas, que os homens não tem claro conhecimento da Lei Natural; que a Sociedade Civil he um *estado de guerra de todos contra todos*; que não ha original distincção do justo e injusto; e que *justiça e injustiça* são *idéas facticias*, que não tem outro fundamento mais que os Regulamentos dos Legisladores, instituidos para pôr freio á natureza animal do homem, e firmar a boa ordem do governo, pela experiencia dos bons, ou máos effeitos de certos actos humanos. Este systema repugna aos innatos principios da Constituição de Humanidade, que sim está em grande decadencia, mas não em total ruina. Aquelle Escriptor Inglez, por ter nascido em tempo de guerras civis, fez essa absurda theoria, que he desmentida pelo coração de todos os individuos que tem *uso da razão*.[134]

Eis o mesmo e exato argumento com que Suard justificava o duque de la Rochefoucauld: um autor, escrevendo em tempo de guerra. Apavorante, para um homem como Cairu, é a idéia de que a guerra possa estender-se eternamente, por participar, afinal, da natureza humana.

Sua reação, entretanto, não se faz apenas contra o pessimismo, ou o "anti-humanismo" destes autores. Também a mais otimista visão da sociedade será recusada pelo moralista brasileiro, apenas encante-se, o visionário, com a idéia da desnecessidade da esfera divina, propugnando um mundo em que os próprios valores sejam criações humanas, abstendo-se, destarte, da miragem do céu ideal em que fulgem as virtudes, inalteráveis e indiscutíveis.

Este pode ser o mundo apenas vislumbrado no século anterior. Mundo de deístas como o terrível Thomas Payne,

Cidadão dos Estados Unidos, que muito concorreo para a Revolução da America e França, com os seus incendiarios Folhetos do *Senso Commum*, e *Direitos do Homem*, [e que] depois de proscripto em Inglaterra, onde tentou propagar as suas politicas doutrinas sophisticas, ahi publicou a obra á que deo o titulo de *Idade da Razão*, que tambem foi proscripta, por impia, blasphema, e diffamatoria da Religião Christãa, que está incorporada á Constituição do Estado. Elle nessa obra se inculca por mero *Deista*, isto, he [sic] crente em Deos, e sectario da Religião Natural. Elle insiste em mostrar, que esta Lei e Religião he sufficiente para a perfeita moralidade, e felicidade humana; e inteiramente rejeita a Revelação, que reconhecemos nas Sagradas Escripturas, a qual veio certificar-nos dos meios que a

• 270 •

SOBRE AS RUÍNAS DO CAPITÓLIO

Providencia tem empregado para melhora da Constituição do homem, e dar sancção aos dictames da Lei da Natureza, escripta nos corações de todos, mas escurecida e pervertida pela corrupção da sociedade, e negligencia da cultura das faculdades intellectuaes. Tendo essa obra adquirido celebridade e vóga entre os superficiaes presumidos de *Illuminados*, bem que não seja mais do que hum plagiato das obras de infieis e libertinos escriptores, especialmente da França, que tem attacado a Religião Chistãa; he necessario precaver contra ella a Mocidade incauta, por estar escripta com estilo ardiloso, até cavillando sobre o Evangelho, que diz só ser *fragmento de moralidade*, quando alias contém a summa da mais pura moral; pois que até o nosso Salvador reclama a *pureza dos pensamentos*, dizendo, que das *más cogitações* he que resultão as más obras.[135]

Novamente, fala o censor, preocupado diante desta recusa da Providência, atributo divino que vem não apenas mitigar nossas dores, mas participar, ativamente, na "melhora da Constituição do homem". Constituição "que sim está em grande decadencia, mas não em total ruina", como dizia José da Silva Lisboa, ao refutar Hobbes, e como poderia dizer, refutando La Rochefoucauld.

Este sectarismo da Religião Natural, que Cairu atribui a Payne, poderia bem lembrar, guardadas as singularidades, a "moral mundana" de La Rochefoucauld, compreendida, é claro, com a ajuda do censor. Afinal, era ela o produto do tempo belicoso do moralista francês, daí restando, conforme vimos, "o quadro dos homens, como são no estado corrupto, e não como devião, e podião ser, se adoptassem a *Moral Christãa*".

O problema, como o de todos os moralistas, é a natureza humana, ora perfectível, ora irremediavelmente imperfeita, conforme as lentes que se empreguem na visada sobre os costumes, isto é, sobre a moral.

Compreensível que a *Constituição moral, e deveres do cidadão* carreie simpatias para o lado dos moralistas crentes na perfectibilidade humana[136]. Há que compreender o duplo registro, que faz da obra de Cairu um libelo civilizador: de um lado, a reação à tormenta revolucionária, às idéias especiosas dos homens do século XVIII; de outro, a recusa vigorosa da moral mundana, nem tanto porque ela se oponha a uma idealizada moral cristã, mas sobretudo porque pode anunciar o aspecto ruinoso da constituição do homem. Em ambos os casos, ainda as ruínas apavoram um autor comprometido com a edificação do Império.

· 271 ·

UM MORALISTA NOS TRÓPICOS

• • •

Que nos resta, finalmente?

Sobretudo, fica-nos a impressão de que Cairu se lança ao desenho de um mundo perfeito. É razoável, contudo, notar o aspecto perfectível deste mundo, com a assunção, portanto, do mal que inevitavelmente o compõe.

Opondo-se ao maniqueísmo, José da Silva Lisboa, no segundo volume da *Constituição moral, e deveres do cidadão*, lembra o otimismo de Leibniz, sugerindo que o resultado da composição de bem e mal pode ser eminentemente positivo:

> *Leibnitz*, hum dos Grandes Luminares d'Allemanha, no seu Tratado da *Theodicéa*, ou da *Justiça de Deos*, foi o que mais explicitamente sustentou o *Systema do Optimismo*, tendo por empenho o mostrar, que, tudo quanto existe, he o *melhor possivel*, que Deos podia crear, ou permittir fazer-se por suas creaturas. A razão capital da sua engenhosa theoria he, que, sendo Deos de infinita perfeição, e havendo na sua Mente Omniscia considerado, antes da creação do Universo, todas as Combinações ou Systemas possiveis dos entes, não podia deixar de escolher e preferir aquella Combinação, ou Systema, que apresentasse hum *resultado*, em que houvesse a maior possivel somma de bens, com a menor possivel somma de males; visto não ser praticavel exterminar toda a especie de mal, devendo certa dose entrar no Geral Systema; não só por ser tudo que he creado, necessariamente imperfeito, mas tambem porque era conveniente, que certos males entrassem na composição do GRANDE TODO, para seu realce, e mais harmonico arranjamento.[137]

Um sistema perfectível, portanto, onde se inclui a imperfeição. Importa, procurando acompanhar a imaginação de Cairu, notar que um espírito harmônico arranja os males e os bens, a fim de compor o quadro final que, este sim, deverá compensar a imperfeição da criatura, necessária para a afirmação e a crença na perfeição do Criador.

A "combinação" será aí a chave, buscada a Leibniz, que permite adentrar o mundo dos sistemas morais do século XVIII, em cujos labirintos Cairu circulava com desenvoltura. Realmente impressiona sua familiaridade com os moralistas do século das Luzes, e sua leitura segura, e seletiva, dos que acreditavam no aperfeiçoamento da conduta humana, não rumo à perfeição, está claro, mas já no caminho de um aperfeiçoa-

SOBRE AS RUÍNAS DO CAPITÓLIO

mento que nos mergulha – como condenados – na marcha progressiva da civilização. Ei-nos no século XIX.

A sintonia com as Leis da criação é, simultaneamente, conformidade às leis da natureza. Os reveses por elas causados entram, no cálculo combinatório, como elementos a contribuir para o resultado positivo, porque forçam os indivíduos à reação e à criação:

> Qual será [...] a pessoa de razão, que não deseje estar sempre sob a protecção das Leis Geraes, e immutaveis, do Creador, com a firmeza das quaes conta sempre o Lavrador, o Navegante &c., ainda que, em certas circunstancias, occasionem funesto accidente? Além de que estas casualidades infaustas aos individuos, mas, na regra, uteis ao Genero Humano, tem servido de estimular a intelligencia do homem para se precaucionar contra elles [sic], em obras maravilhosas de seus engenhos e braços, que causão e segurão mil bens, aos contemporaneos, e vindouros. Dahi se originou a melhor construcção de Edificios, Navios &c.

Colhem-se os frutos da civilização, no confronto entre a natureza e o artifício humano. Mas a reação aos males que compõem o mundo parece ainda mais significativa, quando se trate de uma reação que, mais que espicaçar o espírito criativo, obriga à correção, num plano moral que é também, como vimos, o plano da iminente e próxima corrupção:

> [...] E de mais: muitos dos grandes e horridos males physicos, são effeitos dos vicios dos homens; como a lepra, a lues celtica, a elephantisis, a bexiga, que não se acharão em o Novo Mundo no Descobrimento d'America. Ainda os maiores males physicos tem achado remedios na providencia dos homens mais civilisados. Seja exemplo a *peste*, que destroe milhares de pessoas nos paizes barbaros, como na Turquia, que nem exterminão as suas causas, como pantanaes, immundicias; tendo falsa, e estupida segurança no *fatalismo*, imaginando, que taes males affligem a Humanidade por immutaveis Decretos de Deos, ou do que chamão *Fado*, e *Destino*; entre tanto que nos Reinos polidos, com *cordão sanitario* de tropas, vedando-se a communicação com os lugares e homens empestados, e com outros já descobertos remedios; se previne, ou muito diminue, o mal.

Não andaremos aqui a enxergar as grimpas de um edifício civilizatório que se erguia a pouco e pouco, construindo-se contra a natureza des-

• 273 •

UM MORALISTA NOS TRÓPICOS

viante, vendo, na própria conformação do mundo, os sinais da decadência que se deveria combater?

Antes do assentamento definitivo deste edifício, encontramos o autor da *Constituição moral, e deveres do cidadão* preocupado, sobretudo, com o desvio moral, cujos liames com a degeneração física ainda não se consumaram, ou estabeleceram completamente. Fala o simples censor, ainda:

> Os *males moraes* provém da incuria dos homens em não cultivarem as suas faculdades racionaes, e de fazerem abuso de seu livre arbitrio. Dessas causas nascerão as opiniões, e guerras que tem perturbado a ordem social, causando miserias sem conto á Humanidade.[138]

A obediência às leis naturais, estabelecidas pelo Criador, é também obediência à Lei moral, fundada na autoridade do Pai. Cairu foi, até há pouco tempo, simplesmente identificado ao mais arraigado sentimento patriarcal, o que explicaria suas "genuflexões constantes diante do Poder", segundo a censura de um crítico seu, já referida neste trabalho.

Não cabe aqui sondar, em detalhe, a fortuna crítica de José da Silva Lisboa. Entretanto, é possível perceber que os freios morais são de fato fundamentais, na sua imaginação, para a constituição de um novo plano político, desenhado sobre a autoridade e a sabedoria inquestionáveis do Governante:

> Vendo-se a hum Pai, de reconhecida benevolencia e intelligencia, castigar a seus filhos, ou a fazer tomar remedio asqueroso, e doloroso as proprias suas innocentes crianças, quem não dirá que nisso só teve em vista o seu bem? Quando estamos persuadidos da sabedoria, e bondade de algum Governo, ainda que vejamos algumas disposições, que, à primeira vista, pareção injustas, suspendemos o juizo, e permanecemos firmes no conceito anterior, tendo a certeza que ha *Razão de Estado*, que, se fosse descoberta; nos obrigaria a reconhecer a rectidão e a necessidade do que pretendiamos fazer iniqua censura. O que confiamos da sabedoria, e bondade dos Pais, e Governos de credito, não confiaremos da sabedoria, e bondade do Pai Eterno e Regedor do Universo?[139]

Descortina-se o mundo cindido da moral, embora, nele, todo o amargor possa ser remédio para a felicidade terrena: basta que nos conformemos à droga, cedendo à vontade superior do Pai, ou do Governante. A

• 274 •

SOBRE AS RUÍNAS DO CAPITÓLIO

Constituição moral desenrola-se, se não me engano, num plano de claras analogias.

Talvez devêssemos rememorar a máxima 182 de La Rochefoucauld (*"les vices entrent dans la composition des vertus, comme les poisons entrent dans la composition des remèdes: la prudence les assemble et les tempère, et elle s'en sert utilement contre les maux de la vie"*), discutida no capítulo anterior, e veríamos que também o moralista francês possuía clara noção deste caráter compósito das soluções morais. Mas, no seu caso, pouca ou nenhuma saída existe. Uma vez mais, estamos diante de uma constatação, mais que de uma prescrição.

Mesmo o advérbio – *utilement* – não se refere à "utilidade" louvada ou buscada por moralistas e economistas mais tardios. Este *"utilement"* parece direcionado, tão-somente, para a vida de um homem prudente, mas não, seguramente, para a coletividade. Com La Rochefoucauld, encerramo-nos, como vinha notando, num mundo não propriamente individualista, mas totalmente infenso aos valores coletivos, universais, repousados, normalmente, sobre a virtude pública que, não à toa, tanto interessou a Cairu, e nos ocupou no início deste trabalho.

Virtude baseada, seguindo o raciocínio do escritor baiano, na contenção das paixões e na renúncia ao livre exercício do pensamento, cingindo-o uma constituição moral cujos traços o moralista procura, justamente, fixar, ensinando-os à "Mocidade incauta". Somente assim poríamos o novo país na senda do aperfeiçoamento, reagindo à anarquia dos elementos, a fim de cotidianamente administrar os excessos, na busca da virtude pessoal e coletiva.

Daí a importância do exemplo, sobre o qual nos detivemos. Lemos a máxima 230, e sua tradução, na *Constituição moral, e deveres do cidadão*: "o maior contágio hé o do exemplo; e nós não fazemos jamais grandes bens, nem grandes males, que não produzão outros semelhantes. Imitamos as boas acções por emulação, e as más pela malignidade da nossa natureza, que a vergonha retem prizioneira, e que o exemplo põe em liberdade"[140].

A razão conferida a La Rochefoucauld ensejou, contudo, uma significativa ressalva:

Porém este Moralista do seculo XVII he censuravel, pelo *pessimo exemplo* que deo em sua obra, que adquirio celebridade na França, e foi traduzida em varias linguas da Europa, por haver attribuido ao *interesse* ou á *vaida-*

• 275 •

UM MORALISTA NOS TRÓPICOS

de, ainda as mais heroicas virtudes; o que influio na manía de imitadores *Homens de Letras*, que sustentarão igual paradoxo, destructivo da confidencia dos Governos, e Povos, ainda nos seus mais zelosos servidores.[141]

O fantasma do sistema egoístico rondava o Brasil. O desmascaramento das virtudes, aí incluída a confidência ao governo dos homens, tornava-se intolerável para um sábio que apostava na transparência da mensagem civilizadora. Um péssimo exemplo para a juventude de uma Pátria nascente.

Era preciso, portanto, fazer crer na simpatia humana, tantas vezes recordada no catecismo, especialmente em tempos tormentosos como aqueles:

O *Phenomeno da Sympathia* he mais notavel na adversidade. Os que tem navegado, são testemunhas do sobresalto e alvoroço de todos que se achão á bordo dos Navios, quando algum dá a voz = *homem ao mar*. Então todos concorrem por instincto, sem hesitação, a lançar cabo e bote, afim de dar socorro ao miseravel que lutta com as ondas: todos bradão que se anime, e não esmoreça; e se he salvo, congratulão-se mutuamente; e se submergio-se, consternão-se com profundo sentimento.[142]

Aí está o nó que enfeixa o tecido social, sempre prestes a romper-se, em face da indiferença com o outro. Pois é precisamente diante deste rompimento iminente que Cairu acreditava poder confiar no homem, ou em sua natureza, crendo-o pronto a socorrer o próximo, tão logo a ameaça se fizesse sentir.

Que distância, entretanto, do homem "idólatra dele mesmo", que se aproxima do outro, é verdade, embora o faça como a abelha que suga da flor apenas o que lhe interessa! O retrato do amor-próprio pode ser apavorante, porque sonda a impossibilidade absoluta da civilização.

Lendo um e outro autores, tenho a impressão, por fim, de que não são propriamente antípodas. A bem da verdade, estarão, ambos, vizinhos, a olhar o mesmo homem, prestes a sucumbir ao mar. Cairu acredita na salvação, e clama por ela. La Rochefoucauld, como um demônio, permanece ao seu lado, quieto, medusado pelo movimento delicado e impetuoso dos desejos conflitantes dos homens, sem mesmo apostar que eles correrão a salvar o semelhante. Fascina-o o abismo da natureza humana, profundo e sombrio como o oceano que devora o náufrago.

· 276 ·

SOBRE AS RUÍNAS DO CAPITÓLIO

Notas

[1] Edward Gibbon, *The decline and fall of the Roman empire* (New York, Bennett Cerf, Donald Klopfer [The modern Library], s. d.), v. II, p. 1458.

[2] Dero Saunders reproduz uma carta enviada por Edward Gibbon ao pai, escrita quando, pela primeira vez, encontrou-se ele entre as ruínas capitolinas: "...Quaisquer idéias que os livros nos possam ter dado da grandeza desse povo, seus relatos do mais florescente estado de Roma ficam infinitamente aquém do espetáculo de suas ruínas. Estou convencido de que nunca existiu antes uma nação assim, e espero, pela felicidade da humanidade, que nunca volte a existir de novo". O momento exato do nascimento da obra podemos ver também reportado com precisão: "Foi em Roma, a 15 de outubro de 1764, enquanto eu estava sentado a cismar entre as ruínas do Capitólio e os monges descalços cantavam as vésperas no Templo de Júpiter, que a idéia de relatar o declínio e a queda da cidade pela primeira vez me veio à mente." Cf. Dero Saunders, "Introdução do organizador", em Edward Gibbon, *Declínio e queda do Império Romano* (trad. José Paulo Paes; São Paulo, Companhia das Letras/Círculo do Livro, 1989), p. 17-8.

[3] Edward Gibbon, *Declínio e queda do Império Romano*, op. cit., p. 486-7. Ou ainda, *The decline and fall of the Roman empire*, op. cit., v. II, p. 1438-9.

[4] José da Silva Lisboa, *Constituição moral, e deveres do cidadão...*, op. cit., v. I, p. IV. Consulte-se o original, Edward Gibbon, *The decline and fall of the Roman empire*, op. cit., v. I, p. 382.

[5] Cf. Buffon, "Histoire naturelle", em *Œuvres complètes* (Paris, Imprimerie et Librairie Générale de France, s. d. [1749-1804]), t. III, p. 25-6.

[6] Numa referência tirada ao século de ouro espanhol, é este o caso do esplêndido epitáfio que Quevedo reserva às mesmas ruínas romanas que encantaram Poggio no século XV e encantariam o jovem Gibbon na era das Luzes: "Buscas en Roma a Roma, ¡oh, peregrino!,/ y en Roma misma a Roma no la hallas:/ cadáver son las que ostentó murallas,/ y tumba de sí propio el Aventino.// Yace donde reinaba el Palatino;/ y limitadas del tiempo, las medallas /más se muestran destrozo a las batallas/ de las edades que blasón latino.// Sólo el Tibre quedó, cuya corriente,/ si ciudad la regó, ya, sepoltura,/ la llora con funesto son doliente.// ¡Oh, Roma!, en tu grandeza, en tu hermosura,/ huyó lo que era firme, y solamente/ lo fugitivo permanece y dura". Francisco de Quevedo, "A Roma sepultada en sus ruinas", em *Poemas escogidos* (ed. José Manuel Blecua; Madrid, Editorial Castalia, 1989), p. 141.

[7] O que não impedirá a reaparição, já no quinto e último volume da *Constituição moral, e deveres do cidadão*, deste mesmo "Apostata do Catholicismo, e Sectario do Deismo", a confessar, contudo, em sua "*Historia da Decadencia do Imperio Romano*, [...] a saudavel influencia, que a Religião Catholica (cujo centro era a Igreja de Roma) teve em civilisar os Barbaros do Norte da Italia, e até os salvages idolatras das mais frias regiões da Europa". Cf. José da Silva Lisboa, *Constituição moral, e deveres do cidadão...*, op. cit., "Appendice", p. 48. Titubeios de um censor, ou da própria censura, se lembrarmos que Cairu proibira a entrada e a circulação da obra de Gibbon no Brasil, revelando um zelo que a Garção Stockler pareceria exagerado, já que este censor, diferentemente daquele, emitiria, em 1819, um parecer favorável ao pedido do desembargador Manoel Caetano de Almeida e Albuquer-

• 277 •

UM MORALISTA NOS TRÓPICOS

que, requerendo a entrada, no Rio de Janeiro, da *História da decadência do Império Romano* e também das *Cartas persas* de Montesquieu, ambas impróprias para circular, segundo o futuro autor da *Constituição moral, e deveres do cidadão*. Curioso que muitas das obras defesas pela censura de Cairu comporiam o rico cabedal de referências e citações de seu catecismo. Leia-se, a propósito, o estudo de Lúcia Neves, de onde retiro estas informações. Cf. Lúcia Maria Bastos P. Neves, "Censura, circulação de idéias e esfera pública de poder no Brasil, 1808-1824", *Revista Portuguesa de História*, Faculdade de Letras/Universidade de Coimbra, XXXIII, 1999, p. 665-97.

[8] Na decadência, pode revelar-se o avesso da civilização, não ainda como barbárie, mas como possibilidade de refinamento extremo das armas com que esta mesma civilização descreve a si própria, descobrindo-se; armas de estilo, aguçadas porventura pelo descompromisso com os ideais confessos da cultura que se esboroa, como uma velha edificação entregue ao tempo. O estilo *afectado*, então, lembra-nos a proximidade dos verbos latinos *affectare* (aspirar, ambicionar, meter-se a...) e *afficere* (pôr em certo estado, enfraquecer, afetar...). Trata-se sem dúvida de afetação e afecção, ambos sintomas mórbidos. A imagem da carne corrompida ou rasgada, por fim, não seria estranha a des Esseintes, embevecido, na ficção do século XIX, com o *Satyricon* de Petrônio. Leia-se J.-K. Huysmans, *À rebours* (Poitiers, Fasquelle Editeurs, 1972), p. 60-1.

[9] José da Silva Lisboa, *Constituição moral, e deveres do cidadão...*, op. cit., v. I, p. IV-V.

[10] Que se pense na "física social" comtiana, passo necessário e desejado para a constituição completa do sistema das ciências naturais, antecâmara da Filosofia Positiva. Cf. Auguste Comte, "Curso de filosofia positiva, primeira lição" (trad. José Arthur Giannotti), em *Comte, Durkheim* (São Paulo, Abril, 1973), p. 9-26.

[11] Apud Dea Ribeiro Fenelon, *Cairu e Hamilton...*, op. cit., p. 48.

[12] Discutindo, na segunda parte de seu catecismo, certas noções maniqueístas, Cairu lembra que "foi moda nas Cortes de Lisboa o chamarem os seus Deputados obra do *Genio do Mal* a tudo que se oppunha á seus tenebrosos projectos da imaginaria *Regeneração Politica*. Se existisse o *Genio do Mal*, delle seria monstruoso filho o *aborto* revolucionario de 24 de Agosto de 1820". José da Silva Lisboa, *Constituição moral, e deveres do cidadão...*, op. cit., v. II, p. 152. Somente a visão retrospectiva, é claro, permite-lhe identificar, na revolução constitucionalista do Porto, a obra maléfica de uma imaginação desviante.

[13] Cf. Isabel Lustosa, *Insultos impressos: a guerra dos jornalistas na Independência (1821-1823)* (São Paulo, Companhia das Letras, 2000).

[14] Apud ibidem, p. 190. Também, Isabel Lustosa, *Cairu, panfletário...*, op. cit., p. 21-2.

[15] Isabel Lustosa, *Insultos impressos...*, op. cit., p. 187.

[16] José da Silva Lisboa, *Constituição moral, e deveres do cidadão...*, op. cit., "Appendice", p. 50. Críticas veementes ao "Partido Pedreiral" apareceram já na *Atalaia*, jornal publicado por Silva Lisboa entre maio e setembro de 1823. Consulte-se Isabel Lustosa, *Cairu, panfletário...*, op. cit., p. 15.

[17] José da Silva Lisboa, *Constituição moral, e deveres do cidadão...*, op. cit., "Appendice", p. 56.

[18] "A Universidade de Edimburgo na Escocia se tem distinguido pela sua *Escola Moral*, que tem produzido Escriptores de grande nome, como *Hutcheson, Shafthesbury, Hume, Smith, Ferguson, Reid, Stewart, Brawn*. Porém o empenho destes Mora-

SOBRE AS RUÍNAS DO CAPITÓLIO

listas tem sido o formar hum Systema de Religião Natural, e de Moral Pura, sem consultarem a Revelação conteuda nas Sagradas Escripturas do Velho e Novo Testamento. Huns rejeitão a mesma Revelação; os outros não a recusão, mas affectão fazer abstração das verdades reveladas, ou ainda ter indifferença ás luzes que dellas emanão, suppondo que a Razão humana, por si só, sem outro auxilio, he capaz de conhecer os dogmas, e deveres da dita Religião e Moralidade." Ibidem, parte I, p. 42-3.

[19] Cf. Roberto Romano, *Brasil: Igreja contra Estado: crítica ao populismo católico* (São Paulo, Kairós, 1979), p. 81-91. Creio que aqui se abra um interessante caminho de pesquisa, apontando o interesse de uma busca da "rede invisível" capaz de revelar certa consonância entre os arrazoados de Cairu, no início do século XIX, no Brasil, e os discursos desta brilhante tríade conservadora: De Bonald, Lamennais e De Maistre, todos comungando na fé depositada na Ordem, contra a anarquia revolucionária que parecia prestes a tomar conta do mundo moderno. Agradeço a Roberto Romano a generosidade com que me atendeu, há alguns anos, cedendo-me um exemplar de seu livro, então já esgotado.

[20] Cf. Antonio Penalves Rocha, "Introdução", em *Visconde de Cairu*, op. cit., p. 44-50.

[21] "Rabugento sabujo" e "degenerado baiano" eram alguns dos epítetos reservados pelo frei Caneca a José da Silva Lisboa, no *Tifis Pernambucano*. Cf. Antonio Candido de Mello e Souza, *Formação da literatura brasileira...*, op. cit., v. 1, p. 260. A menção à Confederação do Equador aparece no capítulo XVII do "Appendice" à *Constituição moral*, intitulado "Do Preceito da Honra". Cf. José da Silva Lisboa, *Constituição moral, e deveres do cidadão...*, op. cit., "Appendice", p. 78-85. O haitianismo, presença indelével entre os defensores da ordem pública, faz-se sentir, muito claramente, no capítulo seguinte do "Appendice", epílogo do livro, onde o futuro visconde de Cairu pretende legar à posteridade um "*Testamento Philanthropico*", condenando a injustiça do tráfico e a iniqüidade da servidão negra. O longo capítulo, por sua significação como testemunho da mentalidade ilustrada de seu autor, merece estudo à parte, mas é possível adiantar, de um lado, a riqueza de passagens que podem, porventura, anunciar tópicos bastante conhecidos de nossa poesia romântica – as embarcações negreiras como "Tumbas ondeantes", a fantasmagoria dos escravos que definham e fenecem, "mirrados esquelêtos, e sepulchros ambulantes" – e, de outro lado, o ataque, sem rebuços, ao perigoso estabelecimento de uma "Ethiopia" no Brasil, prova da insanidade dos europeus: "Sem duvida era decisiva a *superioridade*, em intelligencia e força, dos Europeos no descobrimento d'Africa occidental: mas só a mostrarão no abuso de sua civilisação, manifestando á Sociedade, que unicamente sabião *destroir*, mas não *instruir*, os povos incultos; e que nem attenderão á propria honra, a qual reclamava, que estabelecessem Colonias em o Novo Mundo com a população suprenumeraria de seus descobridores, e e [sic] não com gente inerte, repugnante ao trabalho regular, cheia de vicios do paganismo, e sendo até composta de malvados, e cannibaes. Era não menos evidente a impiedade de arrancar com violencias, vilanias, e toda a sorte de más artes notorias, tantos milhares de barbaros, deslocando os de sua patria, havendo necessariamente de serem muitos innocentes victimas da tyrannia de seus Principes, centuplicada com a promoção do nefando trafico de escravatura. E como não virão os Europeos nisso a mais enorme violação da Ordem Cosmologica, tendo o Regedor do Universo separado os Continentes Africano e Americano por

• 279 •

UM MORALISTA NOS TRÓPICOS

quasi ou mais de mil legoas? Como no horizonte politico não divisarão o perigo da extincção da progenie puritana, necessario effeito de progressiva accumulação de carvões ardentes, quaes depois se afoguearão na Rainha das Antilhas?". Cairu propunha que nos espelhássemos nos Estados Unidos da América, extinguindo o abominável tráfico, que lhe introduzira o "Cancro do Barbarismo dos Africanos". Sugere que a "Policia, com as cautellas necessarias para a occupação dos braços livres, e geral subordinação, bem pode prevenir as desordens que se notão nos fôrros, que, accostumados a viver da sustentação e protecção dos senhores, depois se achão em desabrigo, e sem meios de industria util". ("Policia", aqui, em sentido lato, como aplicação das leis da *pólis*, mas já anunciando a associação entre trabalho e vigilância do poder público, com a emergência de uma classe considerada naturalmente perigosa: os trabalhadores manuais.) Apóia-se ainda nas considerações do norte-americano Daniel Raymond e refuta as opiniões do *Epaminondas Americano*, opúsculo maranhense defensor do cativeiro negro, louvando em seguida a memória d'El Rei D. José, "Libertador dos Indios do Brasil". Propõe que, após a abolição do tráfico de escravos, os senhores da América ajudem a promover a "ressurreição civil" dos negros, tratando-os com decência, conservando "os seus patrimonios com doce regimen patriarchal". Vale-se das observações de Storch, conselheiro do imperador russo e defensor do melhoramento físico e moral dos servos, para finalmente encerrar seu testamento com a idéia de que o "resgate" dos africanos se efetivasse, como expediente eficaz para a conformação da "GRANDE FAMÍLIA, com Unanime Espirito Patriotico". Quanto às antipatias das cores, lembra que "a natureza espalhou com profusa mão o variegado nos tres reinos da creação. A preeminencia dada á cor branca na Especie humana, não pode excluir, nem desappreciar as outras variedades ainda nessa mesma côr. Deos criou tambem diamantes negros, e ainda não se deo preferencia á prata, e platina branquissima sobre o ouro de côr loura. A boa Educação he a que dá valor politico aos povos. A Igreja Catholica a todos accolhe em seu gremio [...]". Ibidem, "Appendice", p. 85-101. Eis a sinédoque – preferida figura retórica do nosso liberal-escravismo, como bem nota Alfredo Bosi – operando para incluir "todos" num grêmio fictício, onde poderia e deveria apagar-se o incêndio revolucionário, ou os "carvões ardentes", segundo esta impressionante imagem deixada por Cairu. Leia-se Alfredo Bosi, "A escravidão entre dois liberalismos", em *Dialética da colonização*, op. cit., p. 194-245. Sobre a escravidão, na percepção do ainda jovem José da Silva Lisboa, leia-se "Carta muito interessante do advogado da Bahia, José da Silva Lisboa, para o Dr. Domingos Vandelli, Director do Real Jardim Botanico de Lisboa, em que dá noticia desenvolvida sobre a Bahia, descrevendo-lhe a cidade, as ilhas e villas da Capitania, o clima, as fortificações, a defesa militar, as tropas da guarnição, o commercio e a agricultura, e especialmente a cultura da canna de assucar, tabaco, mandioca e algodão. Dá também as mais curiosas informações sobre a população, os usos e costumes, o luxo, a escravatura, a exportação, as construcções navaes, o commercio, a navegação para a Costa da Mina, etc.", em *Anais da Biblioteca Nacional*, v. XXXII, 1910, p. 502.

[22] José da Silva Lisboa, *Constituição moral, e deveres do cidadão...*, op. cit., "Appendice", p. 97.

[23] Ibidem, parte II, p. 139-40.

[24] Cf. Émile Durkheim, *As regras do método sociológico* (trad. Maria Isaura Pereira de

SOBRE AS RUÍNAS DO CAPITÓLIO

Queiroz; São Paulo, Companhia Editora Nacional, 1987; idem, *O suicídio* (trad. Luz Cary, Margarida Garrido, J. Vasconcelos Esteves; Lisboa, Editorial Presença, 1987). A punição do desvio serve, entretanto, mais aos obedientes que aos criminosos, reforçando os laços sociais e combatendo a anomia que se dá (ou se constrói) como ameaça de dissolução. A propósito, leia-se o belo ensaio de Heloísa Fernandes sobre os cem anos d'*As regras do método sociológico*. Cf. Heloísa Rodrigues Fernandes, "Um século à espera de regras", *Tempo Social*, São Paulo, USP, 8(1), maio 1996, p. 71-83.

[25] Refiro-me, é claro, à clássica empresa weberiana, caudatária de uma tradição neokantiana que sobrevive no embate entre os fins cognitivos diversos das ciências da natureza e da cultura. Consultem-se os ensaios metodológicos reunidos em Max Weber, *Metodologia das ciências sociais* (trad. Augustin Wernet; São Paulo/ Campinas, Cortez/Editora da Unicamp, 1992), 2 v.

[26] O que pode lembrar, guardadas as devidas proporções, a mitologia inaugural da ordem maçônica, com a construção interrompida do Templo de Jerusalém pelo assassinato de Hiram. A palavra secreta do Mestre guardaria o segredo da arquitetura almejada. Cf. Alexandre Mansur Barata, *Luzes e sombras: a ação da maçonaria brasileira (1870-1910)* (Campinas, Editora da Unicamp/Centro de Memória, 1999), p. 45-6.

[27] Michel de Montaigne, *Œuvres complètes* (éd. Robert Barral; Paris, Seuil, 1967), p. 55-6 (Essais, I, 21). A lembrança desse excerto de Montaigne, devo-a às observações de Frank Lestringrant, em um seminário.

[28] O registro é familiar, mas funciona perfeitamente. Curioso é que Sérgio Milliet tenha traduzido, como se viu, por "evacuações sonoras de gases intestinais" este simples vocábulo cujo uso o Littré, no século XIX, mandava evitar: "on évite de se servir de ce mot". O *pedere* latino já significava "expelir ares, peidar".

[29] *Confissões*, II, III, 6: "En cette seizième année, mis en vacances par cet intermède de loisir imposé par la gêne familiale, à peine étais-je avec mes parents qu'audessus de ma tête proliférèrent les ronces du désir, et il n'y avait aucune main pour les arracher. Bien plus, dès que ce père aperçut aux bains les signes de ma puberté et mon vêtement d'inquiète adolescence, comme si déjà il mourait d'envie d'avoir des petits-enfants, tout joyeux il l'annonça à ma mère, tout joyeux de cette ivresse, où le monde t'a oublié, toi, son créateur, pour aimer ta créature au lieu de toi, effet de l'invisible vin de sa volonté perverse et inclinée vers le bas! [...]". Cf. Saint Augustin, "Les Confessions" (trad. Patrice Cambronne), em *Œuvres*, I (éd. Lucien Jerphagnon; Paris, Gallimard, 1998), p. 807. Interessante que a tradução dos jesuítas Oliveira Santos e Ambrósio de Pina contemple, ao menos parcialmente, a ambigüidade do "*pubescentem et inquieta indutum adulescentia*" que encontramos no original, vertendo o trecho para "revestido da adolescência inquieta", enquanto a clássica tradução de Arnauld d'Andilly, provinda do meio de Port-Royal, quase completamente a encubra, trazendo um "*je devenais tout homme*", simplesmente. Cf. "Confissões" (trad. J. Oliveira Santos, S. J., A. Ambrósio de Pina, S. J.), em *Santo Agostinho* (São Paulo, Abril, 1973), p. 47. *Confessions* (ed. J. O'Donnell) disponível em <http://www.stoa.org/hippo>. Também *Les Confessions* (trad. Arnauld d'Andilly; Paris, Gallimard, 1993), p. 70. Sobre o "*inquieta indutum adulescentia*", O'Donnell, na referida edição, tem interessantes observações, inclusive sobre a importância dos pêlos púbicos e das primeiras ejaculações, recebidas com

· 281 ·

UM MORALISTA NOS TRÓPICOS

alegria por famílias como a de Agostinho. O esforço filológico tem seu sentido e serventia, para nós: refiro-me a estas traduções mais ou menos pudicas, capazes de tornar mais ou menos sensitivo o texto original. Reste claro que o temor diante do descontrole do corpo pode expressar-se, para o tradutor (ele mesmo um leitor, antes de tudo), como desconforto na escolha das palavras, sublimando, ao fim, a experiência juvenil que só encontra seu nexo se somos capazes de sentir o peso e o sabor do pecado carnal. Como lembrado no capítulo anterior, La Rochefoucauld pode diferenciar-se de forma importante de certas orientações jansenistas, exatamente porque, no limite, o seu mundo se encerra no círculo da perdição, no universo danado da carne, ou da concupiscência. Philippe Sellier, apresentando a maravilhosa tradução da Bíblia de Port-Royal, capitaneada por Lemaître de Sacy, lembra que um livro desconcertara especialmente o ilustre tradutor, impedindo a finalização do trabalho: o *Cântico dos Cânticos* seria vertido ao francês integralmente por Pierre Thomas du Fossé, apenas em 1693. Cf. Philippe Sellier, "Préface", em *La Bible* (trad. Louis-Isaac Lemaître de Sacy; Paris, Robert Laffont, 1999), p. XXVIII; 798-799. Perene desconcerto, diante do poder e da elevação das metáforas eróticas de Salomão!

[30] Guillaume du Vair, "La Philosophie morale des Stoïques" [1585?], em *De la sainte Philosophie – Philosophie morale des Stoïques* (éd. G. Michaut; Paris, Vrin, 1946), p. 69-71.

[31] Cf. G. Michaut, "Avertissement", em Guillaume du Vair, *De la sainte Philosophie – Philosophie morale des Stoïques*, op. cit., p. 7-8. Note-se que a obra de Du Vair se inscreve num contexto em que a civilidade mesma se punha à prova, quando a crença humanista pulsava, ainda, no quadro tormentoso das guerras de religião. Cf. Emmanuel Bury, *Littérature et politesse...*, op. cit., p. 45. Torna-se interessante, na esteira do que se tem discutido até aqui, e observando a idéia central de Cairu – a natureza como aquilo que contém as chaves para a regulação do corpo social –, perceber que, na origem do estoicismo antigo, está a busca de uma harmonia entre *nomos* e *physis*, isto é, precisamente o que os sofistas puseram em dúvida. Não cabe exagerar as semelhanças, mas é importante notar que no berço do estoicismo, a exemplo do que se pode flagrar no pensamento ordenador de Cairu, está a reação ao esfacelamento da *pólis*: "desapegado da unidade com a *physis*, o conceito de nomos perde sua força. Os homens podem impor e seguir os mais belos *nomoi*, mas sem o amparo que a *physis*, como poder originário, ponto de engendramento, poderia dar-lhes. Herdeiros deste debate, os estóicos redimensionam tais conceitos". Finalmente, o contexto histórico – a divisão do inacabado império de Alexandre – pode explicar que, num mundo fragmentado, em que os homens parecem distanciar-se "da arete, quer arcaica, quer clássica", os "filósofos" ponham-se a estudar o vínculo *nomos-physis*: "o homem helenístico, exposto ao desamparo cívico, estando dissolvida a estrutura das *poleis*, é o núcleo em torno do qual os novos pensamentos se movem. O Estoicismo Antigo é uma filosofia que apresenta uma resposta possível à sua época. Ao invés da renovação estrutural das *poleis*, a Stoa fundamenta a legitimidade de uma autarquia individual, integrada à *physis*, possibilidade aberta a todos os homens que, por natureza, têm a mesma *physis*, pois que ela é universal e imanente a todas as coisas. Delineia-se, desse modo, a perspectiva de um novo núcleo teórico". Cf. Rachel Gazolla de Andrade, *O ofício do filósofo: um estudo sobre o estoicismo antigo* (dissertação de mestra-

· 282 ·

SOBRE AS RUÍNAS DO CAPITÓLIO

do apresentada ao Departamento de Filosofia da FFLCH da USP, 1983), p. 9-21. Não se engane, entretanto, o leitor: Cairu e La Rochefoucauld estão igualmente diante do esfacelamento de universos que lhes são caros, mas a reação do duque, como tivemos a oportunidade de sugerir e acompanhar, se faz eivada de uma desconfiança na virtude (embora, em algum momento, a própria *honnêteté* possa iluminar-se com a *areté* epicuriana, o que bem pode abrir um interessante caminho à pesquisa), exatamente a excelência ética que estas escolas buscavam cercar, e o estoicismo em particular, ao marcar a apatia como o *télos* do homem sábio. Para nos atermos a Cairu e ao estoicismo antigo (guardando cuidadosamente as diferenças, é necessário relembrar), convém perceber que o esfacelamento da *pólis* é também, no plano físico, o desregramento da natureza: "cognoscível e podendo ser acompanhada pelos homens, a *physis* é o parâmetro da conduta virtuosa, parâmetro que o esfacelamento da *polis* roubara a todos" (ibidem, p. 20-1). Vale lembrar, ademais, que o cosmopolitismo dos primeiros estóicos (Zenão e Crisipo vêm da ilha de Chipre) andará muito longe do "patriotismo" de Du Vair e, sobretudo, do sentimento patriótico de Cairu, para quem a valorização do cosmopolitismo, em detrimento do patriotismo, é mais uma prova da loucura da assim chamada "Idade da razão": "*Cosmopolitismo* he termo grego, que significa a qualidade de *Cosmopolita*, ou *Cidadão do Mundo*. Bem se vê ser isso affectação, e chiméra. Tem havido Navegantes, e Viajantes em muitos Estados, e à roda do Mundo; mas *habitação* em todas as Regiões da Terra he impostura." Cf. José da Silva Lisboa, *Constituição moral, e deveres do cidadão...*, op. cit., parte III, p. 39-40.

[32] Ibidem, "Supplemento", p. 32-4.

[33] Ibidem, "Supplemento", p. 35. A tolerância religiosa, em particular, existiria apenas por razões de Estado. Na *Atalaia* de julho de 1823, já a anglofilia de Cairu o fazia imaginar um clima que atraísse ao Brasil industriais e capitalistas ingleses, na "certeza de que acharão semelhante atmosfera constitucional [à de seu país], com perfeita segurança de suas pessoas e propriedades e tolerância civil de sua Comunhão religiosa, tendo além disso a vantagem de viverem no ameno clima da Terra de Santa Cruz". Apud Isabel Lustosa, *Cairu, panfletário...*, op. cit., p. 28.

[34] Cf. José da Silva Lisboa, *Extratos das obras políticas e econômicas de Edmundo Burke* (Rio de Janeiro, Imprensa Régia, 1812).

[35] José da Silva Lisboa, *Constituição moral, e deveres do cidadão...*, op. cit., "Supplemento", p. 36.

[36] Cf. Edmund Burke, "Reflections on the Revolution in France, and on the proceedings in certain societies in London relative to that event: in a Letter intended to have been sent to a gentleman in Paris" [1790], em *The Works* (Hildesheim/New York, Georg Olms Verlag, 1975), v. III-IV, p. 442-4.

[37] José da Silva Lisboa, *Constituição moral, e deveres do cidadão...*, op. cit., "Supplemento", p. 36.

[38] Cf. Gustave le Bon, *Psicologia das multidões* (trad. de *La psychologie des foules* [1895]); Rio de Janeiro, F. Briguiet & Cia. Editores, 1954).

[39] José da Silva Lisboa, *Constituição moral, e deveres do cidadão...*, op. cit., parte III, p. 97. Aqui, como em todo o resto, o itálico vem do original, salvo quando indicado o contrário.

[40] Primeiro axioma do movimento: "*Todo corpo permanece em seu estado de repouso ou de movimento uniforme em linha reta, a menos que seja obrigado a mudar seu estado por*

· 283 ·

UM MORALISTA NOS TRÓPICOS

forças impressas nele." Segundo: *"A mudança do movimento é proporcional à força motriz impressa e se faz segundo a linha reta pela qual se imprime essa força."* Isaac Newton, "Princípios matemáticos da Filosofia Natural" [1687] (trad. Carlos Lopes de Mattos), em *Newton, Leibniz* (São Paulo, Abril, 1974), p. 20.

[41] José da Silva Lisboa, *Constituição moral, e deveres do cidadão...*, op. cit., parte III, p. 98.

[42] O que é um erro, todavia. Se, num primeiro momento, Las Casas aconselhou de fato a introdução da mão-de-obra negra nas Índias de Castela, outra seria sua posição, posteriormente. Detalhes e, sobretudo, um interessante quadro das discussões sobre o cativeiro no mundo recém-descoberto, considerando os preceitos originais de Francisco de Vitoria, e a limitada especulação teórica de portugueses, quando comparada à dos castelhanos, encontram-se em Sérgio Buarque de Holanda, *Visão do paraíso...*, op. cit., p. 308-14.

[43] Cf. Fernando Antonio Lourenço, *Agricultura ilustrada: liberalismo e escravismo nas origens da questão agrária brasileira* (Campinas, Editora da Unicamp, 2001).

[44] José da Silva Lisboa, *Constituição moral, e deveres do cidadão...*, op. cit., parte II, p. 90-3. Como em todo o trabalho, não se reproduz aqui a paragrafação original.

[45] A mutação da moral conforme às linhas imaginárias da Terra faz lembrar a lenda sobre a absoluta licença que imperaria neste mundo, desde que, segundo podiam supor alguns europeus do século XVII, não haveria pecado abaixo da linha do Equador. Daí a célebre divisa, comentada por Barlaeus, e posteriormente glosada por Chico Buarque: *ultra æquinoctialem non peccari...* Leia-se, a propósito, Sérgio Buarque de Holanda, *Raízes do Brasil*, op. cit., p. 45. O discurso civilizador não pode, jamais, suportar a idéia de uma suspensão moral, ou de uma relatividade que compromete a força necessariamente unitária da mensagem corretiva. A censura torna-se, então, o caminho mais curto para a contenção daquilo que ameaça romper-se, sempre que se esqueçam os limites apontados de cima.

[46] José da Silva Lisboa, *Constituição moral, e deveres do cidadão...*, op. cit., parte II, p. 93.

[47] Ibidem, parte II, p. 93-4.

[48] Cf. Sérgio Buarque de Holanda, *Visão do paraíso...*, op. cit., p. 308-9. Alta expressão desta expectativa nem tão benévola em relação aos aborígines, encontramo-la, já no século XVII, em Vieira, ali onde, no Sermão do Espírito Santo, o pregador compara os brasis e sua credulidade incrédula (mantenha-se o oxímoro) às estátuas de murta, contrapostas às de mármore, aquelas maleáveis mas necessitando de cuidado constante, estas resistentes ao cinzel, mas duráveis depois de feitas. Cf. Antônio Vieira, "Sermão do Espírito Santo", em *Sermões: problemas sociais e políticos do Brasil* (org. Antônio Soares Amora; São Paulo, Cultrix, 1995), p. 133-4. Conquanto Cairu nutrisse um arraigado antijesuitismo, compreensível num homem que tomara o grau de bacharel em cânones na Universidade de Coimbra da época pombalina, é notável como a bela imagem dos padres jardineiros, forjada por Vieira, possa valer também para ele, igualmente interessado em trazer a gentilidade para a grei cristã, embora, neste caso do século XIX, o Estado pretendido resguardasse um caráter civil que em nada se assemelha ao grandioso sonho jesuítico, feito simultaneamente de causas divinas e estratégias mundanas, apanhando, no único tempo da *ação*, o intricado cruzamento do eterno e do contingente.

[49] José da Silva Lisboa, *Constituição moral, e deveres do cidadão...*, op. cit., parte II, p. 94-5.

[50] O primeiro livro publicado por José da Silva Lisboa, em 1798, pela Régia Ofici-

· 284 ·

SOBRE AS RUÍNAS DO CAPITÓLIO

na Tipográfica de Lisboa, intitulava-se, a propósito, *Princípios de Direito Mercantil e leis da marinha*. Sobre o entrelaçamento, na obra de Cairu, entre Direito e Economia, compreendendo-a como um ramo da "Jurisprudência", leiam-se as cuidadosas reflexões de Antonio Penalves Rocha, para quem "Silva Lisboa levou às últimas conseqüências o parentesco da Economia Política com o Direito, do qual resultou uma concepção da ciência econômica como um conhecimento que procurava investigar as leis naturais para estabelecer os fundamentos teóricos do direito natural". Cf. Antonio Penalves Rocha, *A economia política na sociedade escravista...*, op. cit., p. 57-65.

[51] Quanto à sobreposição dos planos econômico e moral, no que respeita ao trabalho livre, consulte-se José da Silva Lisboa. "Da liberdade do trabalho", em *Visconde de Cairu*, op. cit., p. 324.

[52] José da Silva Lisboa, *Constituição moral, e deveres do cidadão...*, op. cit., "Appendice", p. 98-100.

[53] Num valioso recolho de documentos sobre Cairu, existentes no Arquivo Nacional, podemos flagrar alguns lances de sua atuação como parlamentar constituinte. Sobre a "colonização e naturalização", segundo a rubrica do organizador dos documentos, vemos o deputado baiano afirmando que "só é desejável a população robusta, morigerada, industriosa, contente; tendo do que viver, e bem viver, com emprego honesto. Não é do interesse do Estado que o Brasil seja o enxurro do proletariado universal (de todos os paizes)". Cf. E. Vilhena de Moraes (Org.), *Perfil de Cayrú* (Rio de Janeiro, Arquivo Nacional, 1958), p. 51-2. Sobre sua preocupação com o ensino do Direito Romano no curso jurídico de uma universidade brasileira a criar-se, consultem-se os mesmos documentos, p. 51-2.

[54] José da Silva Lisboa, *Constituição moral, e deveres do cidadão...*, op. cit., "Appendice", p. 98-9.

[55] Aristóteles, *Rhétorique*, II, 1, op. cit., p. 108-9. O que bem pode sugerir a lembrança da máxima 8 de La Rochefoucauld, quando arte e natureza se aproximam, chegando a confundir-se, tendo como alvo a persuasão: "les passions sont les seuls orateurs qui persuadent toujours. Elles sont comme un art de la nature dont les règles sont infaillibles; et l'homme le plus simple qui a de la passion persuade mieux que le plus éloquent qui n'en a point". Há que ler, entretanto, a seqüência das máximas, para notar a sorte de tirania que elas passam a exercer, até que possamos chegar ao tópico – claramente aristotélico – da vizinhança de paixões opostas, e, já ao fim da seqüência, vermo-nos diante do que delas sempre restará, mesmo quando as cubram os véus da piedade e da honra. Leiam-se as máximas 9 ("les passions ont une injustice et un propre intérêt qui fait qu'il est dangereux de les suivre, et qu'on s'en doit défier lors même qu'elles paraissent les plus raisonnables"), 10 ("il y a dans le cœur humain une génération perpétuelle de passions, en sorte que la ruine de l'une est presque toujours l'établissement d'une autre"), 11 ("les passions en engendrent souvent qui leur sont contraires. L'avarice produit quelquefois la prodigalité, et la prodigalité l'avarice; on est souvent ferme par faiblesse, et audacieux par timidité") e 12 ("quelque soin que l'on prenne de couvrir ses passions par des apparences de piété et d'honneur, elles paraissent toujours au travers de ces voiles").

[56] Por exemplo, é o caso de Agripino, recebendo a notícia de seu julgamento pelo senado, e continuando tranqüilamente seus exercícios, partindo em seguida para

UM MORALISTA NOS TRÓPICOS

o jantar, sem comoção alguma. Epicteto o considera um sábio. Cf. Épictète, "Entretiens, I", em Les stoïciens (trad. Émile Bréhier), op. cit., v. II, p. 810-1.

[57] O "Supplemento", quarto volume da *Constituição moral, e deveres do cidadão*, contém a "exposição das principaes virtudes e paixões", e se encerra numa longa lista, com a "nomenclatura vulgar das boas, más, equivocas, acções e qualidades moraes e dos caracteres bons, máos, equivocos". Cf. José da Silva Lisboa, *Constituição moral, e deveres do cidadão...*, op. cit., "Supplemento".

[58] Cf. La Rochefoucauld, *Máximas e Reflexões* (trad. Leda Tenório da Motta), op. cit., p. 61.

[59] Guardemos as singularidades, mas tampouco exageremos as diferenças: no século XIX, a *phisiognomonia* reavivada pelo XVII ganharia alento nas teorias criminológicas (e já Cairu se horrorizara diante dos traços fisionômicos dos selvagens). É claro que entre Della Porta, Le Brun e Lombroso haverá uma longa e tortuosa carreira, mas estamos à cata de similitudes como esta, baseada na vontade secular de explorar os limites entre o natural e o humano, e não será por acaso se uma ciência da ordem – a criminologia – (re)encontra a arte do século XVII, inspirando-se porventura nos retratos das *páthoi* para (re)estabelecer as demarcações da mesma ordem, buscando os traços – naturais – da patologia. A questão é delicada, e exigiria um estudo particular. Que se pense nas figurações das paixões, na obra de Le Brun: há ali uma dramaticidade que reclama o rosto, ou antes, que apenas pode compreender-se nas feições contorcidas, na face subjugada pela força – concreta – de uma paixão. É um arrebatamento, rapto, ou intrusão de uma outra criatura, que toma o humano, para desfigurá-lo (ao publicar os desenhos de Le Brun, em 1727, Audran lembrava que o mestre seguira os antigos filósofos, na consideração das paixões como movimento da alma em sua parte sensitiva: "il dit que ce qui cause à l'Ame quelque passion, fait faire au corps certains mouvemens, & produit des alterations dont il rapporte les principales"). Cf. Charles le Brun, *Expressions des passions de l'âme* (numérisation BnF de l'édition de Paris, Aux amateurs de livres, 1990), Gallica. A caracteriologia do século XIX, diferentemente, pode sugerir um desvio da própria personalidade, com causas sociais fisicamente observáveis, o que é uma idéia estrangeira ao século XVII, mas fascinante para os defensores da ordem social, a partir do XIX. Mantemo-nos, todavia, entre o natural e o humano, no cruzamento que faria a fortuna de muito romance, no registro a que chamamos "naturalista". Leiam-se, a propósito, as reflexões de Joaquim Brasil Fontes sobre a mais conhecida obra de Aluísio Azevedo. Cf. Joaquim Brasil Fontes, "A corrupção da natureza", *Revista Entretextos Entresexos*, GEISH/Unicamp, n. 2, out. 1998, p. 9-53. Quanto às analogias entre o temperamento dos animais e o dos homens, recordem-se, é claro, as fábulas de La Fontaine, os retratos de Le Brun, mas, também, a *Réflexion* "Du rapport des hommes avec les animaux". Cf. La Rochefoucauld, *Maximes* (éd. Truchet), op. cit., p. 203-6. Leia-se, ainda, Jurgis Baltrusaitis. "Aberrações – ensaio sobre a lenda das formas. 'Fisiognomonia animal'" (trad. Luiz Dantas), *Revista de História da Arte e Arqueologia*, Campinas, Centro de Pesquisa em História da Arte e Arqueologia, IFCH/Unicamp, n. 2, 1995/1996, p. 331-53. Também, o capítulo dedicado a La Rochefoucauld, no livro de Louis van Delft. Cf. Louis van Delft, *Littérature et anthropologie: nature humaine et caractère à l'âge classique*, op. cit., p. 121-35.

[60] José da Silva Lisboa, *Constituição moral, e deveres do cidadão...*, op. cit., parte III, p. 98.

[61] Ibidem, parte III, p. 99. Sobre o quão delicado Cairu considerava dever ser o to-

· 286 ·

SOBRE AS RUÍNAS DO CAPITÓLIO

que na chaga da escravidão, leia-se José da Silva Lisboa, "Da liberdade do trabalho", em *Visconde de Cairu*, op. cit., p. 325.

[62] José da Silva Lisboa, *Constituição moral, e deveres do cidadão...*, op. cit., parte III, p. 99.

[63] Ibidem, parte I, p. 134-5.

[64] A natureza como gigantesco Livro é idéia antiga, capaz de pôr os homens na senda de uma gramática da Criação. Assim a hermenêutica que primeiro ocupou os descobridores, pressurosos na detecção e compreensão dos sinais edênicos, neste canto do mundo. Em seu clássico ensaio, Sérgio Buarque faz desfilar um bando de animais, os quais, devidamente classificados, adquiriam eficácia simbólica, podendo convencer da proximidade do Paraíso terreal, e cujo aspecto extraordinário, sobretudo, sugeria a proximidade de uma natureza igualmente extraordinária, qual fosse a do Éden tropical. Cf. Sérgio Buarque de Holanda, *Visão do paraíso...*, op. cit., p. 223. Mais comedido, sem dúvida, José da Silva Lisboa não vai em busca do aspecto paradisíaco destes trópicos, embora possa notar, na nossa natureza, os traços de uma Bondade divina nem sempre evidente, mas existente. No segundo volume da *Constituição moral*, comparada a "Bondade de Deos" à bondade do soberano ("Pai da Patria"), Cairu encontra na fauna brasileira dois singulares exemplos da benignidade do Criador: "No Brasil he digno de se notar hum exemplo da Bondade Divina ao pequeno animal quadrupede, conhecido pelo nome vulgar de *Gambá*, á que os Naturalistas derão o nome de *Viverna marsupialis*, por lhe ter o Author da Natureza dado na propria pelle uma bolsa, onde traz os filhos. Vê-se outro no pequeno passaro chamado *João de Barros*, que forma a sua casa de huma perfeita abobeda de barro, com huma parede no meio, que divide a salla em dous quartos, sendo hum recatado, para não serem expostos ao ar os filhos, que ahi resguarda". José da Silva Lisboa, *Constituição moral, e deveres do cidadão...*, op. cit., parte II, p. 124. Interessante caminho de pesquisa seria a avaliação cuidadosa desta relação que mantém o autor da *Constituição moral* com a "Natureza", como fonte de interpretação e sentido para o mundo social. Esvaziada de encantamentos, a natureza pode, porém, em momentos como este, em que se lembram o gambá e o joão-de-barro, revelar atributos divinos. Não fora certa secura analítica a marcar o catecismo, e a rareza de uma passagem como esta, e nos poríamos já a sondar os traços originais de uma bondade da natureza e talvez do homem "natural", como aquela que muitos românticos, século XIX adentro, tratariam de louvar e desenvolver, revivendo, num outro plano, a vertigem primeira com a delícia dos trópicos, e a miragem de uma terra intocada e gentil.

[65] José da Silva Lisboa, *Constituição moral, e deveres do cidadão...*, op. cit., "Supplemento", p. 16-22.

[66] Ibidem, "Supplemento", p. 17.

[67] Ibidem, "Supplemento", p. 19. Sobre a atividade de Cairu como censor, consulte-se Isabel Lustosa, *Cairu, panfletário...*, op. cit.; Alfredo do Valle Cabral, "Vida e Escriptos de José da Silva Lisboa, visconde de Cayrú" [1881], em Cairú (Rio de Janeiro, Arquivo Nacional, 1958), p. 15-71. Sobre a censura, no período joanino, leiam-se Leila Mezan Algranti, "Censura e comércio de livros no período de permanência da corte portuguesa no Rio de Janeiro (1808-1821)", *Revista Portuguesa de História*, Faculdade de Letras/Universidade de Coimbra, XXXIII, 1999, p. 631-63; Lúcia Maria Bastos P. Neves, "Censura, circulação de idéias e esfera pública de poder no Brasil, 1808-1824", op. cit., p. 665-97.

· 287 ·

[68] José da Silva Lisboa, *Constituição moral, e deveres do cidadão...*, op. cit., "Supplemento", p. 19-20.

[69] Epicuro, "Antologia de textos" (trad. Agostinho da Silva), em *Epicuro, Lucrécio, Cícero, Sêneca, Marco Aurélio* (São Paulo, Abril, 1973), p. 24. Consulte-se também Diogène Laërce, *Vies et doctrines des philosophes illustres* (dir. Marie-Odile Goulet-Cazé), Livre X (trad. Jean-François Balaudé; s. l., Le livre de poche, 1999, La Pochothèque, Classiques Modernes), p. 1269.

[70] Epicuro, "Antologia de textos", op. cit., p. 24.

[71] Temas que movimentaram, sem dúvida, as mentes do século XVII. Ser epicuriano podia significar uma recusa – logo reconhecida como *libertina* – do legado tradicional da Filosofia. No registro fantástico de Cyrano de Bergerac, a propósito, um divertido passeio por outros mundos, como os Impérios do Sol ou da Lua, podia iniciar-se, não por acaso, com uma máquina que se valia do vazio para voar: "Quand le Soleil débarrassé de nuages commença d'éclairer ma machine, cet icosaèdre transparent qui recevait à travers ses facettes les trésors du Soleil, en répandait par le bocal la lumière dans ma cellule; et comme cette splendeur s'affaiblissait à cause des rayons qui ne pouvaient se replier jusqu'à moi sans se rompre beaucoup de fois, cette vigueur de clarté tempérée convertissait ma châsse en un petit ciel de pourpre émaillé d'or. J'admirais avec extase la beauté d'un coloris si mélangé, et voici que tout à coup je sens mes entrailles émues de la même façon que les sentirait tressaillir quelqu'un enlevé par une poulie. J'allais ouvrir mon guichet pour connaître la cause de cette émotion; mais comme j'avançais la main, j'aperçus par le trou du plancher de ma boîte, ma tour déjà fort basse au-dessous de moi; et mon petit château en l'air, poussant mes pieds contre-mont, me fit voir en un tourne-main Toulouse qui s'enfonçait en terre. Ce prodige m'étonna, non point à cause d'un essor si subit, mais à cause de cet épouvantable emportement de la raison humaine au succès d'un dessein qui m'avait même effrayé en l'imaginant. Le reste ne me surprit pas, car j'avais bien prévu que le vuide qui surviendrait dans l'icosaèdre à cause des rayons unis du Soleil par les verres concaves, attirerait pour le remplir une furieuse abondance d'air, dont ma boîte serait enlevée, et qu'à mesure que je monterais, l'horrible vent qui s'engouffrerait par le trou ne pourrait s'élever jusqu'à la voûte, qu'en pénétrant cette machine avec furie il ne la poussât qu'en haut. [...]" Cyrano de Bergerac, "Les États et Empires du Soleil", em *Libertins du XVIIe siècle* (éd. Jacques Prévot; Paris, Gallimard, 1998), p. 1014-6. Devo a lembrança a Jean-Charles Darmon, em observação feita em meio a um seminário.

[72] Cf. José Américo Motta Pessanha, "As delícias do Jardim", em Adauto Novaes (Org.), *Ética*, op. cit., p. 63.

[73] Há outro momento, porém, em que Epicuro é convocado por Cairu, como representante dos filósofos duvidosos, incapazes de aceitar a divina Providência: "o antigo philosopho *Epicuro*, que negou a existencia de Deos, sendo convencido de seu erro, todavia negou a Providencia Divina; e não teve para esse novo erro outro motivo mais do que dizer, que era insupportavel a idéa de huma Divindade em toda a parte *presente*, e sendo esse sempiterno Senhor sempre testemunha, e regente de todos os actos dos homens, a quem dia e noite temessemos". José da Silva Lisboa, *Constituição moral, e deveres do cidadão...*, op. cit., parte II, p. 133.

SOBRE AS RUÍNAS DO CAPITÓLIO

[74] Comentando a poesia de Lucrécio, José Kany-Turpin lembra que Cícero, fiel à etimologia, traduzira os *átomos* por *individua*. Cf. "Notes", em Lucrèce, *De la nature* (De rerum natura) (trad. José Kany-Turpin; Paris, Flammarion, 1998), p. 470.

[75] Penso nos trabalhos de Joaquim Brasil Fontes, notadamente em seu *Eros, tecelão de mitos*. Cf. Joaquim Brasil Fontes, *Eros, tecelão de mitos: a poesia de Safo de Lesbos* (São Paulo, Estação Liberdade, 1991).

[76] Lucrécio, "Da natureza" (trad. Agostinho da Silva), em *Epicuro, Lucrécio, Cícero, Sêneca, Marco Aurélio*, op. cit., p. 58. Para acompanhar o original, e uma bela tradução em versos, consulte-se Lucrèce, *De la nature* (De rerum natura), op. cit., p. 126-9. No capítulo "Dos Deveres ao Governo", no terceiro volume de seu catecismo, José da Silva Lisboa lembra Lucrécio, a propósito de "casos extremos de tyrannia insuportavel", quando se deve indulgência aos insurgentes, embora, segundo o moralista, "ainda nesses casos, a Moral Publica não dá conselhos, nem palliativos: são Phenomenos Sociaes, que tem por causa *occulta força das cousas*, e Decretos da Providencia, para castigo dos máos Regedores dos Estados, que tem, extremosa e incorrigivelmente, abusado do Sagrado Deposito da Authoridade Legitima". Cf. José da Silva Lisboa, *Constituição moral, e deveres do cidadão...*, op. cit., parte III, p. 18.

[77] Vale a pena acompanhar o percurso de Alain Montandon "vers la maxime", desde a universalidade e constância das máximas que transportam a sabedoria ancestral, normativamente, funcionando como molde da ação, até a forma paradoxal que adquirem com La Rochefoucauld. O movimento de desprendimento do aspecto propriamente sentencioso guarda esta relativa soltura em relação às normas, permitindo o nascimento das *pointes*, ou como quer que se chame ao paradoxo da máxima de La Rochefoucauld, tantas vezes referida ao brilho das pedras preciosas ("diamants" ou "rubis" para Taine, "tourbillon d'étincelles" para Vinet, "petites médailles de l'or le plus fin et du relief le plus vif" para Cousin), e infalivelmente odiada pelos amantes dos grandes edifícios discursivos. Cf. Alain Montandon, *Les formes brèves*, op. cit., p. 37. A imagem das máximas como fonte de um brilho fugaz e poderoso poderia ser buscada, porventura, sempre com o auxílio de Jean Lafond, na expressão *lumina orationis*, de Quintiliano. Cf. Jean Lafond, "Des formes brèves aux XVIᵉ et XVIIᵉ siècles", em Jean Lafond (Éd.), *Les formes brèves de la prose et le discours discontinu (XVIᵉ et XVIIᵉ siècles)* (Paris, Vrin, 1984), p. 105, n. 25.

[78] Diversos, mas sobre os quais é preciso lembrar que recorrem, embora em registros diferentes, às formas breves. Afinal, Cairu contrapõe, às máximas de La Rochefoucauld, sentenças tiradas às Epístolas de Paulo e Pedro, como veremos. Ainda sobre a ordem nas máximas, leiam-se Pierre Lerat, "Le distinguo dans les Maximes de La Rochefoucauld", em Jean Lafond (Éd.), *Les formes brèves de la prose et le discours discontinu...*, op. cit., p. 91-4; Jean-Pierre Beaujot, "Le travail de la définition dans quelques maximes de La Rochefoucauld", em Jean Lafond (Éd.), *Les formes brèves de la prose et le discours discontinu...*, op. cit., p. 95-9. Sobre os fragmentos, embora tendo por referência La Bruyère, leia-se ainda Pascal Quignard, *Une gêne technique à l'égard des fragments* (Paris, Fata Morgana, 1986).

[79] Lucrécio, "Da natureza", op. cit., p. 58. Também *De la nature* (De rerum natura), op. cit., p. 129-31.

[80] Kany-Turpin lembra que, à *voluntas*, presente em Lucrécio, segue-se, na linha

• 289 •

UM MORALISTA NOS TRÓPICOS

seguinte, a *voluptas*, mas nota que esta ordem foi estabelecida pelos editores mais conscienciosos, pois que nos manuscritos está invertida, o que se explicaria, no caso, pela inversão de um copista. Cf. "Notes", em Lucrèce, *De la nature* (De rerum natura), op. cit., p. 488. Sábio e atrapalhado copista! Tanto mais quanto cerquemos o campo semântico desta *voluptas*, em tudo oposta à *dolor*.

[81] A sondagem dos significados dos vocábulos é sempre proveitosa; assim, no caso do *fragmento* "l'étymologie du mot persiste à dénoncer la coupure, la séparation, pour ne pas dire la blessure ou l'opération qui fait d'un fragment ce qu'il est: un être échappé de tout ce qui n'est pas, ou n'est plus, distrait du néant". Cf. A. Guyaux, *Poétique du fragment, Essai sur les Illuminations de Rimbaud*, apud Françoise Susini-Anastopoulos, *L'écriture fragmentaire: définitions et enjeux* (Paris, Presses Universitaires de France, 1997), p. 2. Quanto ao rompimento da metafísica pela física epicuriana, vale acompanhar os argumentos de Jean Lafond, ao reportar as idéias de Bayle, expressas no artigo "Epicure" de seu *Dictionnaire*. Cf. Jean Lafond, "Augustinisme et épicurisme au XVIIe siècle", em *L'homme et son image...*, 1996, op. cit., p. 353-4.

[82] Momento de contaminação poética, quando as criaturas mais terríveis, despertas e lépidas, podem revelar-se como o produto maravilhoso da mente humana. No Roteiro Brasílico, de 1822, vemos Cairu secundando Burke, notando que "as obscenas harpyas da Revolução da França surgirão da anarchia do chaos, que gerou tantas coisas monstruosas e prodigiosas; e voando sobre nossas cabeças, cazas e mezas, nada deixárão impolluto e não contaminado". Apud José Soares Dutra, *Cairú: precursor da economia moderna*, op. cit., p. 95.

[83] O moralista, diante do vazio: um poeta ou autor de simples equações? Penso nas palavras de Barthes: "si l'écriture est vraiment neutre, si le langage, au lieu d'être un acte encombrant et indomptable, parvient à l'état d'une équation pure, n'ayant pas plus d'épaisseur qu'une algèbre en face du creux de l'homme, alors la Littérature est vaincue, la problématique humaine est découverte et livrée sans couleur, l'écrivain est sans retour un honnête homme [...]". Roland Barthes, *"L'écriture et le silence"*, em *Le degré zéro de l'écriture suivi de Nouveaux essais critiques*, op. cit., p. 60-1. Cf. também o ensaio, no mesmo volume, intitulado "La Rochefoucauld: 'Réflexions ou Sentences et maximes'".

[84] José da Silva Lisboa, *Constituição moral, e deveres do cidadão...*, op. cit., parte II, p. 112-3.

[85] Ibidem, parte II, p. 113.

[86] Ibidem, parte II, p. 113-4.

[87] Na esteira da detratação de Fénelon, e aceitando a chave analítica de Jean Lafond, epicurismo e jansenismo podiam, por vezes, andar de mãos dadas, na imaginação de um homem do século XVII. Afinal, o prazer como "unique règle de nos cœurs" arruinava a idéia da liberdade humana, aproximando, ao menos neste ponto, as duas doutrinas. Cf. Jean Lafond, "Augustinisme et épicurisme au XVIIe siècle", op. cit., passim. Quanto ao "epicurismo" de La Rochefoucauld, sua atestação deve-se, amiúde, a uma carta de Méré, contendo o relato de uma entrevista sua com o duque; documento cuja fidedignidade é contestada por Truchet e Lafond, sem que contudo lhe seja negada a importância. Veja-se a "Lettre du chevalier de Méré à Madame la duchesse de***. Date inconnue", em La Rochefoucauld, *Maximes* (éd. Truchet), op. cit., p. 592-5. Para uma interpretação

• 290 •

SOBRE AS RUÍNAS DO CAPITÓLIO

programadamente epicuriana do autor das máximas, considerando-o jogado entre as influências principais de Honoré d'Urfé e Montaigne, e o imaginando, ao fim, abraçado ao legado dos Ensaios, como crítico severo do estoicismo, consulte-se Louis Hippeau, *Essai sur la morale de La Rochefoucauld* (Paris, A.-G. Nizet, 1978).

[88] Emmanuel Bury, "L'écriture à l'épreuve de la pensée: essais, maximes et aphorismes à l'âge baroque", *Littératures Classiques*, n. 36, 1999, p. 321.

[89] José da Silva Lisboa, *Constituição moral, e deveres do cidadão*..., op. cit., parte I, p. 60.

[90] Fórmula simples demais, mas talvez suficiente para resumir aquilo que se explicita, já no início da obra de Adam Smith: "As we have no immediate experience of what men feel, we can form no idea of the manner in which they are affected, but by conceiving what ourselves should feel in the like situation. Though our brother is upon the rack, as long as we ourselves are at our ease, our senses will never inform us of what he suffers. They never did, and never can, carry us beyond our own person, and it is by the imagination only that we can form any conception of what are his sensations. Neither can that faculty help us to this any other way, than by representing to us what would be our own, if we were in his case. It is the impressions of our own senses only, not those of his, which our imaginations copy. By the imagination we place ourselves in his situation, we conceive ourselves enduring all the same torments, we enter as it were into his body, and become in some measure the same person with him, and thence form some idea of his sensations, and even feel something which, though weaker in degree, is not altogether unlike them. His agonies, when they are thus brought home to ourselves, when we have thus adopted and made them our own, begin at last to affect us, and we then tremble and shudder at the thought of what he feels. For as to be in pain or distress of any kind excites the most excessive sorrow, so to conceive or to imagine that we are in it, excites some degree of the same emotion, in proportion to the vivacity or dulness of the conception". Adam Smith, *The theory of moral sentiments*, op. cit., part I, section I, chap. I, p. 9.

[91] José da Silva Lisboa, *Constituição moral, e deveres do cidadão*..., op. cit., parte I, p. 62-3. Para a versão original, cf. Adam Smith, *The theory of moral sentiments*, op. cit., part III, chap. IV, p. 159.

[92] José da Silva Lisboa, *Constituição moral, e deveres do cidadão*..., op. cit., parte I, p. 64-5. Original, cf. Adam Smith, *The theory of moral sentiments*, op. cit., part VI, section II, chap. III, p. 235.

[93] José da Silva Lisboa, *Constituição moral, e deveres do cidadão*..., op. cit., parte II, p. 46.

[94] Ibidem, parte II, p. 48-9.

[95] Bernard Mandeville, "Uma investigação sobre a origem da virtude moral", em *Filosofia moral britânica: textos do século XVIII* (trad. Álvaro Cabral; Campinas, Editora da Unicamp, 1996), p. 79-80. Ou ainda, "An Enquiry into the Origin of Moral Virtue (first printed, as part of *The Fable of the Bees: or, Private Vices, Public Benefits*, 1714)", em D. D. Raphael (Ed.), *British moralists* (1650-1800) (Oxford, Oxford University Press, 1969), p. 230-1.

[96] Cf. La Rochefoucauld, *Máximas e Reflexões* (trad. Leda Tenório da Motta), op. cit., p. 48.

[97] A interpretação positiva da máxima 218 pode vir do próprio Cairu, num capítulo sobre a "original e constante distincção da Virtude e Vicio, Justo e Injusto", quando reage aos "que negão a dita original e constante differença, [e] mentem

· 291 ·

UM MORALISTA NOS TRÓPICOS

á si mesmos; pois não ha pessoa, que não aspire á virtude, não se honre della, não lhe dê reverencia no proprio coração; que não tema a nota de vicioso; que não tome por injuria tal labéo; que não negue a imputação de crime, e se esforce por libertar-se da censura, e repellir a calumnia. Até o mais perverso dissimula, e esconde, quanto póde, a malfeitoria, fingindo-se virtuoso, e até (como diz hum orthodoxo Moralista da França) Mr. de *Rochefoucault*, o mais refinado *hypocrita presta pela hypocrisia homenagem á virtude.*" Cf. José da Silva Lisboa, *Constituição moral, e deveres do cidadão...*, op. cit., parte II, p. 38-9. Eis aqui um momento, nesta segunda parte do catecismo, em que pode revelar-se o "orthodoxo Moralista" La Rochefoucauld... Seria preciso reagir, então, com a destrutiva observação de Senault, no seu *De l'usage des passions*, publicado um ano antes da versão autorizada das máximas: "c'est à la crainte que les juges doivent leur intégrité, que les soldats doivent leur courage, que les femmes doivent leur chasteté". Apud Alain Montandon, *Les formes brèves*, op. cit., p. 37.

[98] Bernard Mandeville, "An Enquiry into the Origin of Moral Virtue", op. cit., p. 229; "Uma investigação sobre a origem da virtude moral", op. cit., p. 77.

[99] "If the too scrupulous reader should at first view condemn these notions concerning the origin of moral virtue, and think them perhaps offensive to Christianity, I hope he'll forbear his censures, when he shall consider, that nothing can render the unsearchable depth of the divine wisdom more conspicuous, than that *man*, whom Providence had designed for society, should not only by his own frailties and imperfections be led into the road to temporal happiness, but likewise receive, from a seeming necessity of natural causes, a tincture of that knowledge, in which he was afterwards to be made perfect by the true religion, to his eternal welfare." "An Enquiry into the Origin of Moral Virtue", op. cit., p. 236.

[100] Jean Lafond, *La Rochefoucauld: augustinisme et littérature*, op. cit., p. 181. A propósito da reflexão sobre o amor-próprio, leia-se o precioso ensaio de Jacqueline Plantié, "'L'amour-propre' au Carmel: petite histoire d'une grande maxime de La Rochefoucauld", op. cit.

[101] Assim, ver no retrato do amor-próprio, como faz Lafond, o desenho de uma criatura mítica, é completamente plausível. O que não parece razoável é supor que o intervalo entre a "psicologia" e a "mitologia" possa ser tão largo. A questão, embora pontual, não é de somenos importância para a perspectiva crítica das máximas, uma vez que, amiúde, julga-se por bem aproximá-las da empresa psicanalítica. Consulte-se, por exemplo, Serge Doubrovsky, "Vingt propositions sur l'amour-propre: de Lacan à La Rochefoucauld", em *Parcours critique* (Paris, Galilée, 1980), p. 203-34; ou ainda, Alain Montandon, *Les formes brèves*, op. cit., p. 39-40. É verdade que esta figura esquiva do "amor-próprio" de La Rochefoucauld pouco se parece à pseudototalidade do eu, cuja desagregação deve-se, no plano clínico próprio aos fins do século XIX e inícios do XX, a Freud. Mas, se o médico vienense pôde abalar a inteireza presumida do âmbito individual (*indivíduo* é aquilo que não se poderia desagregar), não o terá feito senão apoiando-se numa estrutura mítica, de resto fundamental numa sociedade patrilinear, falocrática em sua essência e machista em suas conseqüências. Em suma, se não há psicologia sem que se reforcem os traços do mito, não haverá tampouco retrato do amor-próprio sem o cinzel da alegoria. Agradeço a José Marcos Novelli a gentileza de trazer-me aquele artigo, de volta ao Brasil.

• 292 •

SOBRE AS RUÍNAS DO CAPITÓLIO

[102] A intromissão moderna será válida, mais uma vez, desde que se perceba a mudança de perspectiva, e a absoluta diversidade poética. Rimbaud, em seu *Bateau ivre*, tem a tormenta como benigna, abençoadora de sua aventura aloucada: "La tempête a béni mes éveils maritimes./ Plus léger qu'un bouchon j'ai dansé sur les flots/ Qu'on appelle rouleurs éternels de victimes,/ Dix nuits, sans regretter l'œil niais des falots!" Arthur Rimbaud, "Le bateau ivre", em *Poesia completa* (ed. bilíngüe, trad. Ivo Barroso; Rio de Janeiro, Topbooks, 1995), p. 202-8. La Rochefoucauld, embebido das discussões agostinianas, filtradas pelo jansenismo, forjou imagem mais clara, mas não menos eloqüente, deste "flux et reflux des vagues" sobre o qual se desenha a atuação do amor-próprio. Lembre-se, contudo, a *Réflexion* "De l'amour et de la mer", em que o mesmo lugar comum pode significar o temor diante da tormenta, mas também, por outro lado, a calmaria aborrida dos amores declinantes. Cf. La Rochefoucauld, *Maximes* (éd. Truchet), op. cit., p. 197-8.

[103] Sobre a referida passagem do *Siècle de Louis XIV*, cf. Corrado Rosso, *Procès à La Rochefoucauld et à la maxime*, op. cit., p. 21-2. A passagem de Suard, parcialmente transcrita por Cairu, é a seguinte: "On a accusé M. de la Rochefoucauld de calomnier la nature humaine: le cardinal de Retz lui-même lui reproche de ne pas croire assez à la vertu. Cette imputation peut avoir quelque fondement; mais il nous semble qu'on l'a poussé trop loin. M. de la Rochefoucauld a peint les hommes comme il les a vus. C'est dans les temps de faction et d'intrigues politiques qu'on a plus d'occasion de connaître les hommes, et plus de motifs pour les observer; c'est dans ce jeu continuel de toutes les passions humaines que les caractères se développent, que l'hypocrisie se trahit, que l'intérêt personnel se mêle à tout, gouverne et corrompt tout." Cf. *Maximes et réflexions morales du duc de la Rochefoucauld. Nouvelle édition*, 1825, op. cit., p. 11-2.

[104] *Maximes et réflexions morales du duc de la Rochefoucauld. Nouvelle édition*, 1825, op. cit., p. 12-3.

[105] Joaquim Maria Machado de Assis, "Crítica", [36], *Obra completa*, op. cit., v. 3, p. 939.

[106] José da Silva Lisboa, *Constituição moral, e deveres do cidadão...*, op. cit., "Appendice", p. 19.

[107] Ibidem, "Appendice", p. 20-1.

[108] Cf. Thomas Hobbes, *De cive* [1651] (Mc Master University Archive for the History of Economic Thought, disponível em <http://www.socsci.mcmaster.ca/econ/ugcm/3ll3/hobbes/index.html>). Renato Janine Ribeiro observa que "Hobbes tem fama tão ruim que desta imagem [o homem para o homem é um lobo] sempre se repete a primeira parte e se omite a segunda [o homem para o homem é uma espécie de Deus]." Cf. Renato Janine Ribeiro, *Ao leitor sem medo...*, op. cit., p. 48.

[109] Cf. Blaise Pascal, "Pensées" (éd. Philippe Sellier), 154, em Jean Lafond (Dir.), *Moralistes du XVIIᵉ siècle*, op. cit., p. 353.

[110] Seria preciso matizar, em todo o caso, essa universalidade da pregação paulina, lembrando o apagamento das origens judaicas e a helenização do cristianismo, notadamente após a queda de Jerusalém, em 70 d. C., esta "vitória póstuma" de Paulo, segundo a imagem de Daniélou. Assim a significação da discussão de Antioquia, em torno da circuncisão (Gál., 2). Pela força dos textos gregos de Paulo, a planta do cristianismo lavrava para muito além do mundo judeu. Leia-se Jean

• 293 •

UM MORALISTA NOS TRÓPICOS

Daniélou, "Des origines à la fin du troisième siècle", em *Nouvelle Histoire de l'Église*, op. cit., passim.

[111] José da Silva Lisboa, *Constituição moral, e deveres do cidadão*..., op. cit., "Appendice", p. 30.

[112] Ibidem, "Appendice", p. 34-5.

[113] Cairu foi membro da Assembléia Geral Constituinte de 1823, mas escreveria a sua *Constituição moral, e deveres do cidadão* com base na "Constituição do Imperio", isto é, a Constituição outorgada de 1824, "duplicadamente mais liberal" que o projeto elaborado pela extinta Assembléia, a acreditar-se no decreto imperial de 12 de novembro de 1823. A nova Constituição, "em nome da Santíssima Trindade", rezava, em seu artigo quinto, que "a religião católica apostólica romana continuará a ser a religião do Império. Todas as outras religiões serão permitidas com seu culto doméstico ou particular, em casas para isso destinadas, sem forma alguma exterior de templo". Cf. *Constituições do Brasil* (Rio de Janeiro, Aurora, s. d.), p. 75, 119 (Coleção Lex, n. 34).

[114] José da Silva Lisboa, *Constituição moral, e deveres do cidadão*..., op. cit., "Appendice", p. 29.

[115] Sade, *La philosophie dans le boudoir* (Paris, Bookking International, 1994), p. 36.

[116] José da Silva Lisboa, *Constituição moral, e deveres do cidadão*..., op. cit., "Appendice", p. 40.

[117] Cf. Jean Daniélou, "Des origines à la fin du troisième siècle", em *Nouvelle Histoire de l'Église*, op. cit., p. 159. De Philippe Sellier, sobre este que seria o mais tardio dos textos do Novo Testamento, leia-se a introdução à segunda Epístola de Pedro, na Bíblia de Sacy. Cf. *La Bible* (trad. Louis-Isaac Lemaître de Sacy), op. cit., p. 1585.

[118] Lembro-me da imagem dos avaros e dos pródigos que Dante encontrou no quarto círculo do Inferno, gritando, uns aos outros: "Perché tieni?", "Perché burli?". Cf. Dante Alighieri, *A divina comédia* (ed. bilíngüe, trad. Italo Eugenio Mauro; São Paulo, Editora 34, 2000), p. 62 (Inf, VII, 30).

[119] Lembre-se, em todo o caso, a análise de Jean Lafond sobre a moral aristocrática e o agostinismo da obra de La Rochefoucauld, distinguindo os sinais de um discurso dúplice, que se atém, a um só tempo, a uma ética propriamente aristocrática e a uma visão mais claramente cristã, a qual desvela o caráter sempre relativo da grandeza, que se pode encontrar, posto que raramente, no nobre ou na mais pobre pessoa, como a viúva do Evangelho que deixa sua esmola ao templo. Cf. Jean Lafond, "Morale aristocratique et augustinisme dans l'œuvre de La Rochefoucauld", em *L'homme et son image*, 1998, op. cit., p. 91-100.

[120] Pierre Bourdieu escreveu algumas de suas últimas reflexões sob a égide de Pascal: ironia, apenas, ou escuta fina do texto pascalino? Afinal, a leitura de Pascal desperta a desconfiança radical diante das glórias humanas, e diante do poder simbólico que naturaliza o privilégio. No plano literário, dá-se a denúncia vigorosa da "segunda natureza"; no plano sociológico, é preciso deslindar, com detalhe, a máquina que mascara a exclusão social, tornando-a obra da natureza. Mas o motor destas preocupações de ordem sociológica deve ser, ainda, esta que é uma das mais agudas compreensões do funcionamento do poder simbólico, oriunda, significativamente, do meio de Port-Royal. Leia-se Pierre Bourdieu, "Introduction", em *Méditations pascaliennes* (Paris, Seuil, 1997), p. 9-17. Tal visada negativa, a partir da qual se torna difícil colher uma promessa civilizacional, não impede que a

· 294 ·

SOBRE AS RUÍNAS DO CAPITÓLIO

crítica possa detectar, nas máximas, o horizonte da civilização. Todorov, em seu já citado texto sobre La Rochefoucauld, percorre, na direção contrária, o caminho que venho tentando trilhar, na compreensão do moralista. Cf. Tzvetan Todorov, "La comédie humaine selon La Rochefoucauld", op. cit., p. 44. Cf. também Bernard Tocanne, *L'idée de nature en France dans la seconde moitié du XVIIe siècle: contribution à l'histoire de la pensée classique* (Paris, Klincksieck, 1978), p. 167-8.

[121] Cf. Philippe Sellier, "Introduction", "Pensées", em *Moralistes du XVIIe siècle*, op. cit, p. 300. Leia-se também Blaise Pascal, [XLV] 680 (éd. Philippe Sellier), em *Moralistes du XVIIe siècle*, op. cit, p. 514-8.

[122] Quanto ao movimento irresistível das paixões, é mister perceber sua ordem fisiológica, o que faz com que um crítico contemporâneo se pergunte se a "moral" cartesiana não seria, no fundo, uma "application de la médecine à celles de nos affections qui obsèdent tellement notre esprit qu'elles suspendent à son insu jusqu'à l'exercice de sa liberté, ou qui suscitent en lui des émotions qu'il n'est pas plus capable de maîtriser que d'empêcher". Cf. Nicolas Grimaldi, "Introduction", em René Descartes, *La morale: textes choisis par Nicolas Grimaldi* (Paris, Vrin, 1992), p. 11-2. É preciso lembrar, porém, o sentido clássico de uma pesquisa da "anatomia" humana, como busca antropológica, ou moral, disto a que, no vocabulário utilizado no círculo de La Rochefoucauld, se chamaria os *replis du cœur*. Sondando a arte anatômica desde a Renascença, Louis van Delft nota que a "anatomia", em sentido moral, seria utilizada já por Gracián, no Criticón, e também por Mlle. de Scudéry, no belo trecho em que se refere à poesia de Safo de Lesbos: "Elle exprime même si délicatement les sentiments les plus difficiles à exprimer et elle sait si bien faire l'anatomie d'un cœur amoureux, s'il est permis de parler ainsi, qu'elle en sait décrire exactement toutes les jalousies, toutes les impatiences, toutes les joies, tous les dégoûts, tous les murmures, tous les désespoirs, toutes les espérances, toutes les révoltes et tous ces sentiments tumultueux qui ne sont jamais bien connus que de ceux qui les sentent ou qui les ont sentis." Cf. Louis van Delft, *Littérature et anthropologie...*, op. cit., p. 217. Leia-se, ainda, idem, "La Rochefoucauld et l' 'anatomie de tous les replis du cœur'", *Littératures classiques*, n. 35, 1999, p. 37-62.

[123] La Rochefoucauld, "Correspondance", em *Œuvres complètes*, op. cit, p. 622.

[124] Cf. "Correspondance", em *Œuvres complètes*, op. cit., p. 607-8. As trufas e também algumas cenouras aparecem numa outra (já citada) carta recheada de máximas, enviada por La Rochefoucauld a madame de Sablé. Cf. ibidem, p. 621.

[125] José da Silva Lisboa, *Constituição moral, e deveres do cidadão...*, op. cit., "Appendice", p. 14.

[126] Realinho aqui argumentos anteriormente desenvolvidos em Pedro Meira Monteiro, *Un moraliste sous les tropiques: la présence de La Rochefoucauld dans la* Constituição moral, e deveres do cidadão (1824/1825) de José da Silva Lisboa (mémoire de D.E.A., dirigé par Emmanuel Bury; Université de Versailles Saint-Quentin-en-Yvelines, 2000).

[127] Cf. Aristote, *La physique* (trad. Annick Stevens; Paris, Vrin, 1999), II, 193a1-193b1, p. 98-100. Sobre as noções de "natureza", na segunda metade do século XVII, na França, consulte-se Bernard Tocanne, *L'idée de nature en France dans la seconde moitié du XVIIe siècle...*, op. cit.

• 295 •

UM MORALISTA NOS TRÓPICOS

[128] Se o Estagirita pode nos ajudar a compreender o movimento da *natureza* para um autor como La Rochefoucauld, é preciso precaver-nos em relação ao aspecto ético subjacente a este desenrolar das ações em direção a seus fins "naturais". Assim, a política como uma espécie de ciência arquitetônica, a partir da qual se possam classificar as ações dos cidadãos em razão de seus lugares "naturais" na Cidade, será muito mais uma idéia do moralista brasileiro. Valeria a pena, seguramente, sondar o papel desempenhado pela formação conimbricense de José da Silva Lisboa em suas concepções políticas. Embora tenha se formado após as reformas pombalinas, é difícil crer que o legado tomista dos jesuítas não tenha marcado em algo sua imaginação, afinal as mudanças de currículo não costumam ser eficientes no pretendido apagamento da tradição. Fique aqui a sugestão de uma pesquisa.

[129] Cf. Guillaume du Vair, "La Philosophie morale des Stoïques", op. cit., p. 64.

[130] A "Lei Natural" é a base da "Moral Universal", desde que assistida pela Luz da Revelação. Cf. José da Silva Lisboa, *Constituição moral, e deveres do cidadão...*, op. cit., parte I, p. 21. Lembre-se, ainda, a já referida passagem do catecismo, em que Cairu nota a importância de Aristóteles, até que Bacon despontasse no horizonte do pensamento ocidental. Curioso que o elogio do *Novum Organum* se faça acompanhar de uma espécie de ratificação do tomismo, como se o novo mundo da empiria científica devesse, necessariamente, fazer par à ética aristotélica, reforçada pela sabedoria medieval. Cf. ibidem, parte I, p. 13.

[131] Cf. La Rochefoucauld, *Máximas e Reflexões* (trad. Leda Tenório da Motta), op. cit., p. 80.

[132] Para um quadro da "pré-história" da Economia Política, leia-se Ana Maria Bianchi, *A pré-história da Economia: de Maquiavel a Adam Smith* (São Paulo, Hucitec, 1988).

[133] Lembre-se da figura de Mazarino como um fantasma de Richelieu, na abertura do romance de Dumas. Cf. Alexandre Dumas, *Vingt ans après*, op. cit. Imagem inspirada, porventura, no contraste já armado por Retz, em suas memórias, embora, nelas, a imagem de Richelieu não seja glorificada. Cf. Cardinal de Retz (Paul de Gondi), *Mémoires*, t. 1, 1613-1648 (éd. A. Feillet), INaLF (reproduction de l'édition de Paris, Hachette, 1870, Grands écrivains de la France), p. 281-6 (Gallica).

[134] José da Silva Lisboa, *Constituição moral, e deveres do cidadão...*, op. cit., parte I, p. 30-1.

[135] Ibidem, parte I, p. 35-6.

[136] Particularmente interessante, assim, será verificar o paralelo que constrói Wilson Martins, entre as reflexões de José da Silva Lisboa, nos seus *Estudos do Bem Comum*, e a publicação, também em 1819, de uma tradução, "verso por verso", do *Ensaio sobre o Homem*, de Pope, da lavra de Francisco Bento Maria Targini, barão de São Lourenço. Cf. Wilson Martins, *História da inteligência brasileira*, op. cit., v. II, p. 87-90. Lembre-se que versos de Pope apareceram já n'*O Patriota*.

[137] José da Silva Lisboa, *Constituição moral, e deveres do cidadão...*, op. cit., parte II, p. 153-4.

[138] Ibidem, parte II, p. 155-6.

[139] Ibidem, parte II, p. 159-60.

[140] Ibidem, parte III, p. 47.

[141] Ibidem. Para um levantamento das traduções européias das máximas de La Rochefoucauld, até 1883, cf. *Traductions en Langues Étrangères des Réflexions ou Sentences et Maximes Morales de La Rochefoucauld. Essai bibliographique*. Par le Marquis

SOBRE AS RUÍNAS DO CAPITÓLIO

de Granges de Surgères. Membre du Conseil de la Société des Bibliophiles bretons et de l'Histoire de Bretagne; Membre de la Société des Antiquaires de l'Ouest, de la Société des Archives historiques du Poitou [...] (A Paris, Chez Léon Techener, Libraire de la Société des Bibliophiles François, 52, Rue de l'Arbre-Sec, au premier, 52, 1883). Se suficiente o levantamento do marquês, será então correto imaginar que a primeira tradução das máximas de La Rochefoucauld para o português tenha sido mesmo a de Cairu, entretanto desconhecida do bibliófilo bretão.

[142] José da Silva Lisboa, *Constituição moral, e deveres do cidadão...*, op. cit., parte II, p. 49.

Retrato de José da Silva Lisboa, visconde de Cairu. Litografia de Sisson. *Galeria dos brasileiros ilustres (os contemporâneos)*. Rio de Janeiro, S. A. Sisson Editor, 1861.

François VI de La Rochefoucauld. Gravure de Moncornet. B. N. Estampes.

Frontispício de *La fausseté des vertus humaines*, de Jacques Esprit, 1678.
Bibliothèque Nationale, Paris.
(A recusa de Sêneca mascarado, e a orientação de *Veritas*.)

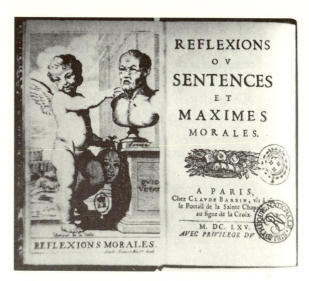

Frontispício e página inicial das *Réflexions ou sentences et maximes morales*, de La Rochefoucauld, 1665. B. N. Imprimés. (Sêneca desmascarado, por *"L'Amour de la Verite"*.)

Última página e início da tábua de matérias
da primeira edição autorizada das *Réflexions
ou sentences et maximes morales*.

CONSTITUIÇÃO MORAL,

E

DEVERES DO CIDADÃO.

COM EXPOSIÇÃO

DA

MORAL PUBLICA

CONFORME O ESPIRITO

DA CONSTITUIÇÃO DO IMPERIO.

PARTE I.

POR

JOSÉ DA SILVA LISBOA.

Nemo illic vitia ridet, nec corrumpere et corrumpi sæculum vocatur: plus que ibi boni mores valent, quàm alibi bonæ leges.
Tacit. de Morib. Germ. Cap. XIX.

RIO DE JANEIRO.

NA TYPOGRAPHIA NACIONAL. 1824.

Folha de rosto do primeiro volume da *Constituição moral, e deveres do cidadão*, José da Silva Lisboa, 1824.

SUPPLEMENTO
Á
CONSTITUIÇÃO MORAL,

CONTENDO A EXPOSIÇÃO

DAS

PRINCIPAES VIRTUDES E PAIXÕES;

E

APPENDICE

DAS

MAXIMAS DE LA ROCHEFOUCALD,

E

DOUTRINAS DO CHRISTIANISMO.

POR

JOSÉ DA SILVA LISBOA.

RIO DE JANEIRO.
NA TYPOGRAFIA NACIONAL. 1825.

Folha de rosto do *Supplemento á Constituição moral*, de José da Silva Lisboa, 1825.

9

Educação.

A educação que se dá de ordinario aos jovens, he hum segundo amor-proprio que se lhe inspira.

Generosidade.

O que parece generosidade, não he muitas vezes senão huma ambição disfarcada, que despreza pequenos interesses para ir aos maiores.

Gloria.

A gloria dos homens se deve sempre medir pelos meios de que se servirão para adquirilla. Elevamos a gloria de huns para abaixar a de outros.

Humildade.

A humildade he a verdadeira prova das virtudes christãas : sem ella, conservariamos todos os nossos defeitos, os quaes só são encubertos pelo orgulho que os occulta aos outros homens, e ás vezes á nós mesmos.

A humildade não he muitas vezes senão huma submissão fingida de que os homens se servem para submetter os outros ; he hum artificio de orgulho, que se abaixa para se elevar ; e posto se transforme em mil maneiras, jámais se disfarca melhor, e he mais capaz de enganar, do que quando se occulta debaixo da figura da humanidade.

Hypocrisia.

Em todas as profissões cada qual affecta hum semblante e hum exterior especial, a fim de parecer o que elle quer que se creia. Assim pode-se dizer, que o mundo não he composto se não de farças.

Ha nas afflicções diversas sortes de hypocrisia : sob pretexto de chorar a perda de huma pessoa que nos he cara, não choramos senão a nós mesmos : nisso choramos a diminuição de nosso bem, de nosso prazer, de nossa conservação. Assim os mortos tem a honra das lagrimas que não correm senão para os vivos. Digo que

2

Página do *Appendice á Constituição moral*, de José da Silva Lisboa, 1825, contendo máximas de La Rochefoucauld.

Charles le Brun, *Expressions des passions de l'âme*.
(Admiração, Tristeza, Cólera, Desejo).

Bibliografia

1. EDIÇÕES DE LA ROCHEFOUCAULD CONSULTADAS

[1665] *Réflexions ou Sentences et Maximes Morales*. A Paris, Chez Claude Barbin, vis à vis le Portail de la Sainte Chapelle, au signe de la Croix, 1665.

[1693] *Réflexions ou Sentences morales. Sixième édition augmentée*. A Paris, Chez Claude Barbin et Mabre Cramoisy, 1693.

[1705] *Réflexions ou Sentences et Maximes Morales de Monsieur de la Rochefoucault. Maximes de Madame la Marquise de Sablé. Pensées Diverses de M.L.D. Et les Maximes Chrétiennes de M.****. A Amsterdam, Chez Pierre Mortier, Libraire, 1705.

[1714, Amelot de la Houssaye] *Réflexions, Sentences, et Maximes Morales, Mises en nouvel ordre, avec des Notes Politiques, & Historiques. Par M. Amelot de la Houssaye*. A Paris, Chez Etienne Ganeau, rue Saint Jacques, vis-à-vis la Fontaine S. Severin, aux Armes de Dombes, 1714.

[1725, Amelot de la Houssaye] *Réflexions Sentences et Maximes Morales. Mises en nouvel Ordre, avec des Notes Politiques & Historiques. Par M. Amelot de la Houssaye. Nouvelle Edition corrigée & augmentée de Maximes chretiennes*. A Paris, Chez Etienne Ganeau, rue Saint Jacques, vis-à-vis la Fontaine St. Severin aux Armes de Dombes, 1725.

[1737, La Roche] *Les Pensées, Maximes, et Réflexions Morales de M. le Duc***. Onziéme Edition, Augmentée de Remarques Critiques, Morales & Historiques, sur chacune des Réfléxions. Par M. l'Abbé de la Roche*. A Paris, Chez Etienne Ganeau Pere, ruë Saint-Jacques, aux Armes de Dombes, 1737.

[1754, La Roche] *Les Pensées, Maximes et Réflexions Morales de M. le Duc*** Nouvelle Edition. Augmentée de Remarques Critiques, Morales & Historiques, sur chacune des Réfléxions. Par M. l'Abbé de La Roche*. A Paris, Chez Ganeau, rue Saint Severin. Bauche, Quai des Augustins. D'Houry Fils, rue Vieille Bouclerie, 1754.

[1772, Manzon] *Réflexions et Maximes Morales de M. le Duc de La Rochefoucault. Nouvelle Edition plus correcte qu'aucune de celles qui ont paru jusqu'ici. Avec des commentaires par M. Manzon*. À Amsterdam, Et se trouve à Cleves, J. G. Baerstecher, Libr., 1772.

[1777, Amelot de la Houssaye, La Roche] *Les Pensées, Maximes et Réflexions Morales de François VI, Duc de la Rochefoucauld. Avec des Remarques & Notes Critiques,*

· 307 ·

UM MORALISTA NOS TRÓPICOS

Morales, Politiques & Historiques sur chacune de ces Pensées, par Amelot de la Houssaye & l'Abbé de la Roche, & des Maximes Chrétiennes par Madame de la Sablière. A Paris, Chez Veuve de Saint, Libraire, rue du Foin – Saint-Jacques, 1777.

[1777, Amelot de la Houssaye, La Roche] *Les Pensées, Maximes et Réflexions Morales de François VI, Duc de la Rochefoucauld. Avec des Remarques & Notes Critiques, Morales, Politiques & Historiques sur chacune de ces Pensées, par Amelot de la Houssaye & l'Abbé de la Roche, & des Maximes Chrétiennes par Madame de la Sablière.* A Paris, Chez Bailly, Libraire, Quai des Augustins, 1777.

[1778, Suard] *Maximes et Réflexions Morales du Duc de La Rochefoucauld.* A Paris, de l'Imprimerie Royale, 1778.

[1789, Brotier] *Réflexions ou Sentences, et Maximes Morales de M. le Duc de la Rochefoucault: Avec des Observations de Mr. l'Abbé Brotier, de l'Académie des Inscriptions & Belles-Lettres.* A Paris, Chez J. G. Mérigot, Libraire, quai des Augustins, au coin de la rue Pavée, 1789.

[1790, Brotier] *Réflexions ou Sentences et Maximes Morales de M. le Duc de La Rochefoucault. Avec des Observations de Mr. l'Abbé Brotier, de l'Académie des Inscriptions et Belles-Lettres.* A Bruxelles, aux dépens de la Société typographique, Olivier Le May et compagnie, 1790.

[1794, Delisle de Sales] *Maximes de La Rochefoucauld, Nouvelle Édition augmentée de Vies et de Notices.* Tomes I et II. A Paris, L'an III. de la République (1794).

[1796, Fortia d'Urban] *Maximes et Œuvres Complètes de François, Duc de La Rochefoucault, Terminées par une Table alphabétique des Matières, plus ample et plus commode que celles des Éditions précédentes.* De L'Imprimerie de Delance. A Paris, Chez Desenne, Libraire, au Palais-Égalité, n.ᵐ 1 et 2; Delance, Imprimeur, rue de la Harpe, n.ᵘ 133. L'An Quatrième de la République, 1796.

[1796, Fortia d'Urban] *Principes et Questions de Morale Naturelle. Seconde Édition, Destinée a servir de supplément et de correctif aux Œuvres morales de la Rochefoucauld.* De L'Imprimerie de Delance. A Paris, Chez Desenne, Libraire, au Palais-Égalité, nᵘˢ 1 et 2; Delance, Imprimeur, rue de la Harpe, nᵘ 133. L'An Quatrième de la République, 1796.

[1825, Suard] *Maximes et réflexions morales du duc de la Rochefoucauld. Nouvelle édition.* A Paris, Chez Peytieux, Passage Delorne. A Lyon, Chez Chambert ainé et Cⁱᵉ, Libraires, Éditeurs des Tablettes Lyonnaises, Quai des Célestins, Nᵒ 2, 1825.

[1825, Suard] *Oeuvres complètes de La Rochefoucauld, avec notes et variantes, précédées d'une notice biographique et littéraire.* A Paris, Chez Ponthieu, Libraire, Palais-Royal, 1825.

[1964, La Pléiade] *Œuvres complètes.* Éd. L. Martin-Chauffier revue et augmentée par Jean Marchand. Paris, Gallimard, 1980. (Bibliothèque de la Pléiade).

[1967, Truchet] *Maximes.* Éd. Jacques Truchet. Paris, Bordas, 1992. (Classiques Garnier).

[1994, Leda Tenório da Motta] *Máximas e Reflexões.* Trad. Leda Tenório da Motta. Rio de Janeiro, Imago, 1994.

BIBLIOGRAFIA

2. BIBLIOGRAFIA GERAL

AGOSTINHO (santo, bispo de Hipona). *Les Confessions.* Trad. Patrice Cambronne. In: *Œuvres, I.* Éd. Lucien Jerphagnon. Paris, Gallimard, 1998. (Bibliothèque de la Pléiade).

_____. *Les Confessions.* Trad. Arnauld d'Andilly. Paris, Gallimard, 1993.

_____. *Confessões.* Ed. J. O'Donnell. Disponível em <http://www.stoa. org/hippo>.

AGOSTINHO *Confissões.* Trad. J. Oliveira Santos, S.J., A. Ambrósio de Pina, S.J. In: *Santo Agostinho.* São Paulo, Abril, 1973. (Os Pensadores, v. VI).

AIEX, Anoar. Estudo introdutório. In: LISBOA, José da Silva. *Constituição moral, e deveres do cidadão, com exposição da Moral Pública conforme o espírito da Constituição do Império.* João Pessoa, Editora Universitária/UFPB, 1998. p. VII-L.

ALENCAR, José de. *Obras completas.* Rio de Janeiro, José Aguilar, 1960. v. IV.

ALGRANTI, Leila Mezan. Censura e comércio de livros no período de permanência da corte portuguesa no Rio de Janeiro (1808-1821). *Revista Portuguesa de História,* Faculdade de Letras/Universidade de Coimbra, XXXIII, p. 631-63, 1999.

ALIGHIERI, Dante. *A divina comédia.* ed. bilíngüe. Trad. Italo Eugenio Mauro. São Paulo, Editora 34, 2000.

ANDRADE, Rachel Gazolla de. *O ofício do filósofo:* um estudo sobre o estoicismo antigo. São Paulo, 1983. Dissertação (Mestrado em Filosofia) – Departamento de Filosofia, Faculdade de Filosofia, Letras e Ciências Humanas, Universidade de São Paulo.

ARISTÓTELES. *Éthique à Nicomaque.* Trad. et notes J. Tricot. Paris, Vrin, 1997.

_____. *La physique.* Trad. Annick Stevens. Paris, Vrin, 1999.

_____. *Rhétorique.* Trad. Médéric Dufour. Paris, Gallimard, 1998.

ARNAULD, Antoine; NICOLE, Pierre. *La logique ou l'art de penser, contenant, outre les régles communes, plusieurs observations nouvelles, propres à former le jugement.* Éd. Pierrè Clair, François Girbal. Paris, Vrin, 1993.

ASSIS, Joaquim Maria Machado de. *Obra completa.* Org. Afrânio Coutinho. Rio de Janeiro, Nova Aguilar, 1997. 3 v.

AUGUSTI, Valéria. *O romance como guia de conduta: A moreninha e Os dois amores.* Campinas, 1998. Dissertação (Mestrado) – Instituto de Estudos da Linguagem, Universidade de Campinas.

BALTRUSAITIS, Jurgis. Aberrações – ensaio sobre a lenda das formas. "Fisiognomonia animal". Trad. Luiz Dantas. *Revista de História da Arte e Arqueologia,* Campinas, Centro de Pesquisa em História da Arte e Arqueologia, IFCH/Unicamp, n. 2, p. 331-53, 1995/1996.

BARATA, Alexandre Mansur. *Luzes e sombras:* a ação da maçonaria brasileira (1870-1910). Campinas, Editora da Unicamp/Centro de Memória-Unicamp, 1999.

BARTHES, Roland. *Le degré zéro de l'écriture suivi de Nouveaux essais critiques.* Paris, Seuil, 1972.

BEAUJOT, Jean-Pierre. Le travail de la définition dans quelques maximes de La Rochefoucauld. In: LAFOND, Jean (Éd.). *Les formes brèves de la prose et le discours discontinu (XVIᵉ et XVIIᵉ siècles).* Paris, Vrin, 1984. p. 95-9.

BÉNICHOU, Paul. L'intention des *Maximes.* In: *L'écrivain et ses travaux.* Paris, José Corti, 1993. p. 3-37.

• 309 •

UM MORALISTA NOS TRÓPICOS

BÉNICHOU, Paul. *Morales du grand siècle*. Paris, Gallimard, 1996.

BERGERAC, Cyrano de. Les États et Empires du Soleil. In: *Libertins du XVIIe siècle*. Éd. Jacques Prévot. Paris, Gallimard, 1998. (Bibliothèque de la Pléiade).

BIANCHI, Ana Maria. *A pré-história da Economia*: de Maquiavel a Adam Smith. São Paulo, Hucitec, 1988.

LA BIBLE. Trad. Louis-Isaac Lemaître de Sacy. Paris, Robert Laffont, 1999. (Bouquins).

BÍBLIA SAGRADA. Trad. Pe. Matos Soares. São Paulo, Edições Paulinas, 1989.

BIBLIORUM SACRORUM. Nova Editio. Ed. Aloisius Gramatica. Vaticanus, Typis Polyglottis Vaticanis, 1951.

BLUTEAU, Raphael. *Vocabulario Portuguez, & Latino*. Lisboa, Off. Pascoal da Sylva, 1716.

BOSI, Alfredo. *Dialética da colonização*. São Paulo, Companhia das Letras, 1992.

_____. *Machado de Assis*: o enigma do olhar. São Paulo, Ática, 1999.

BOURDIEU, Pierre. *Méditations pascaliennes*. Paris, Seuil, 1997.

BUFFON. Histoire naturelle. In: *Œuvres complètes*. Paris, Imprimerie et Librairie Générale de France, s. d. t. III.

BURKE, Edmund. Reflections on the Revolution in France, and on the proceedings in certain societies in London relative to that event: in a Letter intended to have been sent to a gentleman in Paris. In: *The Works*. Hildesheim/New York, Georg Olms Verlag, 1975. v. III-IV. (Anglistica & Americana).

BURY, Emmanuel. L'écriture à l'épreuve de la pensée: essais, maximes et aphorismes à l'âge baroque. *Littératures Classiques*, n. 36, p. 307-25, 1999.

_____. Humanisme et anti-humanisme dans les morales du grand siècle. In: DAGEN, Jean (Org.). *La morale des moralistes*. Paris, Honoré Champion, 1999.

_____. *Littérature et politesse*: l'invention de l'honnête homme (1580-1750). Paris, Presses Universitaires de France, 1996.

CABRAL, Alfredo do Valle. Vida e Escriptos de José da Silva Lisboa, visconde de Cayrú. In: *Cairú*. Rio de Janeiro, Arquivo Nacional, 1958. p. 15-71.

CARVALHO, Darcy. *Desenvolvimento e livre comércio, as idéias econômicas e sociais do visconde de Cairu*: um estudo da história do pensamento econômico brasileiro. São Paulo, Instituto de Pesquisas Econômicas/USP, 1985.

CASTELLO, José Aderaldo. O movimento academicista. In: COUTINHO, Afrânio (Org.). *A literatura no Brasil*. Rio de Janeiro, Editorial Sul Americana, 1956. v. I, t. 1.

_____. (Org.). *O movimento academicista no Brasil*: 1641-1820/22. São Paulo, Conselho Estadual de Cultura, 1969. v. II, t. I.

CÍCERO. Tusculanes. In: *Les stoïciens*. Trad. Émile Bréhier. Paris, Gallimard, 1997.

_____. *Tusculan disputations*. Cambridge, Harvard University Press, 1989.

CIORANESCU, Alexandre. *Bibliographie de la littérature française du dix-septième siècle*. Paris, Éditions du CNRS, 1965.

CLÉMENT, Jean. Du texte à l'hypertexte: vers une épistémologie de la discursivité hypertextuelle. Disponível em <http://hypermedia.univ- paris8.fr/>.

COMTE, Auguste. Curso de filosofia positiva, primeira lição. Trad. José Arthur Giannotti. In: *Comte, Durkheim*. São Paulo, Abril, 1973. (Os Pensadores, v. XXXIII).

CONSTITUIÇÕES do Brasil. Rio de Janeiro, Aurora, s. d. (Coleção Lex, n. 34).

• 310 •

BIBLIOGRAFIA

COURCELLES, Dominique de. *Le sang de Port-Royal*. Paris, L'Herne, 1994.

DAHRENDORF, Ralf. *Homo sociologicus*: ensaio sobre a história, o significado e a crítica da categoria de papel social. Trad. Manfredo Berger. Rio de Janeiro, Tempo Social, 1969.

DANIÉLOU, Jean. Des origines à la fin du troisième siècle. In: ROGIER, L.-J.; AUBERT, R.; KNOWLES, M. D. (Dir.). *Nouvelle Histoire de l'Église*. Paris, Seuil, 1963. v. 1.

DARMON, Jean-Charles. *Philosophie épicurienne et littérature au XVIIe siècle*. Paris, Presses Universitaires de France, 1998.

DELFT, Louis van. La Rochefoucauld et l' "anatomie de tous les replis du cœur". *Littératures classiques*, n. 35, p. 37-62, 1999.

____. *Littérature et anthropologie*: nature humaine et caractère à l'âge classique. Paris, Presses Universitaires de France, 1993.

DENIS, Ferdinand. Resumo da história literária do Brasil. Trad. Guilhermino Cesar. In: CESAR, Guilhermino (Org.). *Historiadores e críticos do romantismo*. Rio de Janeiro/São Paulo, Livros Técnicos e Científicos/ Edusp, 1978.

DEPRUN, Jean. La réception des *Maximes* dans la France des Lumières. In: LAFOND, Jean; MESNARD, Jean (Org.). *Images de La Rochefoucauld*: actes du tricentenaire (1680-1980). Paris, Presses Universitaires de France, 1984. p. 39-46.

DESCARTES, René. *Discours de la méthode*. Paris, Bookking International, 1996.

____. *La morale*: textes choisis par Nicolas Grimaldi. Paris, Vrin, 1992.

DICTIONNAIRE des lettres françaises: le XVIIIe siècle. Dir. Cardinal Georges Grente, revu et mis à jour sous la direction de François Moureau. Paris, Fayard, 1995.

DOUBROVSKY, Serge. Vingt propositions sur l'amour-propre: de Lacan à La Rochefoucauld. In: ____. *Parcours critique*. Paris, Galilée, 1980. p. 203-34.

DU VAIR, Guillaume. *De la sainte Philosophie – Philosophie morale des stoïques*. Éd. G. Michaut. Paris, Vrin, 1946.

DUBOIS, Claude-Gilbert. *Le baroque en Europe et en France*. Paris, Presses Universitaires de France, 1995.

DUMAS, Alexandre. *Vingt ans après*. Éd. Charles Samaran. Numérisation BnF de l'édition de Paris, Bibliopolis, 1998-1999 (reprod. de l'éd. de Paris, Bordas, 1981 [Classiques Garnier]). Disponível em <http://gallica.bnf.fr/>.

D'URBAN, Fortia. *Principes et Questions de Morale Naturelle. Seconde Édition, Destinée à servir de supplément et de correctif aux Œuvres morales de la Rochefoucault*. De l'Imprimerie de Delance. A Paris, Chez Desenne, Libraire, au Palais-Égalité, n.ºs 1 et 2; Delance, Imprimeur, rue de la Harpe, n.º 133. L'An Quatrième de la République. 1796.

DURKHEIM, Émile. *As regras do método sociológico*. Trad. Maria Isaura Pereira de Queiroz. São Paulo, Companhia Editora Nacional, 1987.

____. *O suicídio*. Trad. Luz Cary, Margarida Garrido, J. Vasconcelos Esteves. Lisboa, Editorial Presença, 1987.

DUTRA, José Soares. *Cairú*: precursor da economia moderna. Rio de Janeiro, Vecchi, 1943.

EÇA, Matias Aires da Silva de. *Reflexões sobre a vaidade dos homens ou Discursos Mo-*

UM MORALISTA NOS TRÓPICOS

rais sobre os efeitos da vaidade oferecidos a El-Rei Nosso Senhor D. José I. São Paulo, Martins Fontes, 1993.

EGAÑA, Juan. *Memorias políticas sobre federaciones y legislaturas en general* (1825). In: ROMERO, José Luis; ROMERO, Luis Alberto (Org.). *Pensamiento conservador* (1815-1898). Caracas, Biblioteca Ayacucho, 1978.

ELIAS, Norbert. *A sociedade de corte*. Trad. Ana Maria Alves. Lisboa, Editorial Estampa, 1987.

_____. *O processo civilizador*. Trad. Ruy Jungmann. Rio de Janeiro, Zahar, 1993. 2 v.

EPICURO. Antologia de textos. Trad. Agostinho da Silva. In: *Epicuro, Lucrécio, Cícero, Sêneca, Marco Aurélio*. São Paulo, Abril, 1973.

EPICTETO. Entretiens, I. In: *Les stoïciens*. Trad. Émile Bréhier. Paris, Gallimard, 1997.

ESPRIT, Jacques. *La fausseté des vertus humaines*. Paris, Aubier, 1996.

FENELON, Dea Ribeiro. *Cairu e Hamilton*: um estudo comparativo. Belo Horizonte, 1973. Tese (Doutorado) – Faculdade de Filosofia e Ciências Humanas, Universidade Federal de Minas Gerais.

FERNANDES, Heloísa Rodrigues. Um século à espera de regras. *Tempo Social*, São Paulo, USP, 8(1), p. 71-83, maio 1996.

FONTES, Joaquim Brasil. A corrupção da natureza. *Revista Entretextos Entresexos*, GEISH/Unicamp, n. 2, p. 9-53, out. 1998.

_____. *Eros, tecelão de mitos*: a poesia de Safo de Lesbos. São Paulo, Estação Liberdade, 1991.

FURTADO, Celso. *Formação econômica do Brasil*. São Paulo, Companhia Editora Nacional, 1995.

GAMA, José Basílio da. O Uraguay. In: *Obras poéticas de Basílio da Gama*: ensaio e edição crítica. Ed. Ivan Teixeira. São Paulo, Edusp, 1996.

GIBBON, Edward. *The decline and fall of the Roman empire*. New York, Bennett Cerf, Donald Klopfer (The Modern Library), s. d.

GIBERT, Bertrand. *Le baroque littéraire français*. Paris, Armand Colin, 1997.

GRACIÁN, Baltasar. *L'homme de cour*. Oráculo manual y arte de prudencia. Traduit de l'espagnol par Amelot de la Houssaie. Numérisation BnF de l'édition de Paris, G. Lebovici, 1990 (reprod. de l'éd. de Paris, Veuve Martin et J. Boudot, 1684). Disponível em <http://gallica.bnf.fr/>.

GRANGES DE SURGÈRES. *Traductions en Langues Étrangères des Réflexions ou Sentences et Maximes Morales de La Rochefoucauld. Essai bibliographique*. Par le Marquis de Granges de Surgères. A Paris, Chez Léon Techener, Libraire de la Société des Bibliophiles François. 52, Rue de l'Arbre-Sec, au premier, 52. 1883.

GRIMALDI, Nicolas. Introduction. In: DESCARTES, René. *La morale*: textes choisis par Nicolas Grimaldi. Paris, Vrin, 1992.

HEGEL, Georg W. Friedrich. Estética - a Idéia e o Ideal. In: *Hegel*. Trad. Orlando Vitorino. São Paulo, Abril, 1974. (Os Pensadores, v. XXX).

HELVÉTIUS, Claude-Adrien. Do espírito, Discurso I. Trad. Nelson Aguilar. In: *Condillac, Helvétius, Degerando*. São Paulo, Abril, 1973. (Os Pensadores, v. XXVII).

_____. *De l'esprit*. Numérisation BnF de l'édition de Paris, INaLF, 1961 (reprodução da edição de Paris, Durand, 1758). Disponível em <http://gallica.bnf.fr/>.

HEPP, Noémi. Idéalisme chevaleresque et réalisme politique dans les Mémoires

BIBLIOGRAFIA

de La Rochefoucauld. In: LAFOND, Jean; MESNARD, Jean (Org.). *Images de La Rochefoucauld*: actes du tricentenaire (1680-1980). Paris, Presses Universitaires de France, 1984. p. 125-40.

HIPPEAU, Louis. *Essai sur la morale de La Rochefoucauld*. Paris, A.-G. Nizet, 1978.

HOBBES, Thomas. *De cive*. (Mc Master University Archive for the History of Economic Thought. Disponível em <http://www.socsci.mcmaster.ca/econ/ugcm/3ll3/hobbes/index.html>.

HOLANDA, Sérgio Buarque de. A herança colonial – sua desagregação. In: *História geral da civilização brasileira*. Dir. Sérgio Buarque de Holanda. Rio de Janeiro, Bertrand Brasil, 1993. t. II, v. 1, p. 9-39.

_____. *Raízes do Brasil*. Brasília, Editora Universidade de Brasília, 1963.

_____. *Visão do paraíso*: os motivos edênicos no descobrimento e colonização do Brasil. São Paulo, Brasiliense, 1992.

HUTCHESON, Frances. *Remarks upon the Fable of the Bees*. 1750. (Versão digitalizada, McMaster University Archive for the History of Economic Thought, disponível em <http:// socserv2.socsci.mcmaster.ca/ %7Eecon/ ugcm/ 3ll3/>.

HUYSMANS, J.-K. *À rebours*. Poitiers, Fasquelle Editeurs, 1972.

KRUSE, Margot. La Rochefoucauld en Allemagne. Sa réception par Schopenhauer et Nietzsche. In: LAFOND, Jean; MESNARD, Jean (Org.). *Images de La Rochefoucauld*: actes du tricentenaire (1680-1980). Paris, Presses Universitaires de France, 1984.

LA FAYETTE (Mme. de). *La princesse de Clèves*. Paris, Garnier-Flammarion, 1966.

LA FONTAINE, Jean de. *Fables*. Éd. J.-P. Collinet. Paris, Gallimard, 1991.

LAÉRCIO, Diógenes. *Vies et doctrines des philosophes illustres*. Dir. Marie-Odile Goulet-Cazé. s. l., Le Livre de Poche, 1999. (La Pochothèque, Classiques Modernes).

LAFOND, Jean; MESNARD, Jean (Org.). *Images de La Rochefoucauld*: actes du tricentenaire (1680-1980). Paris, Presses Universitaires de France, 1984.

LAFOND, Jean (Dir.). *Moralistes du XVIIe siècle*. Paris, Robert Laffont, 1992. (Bouquins).

_____. De la morale à l'économie politique, ou de La Rochefoucauld et des moralistes jansénistes à Adam Smith par Malebranche et Mandeville. In: FORCE, Pierre; MORGAN, David (Org.). *De la morale à l'économie politique*: dialogue franco-américain sur les moralistes français. Actes du colloque de Columbia University, octobre 1994. Pau, Presses Universitaires de Pau, 1996.

_____. Des formes brèves aux XVIe et XVIIe siècles. In: *Les formes brèves de la prose et le discours discontinu (XVIe et XVIIe siècles)*. Paris, Vrin, 1984.

_____. *L'homme et son image*. Paris, Honoré Champion, 1998. (Collection Unichamp).

_____. *L'homme et son image*: morales et littérature de Montaigne à Mandeville. Paris, Honoré Champion, 1996.

_____. *La Rochefoucauld*: augustinisme et littérature. Paris, Klincksieck, 1986.

LE BON, Gustave. *Psicologia das multidões*. Rio de Janeiro, F. Briguiet & Cia. Editores, 1954.

LE BRUN, Charles. *Expressions des passions de l'âme*. Numérisation BnF de l'édition de Paris, Aux amateurs de livres, 1990. Disponível em <http://gallica.bnf.fr/>.

LERAT, Pierre. Le distinguo dans les *Maximes* de La Rochefoucauld. In: LAFOND,

· 313 ·

UM MORALISTA NOS TRÓPICOS

Jean (Éd.). *Les formes brèves de la prose et le discours discontinu (XVIe et XVIIe siècles)*. Paris, Vrin, 1984.

LIMA, Alceu Amoroso. *Época, vida e obra de Cairu.* In: LISBOA, José da Silva. *Princípios de economia política.* Rio de Janeiro, Pongetti, 1956.

LISBOA, Bento da Silva. *José da Silva Lisboa, visconde de Cayrú.* Memoria escripta por seu filho o conselheiro Bento da Silva Lisboa, e lida na sessão do Instituto Historico, em 24 de Agosto de 1839. *Revista do Instituto Historico e Geographico do Brazil*, t. I, n. 3, p. 238-46, 1839.

LISBOA, José da Silva (visconde de Cairu). Carta muito interessante do advogado da Bahia, José da Silva Lisboa, para o Dr. Domingos Vandelli, Director do Real Jardim Botanico de Lisboa, em que dá noticia desenvolvida sobre a Bahia, descrevendo-lhe a cidade, as ilhas e villas da Capitania, o clima, as fortificações, a defesa militar, as tropas da guarnição, o commercio e a agricultura, e especialmente a cultura da canna de assucar, tabaco, mandioca e algodão. Dá também as mais curiosas informações sobre a população, os usos e costumes, o luxo, a escravatura, a exportação, as construcções navaes, o commercio, a navegação para a Costa da Mina, etc. In: *Anais da Biblioteca Nacional*, v. XXXII, 1910, p. 494-506.

_____. *Constituição moral, e deveres do cidadão, com exposição da moral publica conforme o espirito da Constituição do Imperio.* Rio de Janeiro, Typographia Nacional, 1824-1825. 5 v.

_____. *Constituição moral, e deveres do cidadão, com exposição da Moral Pública conforme o espírito da Constituição do Império.* Ed. Anoar Aiex. João Pessoa, Editora Universitária/UFPB, 1998.

_____. *Da liberdade do trabalho.* In: *Visconde de Cairu.* Org. Antonio Penalves Rocha. São Paulo, Editora 34, 2001.

_____. *Ensaio Econômico sobre o Influxo da Inteligência Humana na Riqueza e Prosperidade das Nações.* In: *Estudos do Bem Comum e Economia Política.* Rio de Janeiro, IPEA/INPES, 1975.

_____. *Estudos do Bem-Commum e Economia Politica, ou Sciencia das Leis Naturaes e Civis de Animar e Dirigir a Geral industria, e Promover a Riqueza Nacional, e Prosperidade do Estado.* Por José da Silva Lisboa Do Conselho de Sua Magestade, Deputado da Real Junta do Commercio, Desembargador da Casa da Supplicação do Reino do Brazil. Rio de Janeiro, Na Impressão Regia, 1819-1820.

_____. *Extratos das obras políticas e econômicas de Edmundo Burke.* Rio de Janeiro, Imprensa Régia, 1812.

LOURENÇO, Fernando Antonio. *Agricultura ilustrada*: liberalismo e escravismo nas origens da questão agrária brasileira. Campinas, Editora da Unicamp, 2001.

LUCRÉCIO. *De la nature* (De rerum natura). Trad. José Kany-Turpin. Paris, Flammarion, 1998.

_____. *Da natureza.* Trad. Agostinho da Silva. In: *Epicuro, Lucrécio, Cícero, Sêneca, Marco Aurélio.* São Paulo, Abril, 1973. (Os Pensadores, v. V).

LUSTOSA, Isabel. *Cairu, panfletário*: contra a facção gálica e em defesa do trono e do altar. Rio de Janeiro, Fundação Casa de Rui Barbosa, 1999. (Papéis avulsos, n. 34).

BIBLIOGRAFIA

LUSTOSA, Isabel. *Insultos impressos*: a guerra dos jornalistas na Independência (1821-1823). São Paulo, Companhia das Letras, 2000.

MAIRE, Catherine. *De la cause de Dieu à la cause de la nation*: le jansénisme au XVIIIᵉ siècle. Paris, Gallimard, 1998.

MANDEVILLE, Bernard. An Enquiry into the Origin of Moral Virtue (first printed, as part of *The Fable of the Bees: or, Private Vices, Public Benefits*, 1714). In: RAPHAEL, D. D. (Ed.). British moralists (1650-1800). Oxford, Oxford University Press, 1969.

_____. Uma investigação sobre a origem da virtude moral. In: *Filosofia moral britânica*: textos do século XVIII. Trad. Álvaro Cabral. Campinas, Editora da Unicamp, 1996.

MAQUIAVEL, Nicolau. O príncipe. Trad. Lívio Xavier. In: *Maquiavel*. São Paulo, Abril, 1973. (Os Pensadores, v. IX).

MARTIN, Jean-Maurice; MOLINO, Jean. Analyse des *Maximes* de La Rochefoucauld. In: GARDIN, Jean-Claude (Org.). *La logique du plausible*: essais d'épistemologie pratique. Paris, Éditions de la Maison de l'Homme, 1981.

MARTINS, Wilson. *História da inteligência brasileira*. São Paulo, Cultrix/ Editora da Universidade de São Paulo, 1977. v. II.

MCKENNA, Antony. Quelques aspects de la réception des *Maximes* en Angleterre. In: LAFOND, Jean; MESNARD, Jean (Org.). *Images de La Rochefoucauld*: actes du tricentenaire (1680-1980). Paris, Presses Universitaires de France, 1984. p. 77-94.

MESNARD, Jean. La rencontre de la Rochefoucauld avec Port-Royal. In: LAFOND, Jean; MESNARD, Jean (Org.). *Images de La Rochefoucauld*: actes du tricentenaire (1680-1980). Paris, Presses Universitaires de France, 1984. p. 161-5.

MICHAUT, G. Avertissement. In: DU VAIR, Guillaume. *De la sainte Philosophie – Philosophie morale des stoïques*. Paris, Vrin, 1946.

MONTAIGNE, Michel de. Ensaios. In: *Montaigne*. Trad. Sérgio Milliet. São Paulo, Abril, 1972. (Os Pensadores, v. XI).

_____. *Œuvres complètes*. Éd. Robert Barral. Paris, Seuil, 1967. (L'Intégrale).

MONTANDON, Alain (Dir.). *Dictionnaire raisonné de la politesse et du savoir-vivre*: du Moyen Âge à nos jours. Paris, Seuil, 1995.

MONTANDON, Alain. *Les formes brèves*. Paris, Hachette, 1992.

MONTEIRO, Pedro Meira. *Un moraliste sous les tropiques*: la présence de La Rochefoucauld dans la *Constituição moral, e deveres do cidadão* (1824/ 1825) de José da Silva Lisboa. Mémoire de D.E.A., dirigé par M. Emmanuel Bury. Université de Versailles Saint-Quentin-en-Yvelines, 2000.

_____. Ridicule. *Revista Entretextos Entresexos*, GEISH/Unicamp, n. 3, p. 159-91, out. 1999.

_____. Um sonho machadiano. *Estudos Avançados*, IEA/USP, (42), p. 449-70, mai-ago. 2001.

MONTENEGRO, João Alfredo de Sousa. *O discurso autoritário de Cairu*. Fortaleza, Edições Universidade Federal do Ceará, 1982.

MORAES, E. Vilhena de (Org.). *Perfil de Cayrú*. Rio de Janeiro, Arquivo Nacional, 1958.

MORELLO, André-Alain. Actualité de La Rochefoucauld. In: LAFOND, Jean (Dir.). *Moralistes du XVIIᵉ siècle*. Paris, Robert Laffont, 1992. p. 103-31. (Bouquins).

· 315 ·

NEVES, Lúcia Maria Bastos P. Censura, circulação de idéias e esfera pública de poder no Brasil, 1808-1824. *Revista Portuguesa de História*, Faculdade de Letras/Universidade de Coimbra, XXXIII, 1999. p. 665-97.

NEWTON, Isaac. Princípios matemáticos da Filosofia Natural. Trad. Carlos Lopes de Mattos. In: *Newton, Leibniz*. São Paulo, Abril, 1974. (Os Pensadores, v. XIX).

NICOLE, Pierre. De la charité et de l'amour-propre. In: *Essais de morale*. Éd. Laurent Thirouin. Paris, Presses Universitaires de France, 1999.

NIETZSCHE, Friedrich. *Humano, demasiado humano*. Trad. Paulo César de Souza. São Paulo, Companhia das Letras, 2000.

NOVAIS, Fernando Antonio; ARRUDA, José Jobson de Andrade. Prometeus e atlantes na forja da nação. In: LISBOA, José da Silva. *Observações sobre a franqueza da indústria, e estabelecimento de fábricas no Brasil*. Brasília, Senado Federal, 1999.

PAIM, Antonio. *Cairu e o liberalismo econômico*. Rio de Janeiro, Tempo Brasileiro, 1968.

PASCAL, Blaise. Pensées. Éd. Philippe Sellier. In: LAFOND, Jean (Dir.). *Moralistes du XVIIᵉ siècle*. Paris, Robert Laffont, 1992. (Bouquins).

PAULA, L. Nogueira de. Introdução. In: LISBOA, José da Silva. *Princípios de economia política*. Rio de Janeiro, Pongetti, 1956. p. 45-60.

PÉCORA, Alcir. Política do céu (anti-Maquiavel). In: NOVAES, Adauto (Org.). *Ética*. São Paulo, Companhia das Letras/Secretaria Municipal de Cultura de São Paulo, 1993.

PESSANHA, José Américo Motta. As delícias do Jardim. In: NOVAES, Adauto (Org.). *Ética*. São Paulo, Companhia das Letras/Secretaria Municipal de Cultura de São Paulo, 1993.

PLANTIÉ, Jacqueline. "L'amour-propre" au Carmel: petite histoire d'une grande maxime de La Rochefoucauld. *Revue d'Histoire littéraire de la France*, n. 4, p. 561-73, juillet-août 1971.

_____. Les "continuateurs" de La Rochefoucauld à la fin du XVIIᵉ siècle. In: LAFOND, Jean; MESNARD, Jean (Org.). *Images de La Rochefoucauld*: actes du tricentenaire (1680-1980). Paris, Presses Universitaires de France, 1984. p. 17-29.

PONS, Alain. Civilité – urbanité. In: MONTANDON, Alain (Dir.). *Dictionnaire raisonné de la politesse et du savoir-vivre*: du Moyen Âge à nos jours. Paris, Seuil, 1995.

QUEVEDO, Francisco de. *Poemas escogidos*. Ed. José Manuel Blecua. Madrid, Editorial Castalia, 1989.

QUIGNARD, Pascal. *Une gêne technique à l'égard des fragments*. Paris, Fata Morgana, 1986.

_____. Traité sur Esprit. In: ESPRIT, Jacques. *La fausseté des vertus humaines*. Paris, Aubier, 1996.

QUINTILIANO. *Institution oratoire*. Trad. Henri Bornecque. Paris, Garnier, 1954.

RETZ (cardinal de, Paul de Gondi). *Mémoires*, t. 1. Éd. A. Feillet. INaLF (reproduction de l'édition de Paris, Hachette, 1870, Grands écrivains de la France). Disponível em <http://gallica.bnf.fr/>.

RIBEIRO, Renato Janine. *Ao leitor sem medo*: Hobbes escrevendo contra o seu tempo. São Paulo, Brasiliense, 1984.

RIMBAUD, Arthur. *Poesia completa*. ed. bilíngüe. Trad. Ivo Barroso. Rio de Janeiro, Topbooks, 1995.

· 316 ·

BIBLIOGRAFIA

ROCHA, Antonio Penalves. *A economia política na sociedade escravista*: um estudo dos textos econômicos de Cairu. São Paulo, Departamento de História-USP/Hucitec, 1996.

_____. Introdução. In: *Visconde de Cairu*. Org. Antonio Penalves Rocha. São Paulo, Editora 34, 2001.

ROLLIN, Charles. *De la manière d'enseigner et d'étudier les Belles-Lettres par raport à l'esprit & au cœur*. Par M. ROLLIN, ancien Recteur de l'Université de Paris, Professeur d'Eloquence au Collége Roial, & Associé à l'Académie Roiale des Inscriptions & Belles-Lettres. Tome Premier. Nouvelle Edition. A Paris, Chez la Veuve Estienne, & Fils, rue Saint Jacques, à la Vertu. 1755.

ROMANO, Roberto. *Brasil, Igreja contra Estado*: crítica ao populismo católico. São Paulo, Kairós, 1979.

ROSSO, Corrado. *Procès à La Rochefoucauld et à la maxime*. Pisa, Editrice Libreria Goliardica, 1986.

ROUARD, E. *Notice sur la Bibliothèque D'Aix, dite Méjanes; Précédée d'un essai sur l'histoire littéraire de cette ville, sur ses anciennes bibliothèques publiques, sur ses monuments, etc*, par E. Rouard, Bibliothécaire, Paris, Chez Firmin Didot Frères, Libraires, Treuttel et Wurtz, Libraires, Aix, Chez Aubin, Libraire, sur le cours, 1831.

SABLÉ (Mme. de). Maximes. In: LAFOND, Jean (Dir.). *Moralistes du XVIIe siècle*. Paris, Robert Laffont, 1992. (Bouquins).

SADE (marquis de). *La philosophie dans le boudoir*. Paris, Bookking International, 1994.

SAINTE-BEUVE, Charles-Augustin. *Port-Royal*. Numérisation BnF de l'édition de Paris, INaLF, 1961 (reprodução da edição de Paris, Hachette, 1860), v. III. Disponível em <http://gallica.bnf.fr/>.

SAINT-EVREMOND. *Œuvres en prose*. Éd. René Ternois. Paris, S.T.F.M., 1966. t. III.

SALAZAR, Philippe-Joseph. *"Aut asinus aut rex*: La Mothe Le Vayer courtisan". Colloque "Le Philosophe et la Cour; XVIe-XVIIIe siècles", org. Emmanuel Bury, Versailles, octobre 1999.

SARAMAGO, José. *O evangelho segundo Jesus Cristo*. São Paulo, Companhia das Letras, 1991.

SAUNDERS, Dero. Introdução do organizador. In: GIBBON, Edward. *Declínio e queda do Império Romano*. Trad. José Paulo Paes. São Paulo, Companhia das Letras/Círculo do Livro, 1989.

SELLIER, Philippe. Introduction aux *Pensées*. In: LAFOND, Jean (Dir.). *Moralistes du XVIIe siècle*. Paris, Robert Laffont, 1992. (Bouquins).

_____. La Rochefoucauld, Pascal, Saint Augustin. *Revue d'histoire littéraire de la France*, année 69, n. 3-4, p. 551-75, mai/août 1969.

_____. Préface. In: *La Bible*. Trad. Louis-Isaac Lemaître de Sacy. Paris, Robert Laffont, 1999. p. XXVIII. (Bouquins).

_____. *Pascal et saint Augustin*. Paris, Albin Michel, 1995.

SÊNECA. *Lettres à Lucilius*. Trad. François et Pierre Richard. Paris, Garnier, 1955. v. 2.

SMITH, Adam. *The theory of moral sentiments*. Ed. D. D. Raphael, A. L. Macfie. Indianapolis, Liberty Fund, 1984.

· 317 ·

UM MORALISTA NOS TRÓPICOS

SOUZA, Antonio Candido de Mello e. A dois séculos d'*O Uraguai*. In: *Vários escritos*. São Paulo, Duas Cidades, 1995.

_____. *Formação da literatura brasileira*: momentos decisivos. Belo Horizonte, Itatiaia, 1981. v. 1.

SOUZA, Iara Lis Franco Schiavinatto Carvalho. *Pátria Coroada*: o Brasil como corpo político autônomo (1780-1831). São Paulo, Fundação Editora da Unesp, 1999.

STAËL (Madame de); VILLERS, Charles de; CONSTANT, Benjamin. *Correspondance*. Dir. Kurt Kloocke. Frankfurt, Peter Lang, 1993.

STAROBINSKI, Jean. La Rochefoucauld et les morales substitutives. *La Nouvelle Revue Française*, n. 163, p. 16-42, juil. 1966; n.164, p. 211-29, août 1966.

STROSETZKI, Christoph. La tradition de la devise chez Saavedra Fajardo, Gracián et dans les maximes de La Rochefoucauld. In: PELEGRIN, Benito (Org.). *Fragments et formes brèves. Actes du IIᵉ Coloque International*. Aix-en-Provence, Publications de l'Université de Provence Aix-Marseille 1, 1990. p. 71-85.

SUSINI-ANASTOPOULOS, Françoise. *L'écriture fragmentaire*: définitions et enjeux. Paris, Presses Universitaires de France, 1997.

SWIFT, Jonathan. *Gulliver's Travels*. (Versão digitalizada, "based on the 1735 Faulkner edition", disponível em <http:// www.jafferbros. com/ lee/gulliver>). Part IV ("A voyage to the country of the Houyhnhnms").

TEIXEIRA, Ivan. História e ideologia em *O Uraguay*. In: *Obras poéticas de Basílio da Gama*: ensaio e edição crítica. São Paulo, Edusp, 1996.

TOCANNE, Bernard. *L'idée de nature en France dans la seconde moitié du XVIIᵉ siècle*: contribution à l'histoire de la pensée classique. Paris, Klincksieck, 1978.

TODOROV, Tzvetan. La comédie humaine selon La Rochefoucauld. *Poétique*, n. 53, p. 37-47, fév. 1983.

TOSI, Renzo. *Dicionário de sentenças latinas e gregas*. Trad. Ivone C. Benedetti. São Paulo, Martins Fontes, 1996.

TRUCHET, Jacques. Orientation de la recherche sur La Rochefoucauld au XXᵉ siècle. In: LAFOND, Jean; MESNARD, Jean (Org.). *Images de La Rochefoucauld*: actes du tricentenaire (1680-1980). Paris, Presses Universitaires de France, 1984. p. 59-64.

_____. Introduction. In: LA ROCHEFOUCAULD. *Maximes*. Éd. Jacques Truchet. Paris, Bordas, 1992. (Classiques Garnier).

VIANNA, Hélio. O visconde de Cairu – jornalista e panfletário (1821-1835). In: *Contribuição à história da imprensa brasileira (1812-1869)*. Rio de Janeiro, Imprensa Nacional, 1945. p. 359-446.

VIEIRA, (Pe.) Antônio. *Sermões*: problemas sociais e políticos do Brasil. Org. Antônio Soares Amora. São Paulo, Cultrix, 1995.

WEBER, Max. *Metodologia das ciências sociais*. Trad. Augustin Wernet. São Paulo/Campinas, Cortez/Editora da Unicamp, 1992. 2 v.

· 318 ·

Créditos das imagens

p. 298: Extraído de *Visconde de Cairu*, org. Antonio Penalves Rocha (São Paulo, Editora 34, 2001).

p. 299: Extraído de La Rochefoucauld, *Maximes* (éd. Jacques Truchet; Paris, Bordas, 1992).

p. 300: Extraído de Jacques Esprit, *La fausseté des vertus humaines* (Paris, Aubier, 1996).

p. 301: Extraído de La Rochefoucauld, *Maximes* (éd. Jacques Truchet; Paris, Bordas, 1992).

p. 301: Idem.

p. 302: Biblioteca Nacional, Rio de Janeiro, seção de obras raras (cópia microfilmada).

p. 303: Idem.

p. 304: Idem.

p. 305: Charles le Brun, *Expressions des passions de l'âme* (1727). Digitalização da ed. de Paris, Aux Amateurs de Livres, 1990. Disponível em Gallica: <http://gallica.bnf.fr>.

Posfácio

Um moralista sob os trópicos ou a estranha viagem do Senhor de La Rochefoucauld

Quando Pedro Meira Monteiro entrou em contato comigo, há alguns anos, para apresentar-me seu projeto de pesquisa sobre o visconde de Cairu e o duque de La Rochefoucauld, senti-me imediatamente intrigado por tal tema: para nós, especialistas do *Grand Siècle* francês, de seus moralistas, poetas e romancistas, o prejuízo mantém-se forte, contra a crença simultânea na universalidade do "classicismo" e na forte identidade de uma cultura propriamente francesa, que pretende impor-se como modelo, mas da qual pressentimos o caráter irredutível e, é preciso reconhecê-lo, "inexportável" para os horizontes longínquos do Novo Mundo.

Aos olhos de um leitor europeu letrado, o horizonte brasileiro evoca efetivamente, desde as origens, o paradigma da *alteridade*[1], e o gosto formado pelos "classicismos" sucessivos da história cultural do Velho Continente (da Renascença italiana ao *Grand Siècle* francês, passando pelo Século de Ouro espanhol), inspirados cada qual por seu turno pela Antiguidade greco-romana e suas lições poéticas, históricas e filosóficas, não pode senão espantar-se com o rasto deixado pelas *Máximas* na literatura e no pensamento de uma civilização radicalmente nova; de fato, esse estranho edifício moral foi composto por um duque e par de França, La Rochefoucauld, testemunho e perdedor da Fronda, último conflito que opôs a nobreza tradicional à nova concepção do poder monárquico, absoluto, que a moderna Razão de Estado estava em via de construir na França e que iria, ao fim, conduzir à Revolução de 1789.

---

[1] Ver a este propósito Mario Carelli, *Cultures croisées: histoire des échanges culturels entre la France et le Brésil, de la découverte aux temps modernes* (Paris, Nathan, 1993), notadamente as p. 21-4, "l'invention de l'autre".

• 321 •

UM MORALISTA NOS TRÓPICOS

José da Silva Lisboa, na sua *Constituição moral* de 1825, parece, com efeito, tomar o contrapé radical da constatação amarga que atravessa a obra de La Rochefoucauld: o otimismo de um fundador de uma nova civilização não devia naturalmente opor-se ao pessimismo de um homem que testemunhava o desaparecimento de uma antiga civilização? A vontade de crer na fundação cristã de um novo império não era, neste caso, paradoxalmente confrontada à descrição, não menos cristã na sua inspiração, da vanidade de uma ordem "demasiado humana" dominada pelo amor-próprio? O trabalho de Pedro Meira Monteiro possui o imenso mérito de propor algumas respostas a essas delicadas questões.

O leitor terá podido apreciar o método de Pedro Meira, que parte de uma reavaliação da obra de Silva Lisboa, reconstruindo o curso de uma tradição crítica no fim das contas bastante desfavorável a este "monumento literário"; de fato, a vontade metodológica de compreender o contexto e os antecedentes da *Constituição moral*, esforçando-se por colocar entre parênteses os dados negativos construídos depois pela recepção crítica, prova a fecundidade de uma aproximação "simpática" da história literária, que aparece então como preliminar necessária à história das idéias que ela esclarece. Tanto mais que a literatura brasileira moderna então em plena fundação repousa, como o mostra Pedro Meira, sobre um projeto ideológico forte, em que toda estética se subordina a um projeto ético (a prescrição moral): uma simples avaliação estética levaria então a desconhecer a função que os criadores assinalavam a seu gesto "literário". Lembrando os modelos próximos (como os *Júbilos da América*, determinantes para as opções estéticas de Silva Lisboa) e os quadros herdados do século XVIII, de que a *Academia dos Seletos* é emblemática, o autor revela as raízes ideológicas que levaram Silva Lisboa a aderir ao processo de independência e a tomar parte na fundação moral da nova nação. Esta tensão entre tradição e novidade, que atravessa toda a sua obra, explica o lugar que vão ocupar as "máximas" no edifício: gênero fortemente marcado pela tradição literária (donde retira "autoridade"), a máxima pode tornar-se o instrumento de diretivas novas. Não foi a plasticidade do gênero que fez sua vivacidade? O próprio La Rochefoucauld, escolhendo a máxima, reapropria-se de uma forma cara aos estóicos, cuja máscara ele pretendia arrancar, como o indica o frontispício da edição de 1665. Mas lá onde Sêneca recomendava a escolha de algumas máximas destinadas a orientar a vida moral, com a ajuda de uma meditação interiori-

• 322 •

UM MORALISTA SOB OS TRÓPICOS

zada[2], o duque e par de França apostava na reviravolta e no equívoco,
que faz tombar as máscaras e as certezas aparentes. Poder-se-ia dizer que,
à sua maneira, Silva Lisboa visa "retornar" ao seu lugar o procedimento
da máxima e dos efeitos morais que ela é capaz de produzir, reatando com
o ideal estóico do gênero.

Daí que o difícil equilíbrio que é preciso saber encontrar entre descrição (satírica?) dos costumes – da ordem da constatação pessimista do
moralista, *laudator temporis acti* – e prescrição axiológica – que exige ao
contrário um otimismo antropológico visando o futuro – conduz diretamente a uma reflexão sobre o elogio, na sua relação com a retórica do
exemplum: o gênero epidítico ("demonstrativo") é em efeito um outro
vetor crucial da palavra política e moral, na medida em que recai sobre
os valores, e sobre o presente – segundo os princípios da retórica clássica; quer dizer que recorre sobretudo à celebração dos valores que forjam
a comunidade. Construir um corpo de máximas, como o empreende Silva Lisboa, é então fornecer as ferramentas de um auto-reconhecimento
à comunidade em via de afirmar-se. O sonho do homem de letras – como perfeito contemporâneo do Balzac da *Comédia humana*, que sonha,
ele também, em instruir os homens graças à sua "história" dos costumes
contemporâneos – é dar a essa comunidade, no momento mesmo em
que ela se constitui, o quadro axiológico no qual ela será logo mais chamada a celebrar sua união.

• • •

O problema que então se põe é o da celebração de uma humanidade nova, heróica, da qual o jovem Brasil seria a terra eleita, enquanto as
Máximas de La Rochefoucauld aparecem bem mais como o laboratório
desabusado da "demolição do herói"[3]; a dúvida fundamental que, na visão pessimista de La Rochefoucauld, arruína a confiança na natureza
humana, conduz naturalmente a pôr de novo em questão as fundações
propriamente humanas da sociedade e da ordem política. Por conseqüência, o convencionalismo radical que se destaca de uma leitura estrita do agostinismo jansenista prepara o terreno para uma leitura maquia-

---

[2] *Cartas a Lucilius*, II, 4.
[3] Ver Paul Bénichou, *Morales du Grand Siècle* (Paris, Gallimard, 1948, rééd. Folio, 1996).

UM MORALISTA NOS TRÓPICOS

veliana da ordem política: "E assim não podendo fazer que o que é justo fosse forte, fez-se que o que é forte fosse justo", escreve Pascal (Pensées, 103); com freqüência sublinhou-se a que ponto Maquiavel e Hobbes pareciam despontar no horizonte de tais fórmulas[4]. Poderia acontecer o mesmo para um leitor das Máximas como Silva Lisboa? O Brasil, terra de todas as utopias, veicula ao contrário o ideal de uma civilização nova, em que a natureza ideal do "bom selvagem" permite aos sonhos de um século XVIII esclarecido pelas "Luzes" esperar uma realização equilibrada e feliz. A cultura clássica de um Silva Lisboa, homem do Novo Mundo, é característica de seu tempo: a integração de modelos provindos da Europa "clássica" deve fazer as vezes dos dados reais de um mundo sem precedentes na memória letrada do Velho Continente. Isso explica sem dúvida o desejo de construir, mesmo a partir do utilitarismo das Luzes (que deve também à herança jansenista[5]), uma sociedade cujos direitos e deveres conservassem um fundamento cristão, em que a ordem providencial, presente neste baixo mundo, conservasse todo o seu lugar, mesmo contra os caprichos contingentes de uma fortuna cega, fosse ela aquela que descreve o neo-epicurismo radical dos materialistas ou aquela que pressentem os teóricos da decadência total do homem, herdeiros da visão do mundo jansenista.

A herança complexa do "signo"-La Rochefoucauld, isto é, a história do texto mesmo das Máximas, acompanhado de sua legenda e dos contra-sensos que se pôde conceber a seu respeito, permite compreender a elaboração do modelo proposto por Silva Lisboa. O trabalho sobre a "recepção" das Máximas que propõe aqui Pedro Meira é, nesse particular, um aporte considerável para a história literária (vista da França), na medida em que se a concebe como o complemento essencial da história das idéias (vista do Brasil); de fato, estima-se tanto melhor o impacto da obra de La Rochefoucauld, tão freqüentemente reduzida, estes últimos anos, a uma abordagem formalista da estética das formas breves e do fragmento (sobretudo na França), quanto se recupera toda a importância moral e política que lhe deram os leitores franceses e estrangeiros nos

---

[4] Bénichou, op. cit., p. 209-10.
[5] Ver Jean Lafond, "De la morale à l'économie politique. La Rochefoucauld, les moralistes jansénistes et Adam Smith", em Lire, vivre où mènent les mots (Paris, Champion, 1999), p. 253-68.

UM MORALISTA SOB OS TRÓPICOS

séculos XVIII e XIX. É particularmente interessante ver como a constatação antropológica pessimista formulada pelo duque atravessa o Século das Luzes, no momento mesmo em que se afirmam os princípios de um direito natural, isto é, quando a ordem da natureza é reabilitada em toda a sua força[6]. Contudo, a ruptura radical entre a ordem da graça e a ordem da natureza, que foi afirmada pelo jansenismo dos anos 1640-1670, levou, como o demonstrou Jean Lafond, depois de Paul Bénichou, a uma autonomização da ordem da natureza, paralela àquela que instaurava por outra via o neo-epicurismo do segundo século XVII[7]. A aliança "objetiva" entre o *materialismo* ao qual conduz um jansenismo radical[8] e o materialismo otimista que se elabora no século XVIII é sem dúvida uma das razões profundas que leva Silva Lisboa, na trilha de comentadores e editores das Luzes, a manter à distância a antropologia que se opera nas *Máximas*. Todo o problema consiste em considerar a parte de lucidez que funda a constatação amarga das *Máximas* e dela retirar os elementos de um quadro fiel da natureza humana. Silva Lisboa, dependendo das leituras possíveis que podia fazer, por exemplo, um Helvétius, tinha o campo livre para tirar todo o proveito das *Máximas* sem subscrever porém a antropologia que as sustém.

Aí está sem dúvida a verdadeira lição das *Máximas*, para um leitor brasileiro do século XIX, como ela deveria ser, de resto, para todo leitor contemporâneo, fosse ele francês, europeu, ou americano: a sutileza das análises, uma vez destacada do contexto estritamente histórico e biográfico que a funda (pode-se insistir, por exemplo, sobre a carreira de La Rochefoucauld, aristocrata opondo-se a Luís XIV, que vê afundar-se o mundo de seus valores), mantém um alcance geral, que lhe garante toda a sua eficácia literária e moral. Que ele tenha podido vivificar, mesmo de forma dialética e aparentemente paradoxal, a reflexão e a obra maior do visconde de Cairu é prova da fecundidade do "signo" literário no quadro de uma história do pensamento. Restringir tais esforços ao traço estético

---

[6] Ver Roger Mercier, *La réhabilitation de la nature humaine (1700-1750)* (Villemomble, 1960).

[7] Jean Lafond, "Augustinisme et épicurisme au XVIIe siècle", *XVIIe siècle*, 135 (1982), p. 149-68, retomado em *L'homme et son image* (Paris, Champion, 1996), p. 345-68.

[8] O termo "materialismo jansenista" foi empregado por Paul Bénichou, op. cit., p. 172, n. 2.

· 325 ·

UM MORALISTA NOS TRÓPICOS

que eles possam deixar (como o afirma amiúde nossa modernidade, sob o risco de uma esterilidade auto-referencial que mata, pouco a pouco, a literatura) equivale a negligenciar o espaço real em que essas obras evoluíram.

Do ponto de vista de um especialista francês da literatura do século XVII – literatura que é consagrada muito freqüentemente como simples modelo escolar (e um pouco simplista) da norma literária – o estudo de Pedro Meira é a um só tempo um banho de Juventa e uma justificação profunda. Banho de Juventa, na medida em que tal estudo nos mergulha de novo na vida real de uma obra fundamental da tradição literária francesa, mostrando os efeitos mais inusitados que ela teve numa cultura literária, política e social que poderia construir-se, com toda legitimidade, sem esta referência. Justificação profunda, nisto que, além do prazer que tive, graças à obra de La Rochefoucauld, de conhecer um jovem e brilhante universitário como Pedro Meira, este estudo mostra que as obras, classificadas hoje em dia na prateleira mais e mais empoeirada da "literatura", conservam um laço primordial e vital com a vida do pensamento atual: esta parte da *memória*, de que Silva Lisboa era ao mesmo tempo o herdeiro e um dos refundadores para o Brasil, é aquilo de que nossa cultura moderna tem mais necessidade, tanto a rapidez e a quantidade da informação parecem, hoje em dia, tornar seu uso obsoleto. Ao convocar La Rochefoucauld sob os trópicos, o visconde de Cairu, malgrado seus desacordos de fundo com as *Máximas*, sabia que dava, à moral que desejava instituir, tanta força quanto a constatação estabelecida pelo duque era severa contra as fraquezas que denunciava. A possibilidade mesma de tal diálogo, entre uma obra recebida hoje em dia como puramente "literária" e uma obra abertamente política e moral, prova o quanto a *res literaria* antiga tem, ainda e sempre, sua palavra a dizer no mundo moderno, por pouco que lhe reservemos este prazer. O mérito incontestável do trabalho de Pedro Meira Monteiro está em prová-lo, com rigor e elegância.

Emmanuel Bury

Esta obra foi composta pelo Grupo de Criação em Meridien,
corpo 9, e impressa na gráfica Assahi em papel pólen soft 80 g/m²
para a Boitempo Editorial em agosto de 2004,
com tiragem de 1.500 exemplares.